OFLA

WEGWEZEN!

Sheila O'Flanagan

Wegwezen!

the house of books

Oorspronkelijke titel
He's got to go
Uitgave
Downtown Press, New York
First published in Great Britain in 2002 by Headline Book Publishing

Vertaling
Cherie van Gelder
Omslagontwerp
Marlies Visser
Omslagdia
Hollandse Hoogte/Photonica/Veer
Auteursfoto
C. McCashin
Opmaak binnenwerk
Zetspiegel, Best

ISBN 90 443 1306 1
D/2005/8899/56
NUR 302

Dankbetuiging

Terwijl ik bezig was met een klein onderzoekje naar horoscopen ten bate van dit boek, kwam ik tot de ontdekking dat ik helemaal geen Ram was zoals ik altijd had gedacht, maar net een uurtje binnen het sterrenbeeld Vissen val. Misschien ben ik daarom wel eerst bij een bank gaan werken, hoewel ik altijd schrijfster wilde worden. Gelukkig hebben een heleboel mensen me geholpen een nieuw leven te beginnen, ondanks het feit dat de horoscoop voor Boogschutters en Vissen af en toe behoorlijk riskant was.

Mijn dank gaat uit naar:

Mijn agent en vriendin, Carole Blake

Mijn twee Amerikaanse eindredacteuren Amanda Ayers en Christina Boys, en iedereen bij Downtown Press

Louise Cox, een voortreffelijk juridisch adviseur, die me hielp de belangrijke dingen in het oog te houden

Sean en alle mensen bij Sweeny & Forte, Ierland, die me aan hun auto's lieten knoeien

Ik bedank mijn hele familie, die altijd geweldig is geweest. Met name mijn zussen Joan en Maureen, die altijd wanneer ik een boek schrijf over zusjes worden lastig gevallen met de vraag of wij ook zo zijn

Dish 'n Dren (oftewel Patricia en Brenda) die me gezelschap hebben gehouden tijdens het uitstapje voor researchdoeleinden

Colm, voor alles wat belangrijk is

En bovendien gaat mijn speciale dank opnieuw uit naar jullie allen die de afgelopen paar jaar mijn boeken hebben gekocht en de overstap van cijfertjesteller naar schrijfster zo fantastisch hebben gemaakt. Ik hoop dat jullie dit boek ook leuk zullen vinden. Als jullie commentaar hebben of contact met me willen opnemen, dan kan dat via mijn website: www.sheilaoflanagan.net. Ik zou het enig vinden om iets van jullie te horen.

1

Kreeft, 23 juni – 23 juli

Beschermend, eigenwijs, humeurig, ruwe bolster, blanke pit.

De dag begon slecht, maar dat verbaasde haar niets. Nessa's horoscoop had al niet veel goeds voorspeld en wemelde van de waarschuwingen voor mensen die dwars zouden gaan liggen, kleine ongelukjes en dingen die niet volgens plan zouden verlopen. Ze was meteen de sterrenbeelden die vlak voor en vlak na het hare zaten gaan controleren, om te zien of ze beter af was geweest als ze een maand eerder of later was geboren.

Tweelingen konden kennelijk een opwindende week tegemoet zien. Voor Leeuwen zouden nieuwe ontwikkelingen een gunstig verloop hebben... nou dat was dan fijn voor Adam. Maar de voorspellingen voor Kreeften waren saai en vaag. Niet zoals vorige maand toen was voorspeld dat ze een onverwachte meevaller zou krijgen en ze al meteen de volgende dag vijfhonderd euro in de staatsloterij had gewonnen. Ze had tevergeefs het boekje *Het komende jaar van de Kreeft* helemaal uitgeplozen om te zien of ze nog meer van die voordeeltjes tegemoet kon zien. Maar kennelijk had ze nu een paar verschrikkelijk saaie weken voor de boeg, vol adviezen om zich op haar vindingrijkheid te concentreren en de tijd te nemen voor een paar belangrijke beslissingen. Ze had ook nog een paar horoscopen in tijdschriften doorgespit om te zien of die wat meer duidelijkheid verschaften, maar die waren al even vaag geweest. Nessa kwam tot de conclusie dat ze maar moest proberen om de week zelf wat interessanter te maken.

Omdat de dag al zo vervelend was begonnen (de wekker was niet afgelopen, dus had ze zich een ongeluk moeten haasten om haar onwillige echtgenoot en haar al even onwillige dochter uit bed te trommelen) hoopte ze maar dat het vanavond beter zou gaan. Ze wilde niet dat de familiebijeenkomst die ze voor vanavond had geregeld door allerlei kleine ongelukjes in het honderd zou lopen. Ik weet niet waarom ik me altijd voor dit soort dingen laat strikken, mompelde ze terwijl ze toekeek hoe de achtjarige Jill haar ontbijt wegwerkte door een hele warme croissant in haar mond te proppen. Eigenlijk zijn ze die moeite niet waard.

Maar het gaf haar een fijn gevoel om het de mensen van wie ze hield naar hun zin te maken. Echt iets voor een Kreeft, zou haar moeder Miriam zeggen en Nessa wist dat ze gelijk had. Maar ze kon er niets aan doen. Ze vond het gewoon heerlijk als ze een huis vol mensen had en nu haar ouders op bezoek waren in Dublin was dat een mooi excuus om de hele familie weer eens bij elkaar te laten komen. Toen Louis vorig jaar met pensioen ging, waren Miriam en hij teruggegaan naar Galway, de provincie waar ze waren geboren. Nessa was er nog steeds niet aan gewend dat ze niet meer bij haar moeder aan kon wippen. Niet dat ze de deur bij Miriam had platgelopen, maar het was toch een prettig idee om haar in de buurt te hebben als er iets misging. Hoewel er zelden iets misging in Nessa's leven. Dat kon ook eigenlijk niet met zo'n man als Adam en zo'n dochter als Jill (ook al pestten ze haar 's morgens door gewoon in bed te blijven liggen).

En toen hoorde ze de klap. Ze stond in de keuken met een kopje koffie in de hand en probeerde het geluid thuis te brengen. Veel moeite hoefde ze daar niet voor te doen, want ze wist precies wat er aan de hand was. Ze had het al vaak genoeg gehoord.

'O, mam!' Aan Jills wijd opengesperde blauwe ogen was te zien dat het muntje bij haar ook was gevallen. 'Heeft pap de auto nou weer in de prak gereden?'

'Daar lijkt het wel op.' Nessa zette haar kopje neer. 'Laten we maar even gaan kijken.'

Ze liepen samen naar de erker om naar buiten te kijken. Adam stapte net uit de auto met een rood gezicht en vuurspuwende ogen. Nessa zag meteen wat er was gebeurd. Toen hij achteruit de oprit afreed, had Adam het spatscherm van een auto die langs het trottoir stond geraakt.

Shit, dacht ze, terwijl ze naar haar ziedende man keek. Dat komt vast omdat hij onder het rijden een croissant zat te eten. Die had ik hem nooit mee mogen geven, ook al was hij te laat voor een vergadering. Hij kan gewoon niets anders doen onder het rijden. Dat zou ik toch zo langzamerhand moeten weten. Ik heb geen horoscoop nodig om me te vertellen dat daar ongelukken van komen.

Maar ja, als hij niet zo'n wanhopig slechte chauffeur was geweest had ze hem misschien nooit leren kennen. Dan waren ze tien jaar geleden gewoon langs elkaar heen gelopen in plaats van telefoonnummers uit te wisselen in de allesbehalve romantische ondergrondse parkeergarage van het Blackrock-winkelcentrum. De parkeerruimte daar hield onder normale omstandigheden al niet over, maar twee dagen voor Kerstmis was het een regelrechte ramp. Het was al moeilijk genoeg om een plekje te vinden met al die andere ongeduldig rondrijdende chauffeurs, maar wegrijden was helemaal een probleem. Dan leek de plek waar je net in had gepast ineens nog veel kleiner.

Maar Nessa had nooit problemen met parkeren. Louis, een beroepschauffeur op tankwagens, had zijn drie dochters zelf leren rijden en goed leren rijden. Nessa, Cate en Bree Driscoll hadden allemaal hun rijbewijs in één keer gehaald.

Maar Adam Riley had altijd de grootste moeite met parkeren. Zijn bezoek aan het winkelcentrum had hem twee uur gekost, waarvan hij zeker de helft had besteed aan het zoeken naar een parkeerplaats. Hij was moe en chagrijnig en hij had veel te veel geld uitgegeven, omdat hij voor iedereen het eerste had gekocht waar zijn oog op was gevallen. En daarna, toen hij nog even rondliep, had hij allerlei dingen gezien die veel geschikter waren en die ook gekocht. Hij vond het niet erg om geld uit te geven – eigenlijk vond hij dat hartstikke leuk – maar nu zat hij bij zijn beide creditcards aan de limiet en op zijn bankrekening stond hij ook al rood. Dus zou hij de komende paar weken heel zuinig moeten zijn. En daar had hij de pest aan.

Hij stapte in zijn auto en keek zenuwachtig om zich heen. De rode auto naast hem stond maar een paar millimeter van de zijne. Aan de andere kant stond een stenen pilaar. En er stond een hele rij auto's te wachten op de plek waar hij allang weg had moeten zijn.

Nessa was de eerste in de rij. Ze zat vrolijk mee te zingen met 'Bohemian Rhapsody' van Queen toen ze zag dat de klootzak die weg probeerde te rijden van de plek waarop zij stond te wachten er een complete puinhoop van maakte. Ze keek toe hoe hij eerst achteruit, vervolgens vooruit en toen weer achteruit reed zonder ook maar een centimeter op te schieten. Ze was blij dat het een vent was die daar zo zat te klungelen, maar ze wist dat de meeste mensen die achter haar in de rij stonden, zouden denken dat een of andere vrouw de boel zat op te houden.

Het zweet stond Adam in zijn handen. Hij wist dat er mensen stonden te wachten. Hij wist dat ze allemaal naar hem zaten te kijken. Meestal vond hij dat leuk, want hij was extravert van nature en genoot van bewondering, maar niet hier. Niet nu.

Hij schrok op toen iemand op het raampje tikte.

'Laat mij het maar doen.'

Het was een klein meisje, hooguit een meter vijfenvijftig. Haar donkerbruine haar krulde om een ovaalvormig gezicht en vanonder een rafelige pony keken twee grijze ogen hem strak aan.

Hij draaide het raampje open. 'Pardon?'

'Als jij zo doorgaat, staan we hier op oudejaarsavond nog,' zei ze. 'En ik wil nog wat boodschappen doen. Dus als je weg wilt, laat mij die auto dan maar even uitparkeren.'

Hij wilde eigenlijk nee zeggen, maar iets in haar ogen maakte dat hij toegaf.

Ze glipte in de auto, zette de stoel in de voorste stand en reed de auto zonder de minste moeite achteruit de garage in. Adam kon zijn ogen niet geloven. De andere wachtende auto's toeterden goedkeurend.

'Bedankt,' zei hij toen ze uitstapte.

'Graag gedaan.'

'Zullen we iets gaan drinken?' vroeg hij tot zijn eigen verbazing. Dat was hij helemaal niet van plan geweest. Hij had al een vriendinnetje. Een slank vriendinnetje met lange benen dat hem net een vermogen had gekost omdat hij een setje bijzonder exotische lingerie voor haar had gekocht.

'Ik geloof niet dat de mensen achter ons dat leuk zouden vinden.' Ze grinnikte tegen hem. 'Die willen alleen maar dat je er als de bliksem vandoor gaat en wel meteen.'

'Een andere keer dan?' vroeg hij.

'Misschien.'

'Wat is je telefoonnummer?'

Ze gaf hem het nummer van de dokterspraktijk waar ze als secretaresse werkte en hij gaf haar zijn nummer, dat ze vrijwel onmiddellijk weer vergat, want ze kon geen cijfers onthouden. Ze verwachtte niet dat hij haar nummer wel zou onthouden. Bovendien had ze al een vriend die uitstekend bij haar paste. Hij werkte bij een bank en was stapelgek op haar.

Ze was naar huis gegaan en had zich in de woonkamer van hun ouderlijk huis in Portmarnock geïnstalleerd met een tijdschrift van Cate. Maar toen ze bij de horoscoop aankwam en de voorspelling voor de Kreeft had gelezen, had ze grote ogen opgezet. *Je vindt het leuk om iemand te helpen die in de problemen zit. Er zullen grote veranderingen in je leven plaatsvinden als je nieuwe mensen op een nieuwe plek leert kennen. Na deze week zal alles anders worden.*

En alles was anders geworden. De man uit de auto, Adam Riley, hing de dag erna al aan de telefoon. Hij had weer gevraagd of ze iets met hem wilde gaan drinken. En dit keer had ze het aanbod aangenomen.

Hij was een echte Leeuw, had Nessa tijdens hun eerste afspraakje geconcludeerd. Hij was lang, met brede schouders en een licht gebruinde huid, ondanks zijn roodgouden haar. Hij was geestig en kon om zichzelf en zijn parkeerproblemen lachen.

Nessa werd halsoverkop verliefd op hem.

Hij stuurde zijn langbenige vriendinnetje de laan uit, ook al had ze hem net driehonderd euro aan ondergoed gekost. Zij maakte het uit met de bankier – sterrenbeeld Vissen, ze zouden perfect bij elkaar hebben gepast. Zes maanden later waren Adam en Nessa getrouwd.

En de afgelopen tien jaar, dacht Nessa toen ze naar hem toe liep, heeft hij het klaargespeeld om minstens één keer per jaar de auto in de prak te rijden. Schattig hoor, maar ook knap irritant.

'Had je die auto niet zien staan?' vroeg ze vriendelijk toen ze de schade bekeek die de blauwe Ford Mondeo en Adams Alfa Romeo hadden opgelopen. Het was een auto van de zaak en Nessa had altijd het idee gehad dat hij beter een Fiat Punto of een nog kleinere auto had kunnen vragen, maar die vond Adam niet chic genoeg.

'Natuurlijk wel,' snauwde Adam. 'Maar ik dacht dat ik erlangs kon. Van wie is die auto trouwens? Wie zet hem daar nou zo verrekt onhandig neer?'

Er lagen hem nog meer scheldwoorden op de lippen toen een slonzig uitziend meisje met ongekamde haren en uitgelopen mascara uit het huis van de buren opdook.

Adam en Nessa keken elkaar even aan. Hun buren waren een weekje weg en hun 22-jarige zoon, Mitchell, was alleen thuis. Min of meer.

'O shit!' riep het meisje. 'Shit, shit, shit.' Ze streek het haar uit haar ogen en keek Adam aan. 'Wat ben jij een klungel,' zei ze. 'Je had ruimte zat.'

'Ik rekende er niet op dat iemand een auto half op mijn oprit had geparkeerd,' reageerde Adam bits. 'Je had beter moeten opletten.'

'Ik had genoeg ruimte opengelaten voor een vrachtwagen!' De woede stond op het gezicht van het meisje te lezen. 'Dat is de auto van mijn vader. Verdomme, hij vermoordt me!'

Nessa wierp een blik op haar horloge. Adam was al laat en dit schoot niet op.

'Neem mijn auto maar mee,' zei ze tegen hem. 'Ik los dit wel op.'

'Jouw auto?' Adam keek naar de kleine Ka. 'Maar...'

'Als je nu weggaat, ben je nog op tijd voor de vergadering,' zei Nessa. 'Maar als je hier blijft kibbelen, kom je te laat.'

'Ik... o, vooruit dan maar.' Adam keek van haar naar het meisje. 'Ik bel je nog wel, Nessa. Maar ik ben niet van plan om toe te geven dat het mijn schuld was. Geen denken aan.'

Ze moest haar lachen inhouden toen hij zijn lange lijf in de Ka propte. Het was absoluut niet zijn soort auto, maar het wagentje zou hem op de plaats van bestemming brengen.

Jill, die achter Nessa aan naar buiten was gelopen, stond het andere meisje vol belangstelling aan te kijken. 'Je hebt geen beha aan, hè?' zei ze.

'Ik ben Nessa Riley.' Nessa keek Jill waarschuwend aan en stak haar hand uit. 'Heb je zin om even binnen te komen voor een kopje koffie?'

Het meisje gaapte en haar boosheid verdween als sneeuw voor de zon. 'Ja, eigenlijk wel. Het duurt toch nog uren voordat Mitch wakker wordt. Ik hoorde dat je man tegen papa's auto knalde. Ik denk dat ik toch al verwachtte dat er een ramp zou gebeuren.' Ze liep achter Nessa en Jill aan naar binnen. 'Ik heet Portia,' zei ze tegen Nessa.

'Net als de auto?' vroeg Jill. 'Mam, ze hebben haar naar een auto vernoemd!'

'Hou jij eens op met dat gekwebbel en pak je spullen,' zei Nessa. 'Ik moet even met Portia praten voordat ik je naar school breng.'

Portia maakte zich kennelijk alleen zorgen over haar vader die woedend zou zijn. 'Volgens hem kan ik voor geen meter rijden,' zei ze tegen Nessa terwijl ze aan de koffie zaten. 'Hij heeft er een hekel aan om mij de auto mee te geven. Ik heb hem nu alleen meegekregen omdat hij het nog vervelender vind als ik in mijn eentje een taxi moet nemen.'

'Dat kan ik me wel voorstellen,' zei Nessa.

'Waarom zou ze niet in haar eentje een taxi mogen nemen?' vroeg Jill. 'Ze is toch al groot?'

'Hoor eens, lieve schat,' zei Portia tegen Jill. 'Wat je vader betreft, word je nooit volwassen.'

'Pap heeft tegen mij gezegd dat hij niet kon wachten tot ik groot genoeg zou zijn om het huis uit te gaan,' zei ze tegen Portia.

'Nadat je een glas cola over zijn toetsenbord had gegooid,' zei Nessa.

Portia schoot in de lach.

'Ik zal je vader wel bellen om hem te vertellen wat er is gebeurd,' zei Nessa.

'Bedankt,' zei Portia. 'Want hij zal mij vast niet geloven als ik zeg dat een vent ertegenaan geknald is. Pa weigert te geloven dat er mannen zijn die nog slechter rijden dan vrouwen.'

'Misschien vertel ik je de volgende keer wel hoe ik Adam heb leren kennen,' zei Nessa. 'Ik denk zelfs dat ik het straks ook aan je vader vertel. Wellicht verandert hij dan van mening.'

'Mam moest paps auto uitparkeren,' zei Jill. 'Hij stond vast in een parkeergarage.'

'Dat lijkt me een uitstekende basis voor een relatie.' Portia stond op. 'Ik ga maar gauw terug naar Mitch.'

'En wij moeten er ook vandoor,' zei Nessa. 'Anders komt Jill te laat.'

Meestal bracht ze Jill lopend naar school, maar omdat ze al laat waren, nam ze Adams auto. Die was eigenlijk nauwelijks beschadigd en hetzelfde gold voor de auto van Portia's vader. Dat betekende (hopelijk) dat ze de verzekering niet in hoefden te schakelen. Adam zou de reparaties wel betalen. Dat deed hij altijd.

Daarna reed ze de stad door naar de dokterspraktijk. Ze hoopte dat het die ochtend niet zo druk zou zijn. Maar dat was ijdele hoop en dat wist ze best. Het was iedere dag druk. Ze hoopte ook dat Adam eraan zou denken dat hij vanavond vroeg naar huis moest, vanwege de familiebijeenkomst. Maar omdat hij zich zo druk had gemaakt over dat gedoe met die auto, zat het er dik in dat hij dat zou vergeten.

2

Ram, 21 maart – 20 april

Energiek, fel, vol zelfvertrouwen.
Het leven is een concurrentieslag.

Toen het alarm op de computer van Cate Driscoll afging, zag ze ineens dat ze al drieëneenhalf uur op kantoor zat. En het was nog pas tien uur. Ze wreef in haar ogen en rekte zich uit. Als je 's morgens zo vroeg op je werk kwam, kon je ontzettend veel dingen doen zonder gestoord te worden, maar het betekende ook dat ze nu al moe was. Als ze de keus had gehad, zou ze waarschijnlijk nooit voor zeven uur beginnen, maar wat had het voor zin om in bed te blijven liggen als Finn haar toch al wakker had gemaakt?

Cate vond het vreselijk dat haar vriend drie keer per week zo vroeg moest beginnen bij het radiostation waar hij werkte, omdat ze nooit meer in slaap viel als hij weg was. Finn had het schattige idee dat hij 's morgen zo stil als een muis door het appartement sloop, maar hij smeet altijd met de deuren en natuurlijk maakte hij al genoeg herrie met zijn scheerapparaat om alle hoop dat ze weer in slaap zou kunnen vallen de grond in te boren. Meestal bleef ze gewoon met haar ogen dicht in bed liggen tot hij de buitendeur achter zich had dichtgetrokken, want het had geen zin om hem te vertellen dat hij meer herrie maakte dan een kudde olifanten. Als ze zich 's morgens echt masochistisch voelde, pakte ze haar sporttas en reed naar de fitness. Maar deze maand liepen de zaken bij de sportfirma waar ze als directeur verkoop werkte niet helemaal volgens plan, dus had ze absoluut geen trek om te gaan sporten.

Finns radioprogramma zou er zo op zitten en dan ging hij eerst in de studio ontbijten voordat hij samen met zijn producer en de andere medewerkers de programma's van volgende week doornam. Omdat het vrijdag was, zou hij ook nog een column moeten schrijven die ieder weekend in een van de kranten werd gepubliceerd en daarna kon hij – de smerige geluksvogel – terug naar huis om nog een paar uurtjes te slapen. Dus als zij vanavond om zes uur als een dweil thuiskwam, zou hij er geen bal van snappen dat ze geen zin had om een paar borrels te pakken in Harry Byrne's pub. Hij zou diep zuchten en tegen haar zeggen dat ze morgen toch niet vroeg op hoefden omdat het zaterdag was, dus wat mankeerde haar in vredesnaam?

Hij vroeg haar de laatste tijd voortdurend wat haar mankeerde. Dan zei hij ook dat ze er niet uitzag en dat ze voortdurend chagrijnig was en daarna begon hij te mopperen dat hij wel met een stel vrienden naar de kroeg zou gaan tot haar humeur was opgeknapt. Cate huiverde terwijl ze zich afvroeg of dat alleen aan het feit lag dat de afdeling Verkoop & Marketing het slechtste kwartaal doormaakte dat ze zich kon herinneren en niet gewoon aan Finn en haar. Ze wilde niet geloven dat er écht iets mis was tussen hen, maar af en toe had ze het gevoel dat ze op het punt stond Finn kwijt te raken en dat hun relatie steeds meer verwaterde. Ze hadden samen drie verrukkelijke jaren achter de rug, sinds die keer dat ze te gast was geweest in het zakenprogramma dat hij 's morgens presenteerde en met hem had gepraat over het nieuwe initiatief dat de sportfirma waarvoor ze werkte had gelanceerd om kinderen in achtergebleven gebieden de kans te geven aan sport te doen. Dat had hun veel belangstelling voor het project opgeleverd en het was ook goede publiciteit voor het bedrijf geweest. Ze was een paar maanden later nog een keer terug geweest om te vertellen wat de meest geslaagde onderdelen van het project waren en had Finn uitgenodigd om als eregast een diner van het bedrijf bij te wonen. Finn had de uitnodiging aangenomen en na het diner was ze met hem meegegaan naar zijn appartement aan de kust waar ze samen een heerlijke nacht hadden doorgebracht. Vanaf die tijd had ze daar iedere nacht geslapen.

Ze zuchtte en liet haar hoofd op haar handen zakken. Ze wenste dat ze wist waarom ze het gevoel had dat alles tegenzat. Ze wist niet precies wat er mis was, ze wist alleen dat alles wat er tegenwoordig uit haar handen kwam op de een of andere manier niet goed aanvoelde. En ze vond het vreselijk dat Finn haar steeds weer vroeg wat er aan de hand was. En het was nog veel erger dat hij af en toe zei dat ze er niet uitzag! Ze wilde niet dat hij het idee zou krijgen dat ze een vrouw was met problemen, een vrouw die er vreselijk uitzag. Van dat soort vrouwen moest Finn niets hebben. Het leven was veel te kort, zei hij, om met een chagrijnig gezicht rond te lopen en allerlei sores op te kroppen. En dat was allemaal goed en wel, dacht Cate somber toen ze haar hoofd optilde en weer naar haar computerscherm keek, maar als je verantwoordelijk was voor de verkoopcijfers en die waren al twee maanden achter elkaar gedaald, dan was het verdomd moeilijk om niet met een gezicht rond te lopen alsof je je laatste oortje had versnoept. Maar haar grootste angst was dat Finn gewoon genoeg van haar zou krijgen. Per slot van rekening was een directeur verkoop niet bepaald van hetzelfde kaliber als een mediaster. En Finn mocht dan een zakenprogramma presenteren, hij was toch op weg om een echte mediaster te worden. Hij werkte ook mee aan een programma dat twee keer per week 's avonds laat werd uitgezonden, met zakelijke onderwerpen die wat minder voor de hand lagen, en de luisterdichtheid was met sprongen omhoog gegaan sinds hij eraan meewerkte.

Af en toe was hij ook te gast in de programma's van andere presentatoren. Vorige week had hij de uitnodiging gekregen om een nieuw merk bier te lanceren, zogenaamd omdat de bierbrouwerij binnenkort de jaarcijfers bekend zou maken en hij dat nieuws in zijn programma mee zou nemen. Maar de presentatie van het nieuwe biermerk had niets met winstcijfers te maken. Cate had achteraf foto's van hem in de krant gezien, geflankeerd door twee modellen van het reclamebureau dat het merk zou promoten. Twee lange, dunne en zwoele meiden en Finn zag eruit alsof hij zich kostelijk amuseerde, terwijl hij aanvankelijk tegen haar had gezegd dat hij helemaal geen zin had om ernaartoe te gaan.

Stel je niet zo aan, zei ze tegen zichzelf. Door de bank genomen was ze een succesvolle, actieve vrouw vol zelfvertrouwen die niet lang en dun en zwoel hoefde te zijn om iets van haar leven te maken. Bovendien was er niets mis met haar uiterlijk. Dat was juist het stomme. Ze wist dat ze aantrekkelijk was en dat het er dik in zat dat Finn in de eerste plaats op haar gezicht was gevallen en niet op haar werk voor de sportfirma. Ze had hoge jukbeenderen, een goed geproportioneerd lijf en een gladde, stralende huid. Het kostte haar iedere ochtend veel tijd om ervoor te zorgen dat ze zo perfect was opgemaakt dat het leek alsof ze helemaal geen make-up droeg. Ze was de eerste om de nieuwste kleuren vloeibare make-up, lipstick en oogschaduw aan te schaffen, zodat ze er altijd bijzonder modieus uitzag. Ze liet haar nagels iedere week en haar haar één keer in de veertien dagen doen. Ze droeg dure kleren uit dure winkels die haar goed stonden. Er was niets mis met haar uiterlijk of de manier waarop ze zich kleedde. Er was ook niets mis met haar carrière. Maar op de een of andere manier had ze tegenwoordig het gevoel dat er goed uitzien en je goed voelen twee verschillende dingen waren, terwijl dat vroeger altijd op hetzelfde neerkwam.

Ze tikte met haar knalrode nagels op haar bureau. Het was pas vijf over tien. En toch leek het net alsof ze hier al uren had zitten piekeren. De deur van het kantoor werd met een klap opengegooid en Glenda Maguire stak haar hoofd om de hoek. De sportfirma hanteerde variabele werktijden voor het personeel. Glenda, Cates assistente, kwam zelden voor tien uur opdagen.

'Hoe voel je je vanmorgen?' Glenda zag er stralend en opgewekt uit.

'Belazerd,' zei Cate.

'O, jee.' Glenda keek haar vol sympathie aan. 'Ben je gisteravond weer met Finn-So-Cool aan de rol geweest?'

Cate knarste met haar tanden. De roddelpers had hem Finn-So-Cool gedoopt en die naam – een woordspeling op de naam van de mythische Ierse strijder Fionn MacCool – was blijven hangen. De Finn van Cate was een moderne strijder. Zijn goudblonde haar viel achteloos over zijn hoge voorhoofd en zijn ogen waren donkerblauwe poelen in een haast volmaakt gezicht. Maar het was een sterk gezicht, een gezicht met karakter. Finn straalde gecontroleerde charme uit. Hij wist wanneer hij moest glimlachen en wanneer hij, als interviewer, iemand het vuur aan de schenen moest leggen. Ondanks het feit dat zijn programma's op een bepaalde sector van het publiek waren gericht had hij het soort luisterdichtheid waarvoor presentatoren van praatprogramma's een moord zouden doen. Finn Coolidge was echt ontzettend populair. Ze mocht blij zijn dat ze hem had.

'We zijn niet op stap geweest,' zei ze rustig tegen Glenda. 'Maar je weet dat Finn heel vroeg opstaat en hij maakt me bijna altijd wakker.'

'Het moet heerlijk zijn om naast zo iemand wakker te worden,' zei Glenda dromerig. 'Ik heb alleen Johnny. En dat is toch anders.'

'Wil je dat rapport dat David McRedmond ons vorige week heeft gestuurd even voor me opzoeken?' vroeg Cate. 'En ik zou wel een kopje koffie willen hebben, Glenda.'

'Komt in orde.' Glenda liep het kantoor uit en trok een gezicht. Haar baas had er vanmorgen echt de pee in, dus ze kon maar beter uit haar buurt blijven.

Cates telefoon ging en ze pakte de hoorn op.

'Hoi, met mij.'

'Hallo, Nessa.' Cate trok een gezicht tegen de telefoon. Ze had helemaal geen zin om met haar oudere zus te praten. Ze was dertig en maar vier jaar jonger dan Nessa, maar af en toe gaf Nessa haar het gevoel dat ze nog steeds een kind was. Cate wist eigenlijk niet hoe Nessa dat klaarspeelde, als je ervan uitging dat ze maar een parttime receptioniste was en een bijna fulltime ideale huisvrouw, terwijl Cate zelf een carrière had en niet zomaar een baan.

'Ik belde over vanavond.'

'Wat is daarmee?' vroeg Cate.

'Je was het toch niet vergeten, hè? Mam en pa komen vanavond op bezoek. En jij en Finn zouden ook komen.'

'Nee, dat was ik niet vergeten.' Hoewel ik wou dat ik daar onderuit kon, dacht Cate. Ze kon zich niets akeligers voorstellen dan de hele avond in Nessa's keurige, zogenaamd gezellige huis te moeten zitten.

'Het leek me gewoon leuk als jullie vroeg konden komen,' zei Nessa tegen haar. 'Zodat we er allemaal zijn als mam en pa arriveren.'

'Nessa, het zijn onze ouders,' zei Cate geïrriteerd. 'We hoeven echt geen indruk op hen te maken, hoor.'

'Ik probeer ook geen indruk op hen te maken,' zei Nessa. 'Ik wil ze gewoon het gevoel geven dat ze welkom zijn.'

'Waarom?' vroeg Cate. 'Dat weten ze allang.'

'Je bent echt hopeloos als het om familie gaat, Catey. Het is gewoon een vriendelijk gebaar, anders niet.'

'Mij best,' zei Cate. 'We zullen er zijn. Moet ik nog iets meebrengen?'

'Nee,' zei Nessa. 'Ik heb gisteren een cake gebakken. Met chocoladeglazuur. Eerst wilde ik citroen doen, maar volgens mij houdt mam toch meer van chocola.'

Hoe slaagt ze er toch in om altijd zo zelfingenomen over te komen, vroeg Cate zich af. Zo netjes, zo bedaard en zo verdomd zeker van alles. Ik zit naar ons marketingbudget te kijken en me af te vragen waar ik voor het eind van het kwartaal nog eens honderdduizend euro vandaan moet halen en het belangrijkste wat zij aan haar hoofd heeft, is of ze chocolade- of citroenglazuur zal gebruiken.

Cate fronste. Ze was niet jaloers op het leven dat haar zusje leidde, ook al leek ze nooit onder druk te staan. Adam nam alle zorgen voor zijn rekening, waardoor Nessa zich kon concentreren op haar mooie huis, haar schattige kind en de vraag of ze citroen- of chocoladeglazuur zou gebruiken. Nessa hield zich bezig met het huishouden en Adam nam de rest voor zijn rekening, een toestand waar ze allebei kennelijk tevreden mee waren. Cate wist zeker dat zij er knettergek van zou worden. Maar ze moest wel toegeven dat Nessa zich ook geen zorgen hoefde te maken over haar relatie. Ze kookte, ze poetste en babbelde over verschillende soorten glazuur en daar was ze gelukkig mee. Nijdig schoof ze de muis over haar bureau.

'Je raadt nooit wat er vanmorgen is gebeurd,' zei haar zus opgewekt.

'Wat dan?' Cate had geen zin om te raden.

'Adam is weer met de auto tegen iets opgeknald.'

Hè gelukkig, dacht Cate, in dat opzicht waren de Rileys in ieder geval geen volmaakt gezinnetje. 'Alweer?'

'Hij reed achteruit de oprit af, zo tegen een andere auto aan.' Ze giechelde.

'Wat heb je gedaan?'

'O, ik heb alles al geregeld. Adam moest snel weg, hij had een vergadering in Loughlinstown. Hij heeft de Ka meegenomen.'

'De Ka! Op de een of andere manier kan ik me Adam niet in een Ka voorstellen.'

'Hij past er ook eigenlijk niet in,' beaamde Nessa. 'Maar hij had geen keus. Ik heb Jill in de Alfa naar school gebracht en de garage gebeld om een afspraak te maken, maar Bree was er nog niet. Ik bel straks nog wel een keer.'

'Ze is 's morgens nooit op haar sterkst,' zei Cate.

'Nee, dat geloof ik ook niet,' zei Nessa. 'O, tussen twee haakjes, ik heb vanmorgen je horoscoop gelezen. Die zag er schitterend uit, Cate. Het schijnt dat Mars in de baan komt van Saturnus of zo en dat is heel goed voor Rammen. Er stond in dat je fantastische nieuwe kansen zou krijgen.'

'Echt waar?' zei Cate sceptisch.

'Echt waar,' zei Nessa. 'Dus ik dacht dat je maar beter voorbereid kon zijn, voor het geval zich zo'n schitterende nieuwe kans voordoet. Ik weet dat zulke dynamische mensen als jij die niet graag voorbij laten gaan.'

'Het is allemaal onzin,' zei Cate.

'Helemaal niet,' protesteerde Nessa. 'De mijne klopte van de week ook precies. Er zouden allerlei kleine dingen misgaan en dat is precies wat er is gebeurd. En hoe zit het dan met vorige maand? Er stond in dat ik een meevaller zou hebben en dat klopte ook. Vijfhonderd euro in de staatsloterij. Dus zeg nou niet dat het onzin is.'

Dat verhaal over het winnende staatslot hing Cate inmiddels de keel uit. 'Maar niet iedereen die in juli is geboren heeft vijfhonderd euro gewonnen,' zei ze.

'Maar ík wel,' zei Nessa triomfantelijk. 'En dat is het enige dat telt. Hoor eens, Cate, ik moet ophangen, ik kan niet de hele dag blijven kletsen... er komt net een stoot nieuwe patiënten aan. Tot ziens dan maar.'

'Tot ziens,' zei Cate, hoewel Nessa de verbinding had verbroken. Allemachtig, dacht Cate kribbig terwijl ze haar e-mails doorkeek, je zou gewoon denken dat Nessa degene was met de veeleisende baan. Het was Nessa die Cate had gebeld en niet andersom en toch had Nessa net gedaan alsof zij haar van haar werk hield. Ze kreeg zin om te schreeuwen.

Glenda klopte op de deur en zette een kopje koffie op Cates bureau.

'Vergeet niet dat je om elf uur een afspraak hebt met Jack Mullen,' zei Glenda. 'En Barbara Donovan wil je vandaag ook even spreken. En om twaalf uur komen die mensen van PhotoSnap hier om over de brochure te praten.'

'Dat is prima, Glenda.' Cate nam een slokje koffie. Het smaakte vies en ze duwde het kopje opzij.

'En Finn heeft ook gebeld,' voegde Glenda eraantoe. 'Maar ik zei dat je in gesprek was.'

'Heeft Finn gebeld?' Daar keek Cate van op. Hij belde haar vrijwel nooit op het werk. 'Heeft hij een boodschap achtergelaten?'

'Nee,' zei Glenda. 'Hij zei dat hij na de lunch wel terug zou bellen. Het was niet belangrijk. En hij zit de hele morgen in een bespreking.'

'Prima,' zei Cate opnieuw. Finn en ik, dacht ze. Mediaster en zakenvrouw. Partners. Misschien doet zich wel een geweldige nieuwe kans voor ons samen voor en krijgt Nessa met haar stomme voorspellingen toch gelijk. Ze nam nog een voorzichtig slokje koffie en trok haar neus op. Het was echt te goor om op te drinken. Ze gooide de rest in de pot van de plant die naast haar bureau op de grond stond. Die zag er toch een beetje vermoeid uit. Misschien hielp de cafeïne daartegen.

3

Boogschutter, 23 november – 21 december

Vriendelijk, enthousiast en optimistisch.
Filosofen die van een pleziertje houden.

Bree Driscoll hees zich in haar kleren, pakte haar rugzak en denderde binnen vijf minuten de trap in haar flatgebouw af. Haar haar was nog steeds nat van de dertig seconden die ze onder de douche had gestaan en het plakte aan haar hoofd toen ze haar zwarte helm opzette. Ze had haar leren handschoenen nog niet eens aan toen ze haar gloednieuwe Yamaha startte en over de Morehampton Road naar Crosbie's garage stoof.

Het was precies kwart over tien toen ze de werkplaats in rende, haar kaart greep en die in de prikklok duwde.

'Ik dacht dat jij vandaag van tien tot acht zou werken,' zei Rick Cahill.

'Niet zeiken, Rick.' Ze holde langs hem heen en liep de trap op naar de garderobe, waar ze een met olievlekken bedekte overall aanschoot.

'Hé, Bree, Christy zoekt je.' Mick Hempenstall gooide haar een smerige lap toe. 'Die heeft hij onder de motorkap van die Romeo uit '99 gevonden. O, en hij zei ook dat je om tien uur had moeten beginnen.'

'Dat weet ik wel.' Bree maakte de drukknoopjes van haar overall dicht. 'Ik ben te laat. Ik blijf vanavond wel langer.'

'O ja?' Christy, de servicemanager, kwam net de kamer in lopen en Bree kreunde binnensmonds. 'Dat is heel lief van je, Bree, maar ik heb liever dat je op tijd bent.'

'Het spijt me, Christy.' Bree wist dat het geen zin had om met hem in discussie te gaan. 'Echt waar. Ik heb me verslapen.'

'Dat had ik al begrepen,' zei Christy. 'Hebben ze je weleens verteld dat je twee keer zo hard moet werken als je mannenwerk doet?'

'Niet als ik drie keer zo goed ben,' weerlegde Bree.

Rick begon snuivend te lachen en Christy keek hem boos aan.

'Schiet maar op,' zei Christy. 'De zilveren Alfa op de vierde brug. Een grote beurt.'

'Ja, hoor,' zei Bree. 'Het spijt me echt.'

Ze holde de trap af en haalde de werkkaart voor de Alfa op. Daarna drukte ze op de knop om de brug op de juiste hoogte te zetten. Ze ging onder de auto staan en slaakte een zucht van opluchting.

Voortaan zou ze een briefje op haar kussen leggen om haar eraan te herinneren dat ze de wekker moest zetten. Dat vergat ze vaak, omdat ze altijd het idee had gehad dat ze vanzelf wakker zou worden als het licht werd. Maar dat was wel riskant als je pas om drie uur 's nachts thuis was gekomen en meer bier had gedronken dan goed voor je was.

Het was maar goed dat ze echt twee keer zo goed was als de meeste andere monteurs in de garage, dacht ze, terwijl ze haar plastic handschoenen aantrok. Anders zou Christy haar vast ontslaan.

Ze droeg altijd handschoenen als ze werkte, want dat was de enige manier om te voorkomen dat je handen en nagels vol olie en smeer kwamen te zitten. En hoewel er werd gezegd dat je op die manier voorkwam dat je kanker kreeg van olieafvalproducten werden ze maar door de helft van de mannen gedragen.

Echte mannen hebben geen handschoenen nodig, had Rick op haar eerste dag gezegd en ze had lachend geantwoord dat ze toch geen echte man was, dus dat maakte niets uit. Maar priegelwerk kon je beter met je blote handen doen, had hij volgehouden, want met zo'n laag plastic werd je gevoel minder. De volgende maand had ze Rick een pakje condooms voor zijn verjaardag gegeven. De hele garage had het grapje doorgehad, behalve Rick.

'Hé, Bree!' Dave wenkte haar. Ze liep naar hem toe. 'Je zus heeft gebeld.'

'Welke?' vroeg Bree.

'De aardige,' zei Dave.

Bree grinnikte. Ze begreep meteen welke zus hij bedoelde. De kerels in de garage vonden Nessa aardig en Cate een stuk chagrijn. Ze kenden Nessa allemaal omdat ze regelmatig langskwam om Adams Alfa te laten repareren en omdat ze vaak even binnenwipte als ze op bezoek ging bij haar vriendin Paula. Cate, die ook in een Alfa reed, kwam veel minder vaak langs en als ze haar auto bracht, gaf ze gewoon haar sleutels af bij de receptie en vroeg of ze haar wilden bellen als de wagen klaar was.

'Heeft Nessa gezegd wat er aan de hand was?' Bree hield Christy in de gaten die met de beheerder van het magazijn stond te praten.

'De gewone reden, maar het was niet dringend zei ze.'

'De gewone reden?' Bree en Dave keken elkaar even aan. 'Vertel me nou niet dat hij hem weer total loss heeft gereden.'

'Zo'n vent zou nooit in zo'n duur model mogen rijden,' zei Dave vol afkeer. 'Dat is echt een auto voor jou, Bree.'

'Ik ben blij met mijn motor,' zei ze. 'Ik ben nog veel te jong voor een auto.'

Christy's gesprek met de magazijnbeheerder was afgelopen en hij stond op het punt de werkvloer op te lopen. 'Ik bel haar straks wel,' zei Bree en liep haastig terug om verder te gaan met de grote beurt.

Nadat ze de verschillende leidingen had gecontroleerd, begon ze de wielmoeren los te maken met de hydraulische moersleutel. Het was een eenvoudig klusje dat ze iedere dag moest doen, maar ze vond het nog steeds opwindend. Vanaf de dag dat ze op tv had gezien hoe het team van McLaren tijdens een grand prix-race de banden had verwisseld, had ze besloten dat zij dat ook wilde. En hoewel ze nooit een baantje had kunnen krijgen bij een Formule I-team, had ze tijdens de vier jaar praktijkopleiding die ze had moeten volgen om een gediplomeerd monteur te worden van iedere minuut genoten.

'Waarom was je te laat?' Dave keek toe hoe ze een wiel van de auto tilde.

'Het is gisteravond nogal laat geworden,' zei Bree. 'Ik lag pas om een uur of vier in bed. Bij nader inzien niet zo verstandig.'

'Is je nieuwe vriendje zo veeleisend?' vroeg Dave.

'Was dat maar waar.' Bree grinnikte. 'Misschien sla ik nog wel een keer een aardige vent aan de haak!'

'Ik kan het nog zo vaak vragen, maar je blijft maar nee zeggen,' zei Dave klagend.

'Ik heb geen zin om mijn leven met een andere sleutelaar te delen.'

Hun wederzijdse plagerijtjes waren de normale gang van zaken. 'Dan zouden de ventilatieriemen door de slaapkamer slingeren.'

'Ik dacht eigenlijk meer aan jarretelgordels,' zei Dave en ze trok een gezicht tegen hem.

Toen ze de wielen en de remschijven had gecontroleerd, trok ze haar handschoenen uit en liep naar de telefoon.

'Met de praktijk van dokter Hogan.' Nessa nam de telefoon altijd aan met een zangerig toontje dat heel anders klonk dan haar normale stem.

'Hallo, hallo,' zei Bree. 'Ik heb overal etterende zweren op mijn lijf en ik geloof dat mijn been er net afgevallen is.'

'Waar zat je vanmorgen?' wilde Nessa weten. 'Je hebt mij altijd verteld dat je al om acht uur begint.'

'Ik ben er ook meestal om acht uur,' zei Bree. 'Maar vanmorgen hoefde ik pas om tien uur te beginnen.'

'Maar ik belde om tien over tien en niemand wist waar je uithing.'

'Ik was nog onderweg,' zei Bree.

'Maar als je er om tien uur had moeten zijn, dan is het niet verstandig als je om tien over tien nog onderweg bent, hè?' zei Nessa. 'Dat zal je werkgever ook vast niet leuk vinden. Misschien word je...'

'Hou op, Nessa,' viel Bree haar in de rede. 'Waarom heb je gebeld?'

'Er zijn twee dingen,' zei haar oudere zus. 'Ten eerste wilde ik je nog even aan vanavond herinneren. Ik wil graag dat je hier om een uur of halfacht bent.'

'Dat gaat niet,' zei Bree. 'Ik moet tot acht uur werken en ik zal nog wel iets langer moeten blijven omdat ik vanmorgen te laat was.'

'Dat bedoelde ik nou,' zei Nessa. 'Als jij ervoor zou zorgen dat je op tijd begon, zou je ook niet langer hoeven te blijven en dan zou je je ook aan je andere verplichtingen kunnen houden.'

'Nessa, het zijn mam en pa maar.'

'Maar daarom kun je hier wel op tijd zijn,' zei Nessa.

'Ik kom zodra ik klaar ben,' beloofde Bree.

'Ik had erop gerekend dat je mee zou eten,' zei Nessa.

Bree zuchtte. Het was een verleidelijk idee, want ze had al wekenlang geen fatsoenlijke maaltijd meer gehad.

'Ik zorg dat ik er om negen uur ben,' zei Bree.

'Je zit toch verdomme niet in het buitenland,' snauwde Nessa. 'Negen uur is veel te laat.'

'Ik probeer zo gauw mogelijk te komen,' zei Bree.

'Oké.' Nessa leek maar gedeeltelijk tevredengesteld. 'En dan wou ik ook nog even weten wanneer je tijd hebt om naar Adams auto te kijken.'

'Heeft hij het weer voor elkaar?' zei Bree.

'Ja, maar dit keer is het een peulenschilletje,' zei Nessa. 'Alleen het rechterachterlicht.'

'We hebben het ontzettend druk op dit moment.' Bree keek om zich heen. Alle bruggen waren bezet en er stonden nog een stuk of tien auto's te wachten. Meestal werkten ze per dag zo'n twaalf tot vijftien grote beurten af en nog een stuk of wat andere klusjes. De reparatie aan Adams auto kon een paar minuten duren of een paar uur, afhankelijk van de schade.

'Volgens mij is er niet veel aan de hand,' zei Nessa. 'Maar ik wil wel dat je er even naar kijkt. In ieder geval moet het kapje van het rechterachterlicht worden vervangen.'

'Dat zal ik vanavond wel meebrengen,' zei Bree. 'En dan zal ik ook even kijken hoe lang de reparatie zal duren.'

'Fijn. O, en luister, ik heb Cate ook al verteld wat er voor haar stond omdat die van mij zo goed klopte, maar volgens je horoscoop heb je deze week niets anders dan geluk,' zei Nessa.

'Ik vind het jammer om je teleur te stellen,' zei Bree, 'maar tot dusver heb ik deze week alleen maar op m'n duvel gehad.'

'Als je gewoon op tijd zou zijn, zou dat niet gebeuren,' zei Nessa tegen haar. 'Maar misschien is het toch een goed idee om een kraslot te kopen of zo.'

'Jij bent mijn oudste zus,' zei Bree. 'Je bent zelfs negen jaar ouder dan ik, maar af en toe gedraag je je als een puber. Je gelooft toch niet echt in dat gelul over die sterren?'

'Bij mij klopt het altijd,' zei Nessa. 'En je weet best dat vorige maand...'

'Ja, ja,' viel Bree haar in de rede. 'Je klapper in de staatsloterij.'

'Precies,' zei Nessa. 'Dus ik zou er toch maar op letten als ik jou was en het niet wegwuiven.'

'Goed, hoor,' zei Bree. 'Nu ga ik maar weer aan het werk, voordat ik echt op straat word gezet.'

Ze hing op, pakte een kop koffie en liep met het piepschuim bekertje in haar hand terug naar de Alfa.

De slang van de olietank hing naast de persluchtsleutel aan de muur.

Ze trok hem mee naar de auto en begon de olie bij te vullen. Ze gaapte opnieuw en wenste dat de koffie zou gaan werken. Ze was nog steeds ontzettend slaperig.

'O, fuck!'

Haar uitroep galmde door de werkplaats en de andere monteurs keken op om te zien wat er aan de hand was. Ze begonnen te lachen toen ze de zwarte, kleverige plas zagen die zich rond haar laarzen had gevormd. Ze was vergeten de stop weer in de olietank te doen. Haar laarzen waren volkomen geruïneerd.

'Goed gedaan, Driscoll!' Rick stak zijn hand op.

'Slim hoor, Bree,' zei Dave.

'Hou alsjeblieft op,' zei ze dringend. 'Als Christy dit ziet, slaat hij op tilt. En ik kan me echt niet veroorloven om nu mijn baan kwijt te raken,' ging ze zenuwachtig door. 'Niet nu ik net die lening voor mijn nieuwe motor heb afgesloten.'

Ze keek vol walging naar de plas olie die langzaam groter werd en glimlachte wrang bij de gedachte aan wat Nessa net had gezegd. Ze trok een paar papieren handdoekjes uit de automaat en depte haar kleren af, zonder dat het veel verschil maakte. Nessa zou ongetwijfeld zeggen dat ze de inhoud van een horoscoop niet letterlijk moest nemen. Maar het enige waar zij nu aan kon denken was dat nieuwe laarzen haar verdomme een vermogen zouden kosten!

De maan in het teken van de Kreeft

Heel intuïtief, emotioneel, hartelijk.

Het was echt verbazend dat ze zo goed met elkaar konden opschieten, dacht Nessa terwijl ze naar haar vader en haar man keek die met elkaar in de woonkamer zaten te kletsen. Zeker als je naging dat ze zo verschillend waren. Louis was een door-en-door conservatieve man, die vond dat je je bescheiden op moest stellen en dat je een appeltje voor de dorst moest hebben. Adam hing graag de grote meneer uit en vond het leuk om meteen de nieuwste hebbedingetjes aan te schaffen. Louis keek naar Gaelic football, Adam hield van rugby. Louis was goed met zijn handen, Adam was goed met zijn hoofd. Maar ze hadden allebei behoefte aan mensen op wie ze konden steunen. Miriam had al veertig jaar voor Louis gezorgd op een manier dat hij niet eens in de gaten had dat er voor hem gezorgd werd. En Nessa zorgde ook voor Adam. Hij werkte ontzettend hard en ze hoopte van harte dat zijn huis voor hem een oase van rust was.

Nessa wist dat er mensen waren die haar hopeloos ouderwets zouden vinden. Maar dat kon haar niets schelen. Vrouwen die zeiden dat ze alles wilden – zoals Cate bijvoorbeeld – snapten het gewoon niet. Je kon niet alles hebben, je moest keuzes maken in het leven. Die vrouwen zouden eigenlijk eens moeten beslissen waar ze echt gelukkig mee zouden zijn. Maar de meesten van hen konden dat niet.

'Jill en ik komen van de zomer bij jullie logeren.' Nessa die had staan luisteren naar Adam en Louis die over het betegelen van badkamers zaten te praten (ze piekerde er niet over om Adam de kans te geven zelf de badkamer te betegelen, ze zouden gewoon een beroepstegelzetter in de arm nemen, zoals altijd), keek haar moeder aan en glimlachte.

'Prima,' zei Miriam. 'We hebben ruimte genoeg.'

Het huis dat ze na hun pensioen hadden gekocht was een bungalow met drie slaapkamers in Salthill. Miriam was opgegroeid in Salthill en ze had er altijd naar verlangd om terug te gaan.

'Vorig jaar was het hartstikke leuk bij jullie,' zei Jill die aan Miriams voeten zat. 'Jullie huis is veel mooier dan het onze, oma.'

'Hartelijk bedankt, Jill.' Adam had haar opmerking gehoord. 'Dat is de laatste keer dat ik mijn goeie geld heb verspild aan al die Lara Croft-spullen voor je slaapkamer.'

'Pap!' jammerde Jill en Nessa grinnikte.

'Let maar niet op je vader,' zei ze tegen Jill. 'Hij is vandaag niet in zijn beste humeur.'

'Vanwege de auto.'

'Wat is er met de auto aan de hand?' vroeg Louis terwijl Adam Jill en Nessa op een boze blik trakteerde. Hij vertelde Louis in het kort wat er was gebeurd. Hij had er een hekel aan om toe te geven dat hij als chauffeur te wensen overliet. Tegenover zijn vrienden kon hij daar weleens een grapje over maken, maar met Louis was dat niet het geval.

Toen er werd aangebeld slaakte Nessa een zucht van opluchting. De komst van een van haar zussen zou het gesprek wel op een ander onderwerp brengen. Ze liep naar de deur en kwam terug met Cate en haar vriend Finn in haar kielzog.

Het is niet eerlijk, dacht Nessa toen haar zus haar beide ouders een kus gaf. We hebben dezelfde genen. We hebben dezelfde bouw. Hoe slaagt zij er dan in vredesnaam in om er zo uit te zien, terwijl ik me zo moet uitsloven om er alleen maar netjes uit te zien? En hoe krijgt ze het voor elkaar om nog steeds maat zesendertig te hebben, terwijl ik mijn uiterste best moet doen om in maat veertig te passen? Cate leek zelfs nog dunner dan anders, peinsde Nessa. Zeker in dat slank afkledende zwarte linnen jurkje en met haar donkere haar uit haar gezicht. Ze wist niet zeker of haar zus er zo wel op haar voordeligst uitzag. Het leek alsof ze bij het eerste het beste zuchtje wind omvergeblazen zou worden. Alleen zou ze zich nooit omver laten blazen, want iedereen wist dat Cate taai was en heel zakelijk. Op een dag zou ze iemand zijn. Alleen was ze natuurlijk allang iemand, maar waarschijnlijk vond ze dat zelf nog niet genoeg. En, dacht Nessa verder terwijl ze haar zus met een vriendelijke glimlach welkom heette, misschien was het ook wel heel moeilijk om van jezelf te denken dat je echt een fantastische persoonlijkheid bent als je constant met zo'n vent als Finn op stap bent.

'Hallo, Nessa.' Cate ging elegant naast haar moeder op de bank zitten terwijl Finn een glas wijn accepteerde. 'Sorry dat we een beetje laat zijn. Hoe gaat het met jou?'

'Prima, dank je wel.'

Nessa keek naar Finn. Zijn knappe uiterlijk bracht haar altijd even van haar stuk. Ze viel niet op Finn, omdat hij gewoon veel te aantrekkelijk was, en bovendien hield ze veel te veel van Adam om aandacht voor andere mannen te hebben. Maar Finn had wel iets hypnotiserends.

'Hoe gaat het met de zakenwereld?' vroeg ze aan hem.

Finn glimlachte. 'Wie zal het zeggen?'

'Jij,' zei Nessa. 'Ik dacht tenminste dat Finn-So-Cool van dat populaire ochtendprogramma op de radio het reilen en zeilen in dit land op zijn duimpje kende.'

'O, alsjeblieft.' Hij zuchtte. 'Ik haat die bijnaam. En ik weet niet meer dan een ander. Maar dat doet er ook niet toe, aangezien ik toch van baan verander.' Hij keek triomfantelijk om zich heen.

'Van baan verander?' Miriam keek eerst naar hem en toen naar Cate. Haar dochter glimlachte flauw.

'Ja,' zei ze tegen Miriam. 'Finn heeft zich laten overhalen om zijn saaie ochtendprogramma over de economie en de zakenwereld in te ruilen voor de zware concurrentie binnen de wereld van de praatprogramma's die 's avonds worden uitgezonden. Op tv, niet op de radio.'

'Echt waar?' Miriam keek hem verrukt aan. 'Een praatprogramma? Dat is geweldig nieuws, Finn.'

'Ja, hè?' zei Cate. Ze was zelf nog niet helemaal over de schok heen. Finn had haar niet verteld dat hij een aanbod had gehad om een tv-programma te gaan presenteren, hij had er met geen woord over gesproken. Tot hij haar vandaag opbelde om te zeggen dat alles in kannen en kruiken was. Ze had met een hol gevoel van jaloezie en angst geluisterd naar zijn opgewonden stem die haar vertelde hoe fantastisch het allemaal was gegaan. Finn zou een tv-ster worden en nog beroemder dan hij al was. En zij was helemaal niets.

'Wanneer begin je, Finn?' vroeg Nessa. 'Zit je al in het zomerschema of kom je pas in de herfst op het scherm?'

'In de herfst... dat is veel beter,' verzekerde Finn haar. 'Ik zit op de vrijdagavond en ik heb al uitgebreid gesproken over hoe het eruit zal gaan zien.'

'Gefeliciteerd.' Adam hief zijn wijnglas op.

'Het is geweldig nieuws, Finn,' zei Miriam. 'Ik ben nu al een halve beroemdheid in Salthill omdat er mensen zijn die weten dat je de vriend van mijn dochter bent. En als jullie in de roddelbladen komen, word ik helemaal beroemd!'

'We komen niet in de roddelbladen,' zei Cate.

'Finn waarschijnlijk wel,' zei Nessa tegen haar. 'Je moet reëel zijn, Catey. Hij is de meest fotogenieke man van Ierland.'

Finn lachte. Adam keek een beetje minachtend. Louis grinnikte.

'Ik ga even naar het eten kijken,' zei Nessa. 'Ik heb een stoofschotel van rundvlees in bier gemaakt, omdat Bree zei dat ze vrij laat zou zijn.'

'Waarom?' vroeg Cate.

'Omdat ze vanmorgen te laat was, moet ze vanavond langer doorwerken,' zei Nessa afkeurend. 'Die meid moet echt een schop onder haar kont hebben. Ik snap niet hoe ze kan denken dat ze op die manier haar baan houdt.'

'Misschien omdat ze goed is,' suggereerde Finn.

Een halfuur later begon Nessa zich echt ernstige zorgen te maken over haar eten toen er werd aangebeld.

'Het spijt me ontzettend,' zei Bree toen ze de kamer binnenstoof. 'Ik weet dat ik te laat ben. Ik had aan Christy gevraagd of ik toch iets eerder weg mocht, ook al was ik vanmorgen te laat, en hij had al ja gezegd. Maar net toen ik weg wou gaan, kwam een of ander oud wijf binnen om haar auto na te laten kijken. En zelfs op een motor was het verkeer in de stad niet om door te komen...'

'Het is al goed, hoor,' zei Miriam. 'We hebben gewoon op je gewacht.'

'Daar had ik eigenlijk ook wel op gerekend.' Bree keek Adam aan. 'Ik heb het kapje voor je achterlicht bij me, Adam. Ik zal het er straks op zetten.'

Bree heeft ook dezelfde genen als ik, peinsde Nessa terwijl ze naar haar jongste zus keek, maar hoewel ze dezelfde kleur haar heeft als Cate en ik ziet ze er op de een of andere manier altijd uit alsof ze net uit bed komt, terwijl Cate je altijd het gevoel geeft dat ze net van de kapper komt en ik... Ze raakte even haar eigen achterhoofd aan. Misschien moet ik maar eens iets anders met mijn haar doen... iets moderners. Alleen is het net alsof ik nooit tijd heb om naar de kapper te gaan. Terwijl ik zeker weet dat de meisjes allebei denken dat ik genoeg tijd heb om precies te doen waar ik zin in heb.

Bree wurmde zich op de bank tussen Cate en Miriam, terwijl Finn achter hen stond.

'Nieuwe installatie?' vroeg ze met een knikje naar de Bang & Olufsen cd-speler.

'Zeker weten,' zei Jill. 'Die heeft pap echt een vermogen gekost en mam was helemaal over haar toeren.'

Nessa keek Jill wanhopig aan, terwijl Adam in de lach schoot. 'Dat is het verhaal in een notendop,' zei hij tegen iedereen. 'Het is echt een fantastische installatie. En Nessa was over haar toeren omdat ze het niet prettig vindt dat de cd-speler aan de muur hangt.'

Bree knikte. 'Daar hing vroeger toch een schilderij?'

'Ja,' zei Nessa. 'Dat vond ik veel mooier.'

'Och, dat weet ik niet,' zei Cate. 'Die cd-speler bevalt me ook wel. Hij is mooi strak van lijn.'

'Ik hou van gezelligheid,' zei Nessa.

'Maak het dan maar gezellig door het eten op tafel te zetten,' zei Adam. 'Ik heb honger als een paard. Ik heb vanmiddag om twee uur een tosti gegeten, maar daarna heb ik niets meer gehad, aangezien je me verbood om de koelkast leeg te roven toen ik thuiskwam.' Hij lachte tegen de rest van de familie. 'Omdat ik anders mijn eetlust zou bederven. Nou vraag ik je! Een hongerige man bederft zijn eetlust echt niet door twee uur voordat hij aan tafel gaat nog gauw een hapje tussendoor te nemen.'

'Ach, hou je mond toch, Adam,' zei Nessa vergevingsgezind. 'Ga maar mee, dan kun je jezelf nuttig maken door een paar flessen open te trekken.'

Het was meer dan een jaar geleden dat de hele familie bij elkaar was geweest. Nessa moest toegeven dat haar ouders er fantastisch uitzagen. De verhuizing naar Galway had hen kennelijk goed gedaan. Behalve het uitstapje van dit weekend naar Dublin hadden Miriam en Louis het afgelopen jaar nog veel meer uitstapjes in Ierland gemaakt en Louis had de familie verteld dat ze van plan waren om in oktober een maand naar de Verenigde Staten te gaan.

'Jullie genieten echt van het leven, hè?' Finn keek het oudere echtpaar vol bewondering aan. 'Jullie zijn een wandelende advertentie voor een actieve oude dag.' Hij krabde nadenkend over zijn wang. 'Misschien moet ik daar maar eens een programma aan wijden. Dat het leven van mensen boven de zestig niet alleen maar een aaneenschakeling is van incontinentie en achter de geraniums zitten.'

'Finn!' Cate was diep verontwaardigd. 'Hoe kun je dat nou zeggen!'

'Zo denken de meeste mensen erover,' zei Finn.

Louis lachte toegeeflijk. 'Kom maar op met dat programma, Finn. Wij komen wel langs. Tegen een schamele vergoeding, uiteraard.'

'Welk programma?' vroeg Bree en keek Finn vol bewondering aan toen hij haar het nieuws verteld had. 'O mijn god,' gilde ze bijna. 'Je zult allerlei beroemdheden ontmoeten. Nodig je ook een keer een van de Formule I-coureurs uit? Dat moet je echt doen, Finn. En dan kan ik na afloop kennis met hem maken! Schumacher zou wel mooi zijn.'

Finn lachte en zei dat hij zijn best zou doen, maar dat het idee van een programma over zestigplussers hem veel meer aansprak. Hij wilde bij iedereen aanslaan, zei hij tegen Bree. Niet alleen bij leeghoofdige twintigers zoals zij.

Hij is zo gelukkig, dacht Cate terwijl ze naar hem keek. Hij is dolblij met zijn nieuwe baan en het zelfvertrouwen is van zijn gezicht af te scheppen. Hij ziet er verdomme zelfs nog aantrekkelijker uit dan anders. En dat betekende nog meer stomme fanmail van domme vrouwen die beter zouden moeten weten.

Ze beet op haar lip. Ze wenste dat ze een beter gevoel had over Finns nieuwe baan, maar dat was gewoon niet zo. Het enige waar ze aan kon denken was dat hij steeds succesvoller en populairder werd, terwijl zij nog steeds deed wat ze de afgelopen drie jaar had gedaan, namelijk proberen om de spullen van haar sportfirma beter te laten lijken dan wat de concurrentie op de toch al overvolle markt smeet. Iets wat momenteel voor geen meter lukte. Ze huiverde en streek een niet-bestaand haartje uit haar gezicht.

Ze gingen aan tafel en iedereen bediende zich gretig van de stoofschotel. Finn, die nog steeds enthousiast was over het idee voor zijn programma, vroeg aan Miriam en Louis wat hen ertoe had gebracht om terug te gaan naar Galway, nadat ze hun hele leven als volwassenen in Dublin hadden gewoond.

Louis haalde zijn schouders op. 'Volgens mij willen alle mensen terug naar hun geboortegrond als ze wat ouder worden. Toen de kans zich voordeed, hebben we die met twee handen aangegrepen.'

'Ik was nooit weggegaan als mijn meisjes geen zekerheid hadden gehad,' zei Miriam. 'Maar dat is wel zo. Tot op zekere hoogte.' Ze wierp een kille blik op Cate en Finn.

'Ik heb alle zekerheid die ik me kan wensen,' zei Cate haastig.

'Nou ja, je hebt in ieder geval een goede baan,' gaf haar moeder toe. 'En natuurlijk heeft Nessa wel zekerheid en ze is zo gelukkig als wat, hè, lieverd? En ik weet dat Bree nooit tot rust zal komen, dus het had geen zin om daarop te wachten.'

'Misschien wel,' zei Bree. 'Je weet maar nooit.'

'Bree, je werkt nu al een jaar bij dezelfde garage. Vind je ook niet dat het tijd wordt om eens ergens anders te gaan kijken?' Cate wierp een sceptische blik op haar jongere zus.

'Ik vind het daar nog steeds leuk,' zei Bree. 'Maar wie zal het zeggen?'

Het gesprek begon haar de keel uit te hangen. Iedere keer als haar moeder op bezoek kwam, was het van hetzelfde laken een pak. Miriam was net als Nessa, iemand die behoefte had aan zekerheid. Maar Bree was... tja, ze leek eigenlijk op niemand van de familie, want ze vond het een vreselijk idee om ergens aan vast te zitten. Iedere keer als Nessa begon over haar huis, of over een nieuwe aanbouw die op stapel stond, of over de tuin die gedaan moest worden, liepen de koude rillingen haar over het lijf en dan wilde ze het liefst opstaan om er als een haas vandoor te gaan. En Cate was op haar eigen manier al net zo vervelend, dacht Bree. Cate mocht dan denken dat zij geen bezadigd type was omdat ze met Finn samenwoonde in plaats van met hem getrouwd te zijn, maar Cate zat vastgeroest in haar carrière en het leventje dat ze leidde. Cate was pas gelukkig als ze een of andere stomme deadline moest halen en zich uitsloofde om zoveel mogelijk werk in zo min mogelijk tijd te verzetten, terwijl ze ondertussen haar uiterste best deed om er zo koel en verzorgd uit te zien, dat het leek alsof ze net voor een modereportage had geposeerd. Bree zag de zin van zo'n soort leven absoluut niet in. Zij zat het liefst aan oude motoren te sleutelen terwijl ze ondertussen nadacht over de volgende plek waar ze naartoe wilde gaan. Dit jaar hadden ze tot nog toe alleen maar belabberd weer gehad, dus ze had het gevoel dat het wel ergens in de zon moest zijn. Haar nieuwe motor, een Yamaha YZF-R6, was gestroomlijnd, modern en sportief, maar het was pas echt leuk als je er in lekker weer op kon rijden.

'Is er misschien nog een beetje over?' vroeg ze terwijl ze Nessa smekend aankeek. 'Ik val echt om van de honger.'

'Tuurlijk.' Nessa liep naar de keuken en kwam terug met de pan. Ze schepte een nieuwe portie op Brees bord. 'Hoe komt het dat je zo'n honger hebt?'

'Ik heb het vandaag druk gehad. Geen tijd om te eten. Hoewel dat eigenlijk niet zo erg is, want ik ben de laatste paar maanden bijna drieeneenhalve kilo aangekomen. Dat komt waarschijnlijk door het ontbijt dat ze meestal 's morgens in de garage laten aanrukken. Daar kan ik geen nee tegen zeggen.'

'Waar bestaat dat precies uit?' vroeg Finn.

'Brood met worstjes, spek, eieren en bonen,' antwoordde Bree. 'Je kunt er ook nog bloedworst of witte worst bij krijgen, maar dat is goor.'

'De hele combinatie is goor.' Cate keek haar met grote ogen aan. 'Je zou met iets gezonders moeten ontbijten, Bree. Waarom neem je geen mueslireep of zo?'

'Omdat ik 's morgens altijd honger heb,' antwoordde haar zus meteen. 'En muesli is het smerigste voer dat ze je kunnen voorzetten. Maar goed, die paar pondjes raak ik wel kwijt als ik weer naar de fitness ga. Daar heb ik geen tijd meer voor gehad, omdat ik mijn oude motor moest opknappen voordat ik hem kan verkopen. En neem me niet kwalijk, Cate, maar jij zou ook weleens wat spek op je botten mogen krijgen. Toen ik binnenkwam dacht ik heel even dat er een schim op de bank zat.'

Nessa kon haar lachen nog net inhouden toen Cate haar zus verontwaardigd aankeek.

'Mijn gewicht is precies goed voor mijn lengte,' zei ze ijzig tegen Bree.

'Maar ben je ook gelukkig?' wilde Bree weten. 'Laten we nou maar eerlijk zijn, Catey, niemand in onze familie is van nature een slanke den. Kijk maar naar Nessa. Die is niet dun, maar wel heel aantrekkelijk. Jij bent wel dun maar jij ziet er constant lijdend uit.'

'Niet waar!'

'Wel waar.'

'Meisjes, meisjes!' Miriams stem klonk waarschuwend. 'Geen gekibbel aan tafel.'

Bree grinnikte, maar ze hield haar mond. Als haar moeder op die toon sprak, luisterden haar dochters onmiddellijk. Nessa kan ook zo klinken als ze tegen Jill praat, dacht Bree. Kennelijk krijg je dat automatisch als je moeder wordt.

'Vertel ons eens iets meer over je nieuwe baan, Finn,' zei Adam om over iets anders te beginnen. 'Zul je veel inspraak krijgen?'

'Ja, een heleboel,' zei Finn enthousiast. Hij begon meteen zijn plannen voor het programma op een rijtje te zetten terwijl de anderen luisterden naar de zachte zangerige stem die hij zo vaak met veel succes gebruikte als hij iemand interviewde. Een paar maanden geleden was overwogen om hem het laatste programma van de dag te geven, maar dan had hij moeten concurreren met de beste dj's op de andere zenders. Finn had dat risico best aangedurfd, maar de omroep niet. En nu zou alles nog veel mooier worden, want hij rekende er vast op dat hij een grote tv-ster zou worden. En Finn wilde niets liever, zelfs als het niet lang zou duren. Hij wilde gewoon dat iedereen de naam Finn

Coolidge zou kennen en dat iedereen zou weten wie hij was. Hij kon niet wachten tot het programma van start ging.

Nessa ruimde de borden af en kwam terug met de cake die ze eerder had gebakken en met een kan vol koffie. Finn en Cate bedankten allebei voor de cake.

'Ik moet nu ook op mijn gewicht letten,' zei Finn. 'Je weet toch dat er altijd gezegd wordt dat je op tv tien kilo dikker lijkt. Ik wil een beetje rustig aan doen.'

'Het is maar een plakje chocoladecake,' zei Nessa.

'Propvol calorieën,' zei Cate. 'Ik hoef ook niet, dank je wel.'

'Mij best,' zei Nessa. 'Maar Bree heeft wel gelijk. Je gaat steeds meer op een bonenstaak lijken.'

'Doe me een lol,' zei Cate.

'Je ziet er prima uit, hoor.' Finn sloeg zijn arm om haar heen en trok haar tegen zich aan.

Cate was verrast dat ze daar zo van opkikkerde. Misschien was ze tegenwoordig wel een beetje paranoïde als het om Finn ging.

'Ik wil iets uitproberen,' kondigde Nessa plotseling aan.

'Wat dan?' De vraag ontsnapte Jill, die eigenlijk allang in bed had moeten liggen en zich stil had gehouden om geen aandacht te trekken.

'Jullie weten toch wel dat jullie me altijd voor alles en nog wat uitmaken als ik over horoscopen en zo begin?'

De familie kreunde als één man.

'Dat bedoel ik maar,' zei Nessa. 'Vandaar dat ik vond dat ik de proef op de som moest nemen. Vanmorgen heb ik de horoscoop van iedereen hier doorgelezen. Met name die van Adam klopte als een bus... er stond in dat hij op onverwachte problemen zou stuiten en dat was ook zo.' Ze grinnikte toen Adam haar geërgerd aankeek. 'En in die van mij stond dat ik een rommelige week tegemoet ging waarin niemand zich aan afspraken zou houden en nog meer dingen die zijn uitgekomen.'

'Het was niet mijn schuld dat je met het eten op me moest wachten, als je dat soms bedoelt,' zei Bree.

'Dat heb ik ook helemaal niet gezegd. Maar er zijn deze week allerlei kleine dingen misgegaan,' zei Nessa tegen haar.

'Wat wilde je nou precies uitproberen?' vroeg Finn ongeduldig.

'Ik heb vandaag acht krasloten bij de supermarkt gekocht,' zei Nessa. 'Volgens alle voorspellingen die ik heb gelezen is het vandaag mams geluksdag. Dus als er een prijs op één van de loten zit, zou zij dat lot moeten uitzoeken.'

'Nessa, dat is geen experiment, dat is gewoon kolder,' zei Cate vernietigend.

'Mag ik het geld houden als ik iets win?' vroeg Miriam. 'Of ga je een of andere smoes verzinnen om het weer van me los te kloppen?'

'Natuurlijk mag je het houden,' zei Nessa.

'Dan vind ik het een uitstekend experiment,' zei Miriam vastbesloten.

'Dus we mogen allemaal het geld houden dat op de loten is gevallen?' Finn keek Nessa vragend aan.

'Natuurlijk,' zei ze. 'Al heb jij dat helemaal niet nodig, Finn. Jij bent toch binnen de kortste keren rijk en beroemd.'

'Goed, dan doe ik mee.'

Nessa liep naar de keuken om de krasloten te halen. 'Mam mag het eerst een lot kiezen,' zei ze. 'En dan zullen we wel zien of ze echt geluk heeft vandaag.'

Ze kozen allemaal een lot uit en begonnen te krassen.

'Ik heb niets,' zei Cate. 'Je zei vanmorgen toch tegen me dat ik fantastische nieuwe kansen zou krijgen?'

'Dit is geen kans,' zei Nessa. 'Maar dat nieuwe programma van Finn wel.'

'Precies.' Finn blies het schraapsel van zijn lot. 'En dat is maar goed ook, want met gokken verdien ik niets.'

'Ik ook niet,' zei Louis.

'Mam?'

Miriam zat zorgvuldig haar lot schoon te krabben met een munt van twee euro. 'Wacht even,' zei ze tegen hen. 'Ik heb al twee hokjes met honderd euro.'

'Echt waar?' Ondanks alles ging Cate verzitten om te kunnen zien wat Miriam deed.

'Vijf euro,' zei Miriam vol afkeer toen ze het op één na laatste hokje had schoongekrast.

'Nou wordt het echt spannend.' Bree giechelde. 'Als ze nog een keer honderd euro heeft, doen wij de afwas, Nessa.'

'O mijn god!' Miriam zat ongelovig naar het lot te kijken. 'Nog eens honderd euro.'

'Je houdt ons voor de gek!' Adam keek haar verbijsterd aan.

'Nee, echt niet,' zei Miriam. 'Ik had het voor de grap willen zeggen, omdat ik dacht dat het een tientje was, maar het is echt honderd euro. Ik heb echt een prijs.'

'En jullie hoeven de afwas niet te doen.' Nessa klonk zo zelfingenomen dat Bree zin had om haar een mep te geven. 'Maar jullie mogen alles in de afwasmachine zetten.'

'Dat is ongelooflijk,' zei Louis. 'Wist je dat van tevoren, Nessa? Was het een of andere truc?'

'Helemaal niet,' zei Nessa. 'Als je een paar krasloten tegelijk koopt, heb je altijd kans dat je iets wint. Ik had wel het idee dat iemand vijf euro zou winnen of zo. Maar ik was ervan overtuigd dat het geluk echt met mam was deze week.'

'Ik vind eigenlijk dat jij recht hebt op dat geld,' zei Miriam.

'Nee,' zei Nessa. 'Jij hebt me geloofwaardig gemaakt. Dat is nog veel meer waard.'

'Kloppen horoscopen dan altijd?' vroeg Jill. 'Kunnen ze echt de toekomst voorspellen?'

Nessa schudde haar hoofd. 'Niet altijd,' zei ze tegen haar. 'Maar ze kunnen je wel helpen om op alles voorbereid te zijn.'

'Wat een gelul,' zei Cate.

'Dat kan best,' zei Nessa. 'Maar toch is het een prettig gevoel als ze aan jouw kant staan.'

5

De maan in het teken van de Ram

Ad rem, impulsief en af en toe egoïstisch.

Miriam stuurde Nessa een boeket bloemen met een kaartje om haar te bedanken voor het eten, de gezellige bijeenkomst en vooral voor het kraslot. Het boeket werd maandagochtend vroeg bezorgd, alweer zo'n ochtend waarop het hele gezin Riley te laat was opgestaan, zodat het opnieuw rennen en vliegen was geblazen. Alleen zei Nessa nu tegen Adam dat hij maar op de zaak moest ontbijten. Ze gaf hem geen kans om weer tegen iemand op te rijden terwijl hij een croissant zat te eten.

Nessa vond het een vervelend idee dat haar nu weer zo'n week met allerlei klein ongemak te wachten stond, maar toen het spreekuur belachelijk lang uitliep, wist ze dat het inderdaad zo zou zijn. Want wie moest nu Jill van school halen? Vorig jaar hoefde Nessa alleen maar Miriam te bellen, want die was altijd meteen bereid geweest om alles uit haar handen te laten vallen en haar kleindochter van school te halen. Nessa had zich nooit bezwaard gevoeld als ze Miriam had moeten vragen haar een handje te helpen, maar Adam was een heel ander geval.

Het was trouwens ijdele hoop geweest te denken dat hij tijd had om zijn dochter op te halen. Hij was niet eens op kantoor toen Nessa belde en zijn mobiele telefoon stond niet aan. Hij zou wel weer in zo'n stomme vergadering zitten, dacht ze. Adam mocht volgens eigen zeggen dan nog zo'n belangrijke functie hebben binnen het managementsadviesbureau, maar hij scheen altijd bezet te zijn. Nessa kon zich niet herinneren wanneer hij voor het laatst tijd had gehad om er even tussenuit te knijpen om een huiselijk probleem op te lossen en diep vanbinnen begreep ze dat eigenlijk best. Maar het zou helemaal niet verkeerd zijn geweest, dacht ze, terwijl ze naar zijn voicemail luisterde, als hij een baan had gehad waarbij hij even twee uur weg kon lopen zonder dat iemand vroeg waar hij was.

Adam verwachtte dat zij gewoon bij de praktijk kon vertrekken wanneer dat nodig was. Wat hem betrof, was haar baan volslagen onbelangrijk. Het was alleen maar een manier om de tijd door te brengen als Jill 's morgens op school zat en een paar centen te hebben die ze kon besteden zonder daar eerst met hem over te praten.

Nessa wist ook wel dat haar werk niet belangrijk was en dat vond ze helemaal niet erg. Ze had niet verwacht dat ze door zou blijven werken, omdat ze erop had gerekend dat er meer kinderen zouden komen. Haar gynaecoloog had haar verteld dat er geen biologische reden was waarom dat niet was gebeurd. Als ze zich er niet druk over maakten, zou ze vanzelf weer in verwachting raken. Maar dat was niet het geval en inmiddels had Nessa de hoop opgegeven. Er werd allang niet meer over een broertje of een zusje voor Jill gepraat. Ze had één keer gedacht dat het weer zover was, op de dag dat haar horoscoop had gezegd dat een nieuwe gebeurtenis belangrijke veranderingen in haar leven teweeg zou brengen. Ze wist niet waarom ze meteen aan een baby had gedacht, maar dat was wel het geval. Maar achteraf, toen ze besefte dat de nieuwe gebeurtenis alleen maar de wekelijkse astmakliniek was die dokter Hogan wilde beginnen en waarvoor hij haar medewerking had ingeroepen, had ze gewoon geweten dat ze nooit meer een baby zou krijgen. En daarna dacht ze er nooit meer aan en ze treurde er ook niet meer om. Het leven was volmaakt zoals het was, want samen met Adam en Jill vormde ze een echte drie-eenheid, waarin ze allemaal hun eigen plaatsje hadden. Adam reed auto's aan gort, Nessa zorgde voor alles en Jill was de dochter op wie ze allebei stapelgek waren.

Ze krabde even op haar hoofd. Haar zussen hadden ook nooit tijd om Jill op te pikken. Tegen de tijd dat die zelf kinderen kregen, zouden ze waarschijnlijk bij Jill aankloppen om voor babysit te spelen, dacht Nessa grimmig. Ze pakte de telefoon op en belde Jean Slater, de moeder van Nicolette, die tegenwoordig Jills beste vriendin was. Ze vond het vervelend dat ze Jean om een gunst moest vragen, want Jean had in tegenstelling tot Nessa wel een handvol kinderen op de wereld gezet alsof het geen greintje moeite kostte en het was net alsof ze de hele dag met die kinderen in de weer was. Nessa vond eigenlijk dat Jean het veel te druk had om ook nog met de zorg voor Jill opgescheept te worden, maar ze had geen keus.

'Geen enkel probleem,' zei Jean. 'Jill zou waarschijnlijk toch al hier komen om met Nicolette te spelen. Maak je maar geen zorgen.'

Nessa beloofde Jean dat ze zo gauw mogelijk thuis zou zijn. Ze legde de telefoon neer en drukte op de bel om de volgende patiënt op te roepen. Cate en Bree dachten altijd dat zij het zo gemakkelijk had. Ze moesten eens weten.

Bree stond bij de balie van de werkplaats toen de eigenaar van de knalgele sportuitvoering van de Punto binnenkwam. Ze trok haar wenkbrauwen verbaasd op toen ze hem zag, want hij was minstens veertig, misschien wel vijftig, met grijzend haar en een koffertje in zijn hand. Voor zover Bree wist, reed dat soort mannen altijd in grote vierdeurswagens. Een Mercedes, een BMW of een Volvo, als ze daar geld genoeg voor hadden, of een Toyota, een Fiat of een Ford als ze minder verdienden. Deze man zag er welvarend genoeg uit om een Mercedes te hebben, dus het feit dat hij de eigenaar was van de Punto was een hele verrassing.

'Wat hebben jullie in godsnaam allemaal uitgespookt?' Hij stond de lijst door te nemen van alle reparaties en onderhoudswerkzaamheden die uitgevoerd waren. Die zij uitgevoerd had, om precies te zijn, want zij had de kaart van de Punto gepakt en de klus had haar meer tijd gekost dan ze had verwacht.

'Alle werkzaamheden zijn in overleg gebeurd,' zei Christy kalm.

'Maar... was het nou echt nodig om de leidingen en het oliereservoir van de stuurbekrachtiging te vernieuwen, plus alle remschijven? Die auto is nog niet zo oud, dat hoefde toch niet? En ook nog een nieuwe versnellingsbak?'

'Met die oude bak was u niet eens de straat uit gekomen.' Bree liep naar hem toe. 'En als u niet reed alsof u een zeventienjarige aspirant-autocoureur was, had de helft van die reparaties achterwege kunnen blijven.'

'Pardon?' Hij keek haar aan, terwijl Christy haar een waarschuwende blik toewierp.

'Ik ben Bree Driscoll,' zei ze tegen hem. 'De monteur die aan uw auto heeft gewerkt. En het was een hele klus.' Haar ogen glinsterden. 'De motor maakt regelmatig veel te hoge toeren. Aan de banden is duidelijk te zien dat u veel te snel door de bochten rijdt. En kennelijk gebruikt u de wagen ook om te crossen, vandaar dat we een aantal leidingen moesten vervangen. En vandaar dat u binnen niet al te lange tijd nog meer problemen zult krijgen.'

Hij keek haar met grote ogen aan.

'Het is niet aan mij om kritiek te hebben op het rijgedrag van onze klanten,' vervolgde ze, 'maar wat had u dan verwacht als u kennelijk het idee hebt dat u een echte coureur bent?'

Christy kreunde zacht terwijl de klant Bree ongelovig bleef aanstaren.

'Maar goed,' zei ze terwijl ze haar koffiebekertje in de vuilnisbak deponeerde, 'als u minder geld aan reparatie en onderhoud kwijt wilt zijn, dan raad ik u aan om te gaan rijden alsof u een meneer van middelbare leeftijd uit de buitenwijken bent in plaats van David Coulthard.'

Op dat moment schoot hij in de lach en Christy slaakte een zucht van opluchting.

'Het is mijn auto niet,' zei hij tegen Bree. 'Het is de auto van mijn zoon.'

Ze trok een gezicht. 'Dat klinkt een stuk logischer,' erkende ze. 'Ik vond al dat u helemaal niet het type was om race-strips op de auto te hebben.'

'Declan Morrissey.' Hij stak zijn hand uit. Ze schudde haar hoofd en wees op haar met olie besmeurde handschoenen. 'Ik kan u maar beter geen hand geven,' zei ze. 'Maar ik ben blij dat u het begrijpt.'

'Ik zal je commentaar doorgeven aan mijn zoon,' zei Declan. 'Maar ik weet niet of het veel zal uitrichten.'

'Niet zolang u zijn garagerekeningen betaalt,' zei Bree.

'Dat had ik hem beloofd,' zei Declan somber.

'Misschien moet u binnenkort dan maar eens op die belofte terugkomen,' suggereerde Bree. 'Anders raakt u nog failliet! Over een paar maanden staat u hier namelijk weer, ziet u, en dan zal het weer hetzelfde liedje zijn.' Ze haalde haar schouders op. 'U moet het zelf weten. Hoe oud is hij?'

'Michael is eenentwintig.'

'Ik weet dat ik er niets mee te maken heb,' zei Bree terwijl Christy zijn hart vasthield bij de gedachte aan wat ze nu weer tegen een van hun allerbeste klanten zou gaan zeggen. 'Maar hij heeft rijles nodig. Ik wil niet meteen alle mannen afkammen, meneer Morrissey, maar de meeste kerels kunnen echt niet rijden als ze nog jong zijn. Het heeft iets met dat peniscomplex te maken, als u snapt wat ik bedoel. Vandaar dat ze allemaal als gekken gaan rijden, als de dood dat iemand anders bij een stoplicht eerder optrekt dan zij, zeker als het om een vrouw gaat. Ze hebben het idee dat rustig rijden iets is voor oude dametjes in tien jaar oude Fiestas en ze gaan er ook van uit dat iedereen op de weg scherp in de gaten houdt waarin ze rijden.'

Declan grinnikte en Christy haalde opgelucht adem.

'Het was Michaels verjaardagscadeautje,' zei Declan.

'Sjonge, ik wou dat ik ook zulke verjaardagscadeautjes van mijn ouders had gekregen,' zei ze. 'Volgens mij kreeg ik voor mijn eenentwintigste verjaardag een paar handschoenen cadeau.' Met een schuldig gevoel dacht ze aan het leren motorpak, met bijpassende dikke leren handschoenen, dat ze van Louis en Miriam had gekregen en hoe fantastisch ze het had gevonden om in dat pak de weg op te gaan.

'Je hebt wel een beetje gelijk,' zei Declan. 'Misschien was het een al te royaal cadeau.'

'Nou ja, als u hem toch een auto gaf, kon u net zo goed een auto voor hem kopen die echt snel is,' zei Bree. 'Anders zou hij de ene na de andere Nissan Micra aan barrels rijden en waarschijnlijk nog veel meer schade veroorzaken. Probeer hem in ieder geval te leren dat hij op tijd moet schakelen, dan zijn we al een heel eind verder. En het zou ook niet verkeerd zijn als hij de bochten iets minder snel zou nemen.'

'Ik zal het tegen hem zeggen,' zei Declan.

'U moet hem gewoon vertellen dat hij de rekening zelf moet betalen als die meer dan een paar honderd euro is,' voegde Bree eraan toe.

Declan keek opnieuw naar de factuur die hij in zijn hand had.

'Dat lijkt me een goed idee,' zei hij.

'Maar goed, ik kan maar beter teruggaan naar de werkvloer.' Ze keek even naar Christy. 'Anders ontslaat de baas me nog.'

'Dat zou ik niet graag op mijn geweten willen hebben.' Declan glimlachte tegen haar. 'Bedankt voor de goede raad.'

'Graag gedaan.' Ze stak even haar hand op en verdween naar de garage.

'Ik hoop dat u dat niet erg vond,' zei Christy tegen Declan. 'Het is een aardige meid, maar ze kan nooit haar mond houden.'

'Ik wist niet dat jullie ook vrouwelijke monteurs hadden.' Declan overhandigde de servicemanager zijn Visa-card.

'Zij is de enige,' zei Christy.

'Is ze goed?'

'Ze heeft die onderhoudsbeurt in de helft van de tijd gedaan die de meeste monteurs ervoor nodig hadden gehad,' zei Christy. 'En, hoe vervelend ik het ook vind om dat te zeggen, waarschijnlijk beter dan het merendeel van haar collega's.'

'Echt waar?'

'Ze heeft iets met auto's,' zei Christy. 'Ze is er dol op. Ik heb meegemaakt dat ze een wagen in twee uur tijd een grote beurt gaf en vervolgens tegen ons zei dat er nog iets was dat we maar beter konden nakijken en negen van de tien keer heeft ze gelijk ook. Om gek van te worden.'

Declan grinnikte. 'Werkt ze hier al lang? Volgens mij heb ik haar nooit eerder gezien.'

'Ongeveer een jaar, denk ik.' Christy fronste peinzend. 'Om eerlijk te zijn weet ik dat niet meer precies. Ik heb het gevoel dat ze hier al eeuwen is. Maar ze schijnt in die tijd al twee aanbiedingen voor een andere baan te hebben gehad, dus ik verwacht niet dat ze nog veel langer blijft.'

'Is ze echt zo goed?'

'Nou ja, er is momenteel een tekort aan goede monteurs,' zei Christy tegen hem. 'Het ligt niet alleen aan haar, al mijn jongens hebben wel zo'n soort aanbod gehad. Maar bij haar is de kans het grootst dat ze het aanneemt.'

'Waarom?' vroeg Declan.

'Omdat ze wispelturig is,' zei Declan. 'Die zal nooit lang op één plek blijven zitten, maar ze krijgt altijd prachtige getuigschriften. Ze heeft ook een jaar over de hele wereld gezworven. Niet echt het type dat vastigheid zoekt.'

'Maar wel aantrekkelijk,' zei Declan ingetogen.

'Zeker als ze zich opgeknapt heeft.' Christy grinnikte tegen hem. 'Maar ze is geen katje om zonder handschoenen aan te pakken. Ze heeft aan karate gedaan toen ze wat jonger was. Die laat niet met zich rotzooien.'

'Ik was ook absoluut niet van plan om met haar te rotzooien,' lachte Declan. 'Ik heb thuis al genoeg problemen.' En die zullen alleen maar groter worden, dacht hij terwijl hij zijn Visa-card weer aanpakte, als ik Michael onder handen neem over wat hij met die auto heeft uitgespookt.

Cate stond voor de spiegel van de kleerkast en keek naar haar spiegelbeeld. Haar make-up was perfect en dat gold eigenlijk ook voor haar donkerblauwe jurk met de keurige, uitgesneden hals die net diep genoeg was om een glimp van haar decolleté op te vangen, zodat iedereen kon zien dat ze niet bang was om te pronken met haar pluspunten. Volgens Finn was het de mooiste jurk die ze had en ze wilde iets aanhebben dat Finn leuk vond, omdat ze wist dat hij eigenlijk geen zin had om mee te gaan naar die borrel van vanavond. Er kwam geen publiciteit aan te pas, het was gewoon een gezellige bijeenkomst die het bedrijf in sportartikelen een deel van hun klantenkring aanbood om te vieren dat ze inmiddels vijf jaar met veel succes in Ierland zaken deden. Maar over een paar maanden zou hij het misschien wel de moeite waard vinden om mee te gaan, dacht ze. Want dan vond het galadiner plaats ter ere van de sportprijs die ze in het leven hadden geroepen en dat zou wel met veel publiciteit omgeven zijn. Ze twijfelde er geen moment aan dat Finn Coolidge dan inmiddels een grote ster zou zijn, die de gelegenheid aan zou grijpen om geassocieerd te worden met een project voor kinderen. In tegenstelling tot de zakelijke bijeenkomst van vanavond, die zijn carrière niet verder zou helpen.

'Hè, wat ben je een kreng,' zei ze hardop terwijl ze zich omdraaide om haar achterkant te bekijken. Zo is hij helemaal niet. Hij kijkt heus niet alleen of iets goed is voor zijn carrière. En hij gaat toch mee? Waar maak je je dan druk over?

Ze liep naar de woonkamer en schonk een glas wijn in. Bij de borrel zou ze alleen water drinken, maar nu had ze echt zin in wijn. Daarna ging ze op de ultramoderne maar verrassend comfortabele leren bank zitten wachten tot Finn thuiskwam.

Terwijl ze haar vinger over de rand van haar glas liet glijden, vroeg ze zich af waarom hij haar niet eerder had verteld dat hij dat tv-programma zou gaan doen. Er was een tijd geweest dat ze echt alles met elkaar bespraken en hij er niet over gepiekerd zou hebben om zoiets belangrijks voor haar geheim te houden. Hij had gezegd dat hij er niet over had durven praten. Dat het niet door zou gaan als hij het hardop zou zeggen. Dat was het soort wazige redenering waar Nessa mee aan zou komen dragen. En die paste niet in het soort leven dat Cate en Finn leidden.

Maar ze kon het niet opbrengen om er ruzie over te maken. Hij was zo opgewonden en blij, en er zo vast van overtuigd dat zij even blij was, dat ze het niet over haar hart kon verkrijgen om met hem in discussie te gaan. Bovendien was ze ook echt blij. Ook al betekende het dat Finn op het punt stond om al zijn dromen te verwezenlijken, terwijl zij niet eens meer wist waar ze eigenlijk van droomde.

Ze had pas op de middelbare school ontdekt dat ze een zakelijke inslag had. Haar leraren hadden haar aangemoedigd. Je kunt er wel goed uitzien, maar dat kan van de ene op de andere dag verdwijnen, had haar leraar carrièreplanning gezegd. Terwijl je een leven lang kunt profiteren van een goed zakelijk instinct. En dat had Cate. Meestal tenminste.

Ze keek op haar horloge. Finn was laat. Daar keek ze niet echt van op, want Finn was waanzinnig punctueel als het zijn radioprogramma betrof, maar voor de rest was hij altijd te laat. Net als zij, trouwens, als het niets met haar werk te maken had. Het is toch wel droevig met ons gesteld, mompelde ze binnensmonds, als we ons wel aan de afspraak kunnen houden als het om totaal onbekende mensen gaat, maar altijd te laat zijn als we met elkaar hebben afgesproken.

Ze tikte tegen haar wijnglas en fronste. Als het nog langer duurde, zouden ze te laat op de borrel komen en dat kon ze niet maken. Ze moest daar zijn voordat iedereen arriveerde, om hun klanten met een brede glimlach te verwelkomen. Ze kon niet een halfuur later hijgend aan komen rennen.

Ze pakte de telefoon op en toetste zijn nummer in.

'Met Finn,' zei de voicemail. 'Ik kan dit gesprek nu niet aannemen, maar als u een nummer achterlaat, bel ik u zo snel mogelijk terug.'

'Waarom heb je je telefoon niet aanstaan?' zei ze. 'Finn, we komen te laat voor die borrel. Bel me alsjeblieft meteen op als je dit bericht afluistert.'

Ze begon door de woonkamer te ijsberen en aan het geklik van haar hakken op de houten vloer was te horen hoe ongeduldig ze was. Als hij niet binnen vijf minuten terugbelde, moest ze zonder hem vertrekken en ze wist dat ze dan later ruzie zouden krijgen. Als hij een paar minuten na haar bij de borrel aankwam, zou hij haar vragen of ze er soms niet op vertrouwde dat hij op tijd zou zijn. En als zij dan zei dat hij immers niet had teruggebeld, zou hij weer zeggen dat hij toch niet hoefde te bellen als hij had beloofd dat hij op tijd thuis zou zijn?

Maar hij was toch niet op tijd? Dan had hij vijf minuten geleden binnen moeten komen. Schiet nou op, Finn, drong ze aan. Ik heb geen zin om zonder jou weg te gaan.

Ze verwachtte dat de telefoon over zou gaan op het moment dat ze het appartement uit liep, maar dat was niet het geval. Ze keek of haar eigen mobiele telefoon wel aanstond, terwijl ze de trap af rende naar de ondergrondse parkeergarage. En ze zorgde dat ze het toestel bij de hand had, voor het geval hij zou bellen als ze onderweg was. Maar toen ze op het parkeerterrein in Drury Street aankwam, had hij nog steeds niet gebeld en ze moest een mengeling van woede en bezorgdheid onderdrukken toen ze haastig de straat overstak naar het hotel waar de borrel werd gehouden.

'Ik dacht dat je te laat zou komen, Cate.' Ian Hewitt, de directeur, keek haar fronsend aan.

'Het spijt me, Ian. Ik zat vast in het verkeer,' zei ze terwijl ze een glas Ballygowan aanpakte. 'O, kijk, daar is Gerald Mannion. We hopen echt dat hij een order zal plaatsen voor de HiSpeed-schoen. Ik zal hem meteen in zijn kraag pakken.'

Ze liep het vertrek door, verwelkomde de klant met haar stralende glimlach en bracht hem naar Ian. Daarna liep ze terug om ook andere gasten die arriveerden te begroeten. Voor iedereen had ze een vriendelijk woord en ze deed haar best om iedere gast het gevoel te geven dat ze bijzonder welkom waren.

Ze had haar telefoon op de trilfunctie gezet. Nu de borrel inmiddels een uur aan de gang was, zou ze het met al dat geroezemoes om haar heen niet horen als het toestel overging, tenzij het erg luid stond. En ze was niet van plan om de zorgvuldig gecreëerde sfeer te bederven met het schelle geluid van haar telefoon.

Maar ze vroeg zich wel af waar hij verdomme toch uithing. Ze was wel bezorgd, maar niet echt in paniek. Ze wist dat hij heus geen verkeersongeluk zou veroorzaken of andere stomme dingen zou doen. Maar stel je nou voor dat iemand hem aangereden had? Ze wenste dat ze daar niet aan had gedacht. Ze wilde liever geloven dat die klootzak gewoon te laat was of niet meer aan de borrel had gedacht, zodat ze tenminste met goed fatsoen kwaad op hem kon worden. Maar nu zou ze opgelucht zijn als hij binnenkwam, want dat betekende dat hem niets was overkomen.

Toen ze hem binnen zag komen, was ze zowel opgelucht als kwaad. Vooral omdat Ian meteen als een kieviet op hem afschoot en hem uitgebreid de hand schudde om hem te feliciteren met zijn tv-programma.

'Waar was je nou, verdomme?' wilde ze weten toen hij eindelijk bij haar kwam staan.

'Sorry,' zei hij. 'De vergadering liep uit en ik moest na afloop nog iets met hen gaan drinken. Je weet hoe dat gaat.'

'Je had me wel even kunnen bellen,' zei ze nijdig. 'Ik maakte me zorgen.'

'O, lieve hemel, Catey!' Hij wierp haar een geamuseerde blik toe. 'Waarom zou je je zorgen maken? Wat waren dan die vreselijke dingen die me volgens jou zouden kunnen overkomen?'

'Hoe moet ik dat nou weten?' vroeg ze. 'Misschien was je wel doodgestoken door een krankzinnige fan!'

Hij lachte. 'Dat stadium heb ik nog niet bereikt,' zei hij. 'Maar ik zal het je laten weten als het zover is.'

'Maar je had wel even kunnen bellen,' zei ze tegen hem.

'Ik weet het. Het spijt me.'

'Ik dacht dat je het vergeten was.'

'Ik vergeet nooit iets,' zei hij. 'Dat weet je best.'

'Hallo, jij bent toch Finn Coolidge, hè?' De inkoper van een kleine keten sportzaken viel hen in de rede. 'Ik luister 's morgens altijd naar je programma. Dat is altijd fantastisch en heel leerzaam. En ik geloof dat je nu ook op tv komt, hè?'

Finns tv-programma was met veel bombarie aangekondigd. En het radiostation, dat plotseling in paniek was geraakt omdat ze bang waren hun grootste ster kwijt te raken, had hem aangeboden om drie dagen per week een programma te presenteren op de tijd die ze eerst niet zagen zitten. Maar nu gingen ze ervan uit dat Finn toch wel voor een behoorlijke luisterdichtheid zou zorgen.

Finn pakte de hand aan die de man hem toestak. 'Ja,' zei hij. 'En ik hoop van harte dat ik niet op mijn bek zal gaan. Want zoals u weet, gebeurt dat wel vaker als iemand van de radio overstapt naar tv.'

'Je zult het vast prima doen,' zei de inkoper. Hij keek naar Cate. 'Het was eigenlijk nooit tot me doorgedrongen dat hij je vriend was. Je had me wel verteld dat je vriend een mediabaan had en ik had ook gelezen dat Finns vriendin een zakenvrouw was, maar het muntje viel pas toen ik jullie samen zag.'

'O, ik probeer te voorkomen dat hij aan mijn rokken blijft hangen,' zei Cate glimlachend.

'En ik probeer haar in de keuken op te sluiten,' voegde Finn eraantoe.

'Leuk dat ik kennis met je heb gemaakt,' zei de inkoper tegen Finn. 'En als je puur toevallig iets over sport in je tv- of je radioprogramma wilt doen, moet je me dat echt laten weten.'

'Natuurlijk,' zei Finn ontspannen terwijl hij het visitekaartje van de man accepteerde. 'Het genoegen was wederzijds.' Toen de man weg was, zei hij tegen Cate: 'Wat een opdringerig type. Hoe houd je het uit met dat soort mensen?'

'Hij is een vrij goede klant van ons,' antwoordde ze. 'Een kleine keten, maar met belangrijke vestigingen. En ik houd het met dat soort mensen uit om dezelfde reden dat jij mensen verdraagt die je op beide wangen kussen en je lieve schat noemen.'

Finn keek haar aan. 'Je bent vanavond behoorlijk kribbig, hè?'

'Ach, rot toch op!' Ze had geen zin meer om met hem te praten en ze wenste nu dat hij nooit had beloofd dat hij mee zou gaan.

'Oké,' zei Finn. 'Dan ga ik maar.'

Hij liep het vertrek door, bleef nog een paar minuten met Ian en een van de andere directeuren praten en verdween. Heel even dacht Cate nog dat hij naar het toilet was gegaan, maar toen drong het tot haar door dat hij echt weg was. Hij was opgerot, precies zoals ze tegen hem had gezegd.

'Klootzak,' mompelde ze terwijl ze een glas wijn pakte, ondanks haar eigen regel dat ze alleen water mocht drinken. 'Vuile klootzak.'

Nadat Finn de plaat had gepoetst werd het nog echt gezellig. Ian zei tegen haar dat het jammer was dat Finn nog andere verplichtingen had. En zij glimlachte en zei dat hij het momenteel erg druk had en dat ze zelfs nauwelijks tijd voor elkaar hadden, maar dat ze zeker wist dat hij het heel gezellig had gevonden op de borrel. Eigenlijk walgde ze van de manier waarop iedereen kroop voor iemand die toevallig een beetje bekend was. Maar iedereen slijmde tegen Finn, zelfs die verrekte kerels!

Het was al laat toen ze terugkwam in het appartement. Vanaf de kustweg kon ze zien dat alles donker was en ze nam aan dat Finn al in bed lag. Ze had er spijt van dat ze ruzie met hem had gemaakt, maar hij kon ook zo ontzettend vervelend doen. En hij had het de laatste tijd wel erg hoog in zijn bol.

Ze deed de deur voorzichtig open, om hem niet wakker te maken, trok haar schoenen uit en liep op haar blote voeten naar de keuken om een glas water te drinken. Ze was tijdens de borrel toch wijn blijven drinken en nu stierf ze van de dorst. Gelukkig was ze zo nijdig op Finn geweest dat ze niet echt dronken was geworden. Ze gaapte en dronk het glas leeg. Daarna liep ze de badkamer in en maakte haar gezicht schoon.

Het was bijna één uur toen ze de deur van de slaapkamer opendeed. Ze bleef op de drempel staan en balde haar vuisten. Finn was nog niet thuis. Ze had het hele appartement rond kunnen banjeren op die verdraaide hoge hakken, zonder dat hij daar iets van had gemerkt. Waar zat hij, verdomme?

Ze belde voor de tweede keer die dag zijn mobiele telefoon en kreeg weer zijn voicemail. Maar dit keer nam ze niet de moeite om een boodschap in te spreken.

Ze kon niet slapen. Haar lichaam was moe, maar haar hersens draaiden op volle toeren. In haar verbeelding zag ze Finn in een nachtclub zitten, waar hij allerlei mensen tegenkwam en zich zonder haar uitstekend amuseerde. En dat maakte haar nog bozer, want ze haatte het idee dat hij gezellig in zijn eentje uit was, zonder aan haar te denken, terwijl zij hier stijf van angst in bed lag omdat ze weer bezorgd was.

Ze vroeg zich af waarom ze zich toch altijd zorgen over hem maakte. Hij was prima in staat om op zichzelf te passen en hij werd nooit zo dronken dat hij niet meer thuis kon komen. Dus waar maakte ze zich druk over? Ze ging op haar andere zij liggen, schudde het kussen op en probeerde te slapen. Maar ze bleef liggen luisteren of ze zijn voetstappen in de hal hoorde en zijn sleutel die in het slot werd gestoken.

Ze lag net te dommelen toen hij eindelijk thuiskwam. Ze was meteen weer klaarwakker toen de deur van het appartement opengìng en wierp een blik op de wekker. Tandenknarsend zag ze dat het bijna vier uur in de ochtend was.

Zoals gewoonlijk liep hij door het huis zonder de moeite te nemen geen lawaai te maken. Ze hoorde hoe hij de ijskast opentrok en ze wist dat hij een liter water dronk... zijn geheide manier om te voorkomen dat hij straks een kater zou hebben. Ze hoorde het gezoem van de elektrische tandenborstel en zijn gedempte kreet van ergernis toen hij iets op de grond liet vallen.

Ze deed haar ogen niet open toen hij de slaapkamer in kwam en ze hoorde hoe hij zich uitkleedde en zijn kleren in de kast hing. Waar hij ook was geweest en wat hij ook had gedaan, hij was niet echt dronken.

Als Finn echt gezopen had, hing hij zijn kleren niet op, maar liet ze op de grond vallen waar hij ze had uitgetrokken.

Hij rolde naar het midden van het bed en legde zijn arm over haar heen.

'Waar ben je geweest?' vroeg ze.

'Mmm.'

'Wat?'

'Uit,' zei hij wat duidelijker.

'Dat weet ik,' zei ze bits. 'Maar waarheen?'

'Vrienden.' Hij zuchtte diep en zijn ademhaling werd plotseling regelmatig. Hij sliep.

Cate duwde zijn arm weg en gaf hem een duw. Maar Finn bleef gewoon doorslapen, zonder iets te merken. Ze drukte zich op een elleboog omhoog en keek naar hem... naar het gezicht dat duizend voorpagina's had gehaald. Nou ja, bijna dan. Zelfs in zijn slaap zag hij er nog sterk, atletisch en op een of andere manier autoritair uit. Hij mompelde weer iets en begon toen zacht te snurken. Cate onderdrukte haar woede. Finn snurkte altijd als hij te veel had gedronken, ook al was dat maar één biertje boven zijn tax. Het snurken begon zacht, maar het geluid werd steeds harder tot het leek alsof de volumeknop wijd openstond. En dan hield hij plotseling op. Ze werd stapelgek van het gesnurk, maar de plotselinge stilte was nog veel erger. Ze had altijd het idee dat hij gestikt was als hij stil werd.

Ze glipte uit bed en liep naar de keuken, waar ze expres een hoop herrie maakte toen ze de waterkoker vulde en aanzette. Ze hoopte dat hij wakker zou worden, ook al wist ze best dat dat niet zou gebeuren. Finn hield van slapen. Hij was er heel goed in.

Ze maakte een kop thee en ging voor het grote raam staan dat uitzicht bood op de baai. Een rij lichtjes liep met een boog van Howth naar Bray. Het was een uitzicht waar ze nooit genoeg van kreeg.

Maar het was Finns uitzicht. Ze nam een slok thee terwijl ze daarover stond na te denken. Ze woonde in Finns appartement, ze stond uit Finns raam te kijken en ze dronk thee uit Finns blauw-met-witte mok. Natuurlijk hadden ze genoeg gezamenlijke mokken die ze ook had kunnen kiezen. Ze hadden verdomme de afgelopen drie jaar genoeg mokken en kopjes gekocht, maar op dit moment dronk ze uit Finns mok.

Ze draaide zich om en keek naar de woonkamer. Daar stonden nog precies dezelfde meubels als drie jaar geleden. Finn had ze uitgezocht. Ze had de kamer zelf ook zo kunnen inrichten als ze toen al bij hem was geweest... lichthouten vloeren en meubels, aangevuld met de zwarte leren bank en bijpassende stoelen. Mannelijk. Geen strookjes, geen tuttige dingetjes, geen Nessa-achtige spulletjes om het gezellig te maken. Strakke lijnen die pasten bij het soort leven dat zij leidden.

Maar goed, het waren toch voornamelijk Finns spullen. Zij had het schilderij gekocht van een kunstenaar die nog steeds iedere zondagmorgen zijn werk tentoonstelde langs de hekken op Merrion Square. Het was een abstract olieverfschilderij van een knalrode vis op een donkerblauwe achtergrond. Ook niet echt gezellig, maar wel heel opvallend. Ze had ook de grote spiegel met de tinnen lijst gekocht. En de grote tinnen vazen gevuld met lichte, gedroogde bloemen, die heel decoratief waren maar absoluut niet meisjesachtig.

Ze dronk de mok leeg en huiverde. Ze was Finns vriendin en ze woonde bij Finn in. Dat ze het de laatste paar maanden niet gemakkelijk had gehad, betekende nog niet dat alles vreselijk mis zou gaan. Maar ze voelde zich plotseling ontzettend onzeker.

'Jullie zouden eigenlijk moeten trouwen,' hoorde ze in gedachten Nessa weer zeggen. Die vormelijke, saaie Nessa die waarschijnlijk niet eens met Adam naar bed was geweest voordat ze met hem trouwde. Cate speelde met haar haar terwijl ze terugdacht aan het gesprek dat ze met haar oudere zus had gehad toen ze ongeveer een jaar met Finn samenwoonde.

'Als je van hem houdt, moet je met hem trouwen,' had Nessa gezegd. 'En als je niet van hem houdt, moet je maar eens goed overwegen hoeveel tijd je van plan bent aan hem te verspillen.'

Ze had geprobeerd om Nessa uit te leggen dat trouwen geen verschil maakte... In 's hemelsnaam, had ze gezegd, we leven in een nieuwe eeuw en ze was niet van plan om zich te laten vangen in het morele keurslijf van de jaren vijftig. Maar Nessa had haar schouders opgehaald en gezegd dat ze best kon beweren dat het huwelijk niets anders was dan een papiertje, maar als het ging om welke dingen van wie waren, was het wel degelijk van belang.

Cate kon zich nog herinneren dat ze geschokt was geweest door die berekenende houding van Nessa.

'Ik dacht dat jij in de ware liefde geloofde,' had ze sarcastisch gezegd. En Nessa had glimlachend geantwoord dat dat natuurlijk ook zo was, maar dat een beetje realiteitszin geen kwaad kon.

We houden van elkaar, prentte Cate zich in toen ze een paar minuten later weer in bed stapte. We houden van elkaar en we komen hier ook wel weer doorheen. Of je nu wel of niet getrouwd was, maakte geen enkel verschil.

6

De maan in het teken van de Boogschutter

Houdt van vrijheid, reizen en een uitdaging.

Bree trok de zware voordeur van het huis op Marlborough Road open en leunde even tegen de vervallen stenen muur. Het had haar al de grootste moeite gekost om de trap op te lopen en nu moest ze even op adem komen. Ze keek neer op Steve die als een verfomfaaide dronken dweil naast de deur lag en zuchtte diep.

Waarom had ze hem mee naar huis genomen? Eigenlijk had ze niet eens ruimte voor hem, haar flat was niet groot genoeg om vreemde mannen onderdak te verlenen. Ze streek haar slordige haar achter haar oren en keek opnieuw naar hem. Ze had medelijden met hem gehad. Altijd hetzelfde liedje. Ze viel altijd voor zielepoten.

'Kom op, Steve.' Ze schudde zijn schouder. 'Word eens wakker.'

Hij kreunde zacht, deed zijn grijsgroene ogen open en keek haar wazig aan.

'Ik ben moe,' zei hij. 'Laat me hier maar liggen.'

'Doe niet zo belachelijk,' zei ze tegen hem. 'Straks word je nog gearresteerd of zo. Ga nou maar mee naar boven, dan kun je daar verder pitten.' Ze pakte hem bij de kraag van zijn katoenen overhemd en dwong hem op te staan.

'Je bent een echte vriendin, Bree, weet je dat?'

'Ja,' zei ze wrang. 'Dat weet ik.'

'De anderen hebben allemaal een hekel aan me.'

'Nee, hoor.' Ze had geen zin om daar weer over te beginnen.

'Ze hebben geen respect voor me.'

'Steve, doe nou niet zo mal.'

'Ik doe niet mal.' Zijn stem klonk wanhopig.

'Je hebt gewoon slaap nodig. Als je wakker wordt, voel je je een stuk beter. Dit is gewoon het gevolg van een fles wodka.'

'Ik heb geen fles wodka gedronken,' protesteerde Steve.

'Al die Bacardi Breezers dan.'

'Je kunt af en toe echt een kreng zijn,' zei hij. 'Maar je bent mijn beste vriend.'

'Bedankt.' Ze trok zijn arm om haar schouders. 'Vooruit, we moeten twee trappen op.'

Zodra ze in haar appartement waren, viel Steve languit op haar tweepersoonsbed en deed zijn ogen weer dicht, terwijl Bree de waterkoker aanzette om een kopje thee te maken.

Ze begon het een beetje zat te worden dat allerlei mannen haar als hun beste vriend beschouwden. Maar de meesten meenden het echt. Ze vroegen haar welke cadeautjes ze voor hun vriendinnetjes moesten kopen en ze kletsten met haar over dingen waar ze zich stiekem zorgen over maakten, dingen waar ze met andere mannen niet over konden praten. Ze behandelden haar alsof ze ook een kerel was. En dat vond ze best. Meestal.

Ze ging zitten, legde haar voeten op tafel en nam een slokje thee. Ik ben een moderne vrouw, hield ze zichzelf voor. Ik heb geen behoefte aan diepe, innige relaties met mannen. Ik kan bevriend met ze zijn zonder dat ik iedere man die ik leer kennen meteen als een potentiële levensgezel beschouw. Ik ben niet zoals Nessa, die stapels tijdschriften heeft doorgeploegd om uit te vissen bij welk soort man ze het best zou passen en die haar best heeft gedaan om precies zo'n vrouw te worden die zij zochten. Of zoals Cate, die voordat ze Finn had een hele rij vriendjes heeft gehad met wie ze kon pronken, maar met wie ze zeker niet bevriend was. Ik ben anders, ik heb een veel gezondere kijk op relaties. Ook al is het een paar keer afschuwelijk misgegaan. Nou ja, gaf ze zwijgend toe, eigenlijk zijn al mijn niet-platonische vriendschappen met mannen verschrikkelijk de mist ingegaan.

Ze krabde aan haar neus terwijl ze daaraan terugdacht. Ze waren allemaal via een bepaald patroon verlopen en dat was haar niet ontgaan. Ze had geprobeerd daar verandering in te brengen, maar dat was niet altijd gelukt. Ze viel op rare snuiters. Aantrekkelijke rare snuiters, dat wel. Maar toch waren het rare snuiters.

Zoals Gerry, die vrijwel constant in zijn flat bleef zitten om jointjes te roken en naar muziek uit de jaren zestig te luisteren. Ze was op hem gevallen omdat hij er zo fantastisch uitzag en geen greintje eerzucht had. Maar na een maand was de charme er wel af geweest. Het was maar goed dat ze meestal weer vrij snel met haar voeten op de grond stond. Want hij was niet de enige geweest. Enrique bijvoorbeeld, die ze had leren kennen toen ze een paar maanden in Spanje werkte en die een plakboek bijhield met foto's van zijn vorige vriendinnetjes, allemaal min of meer naakt (ze was meteen uit Villajoyosa vertrokken toen ze dat plakboek vond, voordat hij haar aan de verzameling had kunnen toevoegen). En Fabien, die Franse knul die eruitzag als een filmster, maar die waarschijnlijk de slechtste monteur ter wereld was en bedeeld met die typische arrogantie die alle aantrekkelijke Franse mannen hadden... Ze had ontdekt dat hij nog twee andere vriendinnetjes had en bovendien een 'relatie' onderhield met een getrouwde vrouw die in een flat tegenover de garage woonde. Na die ontdekking had ze Fabien en het stadje Carbonne adieu gezegd.

En in Engeland had ze Terry gehad – blond en niet zo knap als ze zich haar ideale man voorstelde, maar toch wel aantrekkelijk op zijn eigen gespierde manier – en ze had twee maanden met hem samengewoond voordat hij haar vertelde dat hij uit Engeland wegging om bij het vreemdelingenlegioen te gaan. Ze had nooit gedacht dat er mensen waren die echt bij het vreemdelingenlegioen gingen, maar kennelijk was dat wel het geval. Na zijn vertrek was de politie aan de deur geweest om naar hem te informeren. Ze had niet eens willen weten waarom, maar ze had meteen besloten dat het hoog tijd was om terug te gaan naar Ierland.

De rare snuiters in Ierland waren niet zo vreemd (hoewel ze ook nog even iets had gehad met Marcus, die slangen hield). Eigenlijk had ze de afgelopen paar maanden geen tijd gehad om op iemand te vallen. Haar baan bij de garage en de schnabbeltjes die ze af en toe aanpakte, namen veel tijd in beslag en ze vond het prima om alleen uit te gaan met mannen die haar als een vriend beschouwden in plaats van als een potentiële levensgezellin.

Maar nu vroeg ze zich ineens af of ze niet eens moest proberen om zelf iemand te vinden. Geen rare snuiter, geen beste vriend, maar een normale vriend. Iemand die lang genoeg bleef hangen om hem op zijn verjaardag en met de kerst een cadeautje te geven. Iemand met wie ze haar leven kon delen.

Ze huiverde. Ze wilde helemaal niet afhankelijk worden, of saai, of iemands vriendinnetje in plaats van zijn beste vriend. Nee toch? En ze viel trouwens toch nooit op kerels die een gewoon vriendinnetje zochten. Misschien kon ze toch maar beter hun beste vriend blijven.

Ze keek naar Steve. Uiteraard was ze op dit moment Steves beste vriend. Het was bijna een cliché om de beste vrienden te zijn met een homo, maar het was wel zo. Ze had hem vlak na haar terugkomst in Ierland leren kennen en ze konden meteen goed met elkaar opschieten. Hij had zelf ook net een relatie met een soortement rare snuiter achter de rug. Ze hadden in de kroeg verhalen over hun rare snuiters uitgewisseld en voor ze het wist, waren ze al de beste vrienden.

Bree mocht Steve graag en ze vond hem prettig gezelschap. Maar hij was een paar weken geleden op een werkloze acteur gevallen met wie hij een korte, hartstochtelijke verhouding had gehad en hij had haar eerder die middag opgebeld om haar alles te vertellen over zijn gebroken hart.

Hoe komt het toch, vroeg ze zich af, dat ik zo ontzettend populair ben als beste vriend, maar dat niemand me als vriendinnetje wil hebben? Waarom ben ik zo anders dan Nessa en Cate, terwijl we toch dezelfde genen in ons lijf hebben? Hoe komt het dat zij zo goed met mannen overweg kunnen en ik niet? Ondanks het feit dat ik tegenover hen net doe alsof dat soort dingen me niets interesseren, heb ik toch het akelige gevoel dat ik een beetje jaloers word.

Er liep een rilling over haar rug. Dat soort gedachten moest ze echt niet in haar hoofd halen. Ze wierp een blik op haar horloge. Het was al laat. Morgenochtend zou ze zich vast beter voelen. Ze droeg maar weinig make-up en ze wist dat ze haar gezicht eigenlijk schoon moest maken voordat ze naar bed ging, maar ze had er gewoon geen zin in. Ze zette haar lege mok in de gootsteen, viel met al haar kleren aan naast Steve op het bed en sliep vrijwel onmiddellijk.

Cate stond onder de douche en vroeg zich af wat ze zouden zeggen als ze hun vertelde dat het voorbij was. Nessa zou overlopen van sympathie, maar ze zou Cate ook meteen laten voelen dat zij zelf een volmaakte relatie had. Bree zou haar schouders ophalen en zeggen dat ze zonder hem beter af was. En Miriam zou zich schuldig voelen. Miriam zou denken dat Cate erin was geslaagd om alles in het honderd te laten lopen omdat zij niet in de buurt was om op haar tweede dochter te letten. Nu Miriam het heft niet meer in handen had, had Cate oogluikend toegestaan dat Finn zo'n vent was geworden die pas om vier uur 's ochtends thuiskwam, die elke gelegenheid aangreep om zich lam te zuipen en die haar behandelde alsof ze zijn eigendom was. Het soort vent dat zich nog een keer had omgedraaid toen zij opstond om een kop koffie te zetten en niet de moeite nam om antwoord te geven toen zij haar hoofd om de deur stak om te vragen of hij ook een kopje wilde.

Hij was niet langer in haar geïnteresseerd, dat was duidelijk. En het kwetste Cate meer dan ze wilde toegeven dat zijn belangstelling voor haar was gaan tanen op het moment dat hij het aanbod voor dat tv-programma had gekregen. Het was net alsof zij plotseling een onbelangrijk deel van zijn verleden was geworden, een ongemak waarmee afgerekend diende te worden. Ze voelde hoe haar tranen zich vermengden met het warme douchewater. Ze had geloofd in hun relatie, ze had hem vertrouwd en zichzelf toegestaan om van hem te gaan houden. Maar nu stond ze hier met het bittere gevoel dat ze binnenkort op zoek moest gaan naar een ander appartement en helemaal alleen opnieuw moest beginnen, terwijl ze al dertig was. Ze schudde haar hoofd. Ze had niet eens willen erkennen hoe heerlijk het was om iemand te hebben met wie je alles kon delen zodat je nooit meer alleen hoefde te gaan slapen.

Ik gedraag me belachelijk, dacht ze terwijl ze boos met de spons over haar lichaam wreef. Ik doe net alsof mijn eigenwaarde afhankelijk is van het feit of ik al dan niet alleen slaap. Ik ben een succesvolle vrouw. Ik heb geen man nodig om me een gevoel van voldoening te geven. Ze wenste dat ze ook echt kon geloven in de dingen die ze zichzelf inprentte.

Het appartement was leeg toen ze uit de douche stapte. Finn had nog geslapen – dat dacht ze tenminste – toen ze de badkamer in liep, maar misschien had hij gewoon gewacht tot zij uit bed was gestapt, zodat hij de deur uit kon glippen zonder iets tegen haar te zeggen. Ze voelde opnieuw de tranen in haar ogen branden en beet haar tanden op elkaar. Ik laat me niet door hem aan het huilen maken, dacht ze terwijl ze zich in het sneeuwwitte badlaken wikkelde. Ik ga niet om hem zitten janken, ik zal me gewoon koel, beheerst en volwassen gedragen. Verdorie nog aan toe, ik ben dertig! Als je dertig bent, verspil je geen tranen meer aan een vent!

Ze trok een lichtroze T-shirt en een verschoten spijkerbroek aan en ging op de bank in de zonovergoten woonkamer naar de luie golfslag van de zee zitten kijken. Het was wel raar dat ze het gevoel had dat alles voorbij was, terwijl ze er nog niet eens over hadden gepraat. Maar dat zou vast wel gebeuren. Finn was nog nooit het appartement uit gelopen zonder afscheid te nemen. Nu hij dat wel had gedaan, was hun relatie voorgoed veranderd.

Haar maag knorde. Ze had honger, maar ze had het gevoel dat ze geen hap naar binnen kon krijgen. Hoe kwam het toch dat je precies hetzelfde reageerde als je verliefd werd en als er een eind aan de liefde kwam? Toen ze voor het eerst met hem uitging, had ze ook geen hap door haar keel kunnen krijgen. Ze wreef over haar nek. Nessa zou van de gelegenheid profiteren om haar te vertellen dat ze haar gewaarschuwd had en dat ze met hem had moeten trouwen toen ze de kans had.

Maar die kans heb ik nooit gehad, zei ze bij zichzelf. Hij wilde zich niet binden. En ik ook niet.

Ze hoorde de deur van het appartement opengaan en haar hart sloeg over. Denk erom, prentte ze zichzelf in, geen tranen. Blijf gewoon koel.

'Is er iemand thuis?'

Ze zag de bloemen voordat ze hem zag, een enorme bos donkerrode rozen, veel te veel voor de twee vazen die ze hadden.

'Finn!'

'Wie had je anders verwacht?' Hij liet het enorme boeket zakken, tot ze zijn glinsterende blauwe ogen zag.

'Niemand.' Ze stond op. 'Wat heeft dit te betekenen?'

'Dit,' zei Finn terwijl hij haar de bloemen in de hand drukte, 'is mijn manier om te zeggen dat het me spijt.'

'Spijt?'

'Dat ik zo'n klootzak ben geweest,' zei hij. 'En zo heb ik me al een tijdje gedragen, hè? Vanaf de tijd dat ik dat tv-programma heb gekregen. Of eigenlijk vanaf de tijd dat we erover begonnen te praten.'

Cate beet op haar onderlip. 'Min of meer.'

'Eigenlijk hoor je te zeggen dat dat helemaal niet waar is.' Finn grinnikte tegen haar. 'Zodat ik mezelf nog een klopje op de schouder kan geven ook! Je had moeten zeggen dat het je helemaal niet was opgevallen dat ik me als een eersteklas lul gedroeg.'

'Nou ja...' Ze trok een gezicht en knipperde met haar ogen om de tranen terug te dringen.

'Maar ik weet dat het zo is,' zei hij. 'Ik had er al veel eerder over moeten beginnen, Cate. Ik had het je moeten vertellen toen ze me voor het eerst benaderden. Maar ik was bang dat ik een stomme indruk zou maken als het uiteindelijk toch niet door zou gaan.'

'Ik begrijp het wel,' zei ze.

'Nee,' zei Finn. 'Je begrijpt er eigenlijk niets van. Ik heb hiervan gedroomd, Cate, dat weet je. En nu leek het erop dat die droom zou uitkomen. Ik dacht dat alles in rook zou opgaan als ik er hardop over praatte.'

'Nou klink je net als Nessa,' zei ze tegen hem.

Hij lachte. 'Ik ben een Waterman,' zei hij. 'Volgens je zus hoor ik objectief en niet emotioneel te zijn...'

'Misschien hebben ze je daarom wel gevraagd om een talkshow te presenteren,' zei Cate.

'Nou ja, de meeste tijd ben ik ook echt objectief en niet emotioneel,' zei hij tegen haar. 'Maar ik moet niet altijd eerst mijn hersens en dan pas mijn hart gebruiken.'

'Doe je dat dan?'

'Volgens mij wel.'

'Dat geeft niet,' zei ze.

'Jawel.' Finn deed een stap naar haar toe en pakte haar de bloemen af, die hij zorgvuldig op de grond legde. 'Ik had jou erbij moeten betrekken, Cate. Niet alleen bij het fijne, maar ook bij het vervelende deel. Ik vond het afschuwelijk dat ik je niets had verteld, maar hoe langer ik mijn mond hield hoe moeilijker het werd om erover te beginnen. En ik was zo opgelucht toen de kogel eindelijk door de kerk was, dat ik het er zomaar door de telefoon uit flapte! Ik had je het fatsoenlijk moeten vertellen, onder vier ogen. Maar op de een of andere manier scheen ik er met jou niet zo over te kunnen praten als ik had verwacht en ik kreeg het gevoel dat je het misschien niet zo leuk vond.'

'Ik was verrast,' zei ze. 'En gepikeerd omdat je me het niet eerder had verteld.'

'Ik weet het,' zei hij. 'Hoewel het even duurde voordat ik het doorhad... Misschien zal ik toch niet zo'n goede presentator worden als ik dat soort dingen niet meteen doorheb. Maar goed,' ging hij haastig verder, 'of het nu een succes wordt of niet, en of mijn contract na een jaar verlengd wordt of niet, het enige dat telt is dat jij bij me bent.'

Ze keek hem met grote ogen aan.

'Ik hou van je,' zei hij. 'Ik hou al eeuwen van je. Niet vanaf de eerste dag dat we elkaar leerden kennen, want toen geilde ik alleen maar op je. Maar daarna ben ik van je gaan houden. En ik zal altijd van je blijven houden, Cate. Wat er ook gebeurt.'

'Echt waar?'

'Succes is niets waard, als je niet iemand hebt met wie je het kunt delen.'

'Denk je dat?'

'Ja, natuurlijk,' zei hij hartstochtelijk. 'Dat is een van de dingen waar mijn programma om draait. Het feit dat mensen echt geluk en liefde belangrijker vinden dan al het andere.'

'Belangrijker dan een Mercedes-Benz Kompressor?' Dat was zijn favoriete auto.

'Veel belangrijker.'

'Belangrijker dan in je vakantie een wereldreis te maken?' Dat had hij altijd willen doen.

'Zeker weten.'

'Belangrijker dan...'

'Belangrijker dan wat ook,' viel hij haar vastberaden in de rede.

Ze keek in zijn ogen, die zelfs nog blauwer waren dan de zee buiten, en raakte heel even zijn wang aan.

'Trouw dan met me,' zei ze.

Ze had het er al uit geflapt voordat ze er goed over na had kunnen denken. Ze had verwacht – en gehoopt – dat ze die woorden op een dag zou horen, maar nooit dat ze uit haar eigen mond zouden komen.

Hij grinnikte tegen haar. 'Zo ken ik mijn Cate weer.'
'Hoezo?'
'Dat vind ik nou zo fantastisch van je. Als je iets wilt, vraag je er gewoon om.'
'Ik maakte een grapje,' zei ze haastig.
'Echt waar?'
'Min of meer.' Ze wist niet goed wat ze moest doen. Ze had hem gevraagd om met haar te trouwen, heel onfatsoenlijk en heel onvrouwelijk. En een paar minuten geleden had ze zichzelf nog voorgehouden dat ze geen behoefte had om zich te binden! Ze leefden al zo lang gelukkig samen dat ze dat papiertje echt niet meer nodig hadden. Maar ze had zich zo kwetsbaar gevoeld door die plotselinge wending in zijn carrière en zijn onverwachte gedrag, dat Nessa's waarschuwing ineens door haar hoofd bleef spelen. En ze had het afschuwelijke gevoel gehad dat hij zelf nooit met die vraag over de brug zou komen, ondanks al dat gepraat over hoeveel hij van haar hield.
'Wil je graag trouwen?' vroeg hij.
Ze haalde haar schouders op.
'Hou je van me?'
Ze legde haar hoofd tegen zijn brede schouder. Natuurlijk hield ze van hem. Ze had altijd van hem gehouden. Half Ierland hield van hem. Het was verrekt moeilijk om niet van hem te houden.
'Volgens mij wel,' zei ze tegen hem.
'Het zou best leuk zijn om te trouwen,' zei hij.
'Het hoort helemaal niet leuk te zijn!'
De manier waarop ze dat zei, maakte hem aan het lachen.
'Je weet best wat ik bedoel,' zei ze.
'Misschien moet ik ook een programma over trouwen maken,' zei hij peinzend. 'Met mensen die al jarenlang bij elkaar zijn en een paar pasgetrouwde stelletjes...'
Ze hief haar hoofd op en keek hem weifelend aan.
'Ik wil dolgraag met je trouwen, Catey,' zei hij. 'Het wordt zo langzamerhand tijd. Dat meen ik echt.'
Ze legde haar hoofd weer op zijn schouder.
'Maar laten we dat Nessa-gedoe voorlopig dan nog achterwege laten.'
'Pardon?'

'Je weet wel wat ik bedoel. Het huis in de buitenwijken. De roze gordijnen. Dat jengelende kind...'

'Maak je geen zorgen,' zei Cate. 'Ik lijk helemaal niet op Nessa.'

'Dat weet ik.' Hij drukte een kus op haar kruintje. 'Jij bent stukken sexier.'

7

De zon in het teken van de Ram
De maan in het teken van de Steenbok

Pakt alles aan met moed, enthousiasme en toewijding.

Rood stond haar goed, dacht Cate, terwijl ze zichzelf in de grote spiegel bekeek. Rood bracht kleur in haar gezicht, benadrukte de tint van haar donkere haar en maakte haar gezonder en levendiger dan ze er in tijden had uitgezien. Ze zou het veel vaker moeten dragen dan de zwarte en donkerblauwe kleren die ze zo vaak aanhad. En die nieuwste vloeibare make-up van Dior die ze gisteren had gekocht zag er ook geweldig uit. Ze haalde nog één keer haar hand door haar haar, eigenlijk alleen om de diamant in haar verlovingsring te zien schitteren in het zonlicht dat door het slaapkamerraam viel. Ze vond het wel een beetje kinderachtig dat ze zo verrukt was van haar ring, want dat was niets voor een zakenvrouw, maar ze kon er niets aan doen. Het was echt een fantastische ring.

Ze hadden hem samen gekocht bij een juwelier in het Powerscourt Townhouse Centre en ze had van Finn niet eens naar de prijzen mogen kijken, hij stond erop dat ze iets uitkoos wat ze echt graag wilde hebben. Diep vanbinnen had ze voor iets eenvoudigs en elegants willen kiezen, maar iets in haar, waarvan ze het bestaan niet eens kende, hunkerde naar glitter en glamour. Uiteindelijk was het glitter en glamour geworden en nu moest ze zich inhouden om niet bij het minste of geringste met haar linkerhand te gaan wapperen.

'Ben je nog niet klaar?' Finn kwam de kamer binnenstormen en Cate liet haar handen haastig zakken.

'Jawel,' zei ze tegen hem.

'Rood staat je goed,' zei hij tegen haar.

'Ik weet het.' Ze glimlachte. 'Dat stond ik zelf ook net te denken.'

Hij hield zijn hoofd schuin en bekeek haar kritisch. 'Weet je wat je ook goed staat?'

'Wat dan?'

'Dat je iets zwaarder bent geworden.'

'Denk je dat echt?' Haar stem klonk geschrokken. 'Ik vond al dat de rits wat moeilijker dichtging dan anders.'

'Ja, maar dat maakt echt niet uit,' verzekerde hij haar. 'Je begon ontzettend mager te worden, Cate.'

'Niet waar.'

'Wel waar! Het viel zelfs Bree op, toen we die avond bij Nessa waren.'

'Ze noemde me een bonenstaak.' Cate trok een gezicht. 'Het kreng.'

Finn lachte. 'Ze neemt geen blad voor haar mond, onze Bree.'

'Ze is niet goed wijs.' Cate trok de kastdeur open en pakte een paar lichtbruine schoenen. 'Haar baan, haar leven, welke kant het met haar op moet... ze trekt zich er gewoon geen bal van aan.'

'Dat is niet eerlijk,' zei Finn. 'Alleen maar omdat ze andere prioriteiten heeft dan jij.'

'Maar ze heeft zoveel mogelijkheden,' zei Cate. 'Ze was op school echt briljant in wiskunde en scheikunde. Ze had van alles kunnen gaan doen.'

'Maar wat is er mis met wat ze nu doet?' vroeg Finn. 'Ze is ontzettend goed... en het is heel praktisch om een monteur in de familie te hebben.'

'Misschien wel.' Cate lachte. 'Zeker als je Adam Riley heet. Als Bree er niet was geweest zouden Nessa en Adam waarschijnlijk veel vaker ruzie hebben. Ze heeft hun een vermogen aan reparatiekosten bespaard.' Ze wierp een blik op haar horloge en slaakte een kreet. 'God, je hebt gelijk! Ik ben veel te laat. Ze zullen me kelen.'

'Ik zorg wel dat je op tijd komt,' zei Finn. 'Je hoeft niet in paniek te raken.'

'Ik ben helemaal niet in paniek.' Cate pakte haar tas op en draafde de kamer uit. Maar ze vergat haar sleutels en kwam weer terug.

'Je raakt altijd in paniek als je een afspraak met je zussen hebt,' zei Finn geamuseerd. 'Ik snap niet waarom.'

'Gewoon omdat...' Cate streek een onzichtbaar haartje achter haar oor en keek haar verloofde aan. 'Ik ben de middelste, Finn. Nessa heeft altijd tegen mij gezegd wat ik moest doen en ik moest altijd op Bree passen. En nu heb ik af en toe het gevoel dat ik niet precies weet hoe ik me tegenover hen moet gedragen.'

'Het zal wel afgezaagd klinken, maar zou je niet gewoon jezelf kunnen zijn?' opperde Finn.

Cate giechelde. 'Leer je dat soort dingen vast voor je tv-programma?'

'Kom op.' Finn sloeg zijn arm om haar schouders. 'Ik zal je wel voor de wolven werpen.'

Nessa en Bree zaten al in Il Vignardo's. Cate had het restaurant uitgekozen omdat ze hield van de sfeer en de vriendelijke, attente bediening. Nessa was zoals gewoonlijk een tikje te vroeg geweest, maar Bree was bijna precies op tijd. Ze bestelden een fles rode wijn en wachtten tot Cate op kwam dagen.

'Ik weet niet waarom ze altijd te laat is,' zei Bree. 'Je zou toch denken dat iemand met zo'n baan haar tijd tot op de seconde indeelt.'

'Moet je horen wie dat zegt.' Nessa leunde achterover in haar stoel. 'Jij bent nooit ergens op tijd. Ik had geen moment verwacht dat jij hier eerder zou zijn dan zij.'

'Jij verwacht gewoon dat ik te laat kom,' zei Bree. 'Het warrige jongste zusje.'

'Je bent niet warrig,' zei Nessa.

'Maar je verwacht toch dat ik dat wel ben,' herhaalde Bree. 'Dat zei je vroeger ook altijd, Nessa.'

'Niet waar.'

'Wel waar.'

'Gelul,' zei Nessa vastbesloten.

'Wat vind jij eigenlijk van Cate en Finn?' zei Bree om over iets anders te beginnen.

'Ik vind het geweldig,' zei Nessa. 'Jij niet, dan?'

Bree haalde haar schouders op. 'Jawel, hoor. Maar heb je dat stuk over hen gezien in het amusementskatern van de krant? Het was zo vulgair dat ik ervan moest kotsen.'

Nessa knikte. 'Ik las het vorige week toen Jill en ik bij mam logeerden. We hebben er samen behoorlijk om gelachen. Maar het was eigenlijk gewoon publiciteit voor Finn, denk je ook niet? Ze zijn niet echt beroemd.'

'Dat maakte het niet minder walgelijk,' zei Bree. 'En volgens mij houdt Cate dat niet lang vol, ook al vindt ze het heerlijk om zich op te tutten met de allernieuwste make-up en rond te huppelen in dure, nieuwe kleren.'

'Ze houdt van hem,' zei Nessa. 'Ze heeft het al drie jaar met hem uitgehouden.'

'Maar toen was hij nog niet beroemd,' zei Bree ernstig. 'Ze heeft het met hem uitgehouden zolang alles nog oké was. Maar als alles verandert... misschien verandert hij dan ook wel.'

'Dat betwijfel ik,' zei Nessa. 'Finn is een aardige vent. Hij is een Waterman, dus hij is vrij gevoelig.'

'En daarom zullen ze het volgens jou wel redden?' Bree giechelde.

'Ze moeten redelijk met elkaar kunnen opschieten,' zei Nessa. 'Ze vullen elkaar aan, ook al denken ze niet overal hetzelfde over.'

'Ik ben een Boogschutter,' zei Bree. 'Wie past dan het best bij mij?'

'Jij bent een moeilijk geval,' zei Nessa.

'Hoezo?'

'Omdat jouw maan in het teken van de Tweeling staat.'

'Nou en?'

'Jij verlangt naar een levenspartner,' zei Nessa. 'Maar je bent altijd op zoek naar iets beters dan wat je hebt.'

'Wat een kolder,' zei Bree. 'Ik heb massa's vrienden.'

'En daar zit niemand bij die goed genoeg is om je vriendje te zijn?'

Omdat die opmerking bijna letterlijk de gedachte vertolkte die haar laatst zelf door het hoofd had gespeeld, verslikte Bree zich in haar rode wijn.

Nessa keek haar jongere zus aan en fronste. 'Is alles in orde?' vroeg ze. 'Of zit je iets dwars?'

'Nee, natuurlijk niet,' zei Bree ongeduldig.

'Weet je het zeker?'

'Nessa, hou alsjeblieft op je als mijn grote zus te gedragen. Het gaat prima met me. Het gaat prima met mijn baan. En met mijn leven is ook niets mis.'

Ze hielden allebei hun mond. Bree krabde een druppeltje kaarsvet van het tafeltje en wenste dat Nessa niet altijd zo diep op dingen inging. Je kon gewoon geen losse opmerkingen maken tegen een vrouw die alles letterlijk nam en meteen begon te wroeten om de reden bloot te leggen.

'Waar blijft ze in vredesnaam?' Nessa's geërgerde stem bracht Bree weer terug bij de werkelijkheid.

Bree keek op haar horloge. Het was niets voor Cate om hen zo lang te laten wachten. Meestal kwam ze net laat genoeg om hen ervan te doordringen dat ze het druk had en dat ze blij mochten zijn dat ze er toch nog in was geslaagd om tijd voor hen te maken.

'Misschien ligt Finn wel hartstochtelijk met haar te vrijen,' opperde ze. 'Misschien kon hij het niet uitstaan dat ze een afspraak met ons heeft en heeft hij haar aan het bed vastgebonden en krijgt ze nu een pak rammel om haar te leren gehoorzaam te zijn.'

Nessa giechelde. 'Wat een belachelijk idee! Onze Cate laat zich niet door middel van een pak rammel dwingen om gehoorzaam te zijn.'

'Misschien vindt ze dat wel leuk,' opperde Bree.

'Denk je?' Nessa trok een gezicht.

'Jezus, hoe moet ik dat nou weten?' Bree leek ontzet bij het idee alleen.

'Ik vroeg het me gewoon af,' zei Nessa peinzend. 'Volgens mij is hij het dominante type en...'

'Maar Cate is niet het soort vrouw dat zich laat domineren,' zei Bree.

'Normaal gesproken niet,' beaamde Nessa. 'Maar in bed misschien wel.'

'Dat waag ik te betwijfelen,' zei Bree. 'En ik vraag me bovendien af waarom we hier in vredesnaam zitten te roddelen over het liefdesleven van onze zus!'

'Je hebt gelijk,' zei Nessa. 'Eigenlijk wil ik dat ook helemaal niet weten. Maar ik ben wel blij dat ze eindelijk besloten hebben om te gaan trouwen.'

'Zodat jij niet meer de enige bent?' vroeg Bree.

'Dat kan me niets schelen,' zei Nessa. 'Maar ik ben blij dat ze nu openlijk uitkomen voor hun gevoelens ten opzichte van elkaar. Ik denk liever aan Cate als iemand met gevoelens dan als een vrouwelijke robot die alleen oog heeft voor haar carrière.'

'Maar ze is helemaal geen robot!' riep Bree uit. 'Natuurlijk heeft ze gevoelens!'

'Ach, dat weet ik ook wel.' Nessa zuchtte. 'Ik weet niet wat me vandaag bezielt.'

'Is er iets mis met je horoscoop?' Brees ogen twinkelden en Nessa schoot in de lach.

'Nee, ze zijn eerlijk gezegd vrij saai.' Ze rommelde in haar tas en haalde er drie velletjes papier uit. 'Ik heb ze meegebracht.'

Bree pakte een van de velletjes aan. 'Waar heb je die vandaan?'

'Van internet,' zei Nessa. 'Ik heb een site gevonden die echt goed is.'

'Dezelfde waarop voorspeld werd dat je een prijs in de staatsloterij zou winnen?' vroeg Bree.

'Ja.' Nessa keek haar triomfantelijk aan. 'Alleen beloven ze nu niets bijzonders.'

'In ieder geval niet voor mij,' zei Bree terwijl ze de tekst snel doorlas. 'Wat bedoelen ze eigenlijk met "je moet je meer verdiepen in je innerlijke gevoelens", Nessa?'

'Waarschijnlijk dat je dat letterlijk moet doen,' zei Nessa. 'Misschien verdiep je je niet genoeg in wat je echt graag wilt.'

Bree wierp een blik op haar horloge. 'Wat ik nu echt graag wil, is iets te eten,' zei ze. 'Als Cate niet binnen vijf minuten komt opdagen, bestellen we gewoon vast iets. Of er nu iets te vieren valt of niet.'

Nessa grinnikte. 'We kunnen haar verloving ook wel zonder haar vieren. Maar dat hoeft niet. Ze heeft zich eindelijk verwaardigd om op te komen dagen.' Ze zwaaide naar Cate die bij de ingang stond. Het lange, slanke meisje zwaaide terug en kwam vol zelfvertrouwen naar hun tafeltje lopen.

'Waar hing je in vredesnaam uit?' wilde Nessa weten toen Cate een stoel pakte. 'We zitten hier al eeuwen.'

'Sorry.' Cate keek haar vol berouw aan. 'Ik was aan het rommelen en toen heb ik de tijd uit het oog verloren.'

Bree keek haar met grote ogen aan. Het was niets voor Cate om dat te erkennen, dacht ze. Misschien was ze wel helemaal veranderd door haar verloving.

'Nou,' zei ze. 'Laat ons maar gauw die ring zien!'

Cate had haar zussen pas gebeld nadat zij en Finn de ring gekocht hadden. Ze had het niet eerder willen doen, omdat ze bang was dat hij misschien van gedachten zou veranderen. Ze had best geweten dat ze zich een beetje dwaas gedroeg, maar ze vond het niet nodig om de meisjes iets te vertellen voordat die ring om haar vinger zat. En ze had moeten praten als Brugman om te voorkomen dat Nessa (die met Jill bij hun ouders logeerde) meteen uit Galway terug zou komen rijden om hem te bewonderen.

Inmiddels waren ze een paar dagen verder. Ze stak haar hand uit en ze slaakten allebei een kreet van bewondering toen ze de grote diamant zagen.

'Die is echt fantastisch.' Nessa zuchtte en keek even naar haar eigen verlovingsring, een simpele gouden band met drie kleine diamanten. 'Die moet hem een vermogen hebben gekost.'

'Dat kan hij zich best veroorloven.' Cate lachte vol zelfvertrouwen. 'Ik mocht niet eens naar de prijzen kijken, hij zei dat ik gewoon de ring moest nemen die ik het mooist vond.'

'Je hebt echt een goede keus gemaakt,' zei Nessa tegen haar. 'Hij is schitterend.'

'Hij is inderdaad opvallend,' zei Bree terwijl ze Cates hand pakte en de diamant bestudeerde. 'Als hij je ooit in de steek laat, kun je hem altijd nog verpatsen om je bij wijze van troost helemaal rond te eten.'

'Bree Driscoll! Wat een rotopmerking.' Cate trok haar hand terug.

'Sorry.' Bree grinnikte tegen haar. 'Maar je kent me toch, Cate. Ik heb nooit om juwelen gegeven.'

'Wat zouden jullie ervan zeggen als we eens iets te eten bestelden?' stelde Nessa haastig voor. 'We zitten hier al een eeuwigheid en mijn maag begint te knorren.'

'Dat lijkt me een goed idee.' Cate sloeg een menu open en keek het vluchtig door.

Toen de kelner op kwam draven, bestelden ze een paar salades, lasagne, knoflookbrood en een fles Chianti.

'Ik vind het echt hartstikke fijn voor je, Catey,' zei Nessa zodra haar glas was volgeschonken. 'Proost. Dat je maar lang en gelukkig met Finn-So-Cool getrouwd mag zijn.'

'Bedankt,' zei Cate terwijl ze klonken. 'Maar doe me een genoegen en noem hem niet zo. Hij vindt het verschrikkelijk.'

'Echt waar?' Bree keek haar verrast aan. 'Ik dacht eigenlijk dat hij het wel leuk vond.'

'Helemaal niet,' zei Cate.

'Ik heb je horoscoop meegebracht, Cate,' zei Nessa toen er plotseling een stilte viel. 'Maar eigenlijk staat er niets bijzonders in.'

'Had je dat dan verwacht?' Cate pakte het vel papier van Nessa aan en wierp er een blik op. 'Ik heb al genoeg opwinding gehad. Hoewel ik eigenlijk het idee had, dat jij dat van tevoren zou weten.'

'Nou ja, vorige week stond er wel in je horoscoop dat er bepaalde dingen zouden gebeuren waarvan je zou opkijken, maar ik dacht dat het iets met je werk te maken zou hebben.'

Cate grinnikte. 'Bij uitzondering klopte dat dan een keer. We hebben een enorme order voor onze nieuwe schoen gehad, die onze verkoopcijfers in één klap weer op peil heeft gebracht.'

'Geweldig!' riep Nessa uit.

'Moet je je voorstellen,' zei Bree. 'Een verloving en een grote order in één week!'

'Hoe heeft hij je eigenlijk gevraagd?' Nessa trok een gezicht tegen Bree en keek Cate weer aan. 'Is hij op zijn knieën gaan liggen of keek hij je gewoon aan en zei: Wat dacht je ervan?'

Cate voelde haar wangen rood worden en legde het papier op tafel. 'Geen van beide.'

'Hoe dan?' vroeg Bree.

'Nou, hij...'

'Jullie lagen ontzettend woest te vrijen en hij schreeuwde dat je met hem moest trouwen en toen zei jij, vooruit dan maar, als je me nu met rust laat,' opperde Bree.

'Bree!' Nessa kon haar lachen nauwelijks inhouden.

'Om eerlijk te zijn heb ik hem gevraagd,' zei Cate kalm.

Bree en Nessa keken haar met grote ogen aan.

'Jij hebt hem gevraagd?' piepte Nessa. 'Nee, Cate, heb je dat echt gedaan?'

'Dat zei ik toch.'

'Wauw.' Bree keek haar vol bewondering aan. 'Jij bent echt een geëmancipeerde vrouw, hè?'

'Zo belangrijk is dat nou ook weer niet,' zei Cate.

'Waarom heb je hem gevraagd?' Nessa keek haar nieuwsgierig aan. 'Ik dacht eigenlijk dat het jullie geen van beiden een bal interesseerde.'

'Ik wist dat de tijd rijp was,' zei Cate. 'En hij had net een schitterend boeket rozen voor me meegebracht...'

'Als je even had gewacht, had hij jou misschien wel gevraagd,' zei Bree.

'Maar jij nam het heft in handen, zoals je altijd doet,' zei Nessa.

'Ik wist gewoon dat het nu of nooit was,' zei Cate tegen haar.

'Ik ben diep onder de indruk.' Nessa schonk hun glazen vol. 'Op Cate. In de hoop dat ze zich nooit zal inhouden.'

'Op Cate!'

Ze klonken stevig met hun glazen en Nessa depte een paar druppeltjes wijn van het tafeltje. Toen de kelner hun eten kwam brengen, hielden ze even hun mond, maar zodra hij verdwenen was, pakten ze het gesprek weer op.

'Hoe heeft Adam jou eigenlijk ten huwelijk gevraagd, Nessa?' Bree keek haar oudste zus aan. 'Of ben jij ook een zus die haar man zelf bij de kladden heeft gepakt om hem krijsend en tegenstribbelend mee te sleuren naar het altaar?'

'Nee,' zei Nessa dromerig. 'Hij heeft mij gevraagd. Op een heel romantische manier.'

'Hoe dan?'

'In de auto,' zei Nessa. 'Op Howth Summit.'

'Je hoeft ons niet te vertellen wat jullie daar deden,' giechelde Bree. 'Ik heb daar vaak genoeg auto's met beslagen ramen zien staan.'

'Onze ramen waren niet beslagen,' zei Nessa preuts. 'Wij keken naar het uitzicht.'

Cate en Bree schaterden van het lachen.

'Echt waar!' protesteerde Nessa. 'En hij zei dat ik veel mooier was dan alle bloemen op de heuvel en alle sterren aan de hemel of zoiets en toen vroeg hij of ik met hem wilde trouwen.'

'Je houdt ons voor de gek,' zei Bree.

'Nee, hoezo?'

'Ik heb Adam nooit zo'n romantische slijmbal gevonden,' zei ze. 'Op de een of andere manier had ik verwacht dat hij een praktischer manier had gekozen.'

'O, nee,' zei Cate. 'Adam is echt een man van gebaren, hè? Hoewel ik eigenlijk zou hebben verwacht dat hij je tijdens een etentje bij kaarslicht zou hebben gevraagd.'

'Nou, hij is dus niet zo voorspelbaar als jij denkt,' zei Nessa ad rem.
'Kennelijk niet,' zei Cate.
'En hij heeft mij wel gevraagd.'
'Bedoel je dat ik Finn moest dwingen?' Cates stem klonk gevaarlijk kalm.
'Nee, natuurlijk niet,' zei Nessa. 'Hoe je het ook wendt of keert, je kunt iemand niet dwingen om met je te trouwen.'
'Finn zou me uiteindelijk vast wel gevraagd hebben,' zei Cate. 'Maar ik zei al dat het een geschikt moment was, dus ben ik erover begonnen.'
'En je had groot gelijk,' zei Bree onomwonden. 'Finn lijkt mij een van die kerels die altijd gewoon afwacht wat er gebeurt. En Adam is een zakenman. Als hij besluit iets te doen, doet hij het ook. Maar waarschijnlijk vindt hij zelf dat hij juist heel ontspannen is.'
'Ik geloof niet dat hij zich daar druk over maakt,' zei Nessa.
'Zeker weten.' Bree schudde haar hoofd. 'Jouw man wil graag jong en trendy overkomen.'
'Trendy?' zei Nessa lachend. 'Adam?'
'Hij is meer een levensgenieter dan trendy,' zei Cate. 'Hij houdt van de goede dingen in het leven, hè Nessa?'
'Ik denk het wel.' Nessa knikte. 'Hij geeft liever meer geld uit aan iets dat echt goed is, dan tevreden te zijn met iets minders.'
'Dat kun je aan zijn kleren zien,' zei Cate. 'Die zijn altijd duur.'
'Die van jou ook,' zei Nessa.
'Alleen omdat ik er voor mijn werk graag goed uit wil zien,' zei Cate.
'Maar dit draag je vast niet naar je werk,' zei Nessa met een knikje naar de rode jurk van haar zus. 'Dat zit veel te strak.'
'Mag ik soms geen strakke dingen dragen?' wilde Cate weten.
'Natuurlijk wel!'
'Meisjes, meisjes!' Bree slaagde erin om net als hun moeder te klinken.
'Ik hou ook van mooie kleren,' zei Nessa. 'Maar die kan ik me niet altijd veroorloven.'
'Ach, hou op,' zei Cate. 'Jullie zijn niet bepaald arm.'
'Nee, maar we kunnen niet echt met geld smijten,' zei Nessa. 'Jullie willen niet geloven hoe duur een kind is. En dan kun je me nog zo vaak vertellen dat ik niet moet toegeven aan haar steeds groeiende eisen, maar ik wil gewoon dat ze dezelfde dingen krijgt als andere kinderen.'
'Hoe dan ook, jullie hebben veel meer dan ik,' zei Bree. 'Volgens mij

zit er een lek in mijn bankrekening. Hoeveel geld er ook op wordt gestort, er gaat altijd meer vanaf. En ik heb geen vent die leuke dingen voor me koopt. Ik moet voor mezelf zorgen.'

'Heb je dan echt niemand?' vroeg Nessa.

Bree schudde haar hoofd. 'Alleen Steve. Die heeft een paar weken bij me gewoond.'

'Je hebt ons nooit iets over een Steve verteld!' riep Cate uit.

'Het was ook niet serieus,' zei Bree.

'Volgens mij wel,' zei Nessa. 'Je laat toch niet zomaar een vreemde vent bij je intrekken?'

'Hij is homo,' zei Bree.

Haar zussen keken haar met grote ogen aan.

'Lieve hemel nog aan toe!' Bree stak haar ergernis niet onder stoelen of banken. 'Ik hield jullie gewoon voor de mal! Hij heeft alleen maar een tijdje bij me gewoond omdat het uit was met zijn vriendje.'

'Dan is hij niet bepaald geschikt voor jou,' merkte Cate op.

'Ik ben ook helemaal niet op zoek naar een vriendje,' zei Bree.

'Ik kan me de tijd niet herinneren dat ik geen vriendje had,' zei Nessa dromerig.

Cate giechelde. 'Ik wel. Toen Tom McArdle het uitmaakte, heb je weken om hem lopen treuren.'

'Ik treurde helemaal niet,' zei Nessa pinnig.

'Wel waar!' Bree was opgelucht dat het gesprek niet langer over haar ging. 'Dat kan ik me ook nog wel herinneren. Je zat constant zijn naam op allerlei papiertjes te krabbelen.'

Nessa trok een gezicht. 'Hij was een Ram, net als Cate. Het zou nooit iets tussen ons zijn geworden. We waren het nooit met elkaar eens.'

'Je denkt toch niet echt dat jullie sterrenbeelden daar iets mee te maken hadden?' vroeg Cate.

'Eigenlijk niet,' erkende Nessa na een korte stilte. 'Hij was gewoon iemand tegengekomen met grotere tieten en een minder dikke kont.'

Nessa klonk zo verontwaardigd dat haar beide jongere zussen dubbel lagen.

'Wat vond je erger?' vroeg Cate. 'De minder dikke kont of de grotere tieten?'

'De kont, denk ik,' zei Nessa. 'Na Jills geboorte zijn mijn tieten precies waar Tom altijd van gedroomd had.'

'En jij, Cate?' vroeg Bree. 'Heb jij weleens een tijdlang geen vriendje gehad?'

'Jawel hoor,' antwoordde Cate. 'Toen ik studeerde en ik vond het vreselijk. Ik weet wel dat ik er tien aan elke vinger kon krijgen, maar ik zat toen midden in mijn serieuze periode. Ik dacht erover om mijn eigen zaak te beginnen en stapels geld te verdienen, dus mannen zouden me alleen afgeleid hebben.'

'Dat was je op een gegeven moment echt van plan, hè?' zei Bree. 'Denk je daar nog steeds over?'

'Och, ik ben heel tevreden met wat ik nu doe,' zei Cate afwerend. 'En wat dat geld betreft... Iedereen dacht een paar jaar geleden dat je zoveel mogelijk binnen moest zien te halen en dat er iets mis met je was als je dat niet probeerde. Maar de tijden veranderen.'

'En jij ook?' Bree pakte het laatste plakje knoflookbrood.

'Ik denk het wel,' zei Cate. 'Ik ben rustiger geworden.'

Nessa snoof.

'Vind jij dan van niet?' informeerde Cate.

'Rustig worden is iets dat van binnenuit moet komen,' zei Nessa. 'En volgens mij heb je dat stadium nog niet bereikt.'

'Maar ik moet wel rustiger zijn geworden.' Cate klonk bezorgd. 'Ik ben verloofd!'

'En dat maakt je rustiger?' Nessa lachte.

Bree vulde hun glazen nog eens bij terwijl Nessa en Cate bleven kibbelen of Cate nu wel of niet meer ontspannen was dan vroeger. Vanavond waren ze in ieder geval een stuk relaxter dan zij, dacht Bree. Ze had altijd gedacht dat zij van hun drieën het meest ontspannen was, het laat-maar-waaien-type, maar zo voelde ze zich momenteel niet. Vanavond voelde ze zich echt een muurbloempje, ook al hield ze zichzelf keer op keer voor dat ze niet zo idioot moest doen. Lieve hemel, ze was pas vijfentwintig. Ze was nog jong. Ze hoefde nog niet verloofd of getrouwd te zijn. Ze wilde haar eigen leven leiden. Pret maken. Vrijgezel blijven.

Nessa duwde het bord dat ze bijna leeg had gegeten opzij en zuchtte. 'Ik zit propvol. Wat is het toch heerlijk om uit eten te gaan en je niet druk te hoeven maken over de afwas.'

'Maar je hebt toch een afwasmachine?' informeerde Bree.

'Daar gaat het niet om,' zei Nessa tegen haar. 'Koken, schoonmaken en opruimen is een heel gedoe. Het plezier van een goede maaltijd wordt vergald als je na afloop de borden in de afwasmachine moet zetten.'

'En het uitruimen van de afwasmachine is al net zo vervelend,' merkte Cate op.

Bree keek Cate vol afkeer aan. 'Je klinkt nu al als een braaf getrouwd vrouwtje! Het lijkt wel alsof je hele manier van leven in één week tijd veranderd is. En je hebt nog niet eens voor het altaar gestaan. Wat ben je van plan om aan te trekken?'

'Daar ben ik nog niet uit,' zei Cate. 'Maar wel iets stijlvols.'

'Jij ziet er automatisch altijd stijlvol uit.' Er klonk een spoortje jaloezie door in Nessa's stem.

'Hebben jullie al een datum geprikt?' vroeg Bree. 'Waar wachten jullie nog op? Jullie hebben toch al drie jaar samengewoond, dus waarom gaan jullie niet gewoon meteen naar het stadhuis?'

'Ik wil er echt een mooie dag van maken,' zei Cate.

'En zal Finn dan de exclusieve rechten aan een roddelblad verkopen?' vroeg Bree.

Cate bloosde. 'Doe niet zo stom.'

'Misschien wil de zender wel voor de kosten opdraaien,' vervolgde Bree. 'Als ze er een item van mogen maken.'

'Dat is nog stommer,' zei Cate niet op haar gemak. 'Zoiets moet je privé houden.'

'Ja, maar ik kan me best voorstellen dat je in de verleiding komt...' zei Nessa peinzend.

'Helemaal niet,' zei Cate. 'Niemand draait voor de kosten op, niemand verkoopt de foto's en het zal zeker geen mediaspektakel worden, Nessa!'

'Rustig maar,' zei Nessa mild. 'We nemen je gewoon een beetje in de maling.'

'Nou, hou daar dan mee op,' snauwde Cate. 'We hebben het wel over mijn trouwdag. Daar hoef je je niet vrolijk over te maken.'

'Maar je moet dan juist wel vrolijk zijn,' merkte Bree op.

'Dat zal ook heus wel gebeuren.' Cate stond op. 'Ik ga even naar de plee. Ik ben zo terug.' Ze liep weg terwijl Nessa en Bree haar nakeken.

'Wat is ze prikkelbaar,' zei Bree.

'Ja, hè.' Nessa trok haar wenkbrauwen op. 'Ze lijkt nog steeds ontzettend gespannen, ondanks dat geleuter dat ze zoveel rustiger is geworden.'

'Cate zal nooit rustig worden,' zei Bree.

'Denk je dat het een verstandig besluit was?' vroeg Nessa. 'Ik bedoel, ik weet best dat ze al tijden met hem samenwoont, maar misschien is het veel verstandiger als zij niet trouwen.'

'Dat zou best kunnen.' Bree haalde haar schouders op. 'Dat weet je toch nooit van tevoren?'

'Ik wel,' zei Nessa.

'O, jij.' Bree schokschouderde opnieuw. 'Jij wist vanaf het begin dat jij en Adam nog lang en gelukkig zouden leven, hè?'

'Niet helemaal,' zei Nessa. 'We hebben niets overhaast gedaan.'

'Hou toch op!' riep Bree uit. 'Ik kan me maar al te goed herinneren dat je hem voor het eerst mee naar huis bracht, Ness. Je zag eruit als een kat die van de slagroom heeft gesnoept. Je wond er echt geen doekjes om dat hij van jou was.'

'Nou ja, ik wist wel meteen dat hij de ware was,' erkende Nessa. 'Nadat hij belde, bedoel ik.' Ze wenkte de kelner en bestelde nog een fles wijn. 'En hoe zit het met jou?' vroeg ze aan Bree. 'Is er nog iemand anders in beeld behalve je homovrienden?'

'Ach, je weet hoe ik ben,' zei Bree afwerend. 'Ze zijn een dag in beeld en een dag later zijn ze weer verdwenen.'

'Je vindt heus wel iemand.'

'Alsjeblieft!' Bree trok een gezicht. 'Doe niet zo neerbuigend, Nessa. Misschien vind ik iemand. En misschien ook niet.'

'Misschien ook wat niet?' Cate ging weer aan tafel zitten.

'Misschien vind ik niemand,' zei Bree tegen haar. 'Nu jij bijna veilig onder dak bent, gaat Nessa haar aandacht op mij richten.'

'Helemaal niet,' zei Nessa. 'Ik vroeg het alleen maar.'

'Heb je soms al iemand gevonden, Bree?' vroeg Cate.

'Nee!' Bree stak wanhopig haar handen op. 'Maar ongetwijfeld zullen we er wel over doorpraten. Of Nessa gaat een preek tegen me afsteken.'

'Dat ben ik helemaal niet van plan!' protesteerde Nessa.

'Je hoeft ook helemaal nog geen vaste relatie te hebben,' zei Cate. 'Je bent nog maar een kind.'

'Helemaal niet!' riep Bree uit.

'Maar je woont nog steeds in die gore flat en je gaat nooit op tijd naar bed.'

'Ik hou van mijn gore flat,' zei Bree. Ze zuchtte. 'Hoor eens, misschien komt er ooit een dag dat ik graag een wat langere verhouding met iemand zou willen hebben, maar voorlopig nog niet. Oké?'

Ze kreunde toen haar beide zussen haar vol sympathie aankeken.

'Kijk me niet zo aan!' riep Bree uit. 'Jullie geven me het gevoel dat ik een volslagen mislukkeling ben!'

'Bree!' Nessa's stem klonk geschokt. 'Ik vind je helemaal geen mislukkeling.'

'Ik ook niet,' zei Cate. 'Ik ben altijd jaloers op je geweest. Zo lekker los en laat-maar-waaien zonder zoals ik vast te zitten aan het belachelijke idee dat je een carrière moet opbouwen.'

'Ik wist niet dat je het gevoel had dat je daaraan vastzat,' zei Bree. 'Ik dacht dat je gelukkig was.'

'Ik bén ook gelukkig,' zei Cate heftig. 'Echt waar. Maar af en toe wordt de druk me te veel. Het idee dat het bedrijf van mij afhankelijk is. Als ik mijn werk niet goed doe, verkopen we niets. Dat speelt me voortdurend door het hoofd. En af en toe word ik er gewoon misselijk van.'

'Dan moet je daar weggaan,' zei Bree. 'Je moet niet iets doen waar je misselijk van wordt.'

'Daar ben ik het roerend mee eens,' zei Nessa. 'Straks krijg je nog een maagzweer van al je gepieker, Cate. Geen wonder dat je af en toe zo mager en zielig lijkt. Weet Finn dat wel?'

'Je moet het ook weer niet overdrijven,' zei Cate. 'Ik vind dat soort druk juist prettig. Ik zei alleen maar dat het misschien weleens leuk zou zijn om je geen zorgen te hoeven maken. En ik zei trouwens al dat we vorige week die grote order hebben gekregen, dus de druk is weer van de ketel.'

Bree keek haar weifelend aan. 'Als je het echt zeker weet...'

'Ik geloof dat ik wel begrijp wat je bedoelt,' zei Nessa. 'Af en toe doe ik niets anders dan achter Jill aansjouwen en dan zou ik best eens even een minuutje voor mezelf willen hebben. Alleen komt daar niets van, omdat ik weet dat Adam zo thuiskomt en dat hij het hartstikke druk heeft gehad en ernaar snakt om zich te ontspannen. Dus ik denk eigenlijk dat de druk mij ook weleens te veel wordt.'

'Ik dacht dat jij een idyllisch leven leidde,' zei Bree.

'Ik ben ook ontzettend gelukkig,' zei Nessa. 'Maar af en toe gaat er gewoon iets mis. En dan raak je een beetje overstuur.'

'Goed,' zei Cate. 'Dus Nessa en ik zitten af en toe weleens bij de pakken neer, ook al doen we allebei precies wat we willen doen. Maar dat overkomt jou nooit, Bree. Waarom niet? Wat heb jij dat wij niet hebben?'

Bree keek hen aan en krabde op haar hoofd. 'Het gaat in feite om iets dat jullie wel hebben en ik niet,' zei ze.

'Wat dan?' vroeg Nessa.

'Een man in je leven,' zei Bree.

Ze bestelden nog een fles wijn en werden steeds lacheriger. Het was al twaalf uur geweest toen ze het restaurant uit liepen, de armen om elkaar heen geslagen. Ze waren dronken en de flauwe grapjes waren niet van de lucht.

'Vind je het niet erg om alleen een taxi te nemen?' vroeg Nessa aan Bree.

'Natuurlijk niet.' Bree probeerde haar vernietigend aan te kijken, maar het enige resultaat was een schele blik. 'Ik ben volwassen.'

'Dat weet ik wel,' zei Nessa. 'Maar als je iemand vroeger een schone luier om hebt gedaan, blijf je toch een bepaalde kijk op zo'n persoon houden.'

'Zeker weten!' Cate giechelde en kreeg prompt de hik.

'Daar is een taxi.' Nessa liep de straat op en hield hem aan. Ze duwde Bree op de achterbank. 'Wees voorzichtig. En tot gauw.'

'Proost.' Bree zakte achterover en gaf de chauffeur haar adres ten zuiden van de rivier op.

Het duurde nog vijf minuten tot Cate en Nessa erin slaagden een taxi te vinden die hen naar het noorden zou brengen.

'Ik heb echt een gezellige avond gehad,' zei Nessa tegen haar zus. 'We gaan bijna nooit meer uit, hè? Vroeger zagen we elkaar bij mam en pa, maar dat gaat nu ook niet meer.'

'Daar heb ik ook al aan zitten denken,' zei Cate. 'We moeten elkaar echt vaker zien.'

'Eén keer per maand bijvoorbeeld?'

'Misschien.'

'Ik regel het wel,' zei Nessa. 'De volgende keer kunnen we het bij mij thuis doen.'

'Nee!' Cate klonk heftiger dan haar bedoeling was en Nessa keek haar verbaasd aan. 'Als we het bij jou thuis doen, is het anders,' zei Cate. 'Daar draait alles om jou, Adam en Jill en jullie vormen het gezin. Maar als we samen uitgaan, zoals vanavond, zijn wij drieën weer een gezin.'

'Zo heb ik er nooit tegenaan gekeken,' zei Nessa. 'Maar je hebt wel gelijk.'

Cate gaapte. 'Ik word altijd filosofisch na een paar glazen wijn.'

'Dat geldt voor ons allemaal,' zei Nessa treurig. 'Ik ben echt blij om jou en Finn, Cate.'

'Ik ook.'

'Maar ik keek er wel van op dat jij hem gevraagd hebt.'

'Waarom zou je daarvan opkijken?' vroeg Cate. 'Volgens jou krijg ik toch altijd wat ik wil?'

'Ik wist niet zeker of dit wel was wat jij wilde.'

'Ikzelf ook niet,' erkende Cate. 'Tot ik het vroeg.'

'Maar in ieder geval heeft hij ja gezegd.'

'Ik weet wat je bedoelt.' Cate zuchtte en deed haar ogen dicht. 'Maar heel even had ik het gevoel dat hij nee zou zeggen.'

8

De zon in het teken van de Kreeft
De maan in het teken van de Weegschaal

Ruimhartig met tijd en liefde.

Het was al lang geleden dat Nessa wakker was geworden met een kater. Toen ze met moeite één oog opendeed en probeerde op de wekker te kijken, kon ze zich zelfs niet herinneren wanneer ze voor het laatst een kater had gehad. Ze had verbaasd gestaan over de hoeveelheid alcohol die ze in Il Vignardo's achterover had geslagen, maar ze had het gevoel gehad dat het niets uitmaakte, omdat het zo gezellig was geweest. Nu wenste ze dat ze zich iets minder meisjesachtig en iets meer als een moeder had gedragen, want toen Jill haar vanaf de gang voor haar slaapkamer riep, ging haar stem als een drilboor door haar hoofd.

'Sta nou op, mam,' blèrde Jill. 'Het is al heel laat.'

Nessa knipperde een paar keer met haar ogen en ging toen moeizaam overeind zitten. Het was bijna tien uur... dat was voor Jill inderdaad heel laat. Ze keek naar de lege plek in het bed waar Adam had moeten liggen. Normaal gesproken stond hij nooit als eerste op, maar zij was op zaterdag dan ook meestal om negen uur op. En dan had ze al een hele tijd wakker gelegen en geluisterd hoe Jill haar eigen ontbijt klaarmaakte en door het huis banjerde.

'Ik ben wakker,' riep ze en Jill duwde de slaapkamerdeur open.

'Pap zei dat ik je niet wakker mocht maken,' zei ze tegen Nessa. 'Maar er stond iemand op de deur te kloppen. Ik heb niet opengedaan, omdat jullie dat niet goed vinden, maar ik dacht dat het nou wel hoog tijd was dat je opstond.'

'Waar is pap?' Nessa kon zich niet eens herinneren dat hij uit bed was gestapt. Ze had kennelijk nog vaster geslapen dan ze dacht, of hij had heel stil gedaan.

'Iemand heeft hem gebeld,' legde Jill uit. 'Hij zei dat hij voor de lunch terug zou zijn.'

'Mooi zo.' Nessa bewoog haar hoofd voorzichtig heen en weer. Ze had het gevoel dat er bakstenen in zaten die daardoor begonnen te glijden en tegen haar schedel bonkten.

'Pap zei dat je uit was geweest met Bree en Cate en dronken was geworden,' zei Jill beschuldigend.

'We hebben wel wat gedronken,' gaf Nessa toe. 'Cate had iets te vieren.'

'Omdat ze met Finn gaat trouwen. Dat weet ik allang,' zei Jill. 'Pap zei dat je helemaal uitgeteld was toen je thuiskwam.'

'Dat is niet waar,' zei Nessa kribbig. 'Ik was moe. En je vader had dat helemaal niet mogen zeggen.'

Ik zeg er ook nooit iets van als hij uitgeteld is, mompelde ze binnensmonds terwijl ze voorzichtig uit bed stapte. Zelfs niet als hij een avondje met zijn vrienden is wezen stappen en volslagen laveloos thuiskomt. Het gebeurde hoogst zelden, dat moest ze wel toegeven, maar daar ging het niet om. Ze hadden de regel dat ze elkaar nooit bekritiseerden waar Jill bij was.

'Ik heb naar de video van *Honderd-en-één Dalmatiërs* gekeken,' zei Jill. 'Maar die is afgelopen en ik wil met Nicolette buitenspelen.'

'Ik dacht dat je haar ingeruild had voor Natalie in Galway,' zei Nessa.

'O, mam!' Jill keek haar meewarig aan. 'Wat ben je toch ouderwets.'

Nessa lachte en kreunde toen er een pijnscheut door haar hoofd flitste.

'Voel je je echt zo naar?' vroeg Jill. 'Heb je een erge kater?'

'Dat valt wel mee,' zei Nessa. 'Ik kom er wel weer overheen.'

'Juf Fitzgerald zegt dat alcohol een verslavend middel is. En verslavende middelen zijn slecht voor je. Net als sigaretten,' zei Jill braaf.

'Ja, drugs zijn slecht voor je,' zei Nessa. 'Hetzelfde geldt voor sigaretten. Maar soms doen mensen toch gewoon iets dat slecht voor hen is. En te veel alcohol is zeker slecht.'

'Waarom doen mensen het dan?' wilde Jill weten.

'Waarom eet jij twee ijsjes vlak na elkaar hoewel je weet dat je er buikpijn van krijgt?'

'Omdat het lekker is,' zei Jill.

'Wijn is ook lekker,' zei Nessa. 'Alleen niet de volgende ochtend.'

Ze liep naar beneden en keek vanaf de veranda toe hoe haar dochter de weg overstak en bij Nicolette aanklopte. Jean Slater deed de voordeur open, wuifde naar Nessa en liet Jill binnen. Nessa was opgelucht dat Jill vandaag bij Nicolette speelde en niet andersom. God, wat voelde ze zich afschuwelijk. Ze wist dat er een tijd was geweest dat ze net zoveel wijn had kunnen drinken als ze wilde zonder zich de volgende ochtend een wrak te voelen, maar destijds was ze een andere Nessa geweest, een ongetrouwde Nessa, die nog geen moeder was.

Als je moeder werd, veranderde alles. Dat kon je gewoon niet bevatten, ook al had iedereen je honderd keer verteld dat alles zo anders zou worden. Ineens was je leven niet meer van jou, maar van iemand anders. Ineens was niets belangrijker dan het welzijn van je kind. Als iemand zelfs maar naar haar wees, stond je al op je achterste benen en en als ze ergens over inzat, maakte je je daar druk over, ook al was het nog zo onbelangrijk. En natuurlijk kon je je geen katers permitteren als je kinderen had, want je had gewoon geen tijd om kreunend in bed te blijven liggen als iemand constant aan je hoofd bleef zeuren.

Het was lief van Adam dat hij zo stil was opgestaan en er zonder haar wakker te maken voor had gezorgd dat Jill gewassen en aangekleed was. Nessa overwoog om hem die avond zijn lievelingskostje voor te zetten, kip dopiaza, maar ze werd misselijk als ze aan kruiden dacht.

Ze zette een kopje thee en ging aan de keukentafel zitten. Hij had de krant opengeslagen laten liggen bij de horoscooppagina en dat vond ze grappig. Net als iedereen lachte hij haar altijd uit omdat ze die las en net als iedereen vond hij het prachtig als ze uitkwamen.

Je hebt ontzettend veel energie verbruikt, las ze terwijl ze een slokje thee nam. *Je moet de tijd nemen om de batterijen weer op te laden. Het is een goed idee om het er een dagje van te nemen.*

Bree drukte op een knop en liet de Fiat Brava tot op de begane grond zakken. Ze stapte in de auto en reed naar de parkeerplaats, blij dat alle klusjes die ze vanochtend had moeten opknappen vrij simpel waren geweest. Ze had de remschijven van de Fiat vervangen en de rest was van hetzelfde laken een pak geweest.

Ze stapte uit de auto en bracht de sleutels terug naar de receptie.

'Je ziet er afgepeigerd uit,' zei Christy. 'Waar was je gisteravond?'

'Uit met mijn zussen,' zei Bree. 'Cate heeft zich verloofd.'

'Cate... die koele kikker?'

Bree grinnikte. 'Ja, die.'

'Ik had nooit verwacht dat zij voor het huwelijk was,' zei Christy. 'Ik dacht dat ze zo'n feministisch type was dat alleen maar aan carrière maken denkt.'

'Je kunt best aan een carrière werken en toch voor het huwelijk zijn,' zei Bree vriendelijk.

'Och, dat weet ik niet.' Christy keek een beetje treurig. 'Het is niet zo dat ik denk dat vrouwen geen goed werk kunnen leveren – ja, jij bent inderdaad een prima kracht, Bree – maar het leven was een stuk gemakkelijker toen ze nog gewoon thuisbleven.'

'Christy Burke, je bent een seksistische ouwe zak,' zei Bree. 'Denk je echt dat ik beter op m'n plaats zou zijn in de keuken?'

'Alleen als je kunt koken,' zei hij en dook weg toen ze hem een leeg piepschuim bekertje naar zijn hoofd gooide.

De telefoon ging en Christy pakte op. Bree nam nog een kopje koffie en dronk het langzaam op.

Meestal vond ze het prettig om na een avondje stappen terug te komen in de flat. Maar gisteravond was die vreemd ongezellig geweest. Voor het eerst viel het haar op hoe smerig de gordijnen waren en hoe versleten het tapijt in de woonkamer was. Ze had haar kleine ijskast opengetrokken en het enige gepakt dat erin stond – een halve liter melk. Ze had het pak in één ruk leeggedronken. Ze was naar haar kleine douchecel gelopen en had zuchtend naar de gore tegels staan kijken voordat ze in haar onopgemaakte bed was gekropen en de slaap niet had kunnen vatten.

Ze voelde zich minderwaardig. Tot gisteren had ze zich altijd boven haar zussen verheven gevoeld, maar nu was ineens het tegendeel het geval. Ze snapte haar reactie op dat gezeur over trouwen wel, maar ze kon niet verklaren waarom ze plotseling het gevoel had dat ze misschien weleens gelijk konden hebben met hun opvattingen over bezittingen. Natuurlijk had ze hen uitgelachen toen ze over huizen en appartementen begonnen te praten en over de inrichting daarvan. Ze had zich slap gelachen toen Cate en Nessa een kwartier lang de voordelen van vitrage ten opzichte van luxaflex, rolgordijnen en lamellen hadden zitten afwegen. Bree had niet eens geweten dat er zoveel verschillende manieren waren om ramen af te dekken. En ze had nog harder gelachen toen Nessa vertelde hoe ze Adam zover had gekregen dat hij dacht dat het verbouwen van de garage zijn idee was geweest, terwijl hij er aanvankelijk helemaal niets voor had gevoeld.

Pure manipulatie, had ze gezegd. Zonde van de moeite.

Ze wilde helemaal niet denken dat zij het ook best leuk zou vinden om een garage te verbouwen tot studeerkamer. Eén ding stond vast, dacht ze. Het omgekeerde zou haar veel beter liggen. Zij zou het hele huis ombouwen tot garage.

'Ik zal iemand langs sturen.' Christy's woorden drongen plotseling tot haar door en ze draaide zich om toen hij de hoorn neerlegde.

'Wil jij een klusje buiten de deur opknappen?' vroeg hij.

'Wat voor soort klus?'

'Banden,' zei Christy.

'Banden!' Bree wierp hem een boze blik toe. Het verwisselen van banden was eigenlijk geen werk voor een monteur.

'Herinner je je Declan Morrissey nog?' vroeg Christy.

Bree fronste.

'Je hebt de Fiat van zijn zoon een grote beurt gegeven,' hielp Christy haar op weg.

'O ja, natuurlijk.' Ze knikte. 'Die idiote knul die denkt dat hij een coureur is.'

'Precies,' zei Christy. 'Kennelijk hebben ze bezoek gehad van een stel vandalen. Ze hebben de banden van zijn auto kapotgesneden en ook die van zijn zoon. Hij vroeg zich af of het voordeliger was als hij zo'n bandenspecialist langs zou laten komen, maar ik heb tegen hem gezegd dat wij het wel zouden doen. Heb jij daar zin in?'

'Ja, hoor, waarom niet.' Bree dronk haar bekertje leeg en gooide het in de afvalemmer. 'Moet ik voor beide auto's vier nieuwe wielen meenemen?'

'Plus een reservewiel,' zei Christy. 'Hij rijdt in de Alfa, de zoon in de Fiat. We sturen hem wel een rekening, dus je hoeft niet om geld of om een cheque te vragen.'

'Oké.' Bree gaapte. 'Ik vind het best lekker om even naar buiten te gaan.'

'Maar zorg ervoor dat het je niet de hele dag kost,' waarschuwde Christy. 'Er ligt hier ook nog het een en ander op je te wachten.'

'Doe me een lol, zeg,' zei Bree. 'Je weet best dat ik bergen verzet heb.'

'O, nou goed dan.' Christy keek haar nadenkend aan. 'Als je klaar bent met die auto's en de bus weer hebt afgeleverd kun je naar huis gaan.'

'Je bent te goed voor deze wereld, Christy,' zei Bree terwijl ze de deur naar het gigantische magazijn openduwde. 'Veel te goed.'

Declan Morrissey woonde vlak bij de RTÉ-studio's in Donnybrook. Bree reed Nutley Lane in en vond het smalle weggetje waaraan zijn huis stond. Grote huizen, dacht ze, terwijl ze op zoek was naar nummer vier. Grote huizen, een stamp geld, geen wonder dat Declan een auto voor zijn zoon had gekocht en de rekeningen van de garage betaalde. Ondanks zijn commentaar op de hoogte van het bedrag maakte dat voor hem waarschijnlijk geen enkel verschil uit.

Ze zette de bus voor een vrijstaand huis met een oprit van kinderkopjes waar ze de gele Punto zag staan die ze een tijdje geleden een beurt had gegeven.

Het was een huis met de voordeur in het midden en aan weerskanten twee ramen. Op de bovenverdieping zaten drie ramen in de voorgevel.

De deur was olijfgroen geschilderd en voorzien van een zware koperen deurklopper in de vorm van een leeuwenkop. Op het bordes stonden twee grote terracotta potten boordevol felgekleurde bloemen die heerlijk geurden. Ondanks de pracht en praal van het huis maakte het toch een uitnodigende indruk. Bree pakte de leeuwenkop en klopte aan.

De man die opendeed was een jongere en veel sexier uitvoering van Declan Morrissey. Hij was ongeveer een meter tachtig lang, met een olijfkleurige huid en zwart haar dat in zijn grote bruine ogen hing. Bree voelde een tinteling door haar lichaam gaan toen ze naar hem keek.

'Ik kom voor de banden,' zei ze. 'Ik ben Bree Driscoll. Van de garage.'

'Hoi.' Hij glimlachte tegen haar en ze voelde haar hart overslaan. 'Ik ben Michael. Ben jij dat meisje dat tegen pa heeft gezegd dat ik compensatie probeerde te vinden voor een kleine penis?'

'Dat heb ik helemaal niet gezegd!' De vlammen sloegen haar uit. 'Ik zei alleen dat je veel te hard reed.'

'Hij heeft me een preek gegeven,' zei Michael. 'Ik neem de bochten te snel en rijd als een rallyrijder... een slechte rallyrijder volgens hem. Ik heb me er niet veel van aangetrokken, omdat een meisje van de garage dat volgens hem had gezegd, maar...' Zijn bruine ogen glinsterden. 'Misschien weet jij inderdaad waar je het over hebt.'

'Dat weet ik zeker,' zei Bree. 'Je rijdt die Punto helemaal aan gort. Wat heeft dat nou voor zin?'

'Wat heeft het voor zin om een snelle auto te hebben als je er niet snel in mag rijden?'

'Er is zoiets als een verplichte maximumsnelheid,' zei Bree. 'Waarom ga je niet een dag naar Mondello als je hard wilt rijden?'

'Mondello?'

'Daar kun je een formule-ford huren en over het circuit knallen. Je kunt ook een rallywagen huren.'

'Dat is niet hetzelfde,' zei Michael.

'Het is hartstikke leuk,' zei Bree.

'Heb jij dat dan gedaan?'

'Natuurlijk.'

'Wat was je rondetijd?'

'Heel snel,' zei ze.

'Ik wed dat ik die kan kloppen.'

'Dat zou best kunnen.' Ze keek hem uitdagend aan.

'Ik dacht al dat ik stemmen hoorde. Hé, hallo!' Declan Morrissey kwam de hal in lopen en glimlachte toen hij Bree herkende. 'Hebben ze jou hierheen gestuurd om de banden te vervangen?'

'Hallo, meneer Morrissey. Jammer dat u die pech hebt.'

'Tuig,' zei Declan. 'Je leest weleens dat dit soort dingen gebeurt, maar je denkt nooit dat het jou ook zal overkomen.'

'Waarom is het u overkomen?'

'Geen flauw idee,' zei Declan.

'Intimidatie,' zei Michael.

'Doe niet zo belachelijk.' Zijn vader keek hem geërgerd aan.

'Pa is momenteel betrokken bij een proces wegens fraude,' zei Michael. 'Hij denkt dat iemand probeert hem zenuwachtig te maken.'

'Een proces wegens fraude?' vroeg Bree verbaasd.

'Pa is advocaat,' legde Michael uit.

Vandaar dat dure huis en het buitensporige verjaardagscadeautje, dacht Bree.

'Het was geen intimidatiepoging,' zei Declan geprikkeld. 'Gewoon een stel kerels die dronken uit de kroeg kwamen, of zo.'

'Hoe dan ook, ik kan er maar beter aan beginnen,' zei Bree.

'Zal ik je een handje helpen?' vroeg Michael.

'Ik red me wel,' zei ze.

'Het gaat vast gemakkelijker met ons tweeën,' zei Michael.

Ze grinnikte. 'Eerlijk gezegd, nee. Je zult me alleen maar in de weg lopen. Maar je mag wel blijven om tegen me te kletsen.'

Hij hielp haar de wielen uit de bus te halen en Bree krikte Michaels Punto omhoog.

'Waarom doe je dit eigenlijk?' vroeg hij nieuwsgierig toen ze het eerste voorwiel verving.

'Waarom niet?' vroeg ze.

'Het lijkt me geen echt vrouwenwerk,' zei Michael.

Ze keek hem even aan. 'Ik kan maar beter doen alsof ik dat niet gehoord heb.'

'Maar dat is toch zo,' protesteerde hij. 'Je kunt zeggen wat je wilt over vrouwen die mannenwerk doen, maar de meeste willen hun handen niet vuilmaken.'

'Hebben ze jou net uit de jungle geplukt of heeft iemand je een cursus seksisme gegeven?'

'Oké, ik heb nog nooit een meisje ontmoet dat bereid was haar handen vuil te maken,' zei hij.

Ze lachte. 'En ik vind het juist hartstikke leuk.'

'Ik niet,' bekende Michael. 'Maar ik rij wel graag snel. Ik denk dat ik op mijn moeder lijk. Zij was ook geen vrouw die haar handen graag vuil maakte.'

'Was?' Bree keek hem even aan.

'Ze is vijf jaar geleden overleden,' zei Michael. 'Ze had kanker.'

'Wat naar voor je.'

'Dank je.'

Bree vond het prettig dat hij haar blijk van medeleven zo kalm accepteerde in plaats van te mompelen dat het wel goed was, zoals de meeste mensen deden.

'Dat zal niet gemakkelijk zijn geweest.' Bree begon aan de achterwielen.

'Nee, het was niet leuk,' gaf Michael toe. 'En natuurlijk was het voor haar nog moeilijker omdat ze zo ver van huis was.'

'Is ze in het buitenland gestorven?'

'Ierland was voor haar het buitenland,' zei Michael. 'Ze kwam uit Spanje. Uit Valencia.'

Dat verklaarde zijn knappe, donkere uiterlijk, dacht Bree.

'Heb je nog broers of zusjes?' vroeg ze.

'Twee zusjes,' zei Michael. 'Marta en Manuela. Zij hebben Spaanse namen gekregen en ze zijn allebei jonger dan ik. Marta is achttien, Manuela veertien.'

'Ik ben bij ons thuis de jongste,' zei Bree. 'Ik heb twee oudere zussen.' Ze haalde de krik weg onder de Punto en draaide de wielmoeren aan. 'Oké, dan is nu de auto van je vader aan de beurt.'

Declan reed in dezelfde dure Alfa als Adam. Bree en Michael haalden de nieuwe wielen op en ze begon ze onder de auto te zetten.

'Hoe oud zijn jouw zussen?' wilde Michael weten.

'Nessa is vierendertig. Cate is dertig.'

'En jij?'

'Ik ben vijfentwintig,' zei Bree. Ze keek naar hem op. 'Ik word oud.'

'Je ziet er heel jong uit,' zei Michael. 'Ik dacht dat je nog maar een kind was toen je aanklopte.'

'Je had aan mijn overall kunnen zien wie ik was.' Bree keek omlaag naar haar blauwe werkkleding met het logo van Crosbie's garage op de borstzak.

'Michael! Telefoon!' Declan stond in de voordeur. Bree bleef rustig doorwerken. Jammer dat hij jonger was dan zij, dacht ze terwijl ze het laatste wiel verving. Hij was echt ontzettend aantrekkelijk. Maar hij zou wel weer net zo'n rare snuiter zijn als die anderen.

Ze controleerde de wielmoeren nog een keer, stond op en veegde haar handen af aan haar overall. Daarna klopte ze opnieuw aan.

'Klaar?' Dit keer deed Declan de deur open.

Ze knikte.

'Dat is snel.'

'Het is niet zo'n moeilijke klus,' zei Bree. 'Maar wel erg lastig voor u.'

'Nou ja.' Declan haalde filosofisch zijn schouders op. 'Dat soort dingen gebeurt nu eenmaal.' Hij glimlachte. 'Heb je zin in een kopje thee of iets anders voor je weggaat?'

Bree worstelde even met haar geweten. Iets te drinken zou best lekker zijn, na gisteravond had ze nog steeds het gevoel dat ze uitgedroogd was. Maar eigenlijk wilde ze alleen ja zeggen om Michael nog even te zien. Pure aanstellerij.

'Ik zou best een kopje lusten,' zei ze.

'Fijn,' zei Declan. 'Kom maar mee.'

Hij liep voor haar uit door een mooie betegelde gang naar een lichte, zonnige keuken. De enorme grenen tafel lag vol kranten en tijdschriften. Michael leunde tegen de muur en stond snel en vloeiend Spaans te praten. Bree hield van de vloeiende tonen van die taal. Ze kon iets van het gesprek verstaan, omdat ze tijdens haar verblijf in Spanje een paar woordjes Spaans had opgepikt. Maar Michael stond over Ierland te praten, over het concert van U2 in Croke Park waar hij naartoe was geweest. Bree ook trouwens.

Declan vulde de waterkoker en zette twee porseleinen mokken op tafel. Daarna pakte hij een knalgele theepot uit de kast. Bree had het gevoel dat ze hem eigenlijk moest helpen, maar ze wist niet waarmee.

Declan zag dat ze naar zijn zoon keek, die inmiddels weer Engels praatte.

'Hij heeft zijn zussen aan de lijn,' zei hij. 'Ze logeren een weekje bij de ouders van Monica.'

'Monica?'

'Mijn overleden vrouw,' zei Declan.

'O ja,' zei Bree. 'Michael had me al verteld dat ze dood was. Het spijt me.'

'Dank je.'

Dezelfde beleefde reactie. Dezelfde heldere, oprechte ogen. Declan was bijna even aantrekkelijk als zijn zoon.

'Ze amuseren zich kostelijk.' Michael legde de telefoon neer en kwam bij hen aan tafel zitten. 'Maar Mannie heeft een beetje heimwee.' Hij keek Bree aan. 'Zij heeft niet zoveel tijd in Spanje doorgebracht als wij.'

Bree knikte, hoewel ze er niets van begreep omdat ze nog nooit last had gehad van heimwee. Ook niet toen ze in Spanje woonde. Ze leefde bij het moment en had geen seconde gedacht aan wat zich ergens anders afspeelde.

Het water kookte en Declan vulde de theepot. Hij zette een schotel met zoete broodjes op tafel. Bree wierp er een hongerige blik op. Vanwege haar kater had ze nog niet gegeten, maar nu rammelde ze.

'Neem er maar een,' zei Michael. 'Als je dat niet doet, zal pa diep gekwetst zijn.'

'Helemaal niet,' zei Declan. 'Je hoeft je niet verplicht te voelen om iets te eten als je geen trek hebt, Bree.'

'Nou, ik lust er best een.' Ze pakte een broodje en sneed het doormidden. 'Ik rammel van de honger.'

Michael lachte. 'Ik wou dat de meisjes dat eens een keer zeiden!'

'Marta en Manuela zijn altijd aan het lijnen,' legde Declan uit. 'Ik probeer ze altijd aan hun verstand te brengen dat ze dat helemaal niet nodig hebben, maar het is verspilde moeite.'

'Ik heb nog nooit gelijnd,' zei Bree met een mond vol kruimels. 'Eerlijk gezegd zie ik er het nut niet van in. Ik weet dat ik vrij fors ben en ik geloof echt niet dat ik me gelukkiger zal voelen als ik alleen maar sla zou eten.'

'Je hebt spieren nodig om die wielen en zo op te kunnen tillen,' zei Michael.

'Dat heb je haar toch niet laten doen?' vroeg Declan geschrokken.

'Dat is mijn werk, meneer Morrissey,' zei Bree. 'Als Christy hier was gekomen om de wielen te vervangen had u vast niet gewild dat Michael de wielen voor hem optilde.'

Michael lachte maar Declan zag eruit alsof hij zich niet op zijn gemak voelde.

'Het wordt tijd dat ik opstap.' Bree dronk haar kop leeg. 'Hartelijk bedankt voor de thee. En dat broodje was heerlijk.'

'Dat is pa's geheime talent,' zei Michael.

'Wat?'

'Bakken,' zei Michael. 'Was het niet tot je doorgedrongen dat ze zelfgebakken waren?'

'Ze smaakten echt erg lekker,' zei Bree. 'Maar ik had nooit verwacht...'

Declan grinnikte. 'Jij sleept met wielen. Ik bak broodjes. Gelijkheid in de praktijk gebracht.'

'Precies,' zei ze.

Michael liep met haar mee naar de voordeur.

'Kom je nog eens langs?' vroeg hij.

'Ik hoop het niet,' zei Bree. 'Ik zou het vervelend voor jullie vinden als jullie banden twee nachten achter elkaar aan flarden worden gesneden.'

'Zal ik je nog eens zien?' stelde Michael zijn vraag bij.

Ze keek hem aan en voelde voor het eerst sinds lange tijd weer dat haar hart sneller begon te kloppen. Maar hij was pas eenentwintig. Erg jong voor een eventueel vriendje. Zou hij te onvolwassen zijn? Veel knullen van eenentwintig waren nog grote kinderen. Maar hij leek anders te zijn. En hij had op een volwassen manier over de dood van zijn moeder gepraat.

'Hoe?' vroeg ze.

'Zullen we iets gaan drinken?' stelde hij voor. 'In het weekend als je vrij bent?'

'Dat klinkt wel leuk.'

'Zal ik je bellen?' vroeg hij.

'Doe je dat echt?' Ze grinnikte naar hem.

'Natuurlijk.'

'Goed dan.' Ze stak haar hand in de zak van haar overall en gaf hem een verfomfaaid visitekaartje.

'Ik bel je,' beloofde hij.

'Leuk.'

Ze stapte in de bus en draaide het sleuteltje om. Ze voelde zich niet langer slap, de laatste sporen van haar kater waren verdwenen. Aan het eind van de oprit keek ze nog even om. Hij stond nog steeds in de deuropening en zwaaide toen ze wegreed.

Cate had geen kater. Ze had de vorige avond niet veel gedronken, hoewel ze ervoor had gezorgd dat de glazen van Nessa en Bree altijd vol bleven. Maar zij had geen zin gehad om te drinken, ze had zelfs bijna geen zin in eten gehad en dat was prima voor de verandering, dacht ze bij zichzelf.

Ze stond voor de lange spiegel in de slaapkamer naar zichzelf te kijken. Ondanks het feit dat ze constant op dieet was geweest, was ze de afgelopen maand toch aangekomen. Cate had er een hekel aan als ze een paar pondjes te zwaar was, ze kreeg altijd het gevoel dat haar lichaam haar had verraden als ze op de weegschaal stapte en besefte dat ze ver over haar streefgewicht van vijftig kilo was. Dat was altijd het geval, het was onmogelijk voor iemand met haar lengte en lichaamsbouw om minder dan vierenvijftig kilo te wegen zonder een hongerdieet te volgen. In feite was haar ideale gewicht eigenlijk zevenenvijftig kilo. Maar ze vond het een prettig idee dat ze daar een paar pondjes onder zat. Dat was goed voor haar zelfvertrouwen.

Ze woog zich niet vaak, omdat ze zichzelf die teleurstelling wilde besparen. Ze was er trots op dat ze niet iedere dag op de weegschaal stond... ze had haar eetlust en haar gewicht in bedwang en het was ook niet zo dat ze meteen ging zitten uitrekenen hoeveel calorieën erin zaten als iemand haar een plakje cake aanbood. Ze was een vrouw met vaste eetgewoonten.

Maar ze wist dat als ze vanmorgen op de weegschaal stapte, die dichter bij de zevenenvijftig dan bij de vierenvijftig zou staan. Veel dichter. Misschien zelfs wel erover. Ze kon het aan haar figuur zien. Minder bonenstaak, meer gelatinepudding, dacht ze. Ze vroeg zich af of mensen nog echt gelatinepudding zouden eten. Ze kon zich niet herinneren dat ze het zelf ooit had gehad.

Ze negeerde de weegschaal opzettelijk, keek naar haar spiegelbeeld en trok de geelbruine handdoek strakker om zich heen.

Ze wist niet precies wanneer ze voor het eerst op het idee kwam, maar ze voelde ineens dat het zweet haar uitbrak en ze moest bijna overgeven. Ze slikte en ademde langzaam uit om haar bonzende hart tot bedaren te brengen.

Dat was onmogelijk, prentte ze zichzelf in. Het bestond gewoon niet.

Ze trok de onderste la van de badkamerkast open en pakte er een pakje Tampax uit. Terwijl ze het opendeed, zat ze driftig te rekenen. Het doosje was bijna leeg. Ze kon zich nog herinneren wanneer ze het had gekocht. Op een maandagochtend was ze als een haas vanuit kantoor naar de drogist verderop in de straat gerend. Maar welke maandagochtend? Een warme maandag, want ze kon zich nog herinneren dat ze wenste dat ze niet met zo'n noodgang weer naar kantoor hoefde. Het was een vervelende ochtend en ze was kribbig en chagrijnig geweest, omdat ze de avond ervoor ruzie had gehad met Finn. Maar dat was eeuwen geleden. Voordat ze zich verloofden. Ze fronste. Ze was daarna toch wel weer ongesteld geweest? Vast wel.

Ze ging op het deksel van de wc zitten en bleef het doosje in haar hand ronddraaien. Het zonlicht dat door het badkamerraam naar binnen viel, weerkaatste in de diamanten ring aan haar vinger.

Ze stond op en liet de handdoek op de grond vallen. Ze ging met haar zij naar de spiegel staan en keek naar haar lichaam. Waren haar borsten voller? Ze hadden vorige week een beetje pijn gedaan, maar daar had ze niet echt over nagedacht. Ze legde haar hand om een van haar borsten en vroeg zich af of die ook groter aanvoelde. Haar buik. Nou, die was zeker opgezet. Maar dat gebeurde altijd als ze te veel gegeten had.

Ze was over tijd. Dat wist ze nu zeker. Ze was niet meer ongesteld geweest sinds ze dat pakje Tampax had gekocht. Hoe was het mogelijk dat ze dat niet had gemerkt?

Natuurlijk hoefde het nog niet te betekenen dat ze zwanger was. En trouwens, ze vonden het juist extra leuk met voorbehoedsmiddelen. Finn had tegen haar gezegd dat hij al bijna klaarkwam van de manier waarop zij hem een condoom omdeed. En zij vond het gevoel van de modellen met extra ribbels die ze vaak gebruikten juist lekker. Zou er één kapot zijn gegaan zonder dat ze daar iets van hadden gemerkt? Ze schudde haar hoofd. Vast niet. Haar hart kwam iets tot bedaren toen ze diep ademhaalde en de handdoek weer om zich heen sloeg. Ze had de laatste tijd zwaar onder druk gestaan en iedereen wist dat je van stress helemaal van slag kon raken. Lieve hemel nog aan toe, dat opgeblazen gevoel hoefde echt niet te betekenen dat ze een kind droeg! Dat zou ook best een van de gevolgen van stress kunnen zijn. En de laatste paar weken had ze zich vreselijk zenuwachtig gemaakt omdat ze dacht dat haar relatie met Finn op breken stond, tot ze zich plotseling vol blijdschap realiseerde dat die nu eigenlijk pas begon. Vanaf het moment dat ze hadden besloten om te gaan trouwen, konden ze niet meer van elkaar afblijven. Ze hadden iedere avond met elkaar gevrijd en soms ook nog overdag. In plaats van dat de verloving ervoor zorgde dat ze helemaal tot rust kwamen en zich op hun gemak gingen voelen, had die hele toestand alleen maar voor meer opwinding gezorgd. Ze was zelf stomverbaasd geweest toen ze een paar nachten geleden om drie uur wakker was geworden, hem naar zich toe had getrokken en ineens boven op hem was gaan liggen. Hij had grote ogen opgezet, maar toen grinnikte hij tegen haar en had haar borst in zijn mond genomen. Zijn tong had met haar tepel gespeeld tot ze bijna gek werd van genot. Ze hadden nog nooit zo lekker met elkaar geneukt. Maar die nacht hadden ze ook wel degelijk een voorbehoedsmiddel gebruikt. Al herinnerde ze zich plotseling dat het uit een wat ouder pakje condooms was gekomen, dat al een paar maanden in hun nachtkastje had gelegen. Ze deden het nu zo vaak dat ze door hun voorraad van geribbelde condooms heen waren.

Ze kon niet zwanger zijn, hield ze zichzelf voor. Dat kon gewoon niet. Het zou alles bederven, terwijl het nu allemaal net zo goed ging.

9

De zon in het zevende huis

Relaties met derden zijn van het grootste belang,
maar hoedt u voor emotionele afhankelijkheid.

Het Komende Jaar van de Kreeft had Nessa een rustige week voorspeld en dat klopte precies. Het was de week waarin Jill op schoolkamp ging en dat betekende dat Nessa bijna vijf hele dagen voor zichzelf had. Ze had zich al sinds het begin van de veel te lange zomervakantie op deze week verheugd en ze had allerlei plannen gemaakt. Ze had zichzelf willen trakteren op een paar lange strandwandelingen, zodat ze echt tot rust zou kunnen komen, maar waar het op neerkwam was dat ze bijna elke dag in een van de winkelcentra doorbracht en geld uitgaf dat ze eigenlijk niet had. En op donderdag was ze naar het centrum gegaan om lekker te winkelen in Grafton Street, een genoegen dat ze al maanden niet meer had mogen smaken. Als ze ging winkelen had ze meestal Jill bij zich, die constant aan haar liep te trekken en zeurde dat ze zich verveelde. Jill hield best van leuke kleren, maar dan moesten ze wel thuisbezorgd worden.

Het was heerlijk om in je eentje lekker in winkels rond te neuzen, dacht Nessa. Zeker als ze na afloop ergens in een cafeetje een kop cappuccino met een donut kon nemen zonder een oogje te moeten houden op haar nurkse dochter. Maandag was ze samen met haar oudste vriendin Paula op stap geweest en ze hadden giechelend kleren uitgezocht die veel te jong voor ze waren, maar die ze toch wilden passen. Een jaar voordat Adam en Nessa trouwden, was Paula met John getrouwd, maar na zes jaar en drie kinderen waren Paula en John uit elkaar gegaan.

Nu werkte Paula hele dagen voor het verzekeringsbedrijf waar ze weg was gegaan toen ze trouwde en ze verdiende twee keer zoveel omdat ze om ervaren personeel zaten te springen en heel goed wisten dat vrouwen met kinderen het wel uit hun hoofd lieten om op stel en sprong ontslag te nemen en in een opwelling op zoek te gaan naar een nieuwe baan. Het had Paula twee jaar gekost om haar leven na John weer op de rails te krijgen, maar het was haar gelukt.

'Ik bewonder je,' zei Nessa iedere keer als ze haar vriendin zag.

'Er valt niets te bewonderen,' zei Paula tegen haar. 'Ik ben gewoon niet bij de pakken neer gaan zitten. Zo zijn vrouwen nu eenmaal, Nessa. We laten ons niet kisten.'

'Je had anders weinig keus,' merkte Nessa op.

'Daarom juist.' Paula grinnikte wrang. 'Als je drie kinderen hebt die afhankelijk van je zijn, nou dan heb je gewoon geen tijd om in de put te gaan zitten. Je moet verder. En net doen alsof er niets aan de hand is, ook al is dat wel het geval.'

'Maar is alles nu wel weer in orde?' Nessa wenkte de serveerster in het cafeetje waar ze waren neergevallen voor koffie met iets lekkers en bestelde nog een rondje.

'Nessa, het leven is nooit precies zoals je het graag zou willen hebben,' zei Paula. 'Af en toe voel ik me verdomd ellendig! Als ik naar mezelf kijk en bedenk dat ik vierendertig ben, met drie kinderen, wat heb ik dan voor kans om weer een serieuze verhouding te beginnen? Wie neemt er nou een vrouw met drie kinderen? En trouwens,' zei ze zuchtend terwijl ze drie klontjes rietsuiker in haar koffie gooide, 'ik heb helemaal geen zin meer in iemand die mij wel wil "nemen". Mijn leven en dat van de kinderen loopt nu op rolletjes en daar voel ik me prima bij. Ik weet niet of ik het nog wel zou kunnen hebben dat een of andere vent zijn maat vijfenveertig op mijn gloednieuwe bank legt.'

Nessa glimlachte. 'Misschien als de kinderen ouder zijn?'

'Doe niet zo maf, Nessa.' Paula keek haar vernietigend aan. 'Tegen die tijd ben ik achter in de veertig en dan zal er geen man meer zijn die door mijn kraaienpootjes en rimpels heen kijkt en begrijpt dat daaronder het hart van een twintigjarige meid klopt.'

'Eigenlijk is het niet eerlijk, hè?' zei Nessa.

'Natuurlijk niet,' beaamde Paula. 'Maar zo gaat het nu eenmaal!'

Terwijl Nessa haar sporttas inpakte, moest ze weer aan dat gesprek denken. Dit was haar laatste vrije dag en ze had precies gepland wat ze allemaal ging doen. Eerst een tijdje (niet te lang) in de fitness om even te fietsen en wat buikspieroefeningen te doen, dan een paar baantjes in het zwembad, gevolgd door de sauna en een bubbelbad. Ten slotte zou ze naar de kapper gaan om haar beschaafde coupe soleil bij te laten werken en haar slonzige haar in model te laten brengen.

En daarna, dacht ze terwijl ze de tas dichtritste, zou ze weer gewoon Adams vrouw en Jills moeder moeten zijn, maar ze was zielsgelukkig dat ze Nessa Riley was, nog steeds getrouwd en nog steeds bemind. Arme Paula, dacht ze. Het was niet gemakkelijk voor haar dat haar zak van een man een ander had gevonden. Paula had de nieuwe vrouw in het leven van John Trelfall nooit ontmoet en zo wilde ze het houden. Het was al erg genoeg dat ze wist dat het kreng bestond, had Paula gezegd, ook al had dat kreng niet hun scheiding op haar geweten. Dat was het gevolg geweest van Johns korte maar heftige relatie met zijn secretaresse.

'Ik wist niet dat dit soort dingen nog steeds gebeurde,' had Paula verdrietig tegen Nessa gezegd toen ze erachter kwam. 'Zijn verrekte secretaresse, Ness! Vind je ook niet dat hij wel wat inventiever had kunnen zijn?'

De zon scheen toen Nessa de kofferbak van haar auto opentrok en haar tas erin smeet. Ik zou eigenlijk naar het strand moeten gaan in plaats van naar de fitness, dacht ze. Dan kan ik op mijn blote voeten over het strand joggen en een duik in de zee nemen in plaats van in het zwembad. Ze huiverde bij het idee. Al was het nog zo'n mooie dag, de zee was altijd stervenskoud.

De fitness was ongeveer tien minuten rijden van haar huis. Ze reed het parkeerterrein op en zette de auto vlak bij de ingang. Daarna pakte ze haar tas en rende de trap op. Dat is mijn warming-up, dacht ze. Het was maanden geleden dat ze had gesport. Ze haalde haar kaart door het apparaat en wachtte tot de receptioniste in lachen uit zou barsten omdat ze het lef had om haar gezicht nog te laten zien. Maar de donkerharige schoonheid achter de balie schonk haar alleen een zakelijke glimlach en gebaarde dat ze door mocht lopen.

Ik zou hier vaker moeten komen. Het was de gedachte die Nessa iedere keer bekroop als ze in de kleedkamers stond en naar de gebruinde en afgetrainde figuren keek van de vrouwen die zich niet schaamden om rond te lopen in een beha en een string. Nessa had al lang geleden besloten dat ze op een leeftijd kwam dat de zwaartekracht zijn tol eiste en je niet moest verwachten dat alles gewoon op dezelfde plaats bleef zitten. Ik zal meer moeite moeten doen om weer de vrouw te worden die ik vroeger was, dacht ze, terwijl ze haar elastische topje en shorts van vorig jaar aantrok. En zelfs dan zal het me waarschijnlijk niet lukken. Niet nadat ik een baby van negen pond op de wereld heb gezet. Nadat ze een paar maanden lang vruchteloos had geprobeerd om haar oude figuur weer terug te krijgen had ze zich erbij neergelegd dat ze dat nooit voor elkaar zou krijgen. Absoluut nooit. Ze wist niet hoe actrices en fotomodellen dat klaarspeelden... ook al hadden die een hele stoot persoonlijke trainers en macrobiotische diëten. Je had gewoon dingen die onherkenbaar veranderd waren en ze snapte niet hoe je die weer in vorm kreeg, al deed je nog zo je best.

Maar Adam vond dat ze er leuk uitzag. Dat had hij zelf gezegd op een avond dat ze een beetje in de put had gezeten omdat Jill door een verkoudheid de hele dag hangerig was geweest en ze niet eens tijd had gehad om haar haar te wassen en zich op te maken. Toen ze naar bed waren gegaan had ze naast Adam gelegen en hem ronduit gevraagd of hij haar nog wel aantrekkelijk vond.

'Ik hou van je zoals je nu bent,' had hij gezegd terwijl hij haar tegen zich aan trok. 'Ik vind het heerlijk om tegen je aan te kruipen, je in mijn armen te nemen en te weten dat ik ook werkelijk houvast heb.'

'Waarom doe je dat dan niet?' had ze gevraagd en hij had haar beloond door haar stevig te omhelzen en net zo hartstochtelijk met haar te vrijen als hij in hun eerste nacht samen had gedaan.

Misschien neem ik vanavond het initiatief wel, peinsde ze terwijl ze haar handdoek om haar nek sloeg en naar de lopende band liep. Ik kook gewoon iets lekkers voor hem en leg een fles Chablis in de koelkast. En als Jill dan in bed ligt, bespring ik hem. Ze giechelde hardop bij het idee. Maar eigenlijk, bedacht ze, zou het veel verstandiger zijn om helemaal niet te koken en pizza's te laten komen, precies zoals ze altijd deden toen ze net getrouwd waren. Dat deden ze tegenwoordig nooit meer.

Haar ademhaling ging zwaarder toen ze het stijgingspercentage van de lopende band hoger zette. Ik ben totaal uit conditie, mompelde ze tandenknarsend. Dit kostte me nooit zoveel moeite.

Tien minuten later had ze er genoeg van en sjokte naar het zwembad, waar ze op haar gemak een paar baantjes zwom voordat ze naar de sauna liep, waar ze op de bovenste bank ging liggen. Met haar opgevouwen handdoek als kussen onder haar hoofd liet ze de droge hitte tot diep in haar botten doordringen.

De deur ging open, maar ze nam niet de moeite haar ogen open te doen. Ze had vandaag geen zin om over koetjes en kalfjes te babbelen, ze wilde gewoon lekker ontspannen en haar batterijen weer opladen. Een hele week winkelen was haar niet in de kouwe kleren gaan zitten, hoewel ze moest toegeven dat dit soort moeheid prettiger was dan het uitgeputte gevoel dat ze vaak op vrijdag had.

'Vertel me nou eens precies wat er is gebeurd,' verbrak een meisjesstem de stilte in de sauna. Heel even dacht Nessa dat ze het tegen haar had. Ze draaide zich half om, maar voordat ze haar ogen open kon doen gaf een andere stem al antwoord.

'Hij zei gewoon tegen me dat hij het uitmaakte.' De stem van het tweede meisje klonk vlak en emotieloos, maar kwam haar toch bekend voor.

'Wat een klootzak.'

'Hij probeerde het niet eens te ontkennen!' Ze begon iets harder te praten. 'Ik bedoel maar, Terri, je zou toch op z'n minst verwachten dat hij het zou ontkennen, hè?'

'Dat had toch ook geen zin?' zei Terri. 'Ik had hem immers met haar gezien? Hij wist best dat je me zou geloven.'

'Maar ik wilde je helemaal niet geloven. Ik wilde blijven denken dat alles fantastisch was.

'Ze zijn allemaal hetzelfde,' zei Terri vol sympathie.

'Ik weet het.' Het andere meisje slaakte een zucht. 'Je vertrouwt ze. Je laat je emotioneel helemaal door hen inpakken en dan besodemieteren ze je toch.' Ze zuchtte nog dieper. 'Maar ik dacht echt dat het tussen ons iets zou worden. Zes maanden, Terri.'

'Portia, je bent nog veel te jong om je te binden.'

Nessa's ogen vlogen open. Die naam kende ze. Het was de naam van het vriendinnetje van Mitchell Ward. Het meisje met de auto van haar vader waar Adam een deuk in had gereden. Nadat ze met Portia had zitten praten had ze meneer Laing opgebeld en uitgelegd wat er was gebeurd. Ze hadden alles afgehandeld zonder dat de verzekering eraan te pas kwam. Was dit hetzelfde meisje? Zo klonk ze wel. Maar goed, dacht Nessa, als dat echt zo was dan had Mitchell haar niet netjes behandeld door vreemd te gaan!

'Ik weet best dat ik eigenlijk nog niet aan een serieuze relatie moet denken,' zei Portia somber. 'Maar hij was zo waanzinnig aantrekkelijk, Terri. En waarom heeft hij mij niet verteld dat alles voorbij was voordat hij iets met dat andere meisje begon?'

'Ze zijn allemaal hetzelfde,' zei Terri berustend. 'Ze willen van twee walletjes eten. Stuk voor stuk.'

'Je zult wel gelijk hebben.' Portia zuchtte opnieuw. 'Een tijdje geleden heb ik zijn buurman gezien. Weet je nog dat ik je dat verteld heb? Een schattige vrouw, een schattig dochtertje. Maar toch stond hij daar in de Old Stand met zijn tong bijna in de strot van een andere vrouw.'

Het bleef even stil, terwijl Nessa het gevoel had dat iemand haar een por in haar maag had gegeven. Ze werd er bijna misselijk van.

'Wat een klootzak.' Terri klonk oprecht verontwaardigd.

'Ja,' zei Portia. 'En ze was nog wel zo aardig voor me geweest. Ze heeft me een kop koffie gegeven en pa gebeld.'

Nessa liet langzaam de adem ontsnappen die ze onbewust ingehouden had. Dit kon toch niet dezelfde Portia zijn? Ze klonk wel hetzelfde, dat wist ze heel goed, maar als dat waar was... Dat zou betekenen dat zij, Nessa Riley, in een sauna lag te luisteren naar twee meisjes die beweerden dat haar man een andere vrouw had gekust. Een zweetdruppeltje rolde over haar slaap naar beneden.

'Denk je dat ze het weet?' vroeg Terri.

'Die indruk maakte ze destijds niet.' Portia's stem klonk alsof ze genoeg van het onderwerp had. 'Maar ze moet het toch weten? Wat naar, hè, dat ze dan nog steeds bereid is om de trouwe vrouw en moeder te spelen.'

Dat komt omdat ik ook echt een trouwe vrouw en moeder bén, had Nessa het liefst uit willen schreeuwen. Ik heb geen enkele reden om dat niet te zijn. Ik heb me behoorlijk in jou vergist. En je hebt het helemaal niet over mijn man!

'Wat zou jij doen?' vroeg Terri. 'Als je man vreemdging?'

'Mitch is vreemdgegaan en ik heb ongeveer honderd wodka's met Red Bull achterovergeslagen,' zei Portia. 'Niet de verstandigste reactie.'

'Maar het hielp wel.'

'In ieder geval genoeg om hem uit te kunnen lachen,' antwoordde Portia.

Mitch, dacht Nessa zenuwachtig. Jezus, het is echt dezelfde Portia.

'Ze zouden allemaal uitgelachen moeten worden,' zei Terri. 'Stelletje klootzakken. Allemaal.'

'Ja.' Portia klonk niet helemaal overtuigd.

'Hij was toch een mafketel,' zei Terri loyaal.

'Probeer me nou maar niet op te vrolijken,' zei Portia geïrriteerd. 'Het is voorbij. Dat weet ik en dat weet hij. Laat me nou maar lekker in de put zitten omdat het weer uit is met mijn zoveelste vriendje.'

'Ik zou niet weten waarom je daarom in de put moet zitten,' zei Terri. 'Verandering van spijs doet eten en zo.'

'Ja, maar daar heb ik even geen behoefte aan!'

'Kom op, Portia, je bent veel te goed voor die vent.'

'Denk je?'

'Ik weet het zeker.'

'Net zoals de vrouw van die vent veel te goed voor hem is?'

'Arme vrouw.' Terri's stem droop ineens van sympathie.

'Ze leek zo aardig. Ze lachte en maakte grapjes met me,' zei Portia. 'En ze was ook niet boos omdat hij de auto in de prak had gereden of zo. Misschien laat ze hem begaan vanwege hun dochtertje. En hun levensstijl. Ze heeft een schattige dochter. En die huizen zijn vast niet goedkoop.'

Nessa had het gevoel alsof haar hoofd ieder moment uit elkaar kon spatten. Ze lag hier in een sauna te luisteren naar een vrouw die zei dat ze alleen maar bij Adam bleef vanwege hun dochter en omdat ze zo'n mooi huis had. Maar dat was niet waar. Ze bleef bij Adam omdat ze van hem hield en ervan overtuigd was dat hij ook van haar hield. En Adam kon niet de persoon zijn over wie Portia het had, want Adam zou nooit iemand in het openbaar kussen. Daar was hij veel te bedeesd voor. En hij zou zeker niet – Nessa huiverde even – zijn tong in de strot van een andere vrouw proppen. Als hij echt een verhouding had, zou hij veel discreter zijn. Maar ze had het gewoon helemaal verkeerd begrepen. Goed, dit meisje had een vriendje gehad dat Mitch heette, maar dat hoefde niet per se Mitchell Ward te zijn. En de naam Portia was weliswaar vrij ongebruikelijk, maar tegenwoordig hoorde je die wel vaker. Ze had gezegd dat de man die zijn tong in de strot van die vrouw had gepropt zijn auto in de prak had gereden. En Adam had alleen maar een klein deukje gehad. Ze had het gevoel dat ze over moest geven.

'Kom op, Terri,' zei Portia. 'Ik ben warm genoeg. Laten we maar gauw in het water springen om af te koelen.'

'Oké.'

De deur van de sauna ging open, waardoor er een vlaag tocht binnenkwam en de temperatuur iets zakte.

Ze bleef nog minutenlang liggen, niet in staat zich te bewegen. Het was alsof iemand een loden gewicht op haar had gelegd. Haar adem was onregelmatig en ze was bang dat ze flauw zou vallen als ze rechtop ging zitten.

Ik zou het toch moeten weten, hield ze zichzelf voor. Ik zou het vast weten als hij een ander had. Vast en zeker. Dan zou hij zich op de een of andere manier verraden, bijvoorbeeld door haastig naar de telefoon te lopen, of 's avonds nog de deur uit te moeten om te gaan werken, of thuis te komen in een wolk van parfum.

Hij rende nooit naar de telefoon. Maar hij heeft een mobiele telefoon, dacht ze. Af en toe werkte hij over, soms zelfs in het weekend, maar dat had hij altijd gedaan. Dat hoorde bij zijn werk. Ze beet hard op haar lip. En ze had hem vaak genoeg gebeld om te weten dat hij ook echt op kantoor zat. Tenzij hij natuurlijk rotzooide met een van de meisjes van de zaak. Ze wreef met haar vinger over haar lip die begon op te zwellen. Hij rook ook nooit naar parfum als hij thuiskwam. Nooit. Dus hij ging helemaal niet vreemd. Dat was godsonmogelijk.

Zelfs als Adam een andere vrouw had gekust (ze huiverde opnieuw bij het idee), dan was het waarschijnlijk een platonisch kusje geweest en niet het soort kus dat Portia had beschreven. Het meisje had waarschijnlijk overdreven en haar een halve hartaanval bezorgd. Ze zou het wel uitzoeken. Maar het was niet waar. Het kon niet waar zijn.

En trouwens, dacht ze terwijl ze eindelijk de sauna uit liep, in haar horoscoop had niets gestaan dat hier ook maar in de verste verte op leek. Geen grote veranderingen, geen rampen en geen woord over vreemdgaan. Een rustige week zou het worden, waarin ze haar batterijen kon opladen. En voor zo'n klap als ze net had gehad, zou ze vast wel gewaarschuwd zijn.

Ze kon zich niet herinneren dat ze gedoucht had, dat ze haar haar had geföhnd en haar anti-rimpelcrème op had gedaan. Ze kon zich ook niet herinneren dat ze in de auto was gestapt en naar huis was gereden. Ze dacht geen moment meer aan haar afspraak bij de kapper. Ze ging aan de keukentafel zitten, waaraan ze nog niet zo lang geleden samen met Portia en Jill had gezeten toen Adam een deuk in de auto had gereden en vroeg zich af of ze het misschien verkeerd had begrepen. Maar dat kon haast niet. Portia was heel duidelijk geweest.

Ze stond op, pakte *Het Komende Jaar van de Kreeft* en sloeg de bladzijde van die dag op. Ze had er vanmorgen al een blik op geworpen en er had niets afschuwelijks in gestaan. Vandaar dat ze zeker wist dat ze het bij het verkeerde eind had.

Dankzij positieve invloed van de planeten voelt u zich eveneens positief, stond er. *Onzichtbare handen helpen u. Reageer snel. Het is tijd om de beslissingen te nemen die u tot nu toe voor u uit hebt geschoven.*

Niets vreselijks. Niets. Ze had inderdáád een positief gevoel gehad. Zeker toen ze op weg ging naar de fitness. En ze herinnerde zich die opmerking over beslissingen. Ze dacht dat het sloeg op haar besluit om naar de fitness te gaan. Dat was ze al weken van plan geweest!

Ze pakte de telefoon op en toetste Adams nummer in. Ze bleef even luisteren hoe het toestel overging en verbrak toen de verbinding. Wat moest ze tegen hem zeggen? Hoi Adam, ik ben het. Hoor eens, is het waar dat je vreemdgaat? Dat wilde ik even zeker weten. Zou het kunnen dat jij, toen je volgens eigen zeggen op stap was met Mike, of Liam, of Tim, of Jeff, in werkelijkheid in een bar zat met je tong in de strot van een of andere vrouw? Ze kon niet met hem praten. Ze zou geen woord uit haar keel kunnen krijgen. Ze moest hem onder vier ogen spreken. Om zichzelf ervan te overtuigen dat alles in orde was. Maar alles wás in orde. Dat wist ze gewoon. Het kon niet anders.

Ze legde haar hoofd op de keukentafel. Kalm. Ze moest kalm blijven.

Later ging ze rechtop zitten en wierp een blik op de keukenklok. Het was vier uur. Jills schoolkamp was om vier uur afgelopen. Haar dochter zou op haar zitten te wachten en zich zorgen maken, bang dat ze vergeten zou zijn dat dit de laatste dag was. Nessa greep haar tas en haar autosleutels, haalde haar vingers door haar slordig gedroogde haar en holde naar buiten.

'Wat is er met je aan de hand?' Jill keek haar beschuldigend aan. De onderwijzeres leek ook al niet blij dat ze had moeten wachten.

'Het spijt me echt ontzettend,' zei Nessa. 'Er kwam plotseling iets tussen en ik kon het net niet...'

'De kinderen horen om vier uur afgehaald te worden, mevrouw Riley,' zei de onderwijzeres.

'Dat weet ik heus wel,' zei Nessa. 'Ik bied je mijn oprechte verontschuldigingen aan.' Ze glimlachte flauw. 'Het is maar goed dat het de laatste dag is. Ik wil niet dat ze wordt afgerekend op mijn slordigheid.'

'We zouden er nooit over peinzen om de kínderen dat kwalijk te nemen!' De onderwijzeres klonk geschokt.

'Zo bedoelde ik het ook eigenlijk niet.' Nessa wist dat ze stond te raaskallen. 'Ik wilde alleen... ik dacht... kom op, Jill, laten we maar gauw gaan.' Ze pakte haar dochter bij de arm en duwde haar naar de auto.

'Wat is er aan de hand?' vroeg Jill.

'Niets.' Nessa startte de auto en liet de motor afslaan.

'Er moet iets aan de hand zijn.'

'Nee, heus niet,' zei Nessa.

'Je was te laat,' zei Jill.

'Ik heb al gezegd dat het me spijt.'

'Maar je bent nooit te laat.'

'Nou, vandaag wel.' Nessa besefte dat ze tegen haar dochter snauwde en keek opzij. Jill zat strak voor zich uit te staren. 'Het spijt me,' zei Nessa. 'Ik werd opgehouden en ik maakte me zorgen omdat ik te laat was, dat is alles.'

'Weet je dat zeker?' vroeg Jill.

'Tuurlijk weet ik dat zeker.' Nessa glimlachte terwijl ze de kustweg opdraaide en de zonneklep omlaag deed omdat de late middagzon recht in haar ogen scheen. Ze reed sneller dan normaal, terwijl ze zich toch steeds voorhield dat ze langzamer aan moest doen, omdat Jill in de auto zat. Hoewel ze het zelf niet erg zou vinden als ze een ongeluk kreeg, wilde ze absoluut niet dat haar dochter iets overkwam. Maar ze had moeite om zich op de weg te concentreren, naar Jills opgewonden verhalen te luisteren over wat er die dag allemaal gebeurd was en antwoord te geven alsof ze echt hoorde wat het meisje allemaal vertelde.

Ze draaide de auto de oprit op.

'Mam!' gilde Jill angstig toen Nessa het hek schampte dat niet wijd genoeg openstond. 'Je hebt een deuk in de auto gereden!'

'Dat maakt niet uit.' Nessa maakte haar gordel open.

'Maar... maar... dat doe jij nooit! Pap is de brokkenpiloot!'

'Ik dacht dat ik voor de verandering maar eens net zo moest doen als je vader,' zei Nessa met trillende stem.

'Maar tante Bree kan jouw auto niet maken. Dat is niet haar merk.' Jill stapte uit de auto en keek naar de lelijke kras aan haar kant van de auto.

'Dat doe ik zelf wel. Daarvoor is alleen een beetje lak nodig,' zei Nessa.

'Maar hoe kwam het nou?' vroeg Jill. 'Waarom deed je dat?'

'Omdat ik niet goed oplette,' zei Nessa. 'Zie je nou wel dat het verstandiger is om altijd goed op te letten?'

Jill staarde haar aan. 'En je was ook te laat,' zei ze beschuldigend. 'Zit je soms in de overgang?'

'Wat?' Nessa was zo verbaasd dat ze even haar ellende vergat.

'Daar heeft de moeder van Dorothy ook last van,' legde Jill uit. 'Dan wordt ze helemaal warm en raar. Dat gebeurt als je oud wordt.'

'Bedankt,' zei Nessa. 'Het was nog niet tot me doorgedrongen dat ik al zo oud was.'

Jill haalde haar schouders op. 'Volgens Dorothy doet haar moeder allerlei stomme dingen, maar haar vader zegt dat het aan de overgang ligt.'

'Nou, ik zit niet in de overgang,' zei Nessa. Ze beet op haar lip en duwde de gangdeur open. 'In ieder geval niet in dat opzicht.'

10

Saturnus in het teken van de Ram

Vastbesloten en sterk, vooral in moeilijke omstandigheden.

Cate deed haar nachtkastje open en pakte er de zwangerschapstest uit. Die had ze al bijna twee weken in huis. Zodra dat vreselijke idee bij haar opgekomen was, had ze er onmiddellijk een gekocht. Maar toen ze thuiskwam, was ze alweer van gedachten veranderd. Ze had ineens zeker geweten dat ze niet zwanger kón zijn en dat ze gewoon één keer niet ongesteld was geworden omdat ze op de zaak zo onder druk had gestaan. Maar in de wetenschap dat de order voor de nieuwe HiSpeed-schoen binnen was en dat de verkoopcijfers er inmiddels een stuk beter uitzagen, zou ze vast wel weer ongesteld worden. Dus verstopte ze de test onder haar pakjes Tampax en haar ontharingscrème zodat Finn het doosje niet per ongeluk in handen zou krijgen. Het laatste waar ze behoefte aan had, was dat Finn haar zou vragen of ze zwanger was, terwijl dat helemaal niet het geval was.

Zodra ze de test had gekocht en verstopt, had ze iedere dag een pakje tampons in haar tas gehad, in afwachting van het moment dat ze die nodig zou hebben. Ze probeerde het hele idee uit haar hoofd te zetten, omdat ze wist dat ze de zaak alleen maar erger zou maken als ze erover bleef piekeren. Nessa had haar verteld dat ze vaak het gevoel had dat ze niet voor een tweede keer zwanger was geworden omdat ze er zo over had lopen piekeren. Haar artsen hadden haar aangeraden om er niet meer aan te denken en zich te ontspannen. Dan zou het vanzelf gebeuren, hadden ze tegen haar gezegd.

Alleen was dat niet het geval geweest. Voor het eerst vroeg Cate zich af hoe Nessa echt dacht over het feit dat ze geen tweede kind kon krijgen. Ze vroeg zich af of Nessa net zo hard had gebeden om zwanger te worden als zij, Cate, nu bad dat ze het niet zou zijn. En zou Nessa ook niet diep vanbinnen het gevoel hebben dat het oneerlijk was?

Cate trok langzaam het cellofaan van het pakje en keek er opnieuw naar. Ze was vroeger naar huis gegaan om de test te doen, want ze wist dat Finn een vergadering met de tv-producer had. Maar ze had er eigenlijk nog steeds geen zin in. Zolang ze nog niets zeker wist, kon ze zichzelf zijn. Als ze die test deed en de uitslag was positief, dan zou ze een ander mens worden. Momenteel was ze naar haar eigen idee niet zwanger. Momenteel was die kans nog steeds erg klein. Maar als ze de test had gedaan, was het geen kans meer. Dan zou het een feit zijn. Een feit kúnnen zijn, prentte ze zichzelf in. Ze had weleens eerder een maand overgeslagen en toen was ze ook niet zwanger geweest, dus dat hoefde dit keer ook niet het geval te zijn.

Ik wil geen baby, fluisterde ze terwijl ze het cellofaantje in de afvalbak gooide. Ik ben nog niet aan een baby toe. Ik heb geen moederlijke gevoelens. Mijn biologische wekker is nog niet afgegaan. En mijn relatie zou er zeker geen baat bij hebben als er nu een kind kwam. Het laatste waar Finn en ik nu behoefte aan hebben, is een kind. En trouwens, ik heb geen zin in de pijn, de onderzoeken en de hele mikmak waarmee je te maken krijgt als je zwanger bent. Daar ben ik absoluut nog niet klaar voor. En Finn ook niet. Hij heeft het veel te druk met zijn carrière en dat is zijn volste recht. Als we nu een kind kregen, werd hij vast zo'n vader die het in de toekomst zou betreuren dat hij niet meer tijd aan zijn kinderen had besteed. Ze lachte even. Misschien werd hij dan wel geïnterviewd in het gezelschap van zijn tweede vrouw, zijn jonge vrouw, die net hun eerste kind verwachtte. En dan zou hij zeggen dat hij hoopte dat hij voor dit kind vaker thuis zou kunnen zijn, omdat hij het de eerste keer veel te druk had gehad. Zo gingen al die interviews toch?

Ze huiverde. Waarom had ze nu ineens het idee dat hij een tweede vrouw zou krijgen? Zij ging met hem trouwen en ze zou zijn vrouw blijven. Alles zou best in orde komen. Ze wilden wel kinderen hebben, alleen nu nog niet. Ze hadden het er weleens over gehad, maar dan in het algemeen. Hij vond dat je eerst zelf vaste grond onder de voeten moest hebben, voordat je iemand op de wereld zette. Dat je in ieder geval een aantal van de dingen moest hebben gedaan die je heel graag wilde. Anders werd je zo'n ouder die dingen tegen je kind schreeuwde als 'na alles wat ik voor je gedaan heb' en die voortdurend moest denken aan wat je allemaal voor hen had opgegeven. Je moest klaar zijn voor kinderen, had Finn tegen Cate gezegd. En daarna was hij in de lach geschoten en had zich afgevraagd of hij daar ooit klaar voor zou zijn. En of hij al die dingen zou kunnen doen waarnaar hij zo hunkerde.

Ze maakte het pakje open en haalde de bijsluiter eruit. Hij stond nu op het punt te gaan doen wat hij altijd het liefst had willen doen. Het feit dat ze een baby kregen, zou hem niet tegenhouden. Maar het zou hem verkrampt maken. En ze was er absoluut van overtuigd dat het kind daar de rekening voor zou moeten betalen. En hij zou het haar ook kwalijk nemen. En daardoor zou zij het ook afreageren op het kind.

Ze wreef over haar neus. Nessa zou dat een heel egoïstische redenering vinden. Nessa zou denken dat Cate geen baby wilde omdat het niet bij haar manier van leven paste. En dat was ontegenzeggelijk waar. Een baby zou inderdáád niet passen in een chic, modern appartement aan de kust. Een baby paste niet bij mensen die twaalf uur per dag werkten. Een baby had tijd en aandacht nodig, die zij en Finn een kind niet konden geven. Wat had het voor zin om een kind te nemen dat helemaal niet bij hun levensstijl paste? Ze waren nog niet zover dat ze die wilden aanpassen. Ze hadden hard gewerkt om te bereiken wat ze bereikt hadden. Dat wilden ze helemaal niet opgeven voor een baby waar ze niet klaar voor waren. Misschien zouden de meeste mensen het idee hebben dat het helemaal niet erg was dat zij, Cate Driscoll, per ongeluk zwanger was geworden. In ieder geval lang niet zo erg als wanneer een ongetrouwd zestienjarig meisje ongewenst zwanger werd. Maar wat haar betrof, was het net zo vreselijk. Om iemand ter wereld te brengen die je helemaal niet wilde, was gewoon vreselijk, wie het ook overkwam.

Ze streek de bijsluiter glad en bleef er strak naar kijken, maar door de tranen die plotseling in haar ogen sprongen werd alles wazig.

'Ik ben niet zwanger,' zei ze hardop terwijl ze opstond en met de test naar de badkamer liep. 'Zeker weten.'

Ze had gedacht dat het langer zou duren. In de bijsluiter had weliswaar gestaan dat ze maar een paar minuten hoefde te wachten tot de blauwe lijn zou verschijnen, maar ze had nooit gedroomd dat het zo snel zou gaan. En het was ook niet onduidelijk of zo. Het was de duidelijkste blauwe lijn die ze ooit in haar leven gezien had. Ze legde haar hand op haar buik en begon te huilen.

Nessa had het gevoel alsof ze naar zichzelf keek. Ze deed alle dingen die ze normaal ook deed: ze ruimde Jills kamer op, ze haalde de was binnen, ze trok een paar miezerige sprietjes onkruid uit het bloembed in de achtertuin, maar het was net alsof een andere Nessa door het huis en de tuin liep. Haar automatische piloot had de touwtjes in handen genomen, waardoor ze plotseling tot de ontdekking kwam dat ze in de badkamer stond, zonder zich te herinneren dat ze de trap op was gelopen of wat ze hier bij die wasbak te zoeken had. Maar ondertussen bleef de gedachte aan Adam en die onbekende vrouw en zijn tong in haar strot haar voortdurend door het hoofd spoken.

Het was zo'n walgelijk idee. Helemaal niets voor Adam. Dat was het enige waar ze zich aan vast kon klampen, het enige dat haar op de been hield. Adam was een man die van de fijnzinnige dingen in het leven hield. Om je in het openbaar zo met een vrouw te gedragen was grof. Hij was charmant, hij was charismatisch en aantrekkelijk – ook al kon hij qua dierlijke aantrekkingskracht niet in de schaduw staan van Finn Coolidge – en hij was absoluut niet grof. Dus dat zou hij nooit doen, dat kon hij gewoon nooit gedaan hebben.

Tenzij ze hem helemaal in haar ban had. Tenzij die vrouw iets had, waardoor hij volkomen was veranderd. Maar, dacht Nessa wanhopig terwijl ze op de rand van het tweepersoonsbed ging zitten, hij was niet veranderd. Niet tegenover haar. Niet tegenover Jill. Helemaal niet.

Ze stond op en trok de deur van de garderobekast open. Ze voelde zich schuldig toen ze haar hand in de zakken van zijn pakken liet glijden. Ze wist niet wat ze verwachtte te vinden, maar ze had het vage idee dat er iets zou kunnen zijn. Maar dat was niet zo. Geen zorgvuldig opgevouwen liefdesbrieven. Geen onverklaarbare Visa-card-afrekeningen. Geen flesjes parfum in cadeauverpakking. Alles was precies zoals het altijd was. Er was helemaal niets veranderd.

Jill en Nicolette waren in de tuin aan het spelen. Nessa riep haar dochter en gaf haar wat geld. 'Loop eens even naar de boekwinkel en haal de laatste nummers van *Woman's Way, Woman and Home, New Woman* en *She,'* zei ze tegen haar.

Jill keek haar verbaasd aan. 'Allemaal?' vroeg ze.

'Allemaal,' zei Nessa.

Ze las de horoscopen voor de komende maand door. *Woman's Way* raadde haar aan om zich niet te laten afleiden door de emotionele problemen van andere mensen. *Woman and Home* zei dat ze spijt zou krijgen van overhaaste beslissingen. *New Woman* verklaarde dat ze al veel te lang meer rekening hield met de gevoelens van andere mensen dan met die van haarzelf en *She* vroeg zich af of haar verbeelding niet op hol was geslagen.

'Precies,' zei ze hardop, toen ze de dure bladen dichtsloeg. 'Mijn verbeelding is op hol geslagen.'

Hij kwam om halfacht thuis. Nessa voelde dat haar hart nog harder begon te bonzen toen de auto op de oprit stopte en ze het gepiep van de afstandsbediening hoorde waarmee hij de portieren afsloot. Het effect van de horoscopen was inmiddels uitgewerkt. Ze had zich herinnerd dat Portia's opmerkingen geen product van haar verbeelding waren. Ze had de woorden gehoord uit de mond van iemand die niet eens wist dat ze luisterde. Dus het was waar. Adam had zijn tong in de strot van een of andere vrouw geduwd. Dat was geen verbeelding. Dus balanceerde ze twee uur lang op het randje van hoop en wanhoop tot ze niet meer wist wat ze nou eigenlijk voelde.

'Wat is er in godsnaam gebeurd?'

Ze draaide zich met een ruk om toen ze zijn stem hoorde en het water in de kan die ze om de een of andere reden stond te vullen, spatte alle kanten op. Ze pakte een doek en begon de vloer droog te wrijven.

'Hoe bedoel je, wat is er gebeurd?' Haar stem klonk gesmoord omdat ze gebukt stond.

'Met je auto!' Adam was geschokt, dat kon ze aan zijn stem horen. Ze was de hele auto vergeten. 'Mijn auto?'

'Ja,' zei hij. 'Er zit een verrekt grote kras aan de zijkant.'
'O ja.' Ze richtte zich op en wrong de doek uit. 'Ik heb ergens tegenaan gezeten.'
'Wat?'
'Je weet wel,' zei ze. 'Wat jou regelmatig overkomt.'
'Ik weet wel dat het *mij* overkomt, maar een van de Driscoll-vrouwen die een kras op een auto rijdt? Ongehoord,' zei hij bij wijze van grap.
'Nu niet meer,' zei ze. Ze wist niet hoe ze die banale woorden uit haar mond kreeg, terwijl wat ze echt wou zeggen zo heel anders was. Ze wist niet waarom hij tegen haar praatte alsof er niets veranderd was. Zijn gezicht stond verbaasd en bezorgd. Niet de uitdrukking van een man die vreemdging. Alsof zij wist hoe die eruitzag!
'Heb je Bree al gebeld?' vroeg hij.
'Nee,' zei Nessa.
'Nou ja, zij zal het best kunnen opknappen,' zei hij vol vertrouwen. 'Ik weet wel dat het haar merk niet is, maar al die kleuren zijn toch bijna hetzelfde, hè?'
'Ze kan immers ook Ford-lak kopen,' zei Nessa.
'Ach ja, natuurlijk.' Hij sloeg zijn armen om haar heen en trok haar tegen zich aan. 'Het geeft niet hoor, schat. Nu weet je tenminste hoe het voelt.'
Ze wilde het liefst tegen hem aankruipen, maar dat kon ze niet. Ze maakte zich los. 'Wat wil je eten?'
'Ben je er nog niet aan begonnen?' Hij keek haar terneergeslagen aan. 'En ik rammel van de honger! Ik heb vandaag geen tijd gehad om te gaan lunchen. Ik had het veel te druk.'
Waarmee, vroeg ze zich af. Met afspraakjes met vreemde vrouwen om je tong in hun strot te duwen?
'Waar heb je zin in?' vroeg ze.
'Wat dacht jij?'
Ze haalde haar schouders op. 'Pasta?'
Hij trok een gezicht. 'Na zo'n dag als vandaag is dat niet bepaald het eerste wat me te binnen schiet,' zei hij. 'Hebben we geen biefstuk?'
'Het is veel te warm voor biefstuk,' zei ze. 'Bovendien kost dat tijd.'
'We kunnen ze ook op de barbecue leggen en buiten gaan eten.'
'Doe niet zo stom.' Ze trok de keukenla open en keek erin alsof ze iets zocht. 'Het duurt uren voordat de barbecue warm is.'

'Nietwaar,' zei Adam. 'Die werkt op gas.'
'Maar toch.'
'Wat is er in vredesnaam met je aan de hand?' vroeg hij geërgerd. 'Ik dacht dat je het leuk vond om buiten te eten. Ik probeerde je alleen maar tegemoet te komen.'
Dit was haar kans om hem te vertellen wat ze wist. Dat hij met een andere vrouw gezien was. Maar de woorden bleven in haar keel steken, ze kon niets uitbrengen.
'Hoofdpijn,' zei ze.
'Het zal wel komen door die kras op je auto,' zei Adam opgewekt. 'Daar reageert iedereen anders op. Het maakt me niet uit wat we eten. Pasta is prima, als dat het enige is wat je op tafel kunt zetten.'
Als je echt biefstuk wilde, zou je het ook zelf kunnen klaarmaken, dacht ze. Alleen doe je dat niet, hè? Je komt thuis en verwacht dat ik je het naar de zin maak. Als een soort huissloofje uit de jaren vijftig. En ik vond het best. Maar alleen omdat ik dacht dat je altijd van me zou houden.
Adam trok de koelkast open en pakte een blikje bier.
'Ik ga wel een tijdje in de tuin zitten,' zei hij tegen Nessa. 'Om even op verhaal te komen. Het was een puinhoop op de weg. Ik heb eeuwen in de file gestaan.'
'Oké,' zei ze.
Wat ben ik toch voor sufferd, vroeg ze zich af toen ze toekeek hoe hij op z'n gemak in de tuinstoel ging zitten. Waarom laat ik gewoon toe dat hij doet alsof er niets aan de hand is? Zou hij me echt voor zo'n stommeling houden?
Maar hij weet niet dat ik het weet. Hij denkt dat alles nog precies hetzelfde is als vanmorgen. Dat er niets is gebeurd. Ze deed de kast open en pakte er een pakje macaroni uit. De tranen sprongen haar weer in de ogen en ze knipperde ze weg terwijl ze de macaroni in de steelpan schudde.
Als ik die meisjes in de sauna niet had gehoord, zou ik meteen ja hebben gezegd toen hij om biefstuk vroeg, dacht ze. Ik zou het meteen goed hebben gevonden en dan had hij de barbecue aan kunnen steken terwijl ik wat koolsla maakte. En ik zou het nog leuk hebben gevonden ook, want als hij blij is, ben ik ook blij. Dat is echt iets voor een Kreeft, natuurlijk, om andere mensen gelukkig te willen maken. Ik

dacht altijd dat het inhield dat ik een lief en zorgzaam type ben. Maar is het in werkelijkheid niet gewoon zielig? Waarschijnlijk wel. Portia vindt dat ook en zij kent me nauwelijks. En het is echt aandoenlijk dat ik niets tegen hem zeg omdat ik gewoon bang ben. Bang om het te weten. Ik wou maar dat ik het niet wist.

En dat was precies wat Portia had gezegd. Nessa herinnerde zich ineens dat het jonge meisje had opgemerkt dat ze het waarschijnlijk wel zou weten dat Adam een andere vrouw had, maar dat ze zich erbij neerlegde vanwege hun manier van leven en vanwege haar dochter. Als het echt waar is, vroeg ze zich plotseling af, zou ik dan net kunnen doen alsof ik het niet weet? Per slot van rekening heeft me dat tot nu toe geen kwaad gedaan. Mijn huwelijk is er niet door geschaad en ook de manier waarop hij tegen mij en Jill is, heeft er niet onder geleden. En trouwens, het kan best een bevlieging zijn. Dat komt wel vaker voor als je bijna tien jaar getrouwd bent. Een korte, heftige affaire waar hij wel weer overheen komt en die ons alleen maar sterker zal maken. Ze veegde een paar champignons af met een vochtige doek. Maar zou ik er ook sterker van worden, vroeg ze zich af. Zal ik er overheen komen? Als er een eind aan komt en hij is nog steeds bij mij zonder dat er iets is veranderd, zal ik het dan kunnen vergeten? Mijn leven weer oppakken alsof er niets gebeurd is? Alsof ik het nooit heb geweten?

Haar hoofdpijn werd erger. Ze keek uit het keukenraam. Adam zat met zijn mobiele telefoon aan zijn oor. Haar mond werd droog.

Praatte hij nu met haar? Die andere vrouw? Zei hij dat hij inmiddels thuis was en dat zijn domme, inschikkelijke, dwaze en nutteloze vrouw iets te eten voor hem maakte? Waren dat de dingen waar ze over praatten? Over haar? Zou ze weleens naar haar vragen? Lachten ze haar uit omdat ze niets van hun relatie wist en omhelsden ze elkaar om samen onder te duiken in hun eigen wereld, waar zij niet bij hoorde?

Zou die andere vrouw eigenlijk wel weten dat hij getrouwd was? Of was ze op haar manier net zo dom als zij? Geloofde die andere vrouw hem als hij tegen haar zei dat hij van haar hield en dat hij het heerlijk vond om bij haar te zijn? Droomde ze van de dag dat hij haar zou vragen om met hem te trouwen, zonder iets af te weten van zijn vrouw, zijn dochter en het vrijstaande hoekhuis in Malahide, die roet in haar eten konden gooien?

Hield ze van hem?

Hield hij van haar?
Of ging het alleen om seks?
Nessa hoorde hem plotseling lachen en ze werd er bijna misselijk van. Op die manier lachte hij soms ook met haar. Om een geheim grapje, iets mals dat zij alleen begrepen. Hij zat met haar te praten. Vast. Toen kwam Jill de tuin in rennen en stortte zich op hem. Hij omhelsde zijn dochter, zei iets tegen de persoon die hij aan de lijn had, legde het toestel opzij en stond op uit de tuinstoel. Hij tilde Jill hoog op en trok een gezicht tegen haar, om haar duidelijk te maken dat ze eigenlijk al te groot en te zwaar werd voor dit soort grapjes. Daarna ging hij naast haar op het gras zitten en luisterde terwijl ze hem vertelde wat er allemaal in het schoolkamp was gebeurd en ongetwijfeld ook hoe die kras op de auto was gekomen. Ze hoorde hem lachen en zag dat hij Jill opnieuw knuffelde.
Hij kon gewoon niet vreemdgaan, dacht Nessa. Dat was onmogelijk. Hij zou toch niet alles wat hij had voor iemand anders in de waagschaal stellen? Waarom zou hij die moeite nemen? Wat had het voor zin?

'Heb je zin om naar ons toe te komen?' vroeg Finn over de telefoon aan Cate. 'We zijn in La Finezza.'
Ze schudde haar hoofd, ook al kon hij dat niet zien. Maar ze kon nog niets uitbrengen. Ze had alleen maar zitten trillen vanaf het moment dat ze die blauwe streep van de zwangerschapstest had gezien.
'Cate? Ben je er nog? Heb je zin om hierheen te komen?'
Hij had opgebeld om te zeggen dat de producer hem en een van de researchers had uitgenodigd om uit eten te gaan en dat ze het hartstikke leuk zouden vinden als Cate ook zou komen. Maar ze kon het echt niet opbrengen. Ze was niet in staat om met iemand uit eten te gaan.
'Dat zou ik best leuk vinden.' Ze stond ervan te kijken dat ze nog iets uit kon brengen. 'Maar ik ben echt kapot, Finn. Ik heb een stapel administratie weggewerkt en heb net het bad laten vollopen.'
'Weet je het zeker?' Finn klonk teleurgesteld. 'Ze willen je juist zo graag leren kennen.'
'Dat geldt ook voor mij,' jokte Cate. 'Maar vanavond niet, Finn.'
'Zoals je wilt.'
'Ik zou het echt leuk vinden,' herhaalde ze. 'Maar...'
'Goed hoor,' zei hij. 'Je hoeft er niet over in te zitten.'

'Ik zie je straks wel,' zei ze tegen hem. 'Ik hoop dat je veel plezier hebt.'
'Best.'

Verdomme, zei ze toen ze de telefoon neerlegde. Verdomme nog aan toe. Nu had ze hem geërgerd en dat was zo'n beetje het laatste waar ze behoefte aan had. Ze hadden vaak genoeg ruzie over de manier waarop hij soms ineens met een stel van zijn mediavriendjes uit eten ging, zonder zelfs maar aan haar te denken. En nu hij er voor het eerst aan had gedacht om haar uit te nodigen mee te gaan, had ze geweigerd. Hij zou vast denken dat het een soort wraakoefening van haar was. Hij zou het kleinzielig van haar vinden.

Ze zuchtte en ging weer op de leren bank zitten. Ze trok haar knieën op tot aan haar kin en vroeg zich af waarom ze dat nog steeds kon als ze zwanger was. En daarna schoot haar door het hoofd dat het misschien niet goed was voor de baby en ze legde haar benen languit op de bank.

De baby. Zo'n klein woordje voor zo'n immens groot gebeuren. Maar natuurlijk was het eigenlijk nog niet echt een baby, hè? Het zou wel ongeveer zo groot zijn als haar vingernagel, of misschien als haar vinger. Dat betekende dat ze met haar benen kon doen wat ze wilde, zonder dat het kind er schade van ondervond. Ze trok haar benen weer op en bedacht dat ze dik zou worden. Ze wilde niet dik worden. Ze vond dat zwangere vrouwen er belachelijk uitzagen, absoluut niet aantrekkelijk, ook al waren er nog zoveel bladen die je probeerden wijs te maken dat je er adembenemend uit kon zien met zo'n dikke bult aan je lijf. Ze belazerden dwaze vrouwen met verhaaltjes dat hun haar veel meer ging glanzen en dat hun nagels sterker werden... dat soort kolder. Alsof dat opwoog tegen het feit dat je je eigen voeten niet meer kon zien! En het ergste was nog dat gedoe met de geboorte. Nessa had haar er iets van verteld na de geboorte van Jill, maar Cate had haar de mond gesnoerd omdat ze er misselijk van werd. Ze wilde absoluut niet doormaken wat Nessa had doorgemaakt. Ze wilde niet dat mensen haar lichaam betastten en dingen in haar staken. Ze wilde niet regelmatig bloed laten afnemen. Als er bij haar bloed moest worden geprikt viel ze flauw. En bij het idee dat een baby zich met geweld een uitweg uit haar lichaam zou banen, stond ze te trillen op haar benen.

'Ik wil niet zwanger zijn,' zei ze hardop. Haar stem trilde. 'Ik wil geen baby krijgen. Ik wil déze baby niet krijgen.'

Ze stond op en ging bij het grote raam staan. De zee was vandaag kalm en het water glinsterde in het licht van de avondzon. Er liepen honderden mensen langs de kust... paartjes, gezinnen en groepjes. Ze zag ook joggers, wielrenners en skaters die allemaal genoten van de warme zomer. En er liepen mannen en vrouwen naast elkaar achter buggy's met beminde en gewenste baby's.

Als ik abortus zou laten plegen, gaf ze haar gedachte eindelijk de ruimte, dan zou niemand er iets van hoeven te weten. En dan hoef ik niet al die dingen mee te maken, die ik nooit heb willen meemaken. Ik hoef niets tegen Finn te zeggen en ook niet tegen Nessa of Bree of mam. Ze huiverde. Haar moeder zou niets meer met haar te maken willen hebben als ze zelfs maar het idee had dat Cate een abortus overwoog. Nessa en Bree zouden waarschijnlijk ook geen hoge dunk van haar hebben. Maar het was gemakkelijk voor andere mensen, dacht ze fel. Die konden gewoon zeggen dat je er maar het beste van moest maken en hun eigen leven weer oppakken. Ze kon zich best voorstellen dat ze zouden denken dat het niet uitmaakte dat ze deze baby kreeg, omdat ze toch ging trouwen met de man die binnenkort de populairste tv-presentator zou worden. Maar daar vergisten ze zich toch mooi in. Zij kende Finn. Ze kende zichzelf ook. Ze wist wat ze allebei wilden. En ze wist dat een baby daar niet bij hoorde. Niet nu. Misschien wel nooit.

Naarmate het later werd, vond Nessa het steeds moeilijker om met Adam te praten. Terwijl ze voor de tv zaten en een heel stel series voorbij zagen komen, vormden zich zinnen in haar hoofd die ze uiteindelijk toch niet over haar lippen kon krijgen. Adam lag onderuitgezakt op de bank, met zijn benen languit voor zich en een biertje op het bijzettafeltje naast hem. Zo ging het altijd op vrijdag en ze kon het niet opbrengen om de avond te vergallen door een probleem aan te snijden waarvan ze niet eens wist hoe ze het moest oplossen. Dus liet ze de tijd gewoon voorbijgaan en ineens lagen ze samen in bed en trok hij haar naar zich toe, zoals hij altijd op vrijdag deed. Hij hield haar stijf vast en liet zijn hand tussen haar dijen glijden. Ineens was ze ervan overtuigd dat hij wist dat er iets mis met haar was. Maar hij scheen toch niets te merken en ze voelde de druk van zijn hand toenemen. Ze kon nauwelijks geloven dat ze met hem lag te vrijen alsof er niets veranderd was. En ze kon ook nauwelijks geloven dat ze zich aan hem vastklampte en tegen hem zei dat ze van hem hield, terwijl ze eigenlijk op dat moment het gevoel had dat ze hem haatte.

Na afloop, toen hij in slaap was gevallen, lag ze naast hem te luisteren naar zijn regelmatige ademhaling. Ze wilde zelf ook het liefst gaan slapen, maar iedere keer als ze op het punt stond, iedere keer als ze langzaam maar zeker indommelde, kreeg ze plotseling het gevoel dat ze viel en dan schrok ze weer wakker, met bonzend hart en gespannen zenuwen.

Ze vroeg zich af of ze ooit nog weer gewoon zou kunnen slapen.

Cate kon ook niet slapen. Finn was even na middernacht thuisgekomen uit La Finezza, in een goede bui en licht aangeschoten.

'Je had ook moeten komen,' zei hij tegen haar. 'Het was gezellig.'

'Het spijt me,' zei ze. 'Maar ik had nog van alles te doen en ik wist dat ik vanavond geen prettig gezelschap zou zijn. Ik wilde je plezier niet vergallen.'

'Ik hou van je.' Hij gaf haar op goed geluk een kus.

'Ik hou ook van jou.' Ze keek hem na toen hij de badkamer in liep en hoorde hoe hij zijn tanden poetste en weer terugstommelde naar de slaapkamer. Ze wachtte tot ze hem hoorde snurken, voordat ze zelf naar bed ging.

'Ik ben zwanger,' fluisterde ze in het donker toen ze naast hem lag. 'Maar volgens mij willen we deze baby helemaal niet hebben, Finn. Of wel? Als jij zegt dat het wel zo is, dan zet ik alle gedachten aan abortus uit mijn hoofd. Maar als je niets zegt, kan ik er dan van uitgaan dat je het ermee eens bent?'

Ze wist dat hij geen antwoord zou geven. Hij lag vast te slapen, niet gekweld door de angst en de zorgen die haar bekropen. Maar ze wist wat hij zou zeggen. Dat ze gelijk had. Dat het geen gewenst kind was. Dat ze er iets aan moest doen. En dan zou hij haar in zijn armen nemen en een kus op haar voorhoofd drukken, zoals hij altijd deed als ze een vervelend besluit hadden genomen. Maar hij wist dat zij de juiste keus zou maken. Voor haar. Voor hem. Voor hen allebei.

11

Venus in het teken van de Boogschutter

Emotionele vrijheid vormt de sleutel.

Terwijl Nessa en Cate allebei wakker lagen, denderde Bree Driscoll over de Morehampton Road. Ze kon voelen hoe Michael zich aan haar vastklampte, toen ze langs de file stoof die zelfs op dit uur nog voor Donnybrook stond.

Ze had een leuke avond met Michael gehad. Hun eerste afspraakje was best gezellig geweest, hoewel ze een heel stel van Michaels vrienden hadden ontmoet, waardoor het ineens geen afspraakje meer leek, maar een soort groepsgebeuren. Iedereen kende iedereen en ze hadden besloten om samen ergens iets te gaan drinken. Bree had zich een beetje buitengesloten gevoeld, toen er grapjes werden gemaakt over de lol die ze hadden getrapt in de tijd dat ze samen studeerden en over hoe vervelend het was dat ze nu gewoon moesten werken voor hun brood. En ze had zich helemaal niet meer op haar gemak gevoeld toen het tot haar doordrong dat werken voor je brood voor hen betekende dat ze probeerden een carrière op te bouwen in chique beroepen in de media, als jurist, of als ontwerper in plaats van zich het leplazarus te werken in een garage. Ze had zich er nooit voor geschaamd dat ze in een garage werkte en dat was nog steeds zo, maar vooral de meisjes hadden haar het gevoel gegeven dat ze helemaal niet meetelde.

Na afloop had een van de knullen haar en Michael een lift gegeven naar Donnybrook, maar dat had betekend dat zij het eerst moest uitstappen en Michael alleen maar een kusje op zijn wang had kunnen geven toen ze tegen hem zei dat het erg gezellig was geweest. Hij zou haar wel weer bellen, zei hij en ze had echt niet geweten of ze hem moest geloven. Vandaar dat ze ontzettend opgelucht was geweest toen hij belde om haar nog een keer mee uit te vragen.

Hun tweede afspraakje was veel beter verlopen. Ze waren naar de bioscoop gegaan, naar een horrorfilm. Hij zei dat hij die speciaal had uitgekozen om haar de doodschrik op het lijf te jagen en haar te horen gillen. Maar in feite moest ze altijd ontzettend lachen om horrorfilms en tot zijn teleurstelling had ze nauwelijks gegild, terwijl ze ook niet bepaald van schrik in elkaar was gekrompen. Na afloop waren ze koffie gaan drinken en Michael had tegen haar gezegd dat ze echt uniek was en dat hij nog nooit zo iemand als zij had ontmoet. Maar dat had ze al van een heleboel andere mannen gehoord. Hij was opnieuw over haar motor begonnen en over haar liefde voor auto's en allerlei andere mechanische dingen en hij had zich hardop afgevraagd of ze hem op haar motor zou laten rijden.

'Ben je gek?' grinnikte ze. 'Ik weet hoe je rijdt.' Maar ze had gezegd dat hij de volgende keer dat ze uitgingen maar bij haar flat langs moest komen, dan zou ze hem meenemen voor een ritje op de motor. Ze waren samen met een taxi naar huis gegaan en hij had haar opnieuw bij haar flat afgezet voordat hij verder ging naar zijn eigen huis. Bree had altijd gedacht dat elke knul van eenentwintig één brok kolkende hormonen was en dus wist ze niet of ze nijdig of gekwetst moest zijn, toen hij geen aanstalten maakte om zich op haar te storten en haar de kleren van het lijf te rukken. Ze had bij voorbaat genoten van het idee dat ze Michael Morrissey van zich af zou moeten houden en het was een onthutsend idee dat hij geen enkel probleem had met het feit dat ze afscheid had genomen door hem opnieuw alleen maar op zijn wang te kussen.

Bij hun volgende afspraakje liet ze hem achter op de motor stappen en reed over de kustweg naar Howth, helemaal naar de top van de heuvel, waar ze gingen zitten om naar de zonsondergang te kijken terwijl hij haar vertelde over zijn nieuwe baan. In september zou hij beginnen op de marketing- en verkoopafdeling van een grote detailhandel. Fantastische vooruitzichten, had hij gezegd, en een hele vooruitgang vergeleken bij zijn huidige tijdelijke baan bij een bedrijf voor marktonderzoek, waar hij alleen maar de telefoon hoefde aan te nemen. Ze had geluisterd en geknikt, tot ze zich plotseling herinnerde dat dit de plek was waar Adam Nessa zo romantisch ten huwelijk had gevraagd. Maar ondanks het feit dat ze daar samen met Michael naar de zonsondergang zat te kijken was de sfeer tussen hen alleen maar vriendschappelijk. Hij was een gezellige vent, ze vond het leuk om met hem te gaan stappen en hij was echt ontzéttend aantrekkelijk, maar ze wist niet zeker of er tussen hen wel een vonkje oversprong. In ieder geval niet het soort vonkje waarop ze had gehoopt en waarvan ze zeker wist dat het er moest zijn als ze wilde dat hij haar op stel en sprong tot zijn vaste vriendin zou bombarderen. Ze moest natuurlijk niet meteen met haar conclusies klaarstaan, maar ze had eigenlijk het gevoel dat hij haar meer als een oudere zus beschouwde dan als een potentiële partner in de liefde. Ze vroeg zich af of dat zou liggen aan het feit dat hij vier jaar jonger was dan zij, maar ze probeerde dat idee meteen weer uit haar hoofd te zetten. Als ze dat soort gedachten koesterde, was ze geen haartje beter dan de mensen die het raar vonden dat een vrouw automonteur was en op een snelle motor rondreed. Dat Michael eenentwintig was, hoefde niet te betekenen dat hij niet net zo volwassen kon zijn als de meeste andere kerels met wie ze in het verleden verkering had gehad. Hij was zelfs volwassener dan de helft van dat stel en tenminste geen rare snuiter!

Ze nam gas terug toen ze de straat in reed waar hij woonde en stopte voor het huis.

'Dat was geweldig!' Hij zette zijn helm af en in het licht van de straatlantaarn zag ze zijn ogen glinsteren. 'Je bent de gaafste meid die ik ooit heb ontmoet. De manier waarop je door die file weefde! En zoals je de bocht neemt. Echt supervet.'

Ze grinnikte en zette haar eigen helm af. 'Ik ben blij dat je het leuk vond.'

'Ik zou het nog leuker hebben gevonden als we nog sneller hadden gereden,' zei hij tegen haar. 'Snelheid op een motor heeft iets speciaals...'

'Je moet niet zo opgewonden worden van snelheid,' zei ze tegen hem. 'Als je zo doorgaat, krijgt het jou in de greep in plaats van andersom. Snelheid is iets dat je onder controle moet kunnen houden.'

'O, maar het is gewoon fantastisch om eerder dan alle anderen over de weg te scheuren,' zei Michael. 'En bij een stoplicht te weten dat je ze allemaal een poepje kunt laten ruiken...'

Ze lachte. 'Ik probeer je te zien als een vent die een beetje anders is dan de rest van de kerels,' zei ze tegen hem. 'En ik probeer je niet te zien als iemand die geilt op motoren die op hoge toeren draaien en op hard rijden. Maar dat ben je wel, hè?'

'Niet altijd.'

Ze hadden elkaar nog nooit gekust. Niet echt. Maar nu boog hij zich naar haar toe en ze wist dat hij zijn armen om haar heen zou slaan en haar hier, vlak voor zijn huis, zou kussen op de manier waar ze naar hunkerde.

Er stopte een auto, waarvan het licht van de koplampen op hen viel. Michael liet haar los en draaide zich om. Declan Morrissey stapte uit de auto en zwaaide naar hen.

'Hoe gaat het met je?' vroeg hij aan Bree.

'Prima, dank u wel.' Ze was een beetje zenuwachtig. Ze wist dat hij wel zou weten dat zijn zoon met haar uitging, maar ze had niet verwacht dat ze hem onder deze omstandigheden zou zien, met haar gezicht rood van opwinding in afwachting van Michaels kus.

'Heb je zin in een kopje koffie?' vroeg hij.

Ze keek Michael even aan. Hij knikte.

'Wat een mooi pak,' zei Declan toen ze in de keuken de rits van haar zwarte motorjack opentrok.

'Dank u wel.' Ze wenste dat ze zich niet zo onbehaaglijk zou voelen in zijn aanwezigheid. Het was alsof hij haar bestudeerde en op de een of andere manier tot de conclusie kwam dat ze niet goed genoeg was. Misschien kwam het wel door dat leer. Misschien vond hij wel dat een meisje dat in een garage werkte en in het leer liep niet het soort meisje was dat hij voor zijn aantrekkelijke zoon wilde.

'We zijn naar Howth geweest.' Michael ging aan de tafel zitten terwijl Declan koffie in het koffiezetapparaat deed. 'Bree kan fantastisch motorrijden, beter dan enig ander meisje dat ik ooit heb ontmoet.'

'Je hebt ook nog nooit een meisje ontmoet dat kon motorrijden,' merkte Declan op.

'Nou ja.' Michael grinnikte. 'Ze is toch geweldig.'

'Ik wou dat ze jou kon leren om beter te rijden,' zei Declan.

'Ik wil niemand iets leren,' zei Bree haastig.

Declan glimlachte. 'Wil je iets te eten?'

'Bent u beledigd als ik nee zeg?'

Michael lachte. 'Ze vergeet niks.'

'Ik heb de vorige keer dat je hier was al gezegd dat ik me niet gekwetst zou voelen als je niets te eten wilt hebben. Maar omdat ik mijn zoon ken, weet ik ook dat je niets te eten krijgt als je met hem uitgaat.

Hij staat er niet om bekend dat hij zijn vriendinnetjes op chique etentjes trakteert.'

Vriendinnetjes. Bree vroeg zich af hoeveel vriendinnetjes Michael al gehad zou hebben. Hij was zo knap en aantrekkelijk om te zien, dat ze ervan uitging dat hij aan iedere vinger vijf meisjes kon krijgen. En natuurlijk hadden al die meisjes met wie hij samen had gestudeerd ook alleen maar naar zijn smalle, gebruinde gezicht hoeven kijken om knikkende knieën te krijgen. Precies zoals zij.

'Neem maar een stukje appeltaart.' Declan pakte een half opgegeten taart uit de ijskast en zette die samen met de koffie op tafel.

'Dank u wel.' Bree rammelde van de honger. Declan had gelijk, want nadat ze naar de zonsondergang hadden zitten kijken, waren ze naar de kroeg gegaan. Zij had alleen maar mineraalwater gedronken en Michael had ook niet veel gehad. En ze hadden allebei alleen een pakje baconchips gehad.

'De volgende keer dat we uitgaan, neem ik je mee uit eten,' beloofde Michael. 'En dan hoef je niet mee naar binnen om je vol te proppen met pa's appeltaart.' Hij keek naar haar lege bordje. 'Had je honger?'

'Niet echt,' jokte ze. 'Maar die taart was lekker.'

Declan lachte en schonk haar kopje nog eens vol. 'Zorg dat hij je meeneemt naar een leuk restaurant,' waarschuwde hij. 'Anders belanden jullie in de Pizza Hut.'

'Wat is er mis met de Pizza Hut?' wilde Michael weten.

'Ik ben dol op pizza's,' verzekerde Bree hem. 'Vooral met extra veel chilisaus.'

'Ik zei toch al dat ze heel bijzonder is,' zei Michael bewonderend. 'Ik heb nog nooit een vriendinnetje gehad dat van extra chilisaus hield.'

Een uur later was ze terug in haar flat. Declan was naar bed gegaan en Michael was met haar mee naar buiten gelopen. Maar hij had niet meer geprobeerd haar te kussen en ze wist niet of dat kwam doordat hij zich niet op zijn gemak voelde met Declan in de buurt of omdat ze gewoon niet aantrekkelijk genoeg was. Hij vond haar leuk gezelschap, dat stond vast, maar zou deze relatie weer net als zoveel andere uitdraaien op dat 'alleen-maar-goeie-vrienden'-gedoe? Beschouwde hij haar alleen maar als een kameraad die toevallig een maat 75B-beha droeg? Had ze dan echt, zoals Nessa een keer minachtend had gezegd, totaal geen vrouwelijke charme?

Ze trok haar leren pak uit en stapte in haar onopgemaakte bed. Ze bleef zitten en keek om zich heen. Ze had in ieder geval geen vrouwelijke hand van inrichten. De flat was zoals gewoonlijk één grote puinhoop. Misschien zou ik daar eens iets aan moeten doen, dacht ze. Een beetje opruimen. Een bosje bloemen neerzetten. Om de mensen duidelijk te maken dat ik wel degelijk een vrouw ben.

Ze huiverde. Ze vond het vreselijk als mensen haar als een vrouw beschouwden. Ze haatte het echt om in een hokje te worden gestopt als iemand die uiteindelijk wel zou gaan trouwen en een gezinnetje zou stichten. En ze vroeg zich af hoeveel vrouwen daar net zo over hadden gedacht, tot ze op een dag iemand tegen het lijf liepen, waardoor ze volledig van mening waren veranderd.

Het zou grappig zijn, dacht ze, als de man die haar van mening kon doen veranderen een eenentwintigjarige speedfreak zou zijn die een eindje verderop woonde.

12

De zon in het derde huis

Een actief brein en prettig in de omgang.

Het was waanzinnig druk. Cate zat achter haar bureau en vroeg zich af hoe ze het klaar moest spelen om drie vergaderingen bij te wonen plus een lunchoverleg bij de Sportraad, sollicitatiegesprekken te voeren met een kandidaat-hulp op de boekhouding en voor vijf uur de nieuwe cijfers klaar te hebben voor Ian Hewitt. Dat kon gewoon niet. Ze wist dat ze dat nooit zou redden, ook al zou iedereen vandaag aanwezig zijn geweest. En dat was niet het geval want kennelijk heerste er buikgriep en vier mensen hadden zich vanmorgen ziek gemeld. Het enige voordeel van die drukte was dat ze geen tijd had om zich zorgen te maken over haar privé-leven en zich af te vragen wat ze in vredesnaam aan die baby zou moeten doen. De baby waarvan ze het bestaan niet eens wenste te erkennen. De baby waarvan niemand iets af wist, omdat ze nog steeds geen woord tegen Finn had gezegd. En ze was ook niet van plan om iets tegen hem te zeggen. Niet zolang ze niet wist wat ze moest doen.

Hij had haar zaterdagavond meegenomen naar Wong's en een paar uur lang had ze net kunnen doen alsof er niets aan de hand was. Ze had het onderwerp baby naar haar achterhoofd verbannen terwijl ze met hem zat te kletsen over de luisterdichtheid van zijn radioprogramma (die de afgelopen maand weer met drie procent was gestegen) en de inhoud van zijn eerste tv-programma's: een paar goede gasten met interessante verhalen plus een paar beroemdheden om kijkers te lokken. Ze was erin geslaagd om net te doen alsof ze niet in verwachting was, alsof die hele zwangerschap een product van haar verbeelding was, en om de een of andere reden was het de meest geslaagde avond geworden sinds ze hem ten huwelijk had gevraagd. Maar later die avond, voordat ze met elkaar gingen vrijen en Finn net zijn vingers van haar keel naar haar bovenbenen liet glijden zoals hij altijd deed, had ze zich plotseling zenuwachtig afgevraagd of het niet tot hem door zou dringen dat ze dikker was en of hij niet plotseling zou beseffen wat er eigenlijk aan de hand was en haar ronduit zou vragen of ze zwanger was.

Maar natuurlijk had hij dat niet gedaan. Hij had haar gekust, haar gestreeld en had haar gepakt zoals hij altijd deed en er was echt helemaal niets veranderd.

'Hé, Cate, je taxi is er!' Ruth Pearson stak haar hoofd om de deur. 'Wat ben je toch een mazzelkont dat je er lekker een paar uur tussenuit kunt knijpen om naar de Sportraad te gaan. Ik wou dat ik even uit dit gekkenhuis weg kon.'

'Ik wou dat ik niet weg hoefde,' zei Cate treurig. 'Ik heb een stamp werk liggen.' Ze deed haar tas open en pakte haar make-up. 'Hoe laat komt dat meisje hier voor dat sollicitatiegesprek?'

'Halfdrie.' Ruth keek toe hoe Cate vakkundig haar make-up bijwerkte en een nieuwe laag rode lipstick aanbracht.

'Als ik laat ben, zet haar dan maar in mijn kantoor en geef haar een paar kranten om te lezen.'

'Prima.'

'Als Ian terugkomt, zeg dan maar tegen hem dat ik die cijfers vanavond voor hem heb.'

'Oké.'

'En als Finn belt...' Cate hield even op. Hij zou best kunnen bellen, want ze zouden die avond weer uitgaan, ook al had ze er helemaal geen zin in. Ze klapte haar poederdoos dicht. 'O, als Finn belt, zeg dan maar dat ik hem vanavond thuis wel weer zie.'

'Goed, hoor.' Ruth knikte, terwijl Cate haar tas oppakte en haastig naar de trap liep.

Nessa was de voortuin aan het wieden toen ze Mitchell Ward voorbij zag komen. Ze richtte zich op en zwaaide naar hem.

'Hallo, mevrouw Riley.'

'Ha, die Mitchell.' Ze veegde een sliert haar uit haar ogen. 'Ik wil je even iets vragen.' Haar hart bonsde.

'Ja?'

'Over dat meisje dat eerder deze zomer een keer bij je logeerde, weet je nog wel?'

Mitchells gezicht werd vuurrood. Wat moest mevrouw Riley met zijn vriendinnetjes? Was ze van plan het aan zijn moeder te vertellen? Hij had altijd gedacht dat mevrouw Riley wel oké was, maar met ouders wist je het nooit.

'Portia? Wat is er met haar?' Hij probeerde niet bezorgd te klinken.

'Ik vroeg me af of je me haar telefoonnummer zou kunnen geven,' zei Nessa. Toen hij haar verbaasd aankeek, vervolgde ze: 'Ze heeft een kopje koffie bij me gedronken op die ochtend dat Adam tegen haar auto opreed,' zei Nessa. 'En nu wil ik haar graag even bellen over iets wat toen ter sprake kwam.'

'Ik heb haar al tijden niet meer gezien,' zei Mitchell. 'Ik heb tegenwoordig verkering met iemand anders.'

En daarmee heb je haar hart gebroken, dacht Nessa. Maar waarschijnlijk zou je je daar toch niets van aantrekken, ook al wist je dat. Je bent immers een kerel, dus waar zou je je druk over maken.

'Ik wil alleen maar haar telefoonnummer,' zei ze tegen hem. 'Ik was niet van plan om met haar over jou te gaan roddelen.'

Hij grinnikte plotseling. 'Ze vond het helemaal niet leuk dat het uit raakte,' bekende hij. 'Maar om eerlijk te zijn begon ze zich veel te veel aan me vast te klampen. Ze wilde constant weten waar ik was, wat ik deed en waarom ik dat dan niet met haar deed. Snapt u wat ik bedoel? Ik ben pas tweeëntwintig. Ik heb nog helemaal geen zin om me te binden of zo.'

'Ik snap het,' zei Nessa droog.

Mitchell pakte zijn mobiele telefoon. 'Haar nummer staat er nog steeds in. Ik was er nog niet toe gekomen om dat te wissen.' Hij las het nummer op en Nessa prentte het in haar hoofd.

'Dank je,' zei ze.

'Graag gedaan.' Hij drukte op een paar knopjes. 'Ze gaat nu toch meteen de prullenbak in. Dat maakt weer een plaatsje vrij in Mitchell Wards telefoonboek van vrije meiden!'

'Ik neem aan dat je daar veel plezier van hebt?' Nessa kon maar met moeite een lachje produceren.

'Zeker weten,' zei hij.

Bree moest vier auto's een grote beurt geven, plus op zoek gaan naar de reden van een vreemd geluid in de motor van een Alfa Spider. Ze was het liefst met de Spider begonnen, maar de beurten gingen voor.

'Hé, Bree?' Rick Cahill wenkte haar. 'Wil jij niet even proberen of je die bout voor me los kunt krijgen? Die zit zo dicht op het blok dat ik er niet goed bij kan.'

'Tuurlijk.' Ze veegde haar handen af aan een doek en tuurde in de motor. 'Geef me die sleutel maar aan.'

'Toch makkelijk als je van die sierlijke handjes hebt,' zei Rick toen ze de klus had geklaard en hem zijn gereedschap teruggaf.

'Bedankt,' zei ze.

'Je zult op een dag de perfecte huisman voor iemand zijn,' zei hij tegen haar.

Ze keek hem aan. 'O ja?'

'Nou en of. Handig in huis, handig in de garage... wat kan een man zich nog meer wensen?'

'Misschien iemand in sexy jurkjes en op hoge hakken?' opperde ze.

'Hoor ik daar een bitter ondertoontje?' vroeg hij luchtig. 'Problemen in de liefde, kleine Bree?'

Ze zuchtte. Ze praatte in de garage vrijwel nooit over haar privé-leven. Als je met een stel kerels werkte, kreeg je maar hoogst zelden de kans om een intiem gesprek te voeren en daar was ze trouwens ook helemaal de persoon niet voor. Maar ze zat een beetje in de put omdat Michael Morrissey kennelijk geen enkele interesse in haar had, behalve dan als iemand die heel snel op een motor kon rijden.

'Het pad van de liefde is bezaaid met problemen,' zei ze al even luchtig tegen Rick.

'Je hebt verkering met de zoon van Declan Morrissey, hè?' zei hij.

Ze keek hem met grote ogen aan. 'Hoe weet jij dat verdomme?'

'Christy had het erover en dat heb ik toevallig gehoord.'

'Christy?'

'Hij gaat ook buiten het werk met Declan om,' zei Rick.

'Dat wist ik niet.' Bree wierp een blik op het kantoortje waar Christy zat te telefoneren. 'Dat heeft hij me niet verteld. Hij zei tegen mij alleen dat Declan een goede klant was.'

'O, ze zijn niet bevriend, of zo,' zei Rick. 'Ze zijn lid van dezelfde golfclub.'

'Shit.' Bree trok haar neus op. 'Ik wil helemaal niet dat ze onder het borrelen over mij zitten te ouwehoeren.'

Rick grinnikte. 'Ik denk ook niet dat ze dat doen.'

'Maar hij heeft al over me zitten kletsen!' jammerde ze.

'Als je op het pad van de liefde op je bek gaat, zal hij niet lang over je kletsen.'

Ze kreunde. 'Ik weet echt niet of het wel iets wordt tussen mij en Michael,' zei ze tegen Rick. 'Het is een leuke vent, maar hij is wel een beetje jong, als je snapt wat ik bedoel.'

'Maar hij ziet er wel goed uit,' zei Rick.

'Ken je hem?'

Hij knikte. 'Hij was hier vorig jaar toen zijn pa die auto voor hem kocht.'

'Nou ja, hij ziet er inderdaad goed uit,' gaf Bree toe. 'En een knap uiterlijk heeft zo z'n voordelen, zoals jullie kerels maar al te goed weten.' Ze wierp een minachtende blik op de Pirelli-kalender die aan de muur hing.

'Maar we weten ook allemaal dat een knap gezicht iets heel anders is dan echte liefde,' zei Rick.

'Doe alsjeblieft niet zo begripvol,' zei ze. 'Ik werk hier juist om dat soort dingen te vermijden.'

Rick lachte. 'Ga dan maar olieverversen,' zei hij tegen haar. 'Dat zal je wel afleiden.'

'Bedankt.' Ze lachte terug. 'Je weet altijd hoe je de dingen in perspectief moet plaatsen.'

Ook al had ze nu het telefoonnummer van Portia, Nessa wist best dat ze haar niet zou bellen. Ze kon haar niet zomaar vertellen dat ze haar gesprek met haar vriendin afgeluisterd had. Portia vond haar toch al een stomme, zielige tut.

Het was veel verstandiger, dacht Nessa, om het hele huis op z'n kop te zetten om te zien of ze ook maar het geringste bewijs kon vinden dat Adam haar ontrouw was. Je kon niet iemand bedriegen zonder dat je ergens een bewijs liet rondslingeren. Als hij echt omgang met iemand anders had, was het best mogelijk dat ze hem iets had gegeven, een soort aandenken. In de tijd dat zij verkering met hem had gehad, had ze hem altijd kaartjes gestuurd. Misschien stuurde deze andere vrouw hem ook wel kaartjes. En misschien was hij zo stom geweest om er ergens een te laten liggen.

Ze schonk een kop koffie in en sloeg *Het Komende Jaar van de Kreeft* open. Ze had het boek al twee dagen niet meer ingekeken. Ze was teleurgesteld omdat ze de grootste schok van haar leven had gehad zonder dat het boek haar daarvoor had gewaarschuwd. Overigens was het ook weer niet zo dat ze alles maar geloofde, maar de horoscopen waren gewoon grappig geweest en hadden haar op een luchthartige manier steun gegeven. Als ze die niet meer kon vertrouwen, waar moest ze dan nog in geloven?

Inmiddels hebt u belangrijke beslissingen genomen met betrekking tot uw toekomst, las ze. *U moet nu in staat zijn om verder te gaan ook al zal het niet gemakkelijk zijn. Het verkrijgen van informatie over de dingen die u bezighouden zou weleens moeilijker kunnen zijn dan u denkt. Laat de moed niet zakken. U bent op de goede weg.*

En wat moet ik daar nou weer uit opmaken, vroeg ze zich af. Dat als ik maar diep genoeg graaf, ik wel iets zal vinden dat mijn ergste vermoedens bewaarheidt? Dat Adam alles zal ontkennen? Of dat ik tot de ontdekking zal komen dat Portia alles uit haar duim heeft gezogen? Ze liet haar hoofd op haar armen zakken en zuchtte diep. Een paar maanden geleden was alles nog zo geweldig geweest. Hoe was het in vredesnaam mogelijk dat het leven nu één poel van ellende was?

Ze ging rechtop zitten en duwde haar koffie opzij. Ze moest achter de waarheid komen. En die zou niet half zo erg zijn als ze vermoedde. Het kwam maar zelden voor dat je somberste vermoedens uitkwamen, dat wist ze zeker.

Cate keek naar de uitgeprinte pagina's die voor haar lagen en kreeg een misselijk gevoel. Ze had nu alles gelezen over vrijwillige abortus en abortus op medische indicatie en wat ze moest doen om daarvoor in aanmerking te komen. De site die ze had bezocht, was bedoeld voor mensen die in Engeland woonden, in Noord-Ierland en in Ierland en ze vroeg zich af hoeveel vrouwen op reis moesten om een abortus te laten plegen. Hoeveel vrouwen waren zo wanhopig dat ze een ticket boekten naar Engeland en het geld voor de operatie bij elkaar spaarden, omdat hun leven anders volkomen verwoest zou zijn?

Ze wreef in haar ogen. Een baby zou haar leven verwoesten. Echt waar. Maar zij kon zich die operatie best veroorloven, net als de reis naar Engeland. Verrek, als ze dat per se wilde, zou ze er zelfs een zakenreis van kunnen maken. Ze wilde geen abortus omdat ze te jong was om een kind te krijgen, of omdat ze al zoveel andere kinderen had, of omdat een vent die ze nauwelijks kende haar zwanger had gemaakt en haar had laten zitten. Ze wilde een abortus omdat ze bang was dat een baby tussen haar en Finn zou komen, omdat ze andere prioriteiten in het leven had en omdat het idee dat ze een kind zou krijgen haar doodsbenauwd maakte. Die redenen waren toch net zo goed als al die andere? Haar redenen mochten dan niet zo wanhopig zijn als die van andere vrouwen, maar op haar eigen manier was ze wel degelijk wanhopig.

Ze keek opnieuw naar de papieren. Het werd allemaal heel zakelijk uitgelegd. Niemand die haar een preek voorschotelde, of haar veroordeelde, of tegen haar zei dat het eigenlijk heel stom van haar was om in verwachting te raken. Er werd gezegd dat ze haar zouden helpen, niet dat ze haar de les zouden lezen. Ze boden aan om haar met raad en daad bij te staan en ze zeiden dat ze zelf moest beslissen wat ze zou doen.

Maar ze had geen raad nodig. Ze had geen behoefte aan sympathie. Ze wilde alleen van die verdomde baby af.

Ze begon te trillen. Dat klonk zo definitief. Het klonk echt afschuwelijk. Aanvankelijk was dat niet zo geweest, maar nu ineens wel.

De mensen die zeiden dat vrouwen abortus gebruikten als een soort voorbehoedsmiddel wisten niet waar ze het over hadden. Ze wisten niet hoe verschrikkelijk het was om die beslissing te moeten nemen. Om erover na te moeten denken. Om je in te moeten prenten dat het maar een simpele medische ingreep was, terwijl ze zich steeds schuldiger begon te voelen over wat ze van plan was. Ze had zich altijd afgevraagd waarom meisjes die per ongeluk zwanger waren geworden niet meteen naar zo'n kliniek holden om abortus te laten plegen. Waarom er vrouwen waren die zo lang wachtten dat het gevaarlijk begon te worden. Maar nu snapte ze dat wel. Het was een definitief besluit. Een vreselijk besluit. Een besluit waarvan ze niet wist hoe ze het moest nemen.

Bree zat net in de kantine toen haar mobiele telefoon ging.

'Hallo, ik ben het.'

'Michael.' Ze kon het plezier in haar stem niet onderdrukken. 'Hoe gaat het ermee?'

'Prima,' zei hij. 'Ik vroeg me af of je zin had om vrijdagavond met me uit te gaan.'

'Tuurlijk. Waarheen?'

'Ik heb zitten nadenken over wat pa zei,' vertelde hij haar. 'Dus wat dacht je van een restaurant? Een etentje?'

Ze lachte. 'Je hoeft me niet mee uit eten te nemen omdat je vader dat heeft gezegd,' zei ze tegen hem. 'Ik vind het ook leuk om gewoon de stad in te gaan en ergens een paar biertjes te pakken.'

'Nee,' zei hij. 'Ik hoor vrouwen beter te behandelen!'

Bree trok een gezicht. Ze werd weer op een hoop gegooid met een stel vrouwen. Dat stak haar niet bepaald een riem onder het hart.

'Waar zou je het liefst naartoe willen?' vroeg hij.

'O. Michael, dat maakt me heus niets uit.'

'Ik zal je echt verrassen,' beloofde hij.

'Oké.'

'Trek maar een mooie strakke jurk aan,' zei hij tegen haar.

'Wat?'

Hij lachte. 'Alleen als je dat ziet zitten, hoor. Ik heb je nog nooit in iets anders gezien dan een spijkerbroek.'

'Echt niet?' vroeg ze fronsend.
'Nee.'
'En dat zou je wel leuk vinden?'
'Pa vroeg of je ook benen had,' zei Michael.
'O.'
'Volgens mij wel, zei ik tegen hem. Ik heb ook tegen hem gezegd dat je volgens mij een pracht stel benen had. Laat maar eens zien of ik gelijk heb.'
'O,' zei ze opnieuw.
'Goed dan... vrijdag zeven uur?'
'Ik zal zorgen dat ik klaar ben.'
Ze stopte de telefoon weer in haar zak. Ze had helemaal geen mooie strakke jurk. Nooit gehad ook. Maar als ze op die manier haar relatie met Michael van een platonische vriendschap kon veranderen in iets dat romantischer was, dan zag ze een mooie strakke jurk ook wel zitten. Die zou ze vast wel ergens kunnen kopen. Cate droeg niet anders.
Misschien is het best een goed idee om Cate te bellen, dacht Bree terwijl ze terugliep naar de garage. Het was al tijden geleden dat ze haar had gesproken en het kon geen kwaad om haar zus te vragen wat ze volgens haar het best zou kunnen dragen. Bree was er altijd een groot voorstander van om deskundigen om raad te vragen. Ze werd er altijd heel moe van als mensen naar de garage kwamen omdat ze zelf aan hun auto hadden gesleuteld en het probleem alleen maar erger hadden gemaakt. Dus was het logisch dat zij, als haar leven een nieuwe wending nam, ook bij een deskundige aanklopte. En Cate was precies de persoon die haar raad zou kunnen geven. Ze zou haar straks wel bellen.

Cate zat in het lege kantoorgebouw met het gevoel dat ze op het randje van een zenuwinzinking balanceerde. Dat kon ze merken aan de manier waarop haar gedachten van het ene onderwerp op het andere sprongen. Abortus. Of het kind laten komen. Kon ze het wel tegenover zichzelf verantwoorden als ze naar zo'n kliniek ging met de mededeling dat ze dit kind niet wilde? Kon ze het leven nog wel aan als ze dat niet zou doen? Waarom moest haar dit nu overkomen? Waarom niet over één of twee jaar, als ze misschien wel zover was dat ze een baby wilde?

Ze moest met iemand praten. Daar had ze nooit veel voor gevoeld, ze had altijd het idee gehad dat ze zelf haar problemen wel kon oplossen. Maar dit keer zou haar dat niet lukken, dat wist ze zeker.
Alleen had ze geen flauw idee met wie ze wilde praten.

Nessa ging zitten en staarde naar de ansichtkaart die ze in een boek over werkindeling had gevonden. Het was niet bepaald een overdonderend bewijs van ontrouw, het was gewoon een kaart met een foto van een blauwe zee, een nog blauwere lucht en een wit strand. En het enige wat erop stond, was: 'Ik wou dat je hier ook was, xxx A.' De kaart had van iedereen kunnen zijn. Van een collega bijvoorbeeld. En misschien had hij hem gewoon als boekenlegger gebruikt. Of zo. Maar daar geloofde ze niets van. Ze dacht dat ze het bewijs had gevonden. En ze wist niet wat ze moest doen.
Ze zou Paula kunnen bellen. Haar vriendin had hetzelfde meegemaakt en zij was eroverheen gekomen. Paula zou precies weten hoe ze zich voelde, hoe het was als je hele wereld instortte. Maar Paula zou met een peptalk aankomen, dat wist Nessa zeker. Paula zou tegen haar zeggen dat alle mannen waardeloze zakken waren en dat ze het best naar de kapper kon gaan, een nieuwe garderobe aanschaffen, zorgen dat ze een andere baan kreeg en aan de rode wijn gaan. Paula had zelf baat gehad bij die aanpak. Nessa was er niet van overtuigd dat hetzelfde voor haar zou gelden.
Maar ze moest met iemand praten. Ze zat er zo over in, dat ze er echt buikpijn van kreeg en haar handen tegen haar buik drukte. Iedereen zei altijd dat verdriet een emotie was. Maar dat was niet waar. Het was zo fysiek dat het echt ontzettend pijn deed.
Ze zat nog steeds met haar handen tegen haar buik gedrukt, dubbelgeslagen en met haar neus bijna op haar knieën, toen de telefoon ging.

13

Leeuw, 23 juli – 23 augustus

Levendig karakter, geniet van bewondering.

'Hoi,' zei Adam toen ze opnam. 'Hoe staan de zaken?'

'Prima.' Waarom zei ze dat nou, vroeg ze zich af. Waarom had ze hem dat automatische antwoord gegeven, terwijl de toestand allesbehalve prima was?

'Ik kom vanavond wat later thuis,' zei hij tegen haar. 'Ik moet nog een paar dingen doen. We hebben een afspraak met de directie van een bedrijf dat ons eerder deze zomer in de arm heeft genomen. Ze willen graag over ons rapport praten.'

'Oké,' zei ze.

'Waarschijnlijk gaan we daarna een hapje eten,' zei Adam. 'Dus je hoeft niet op mij te rekenen. En als we niet uit eten gaan, haal ik onderweg naar huis wel iets.'

'Goed.'

'Wat spookt Jill uit?' vroeg hij. 'Geniet ze van het mooie weer?'

Nessa keek even naar buiten. Jill, Nicolette en hun gezamenlijke vriendinnetje, Dorothy, hadden de Barbie-poppen weer ontdekt die ze nog maar een paar maanden geleden veel te kinderachtig hadden gevonden. Ze nam aan dat ze zich eigenlijk ongerust zou moeten maken omdat alle Barbies spiernaakt waren en opzichtig met hun enorme plastic borsten pronkten, maar op dit moment kon het haar geen bal schelen welk afschuwelijk spelletje er gespeeld werd.

'Ik denk het wel,' zei ze.

'Zeg maar tegen haar dat ik zal proberen om thuis te zijn voordat zij naar bed moet,' zei Adam.

'Oké.'

'Voel jij je wel goed?' vroeg hij.

Ze had het gevoel dat haar keel werd dichtgeknepen en de tranen sprongen haar in de ogen. 'Ja.'

'Je klinkt een beetje vreemd,' zei Adam. 'Ik hoop dat je geen griep onder de leden hebt. Zomergriep kan behoorlijk hard aankomen.'

'Ik zie je straks wel,' zei ze tegen hem.

'Ik probeer het zo kort mogelijk te houden,' zei hij.

Ze legde langzaam de hoorn neer. Ze werd nog steeds verscheurd door woede en verdriet. En eigenlijk was ze het kwaadst op zichzelf, omdat ze haar mond had gehouden. Maar wat had ze dan door de telefoon moeten zeggen? Als een vrouw haar man ervan beschuldigde dat hij vreemdging, deed ze dat niet door de telefoon. Dan wachtte ze tot hij thuiskwam en lekker ontspannen en nietsvermoedend onderuitgezakt zat, voordat ze hem de feiten onder de neus wreef en wachtte tot hij alles zou ontkennen. Want dat hij het zou ontkennen stond vast. John Trelfall had het ook ontkend toen Paula het hem voor de voeten had gegooid, ook al had zij het onweerlegbare bewijs van de boodschap die dat andere mens op hun antwoordapparaat had ingesproken. De stomme trut dacht dat ze Johns mobiel had gebeld. Natuurlijk was Paula er kapot van geweest, maar zij had tenminste iets tastbaars gehad waarop ze haar beschuldigingen kon baseren. Nessa had alleen maar een ansicht met drie kruisjes van iemand die A heette.

Nessa kon niemand bedenken met een naam die met een A begon. Ze wist van welk type vrouwen Adam hield. Slank – slanker dan zij was, ook al zei hij altijd dat hij haar juist leuk vond zoals ze was – met donker haar en grote ogen. Adam hield van brunettes en hij was dol op grote ogen. Nessa wist dat haar grote grijze ogen voor hem een van haar grootste pluspunten waren geweest.

Waar zou hij vanavond eigenlijk naartoe gaan? Had hij wel een vergadering? Of was dat een leugen om ergens met zijn A-vrouw naartoe te kunnen waar hij zich kon gedragen op een manier zoals hij zich nooit bij zijn vrouw gedroeg?

Ze vroeg zich af of het haar schuld was. Had ze iets fout gedaan? Was ze een andere Nessa geworden dan de Nessa met wie hij getrouwd was? Had zij hem ertoe gedreven?

Cate nam haar telefoon niet op. Bree had een boodschap achtergelaten op de telefoon in het appartement en op haar mobiel, maar Cate had niet teruggebeld. Bree nam aan dat haar oudere zus het waarschijnlijk te druk had om haar terug te bellen, maar ze had er toch een beetje de pee over in. Zoveel moeite kostte het toch niet om de telefoon op te pakken, mopperde ze inwendig, ook al deed haar zus graag alsof ze ontzettend belangrijk en druk was. Ze vroeg zich af of ze niet beter advies aan Nessa kon vragen. Nessa kon er best leuk uitzien als ze haar best deed, ook al was haar oudere zus in de verste verte niet zo chic en zo stijlvol als Cate. Maar Nessa ging vaak winkelen en waarschijnlijk kon ze Bree wel een paar tips geven. Waaruit maar weer eens bleek hoe beroerd het met haar gevoel voor mode was gesteld, dacht Bree. Want ze had echt geen flauw idee waar je tegenwoordig in Dublin de beste winkels had.

Ze strekte haar in spijkerbroek gehulde benen voor zich uit. Spijkerbroeken waren geweldig. Eenvoudig, gemakkelijk en af en toe heel modieus. Ze had voor bepaalde gelegenheden haar spijkerbroek van wat geklede accessoires voorzien en op haar manier had ze er toen geweldig uitgezien. In feite durfde ze er een eed op te doen dat ze er in haar Levi's een stuk beter uitzag dan in zo'n chic strak jurkje dat Cate of Nessa misschien zouden aanbevelen. Maar Michael wilde haar in een jurk zien en die moeite had ze voor hem best over. Ze vond het een prettig idee dat ze daar misschien weleens baat van kon hebben.

Ik probeer nog één keer of ik Cate te pakken kan krijgen, besloot ze, en als ze weer niet opneemt, ga ik naar Nessa toe. Ze drukte de herkiesknop op haar telefoon in en kreeg opnieuw Cates voicemail.

'Ik heb al wel duizend keer gebeld,' zei Bree. 'Laat nu maar zitten, want zo belangrijk was het niet. Als je wilt, kun je me later terugbellen. Ik ben bij Nessa.' Daar zal ze van opkijken, zei ze bij zichzelf toen ze haar telefoon terugstopte in haar tas. Ik kom zo zelden bij Nessa dat ze zich ongetwijfeld afvraagt wat ik daar te zoeken heb!

Pas toen ze voor een stoplicht moest wachten, drong het tot haar door dat ze Nessa helemaal niet had gebeld om te zeggen dat ze naar haar toe kwam. Maar dat gaf toch niets, dacht ze. Nessa zou vast thuis zijn. En ze zou het hartstikke leuk vinden als ze langskwam.

Cate en Finn zaten aan tafel in het appartement. Cate had een kant-en-klaarmaaltijd voor twee personen in de oven gezet en de kruidige geur van Indiaas eten hing overal in het huis.

'Volgende maand heb ik mijn eerste programma.' Finn keek Cate stralend aan.

'Ik ben ervan overtuigd dat je het geweldig zult doen,' zei ze.
'Echt waar?'
'Ja, natuurlijk,' zei ze. 'Iedereen vindt dat je een prachtige stem hebt. Iedereen houdt van je gezicht. De mensen zijn gek op je, Finn.'
'Ze kennen me niet eens.' Hij haalde zijn schouders op. 'Misschien denken ze dat, maar jij bent de enige die me kent, Catey. Jij weet hoe ik echt ben. De rest van de wereld kent alleen het imago dat de zender me opgelegd heeft.'
Ze stond ervan te kijken dat ze kon lachen. Ze had gedacht dat ze nooit meer ergens om zou kunnen lachen, maar de uitdrukking op Finns gezicht was ronduit komisch. 'Je begint te klinken als een lid van een of andere jongensgroep.'
'Huh! Neem me niet kwalijk.' Hij pakte een stukje brood uit de schaal die voor hen stond. 'Vind je soms dat ik mezelf te serieus neem?'
'Eigenlijk niet,' zei ze. 'Ik weet wel wat je bedoelt. Ik zie ook die advertenties in de krant waarin staat dat jij de stem van de natie bent, maar dat is pure kolder, dat snap ik ook wel.'
'Daarom hou ik nou zo van je,' zei hij. 'Jij zegt altijd waar het op staat.'
'Volgens mij zeggen alle supersterren dat.' Ze zuchtte. 'Ze zeggen tegen iemand dat ze van hem of haar houden, omdat ze door die persoon niet als een superster behandeld worden, maar als puntje bij paaltje komt, laten ze zo iemand juist daarom in de steek.'
'Cate!' zei hij vol afschuw. 'Ik ben helemaal niet van plan je in de steek te laten.'
'Nee?'
'We hebben ons nog maar net verloofd! Hoe kom je in vredesnaam op dat soort gedachten?' Hij keek haar met grote ogen aan. 'Is er iets aan de hand?'
Ze wist dat dit het moment was om hem alles te vertellen. Nu ze met hun tweetjes thuis waren en hij kennelijk bereid was om met haar te praten. Maar ze kon het gewoon niet. Ze wist niet waarom, behalve dat ze dan nog meer met haar neus op de werkelijkheid zou worden gedrukt dan als ze het aan Nessa zou vertellen. En de behoefte om er met haar oudere zus over te praten (een belachelijke behoefte, want Nessa zou nooit begrijpen hoe ze zich voelde) was al een paar uur eerder weggeëbt, toen ze de telefoon had opgepakt en het nummer in ge-

sprek bleek te zijn. Nessa zou wel met een van haar getrouwde vriendinnen met kinderen zitten te kwekken. Geleuter over de prijs van kinderkleding en het gedoe om ze op tijd op school te krijgen. Ze had Cate eens verteld dat je hele vriendenkring veranderde als je een kind had. Want dan had je vanzelf meer contact met mensen die wisten wat het was als de baby net op je kleren had gespuugd als je de deur uit moest dan met vrijgezellen. Die hoefden niet te slepen met een loodzware tas vol babyspullen.

'Cate?' Hij zat haar nog steeds vragend aan te kijken.

'Het spijt me,' zei ze. 'Ik heb het vandaag ook ontzettend druk gehad. Ik denk dat ik een beetje afwezig ben.'

'Ik hou van je, Cate,' zei hij tegen haar. 'Dat weet je best. Ik laat je echt niet in de steek omdat ik nou toevallig een baan bij de tv heb!'

Ze glimlachte wrang. 'Ik heb ook geen moment gedacht dat je bij me weg zou gaan omdat je een baan bij de tv had.'

'We passen bij elkaar,' zei hij. 'We houden van dezelfde dingen. Vakanties in de zon. Gekruid eten. Volwassen gezelschap. We hebben allebei een hekel aan regen. En aan rosbief met groente. En aan kinderen met een vieze neus.'

Ze slikte. 'Denk je dat wij ooit kinderen zullen krijgen? Ik bedoel... zou je dat willen?'

'Alleen maar als jouw hormonen de pan uit rijzen en je niet langer zonder kunt,' zei hij opgewekt. 'Dat overkomt wel meer vrouwen, hè? Een soort wanhopig verlangen waar je geen weerstand aan kunt bieden. Maar jij bent niet het type om te gaan hunkeren. Als jij in de toekomst besluit dat je dat graag zou willen, valt daar best over te praten. Maar niet in mijn eerste seizoen. Wat moet er in vredesnaam van mijn eerste seizoen worden als ik halve nachten wakker word gehouden door een blèrende baby?'

'Daar zou geen sprake van zijn.' Ze keek hem niet aan terwijl ze achteloos door het eten roerde. 'Tijdens je eerste seizoen zou je alleen maar zitten wachten tot mijn water brak.'

'O god, Cate... Hou op over dat soort dingen als we zitten te eten.' Hij trok een gezicht. 'Het is ronduit walgelijk.'

'Ik weet het.' Ze keek op en lachte hem stralend toe. 'Je zou je bijna gaan afvragen waarom een vrouw dat wil doormaken.'

Nessa en Jill zaten naar *Thunderbirds* te kijken. Nessa vond het eigenlijk schandalig dat ze Jill toestond om tv te kijken terwijl het buiten warm en zonnig was, maar Jill zat net in een periode waarin ze astronaut wilde worden. Haar kamer hing vol posters van Thunderbird 3, van *Starship Enterprise* en van Jeri Ryan als Nummer Zeven in *Voyager.*

Jill zat op haar haar te kauwen terwijl de gebroeders Tracey er op het nippertje in slaagden iemand in veiligheid te brengen. Pas toen ze een brullende motor op de oprit hoorde, keek ze op.

'Hé, mam, het is tante Bree!' Ze stond op en rende naar het raam. 'Ze is hier op de motor naartoe gekomen.'

'Bree!' Nessa hees zich met meer moeite overeind. 'Wat wil die in vredesnaam? Zou er iets mis zijn?'

In haar horoscoop had daar niets over gestaan. Maar ja, die wist dan ook echt nergens van!

'Ga jij de deur maar opendoen, Jill,' zei ze. 'Dan ren ik even naar boven om mijn haar te kammen.'

Ze holde de trap op en was al in de badkamer voordat Jill bij de voordeur was. Ze hoorde Jill opgewonden tegen haar zus kwetteren, terwijl ze haar vertelde dat Nessa zich even opknapte, maar zo weer beneden zou zijn. Ze keek in de spiegel. Haar ogen waren rood van de tranen en hoewel dat Jill niet was opgevallen, had Nessa het gevoel dat Bree weleens heel anders zou kunnen reageren. Ze plensde koud water over haar gezicht en depte het droog. Daarna deed ze wat make-up over haar vlekkerige wangen, waardoor het net leek alsof ze geen lippen meer had, dus liep ze haastig de slaapkamer in om wat roze lipstick op te doen. Het resultaat was niet bepaald geweldig, jammer maar helaas. Ze haalde snel een borstel door haar haar en spoot wat Sunflowers van Estée Lauder op haar keel.

'Vanwaar deze eer?' vroeg ze toen ze de deur opendeed en de zitkamer in liep.

'Kijk, mam. Bree heeft me haar helm gegeven.' Jills stem klonk gesmoord.

'Hartstikke gaaf,' zei Nessa.

'Hij staat je goed,' zei Bree. Ze keek Nessa aan. 'Is alles in orde? Jill zei dat je naar boven was gegaan om je op te knappen. Niet ter ere van mij, neem ik aan?'

Nessa schudde haar hoofd. 'Natuurlijk niet. Ik heb het vandaag nogal druk gehad en ik wilde even mijn haar kammen.'

'Je hebt lipstick opgedaan,' zei Jill terwijl ze het vizier optilde. 'En troep op je gezicht.'

'Bedankt, Jill. Waarom ga je niet buitenspelen?'

'Nee!' riep Jill. 'Ik wil hier blijven en met Bree spelen.'

'Ik denk dat Bree met mij wil praten,' zei Nessa.

'Ik zal heus niet lastig zijn,' zei Jill en ging op de grond zitten.

Nessa haalde haar schouders op en keek Bree aan. 'Is er iets aan de hand?' vroeg ze.

Nu ze er was, voelde Bree zich eigenlijk een beetje dwaas. Andere zussen babbelden misschien met elkaar over modieuze dingen, maar bij de familie Driscoll maakten ze daar geen gewoonte van. En Nessa zag er zo geagiteerd uit dat ze vast geen zin had om over jurken te praten. Ze vroeg zich af wat er aan de hand was. Nessa kennende was het geen echte crisis. Nessa maakte zich druk over onbelangrijke dingen, nooit over iets belangrijks.

'Ik kwam je om raad vragen,' zei Bree schaapachtig. 'Dat klinkt maf, dat weet ik.'

'Nee, hoor.' Nessa was in zekere zin opgelucht dat ze over iets anders na zou moeten denken. 'Wat voor soort raad? En waarom ik?'

'Eigenlijk is het écht maf,' zei Bree. 'Ik... eh, ik heb een afspraakje en ik wilde je vragen wat ik moet aantrekken.'

'Een afspraakje!' Jill sloeg haar armen om Brees nek. 'Met een jongen?'

'Ja,' zei Bree. 'Met een jongen.'

'Ik dacht dat jij constant ging stappen,' zei Nessa langzaam. 'Waarom wil je weten wat je bij deze gelegenheid moet aantrekken?'

'Hij wil mijn benen zien.'

Jill barstte in lachen uit en Nessa schoot onwillekeurig ook in de lach, hoewel ze zich nog steeds ellendig voelde.

'Ja, ik weet het!' riep Bree. 'Het is echt idioot!'

'Het is helemaal niet idioot om je benen te laten zien,' zei Nessa.

'Denkt hij soms dat je geen benen hebt?' vroeg Jill.

Bree zuchtte. 'Iedere keer als hij me ziet, heb ik een spijkerbroek of een overall aan,' zei ze. 'Dit keer gaan we naar een mooi restaurant en hij wil me in een chic strak jurkje zien.'

Nessa glimlachte opnieuw.

'En uiteraard heb ik helemaal geen chic strak jurkje,' zei Bree. 'Je zult me wel stom vinden, maar ik zou niet eens weten waar ik dat vandaan moest halen.'

'Bree, je kunt overal jurkjes kopen,' zei Nessa. 'De winkels hangen vol chique zomercreaties. En nog goedkoop ook, want het is uitverkoop.'

'Dat weet ik wel. Maar ik wil iets waarin ik me prettig voel. En dat er toch goed uitziet.' Ze trok een gezicht. 'Ik dacht dat jij me misschien een paar tips zou kunnen geven over de stijl die ik moet kiezen. Als ik ergens een winkel in loop en iets aanpas, weet ik zeker dat de verkoopster tegen me zegt dat het me geweldig staat, ook al zie ik eruit als een verklede walrus. Ik heb geen oog voor chique kleding, dat weet je best, Ness. Ik kan wel zien of ik er in een broek uitzie als een olifant, maar iedere jurk geeft me dat gevoel.'

Nessa grinnikte. 'Je zou eigenlijk met Cate moeten praten.'

'Dat weet ik wel,' zei Bree met een verontschuldigende blik op haar zus. 'Ik heb Cate ook gebeld. Maar ze nam de telefoon niet op.'

'O, dus ik was tweede keus?' Maar Nessa's stem klonk geamuseerd.

'Beter dan niets,' zei Bree. 'En ik heb echt raad nodig.'

'Gaat het om een serieus afspraakje?' vroeg Nessa. 'Toen we Cates verloving vierden, had je nog niemand. Behalve die homoknul die bij je in was getrokken.'

'Steve woont niet meer bij me,' zei Bree. 'Hij heeft zelf een huis gevonden.'

'Maar wie is dan de man van het chique strakke jurkje?' vroeg Nessa.

Bree voelde dat ze bloosde. 'Hij heet Michael.'

'En vind je hem echt leuk?' Nessa keek naar haar rode wangen.

'Het is echt een schatje,' zei Bree tegen haar. 'Ongelooflijk sexy.'

'O, Bree! Dat is een lelijk woord.' Jill keek haar afkeurend aan.

'Is sexy een lelijk woord?'

Nessa trok een gezicht. 'Wel als je acht jaar bent.' Ze keek Jill aan. 'Als jij nou eens Nicolette op ging halen, dan kunnen jullie in de tuin spelen tot het donker wordt.' Ze wierp een blik op haar horloge. Het was bijna acht uur, zodat ze nog een uurtje hadden.

'Maar ik wil met Bree over sexy praten,' zei Jill.

'En Bree en ik willen met elkaar praten,' zei Nessa vastberaden.

'Ik blijf tot na het donker,' beloofde Bree. 'Dan kunnen we in ieder geval nog even met elkaar spelen voor ik wegga.'

'Nou, goed dan.' Jill was het duidelijk niet eens met de gang van zaken. 'Mag ik Nicolette je helm laten zien?'

'Natuurlijk,' zei Bree. Ze grinnikte tegen Nessa toen Jill naar buiten rende. 'Ze is echt een schatje.'

'Ze kan je het bloed onder de nagels vandaan halen,' zei Nessa. 'Maar vertel me nu eerst maar eens alles over die sexy man.'

Ze luisterde naar Brees verhaal over hoe zwoel en aantrekkelijk Michael was dankzij zijn Spaanse moeder en zijn knappe vader, maar ze kon zich niet concentreren. Ze vroeg zich af hoe lang het zou duren tot dat uiterlijk niet meer meetelde en de relatie toch op niets zou uitlopen. Als die alleen maar gebaseerd was op zijn sex-appeal en Brees plotselinge bereidheid om een jurk aan te trekken, dan zou het snel spaak lopen. Maar haar eigen huwelijk was op veel meer gebaseerd geweest en dat scheen nu ook spaak te lopen. Tot haar schrik sprongen de tranen haar weer in de ogen.

'Nessa!' Bree keek haar zus met grote ogen aan. 'Wat is er in vredesnaam aan de hand?'

Nessa schudde haar hoofd en zei niets.

'Ik wist niet dat er iets mis was. Ik was nooit gekomen als...' Ze wierp haar zus een hulpeloze blik toe. 'Vertel het maar,' zei ze ten slotte. 'Misschien kan ik je helpen.'

'Natuurlijk kan je me niet helpen,' snauwde Nessa.

Bree slikte een nijdig antwoord in. Nessa was overstuur en ze mocht haar niet kwalijk nemen dat ze zo bits reageerde. Ze keek toe hoe haar zus met een papieren zakdoekje in haar ogen wreef. Het was moeilijk om te bepalen of er echt iets belangrijks aan de hand was, dacht Bree. Hoewel Nessa nooit echt diep in de problemen zat, was ze altijd een huilebalk geweest en als ze blij was, kwamen de waterlanders bij haar net zo gemakkelijk als wanneer ze verdriet had. Iedere keer als er een zielige film op tv was, hadden Cate en Bree zich slap gelachen om Nessa die in anderhalf uur tijd een hele doos Kleenex wegwerkte.

'Misschien kan ik je best helpen,' zei Bree ten slotte. 'Soms kun je de dingen beter in perspectief zien als je er met iemand over praat. Dat heb je me zelf verteld.' In feite, dacht ze kribbig, had Nessa dat tegen haar gezegd toen ze vlak nadat Bree terug was gekomen uit Engeland had zitten vissen naar het liefdesleven van haar jongere zus. Nieuwsgierig kreng, had Bree toen gedacht en ze had haar niets verteld.

Hoe kon Bree het nou begrijpen, vroeg Nessa zich ondertussen af. Zij was vrij en ongebonden, ondanks die knul van het strakke jurkje. Wat wist zij nou over echte liefde, over samen lief en leed delen, over je aan iemand binden en andere belangrijke dingen?

'Ik denk dat Adam vreemdgaat.' Ze kon nauwelijks geloven dat ze dat er zomaar uit geflapt had. En het simpele zinnetje deed geen recht aan het onvoorstelbare onrecht dat hij haar misschien had aangedaan.

Bree kon haar oren niet geloven. Adam! Die haast volmaakte man. De echtgenoot van wie Miriam had gezegd dat hij een voorbeeld was van hoe een getrouwd man zich moest gedragen. Adam Riley die vreemdging! Als iemand haar had verteld dat de paus er een illegale relatie op na hield, had Bree niet meer geschokt kunnen zijn. Geen wonder dat Nessa weer een doos zakdoeken bij de hand had.

'Weet je dat zeker?' vroeg ze.

'Natuurlijk weet ik dat niet zeker,' zei Nessa scherp. 'Als ik het zeker wist, zou ik niet alleen maar dénken dat hij vreemdgaat.'

'Rustig maar,' zei Bree. 'Ik probeer je te helpen.'

Nessa snoot haar neus. 'Dat weet ik wel.'

'Nou, waarom denk je dan dat...'

'Ik heb gehoord dat iemand dat zei,' vertelde ze Bree.

'Wie? Wanneer?'

Opgelucht dat ze het verhaal eindelijk kwijt kon, vertelde Nessa haar wat er was gebeurd, hoewel ze nauwelijks kon geloven dat ze haar hart uitstortte bij haar zus die een vaste relatie nog niet zou herkennen als ze erover struikelde. Maar het deed haar toch goed om haar vrees met iemand te delen.

'Och, arme lieverd.' Bree sloeg haar armen om Nessa en drukte haar stijf tegen zich aan. 'Arme meid.'

De tranen stroomden Nessa weer over de wangen. Zoveel sympathie had ze van Bree niet verwacht. Ze had eigenlijk gedacht dat Bree zou zeggen dat ze zich daar niet zo over moest opwinden. En dat ze zich geen gekke dingen in haar hoofd moest halen, omdat Portia vast had geweten dat ze daar lag en haar gewoon probeerde te stangen.

'Het hoeft natuurlijk niet waar te zijn,' zei ze door haar tranen heen. 'Maar ik kan me nauwelijks voorstellen dat het om iets onschuldigs gaat.' Ze keek Bree hoopvol aan.

'Ik snap het,' zei Bree.

Dit ging helemaal fout, dacht Nessa. Ze had Bree alle kans gegeven om te zeggen dat ze zich waarschijnlijk vergiste en waarom, maar Bree was daar niet op ingegaan.

'En die briefkaart kan van iedereen zijn,' voegde ze eraantoe.

'Ja, voor veel dingen kunnen best onschuldige verklaringen bestaan,' beaamde Bree. 'Waar zit hij nu?'

'Dat weet ik niet.' Nessa fronste. 'Bij een of ander bedrijf dat hen in de arm heeft genomen. Hij heeft het me wel verteld, maar ik heb niet goed geluisterd.'

'Het is toch geen smoesje, hè?'

'O, verdomme nog aan toe, Bree, hoe moet ik dat nou weten?' Nessa sloeg haar handen voor haar gezicht. 'Het kan best waar zijn, maar het kan net zo goed een leugen zijn. Ik weet het gewoon niet meer. Ik heb geen flauw idee wanneer hij me iets op de mouw probeert te spelden, want dat heeft hij nog nooit gedaan! Dus als hij nu wel tegen me liegt, kom ik daar nooit achter.'

'De klootzak,' zei Bree.

'Dat denken we alleen maar.' Nessa snoot haar neus. 'Misschien is er niets aan de hand.'

'Denk je dat echt?' vroeg Bree sceptisch. 'Zit je tranen met tuiten te huilen omdat je denkt dat er niets aan de hand is? Dat meisje had het over de vent die tegen haar auto is geknald en over zijn vrouw die haar een kopje koffie had gegeven en haar vader had gebeld. Ik mag hangen als daar ook maar een speld tussen te krijgen is, Nessa. Dat is toch zo?'

Nessa zei niets.

'Maar echt zeker van je zaak kun je niet zijn,' gaf Bree toe. 'Misschien was het helemaal niet zo'n hartstochtelijke zoen. Er zou best een logische verklaring voor kunnen zijn. Misschien is ze een zakenrelatie tegen wie hij extra aardig wilde zijn en heeft hij haar gewoon op zijn eigen manier op een extra dosis Adam Riley-charme getrakteerd. Hij hoeft niet per se een relatie met haar te hebben. En wat die ansicht betreft... die kan echt van iedereen zijn. Je moet zekerheid hebben.'

'Ja.' Nessa haalde luidruchtig haar neus op.

'Waarom vraag je het niet gewoon?'

'Vragen?' Nessa keek Bree vol afschuw aan. 'Ik kan hem dat niet vragen.'

'Waarom niet? Dan weet je tenminste waar je aan toe bent.'

'Als ik het vraag en hij geeft toe dat hij vreemd is gegaan, dan weet ik niet wat ik moet doen,' zei Nessa verdrietig. 'Ik zou het nog niet kunnen verwerken als hij zegt dat het waar is. En als hij het ontkent... nou, dan ben ik nog steeds niets opgeschoten. Dan zijn de poppen aan het dansen en ik weet niet of ik hem wel zou geloven.'

'Maar je moet iets doen,' zei Bree. 'Als je er voortdurend over loopt te piekeren, raak je alleen nog maar meer overstuur.' Ze keek Nessa peinzend aan. 'Je zou een privé-detective in de arm kunnen nemen. Iemand die hem een tijdje in de gaten houdt.'

'Dat kan ik niet maken!' zei Nessa ontzet. 'Hij is mijn man!'

'Hij is je man die je misschien wel bedriegt,' zei Bree.

'Mensen zoals ik nemen geen privé-detective in de arm,' zei Nessa vastberaden.

'Dat doen mensen zoals jij wel degelijk,' antwoordde Bree.

Nessa zei niets. Zo kende ze Bree weer. De praktische Bree, die het er nooit bij liet zitten. Het meisje dat zich door niemand in de luren liet leggen.

'Ik zal er eens over nadenken,' zei ze ten slotte.

'Ik zou het ook voor je kunnen doen,' stelde Bree voor.

'Hij zou je meteen herkennen,' zei Nessa vernietigend. 'Hij kent je toch.'

Bree grinnikte. 'Dat weet ik wel. Maar ik zou hem op de motor kunnen volgen. Die kent hij niet. Hij heeft hem wel gezien, natuurlijk, maar hij herkent hem nooit. Hij kan nauwelijks een Vespa van een Harley onderscheiden.'

'Volgens mij wel.'

'Hij let nooit op auto's of motoren,' zei Bree geduldig. 'Als je dat wilt, kan ik hem wel een tijdje schaduwen.'

'Hoe zit het dan met je werk?' vroeg Nessa.

'Ik kan wel een paar dagen vrij nemen.'

'Ik weet het niet.' Nessa peuterde aan haar duimnagel die prompt brak. Ze beet het rafelige randje af.

'Denk er maar eens over na,' zei Bree. 'En laat het me maar weten.'

Nessa knikte. 'Goed.'

'Hij is een klootzak,' zei Bree opnieuw.

'Misschien niet,' zei Nessa. 'Misschien overdrijf ik wel verschrikkelijk. Hij is lief voor me, Bree. Hij is altijd goed voor me geweest. En voor Jill.'

'Dat weet ik wel,' zei haar zus. 'Maar dat is niet altijd genoeg, hè?'

Nessa haalde diep adem. 'Nee.' Ze wreef opnieuw in haar ogen. 'Maar hoe moet het nu met jou?' vroeg ze. 'En dat chique, strakke jurkje?'

'Je hoeft je over mij en dat verrekte jurkje niet druk te maken,' zei Bree. 'Ik bel Cate morgen wel. Misschien wil zij met me gaan winkelen.' Ze lachte tegen Nessa. 'Zie je dat al voor je? Cate en ik in een kledingzaak? Die arme meid krijgt het op haar zenuwen.'

Nessa slaagde erin een flauw glimlachje te produceren. 'Waarschijnlijk wel.' Ze stond op. 'Loop maar mee, dan kun je even bij mijn kleren kijken. Ik heb niets straks, maar ik heb wel jurken.'

'Nessa, ik wil je niet lastig vallen terwijl je zo overstuur bent. Die jurk is helemaal niet belangrijk.'

'Alsjeblieft,' zei Nessa. 'Ik wil graag dat je even kijkt.'

'Oké.' Bree knikte. 'En daarna laat ik je met rust.'

'Ik weet niet of ik daar wel behoefte aan heb.' Nessa zuchtte. 'Het heeft me goed gedaan om jou hier te hebben en mijn hart uit te kunnen storten.'

'Hoe lang wist je het al?' vroeg Bree nieuwsgierig.

'Voor mijn gevoel al eeuwen,' zei Nessa. 'Maar in werkelijkheid pas een paar dagen.'

'En je hebt je mond gehouden.'

'Ik wist niet met wie ik erover moest praten,' zei Nessa. 'Ik wist niet wie ik moest bellen. Ik dacht dat jij en Cate me uit zouden lachen. En ik wilde mams illusies niet bederven...' Ze sloeg haar hand voor haar mond.

'Wat is er?' vroeg Bree.

'Ik vroeg me ineens iets af,' zei Nessa langzaam. 'Toen ik met Jill bij mam en pa in Salthill was. Is hij toen bij haar geweest? Of zou hij haar hier in huis hebben gehaald?'

'Dat soort dingen moet je je niet in je hoofd halen,' zei Bree tegen haar. 'Dan word je stapelgek.'

'Ik word toch al stapelgek,' zei Nessa gespannen, terwijl ze vanuit de zitkamer naar de trap liep.

14

Neptunus in het vierde huis

De kans bestaat dat alles in het honderd loopt.

Het was bijna tien uur toen Bree weer terug was in haar flat. Adam was nog steeds niet thuis toen ze bij Nessa wegging, nadat ze een paar jurken had bekeken en vervolgens had geholpen om Jill naar bed te brengen. Voor het eerst was het tot Bree doorgedrongen dat Nessa's kleren – die weliswaar niet zo supermodieus waren als die van Cate – eigenlijk heel duur waren en dat chique jurkjes een hoop geld kostten.

Ze trok haar leren jack uit en smeet het op het bed. Morgen zal ik eerst de flat eens opruimen, dacht ze. Zeker weten. Per slot van rekening moet ik voorkomen dat mijn chique jurkje boven op een stapel met olie bevlekte T-shirts en gore sokken terechtkomt, als ik Michael mee naar huis neem en hij me eruit heeft gepeld.

Ze verheugde zich op haar afspraakje met Michael. Ze was nog nooit met iemand naar een duur restaurant geweest, ze had altijd de voorkeur gegeven aan kwantiteit boven kwaliteit en hetzelfde gold voor haar vorige vriendjes. Dit zou heel anders zijn. Volwassener. Misschien wordt het tijd dat ik me wat volwassener ga gedragen, peinsde Bree.

Haar mobiele telefoon ging en ze pakte het toestel uit haar jaszak.

'Ik ben het,' zei Cate. 'Je hebt wel duizend keer gebeld. En daarna ben je naar Nessa gegaan. Wat is er aan de hand?'

'Niets,' zei Bree. 'Tenminste niet toen ik je belde.'

'Is er nu wel iets aan de hand?' Cate klonk bezorgd.

'Niet precies,' zei Bree. 'Ik heb je gebeld omdat ik je raad wilde vragen over...'

'Mij raad wilde vragen?' viel Cate haar in de rede. 'Wat weet ik in godsnaam van viertaktmachines of waar je dan ook aan mag werken?'

'Doe niet zo stom,' zei Bree. 'Natuurlijk wilde ik je raad omdat je een echte mode-expert bent. Maar...'

'Volgens mij verstond ik je niet goed,' zei Cate. 'Zei je mode? Jij?'

'Je hoeft niet zo verbaasd te doen,' zei Bree geërgerd. 'Ik wilde met je over jurken praten. Maar je was er niet, dus ben ik maar naar Nessa gegaan.'

'Naar Nessa!' zei Cate vernietigend. 'Wat weet zij nou van mode?'

'Niet veel over het soort dingen dat jij af en toe draagt,' erkende Bree. 'Maar ze heeft best mooie kleren, Cate.'

'Als je maar genoeg geld uitgeeft, kun je mooie dingen kopen,' zei Cate minachtend. 'Maar stijl is iets anders.'

'Het was nooit tot me doorgedrongen dat je zo neerbuigend kon doen,' zei Bree. 'Maar nee, dat is ook weer niet waar, want je was altijd al een neerbuigend nest, hè?'

'Het is maar goed dat ik af en toe Oost-Indisch doof ben.'

'Maar het is echt waar,' zei Bree. 'Je keek op me neer omdat ik je gore kleine zusje was.'

'Je bent klein. En je bent goor.'

'Ik geloof niet dat ik zin heb om met je te praten.' Bree ergerde zich wild.

'Prima,' zei Cate. 'Ik heb alleen teruggebeld omdat je klonk alsof het dringend was. Maar ik had geen idee dat je me alleen maar onderuit wilde halen.'

'Om eerlijk te zijn is er in de tussentijd wel iets veranderd,' zei Bree langzaam. 'Ik moet met je praten ook al ben je af en toe echt een kreng. Het gaat over Nessa.'

'Wat is er met Nessa aan de hand?' vroeg Cate. 'Heeft ze ontdekt dat haar buurvrouw nieuwe gordijnen heeft en wil zij die nu ook?'

Bree lachte onwillekeurig, hoewel ze wist dat het niet aardig van haar was. 'Het heeft niets met gordijnen te maken,' zei ze tegen Cate.

'Wat dan?'

'Ze denkt dat Adam vreemdgaat.'

Cate zei niets. Bree hoorde wat geruis op de lijn, maar verder bleef het stil.

'Ben je er nog?' vroeg ze.

'Denkt ze dat Adam vreemdgaat?' Cate klonk duidelijk geschokt. 'Je houdt me voor de gek.'

'Echt niet,' zei Bree. 'En als je had gezien hoe Nessa eraan toe is, had je meteen begrepen dat zij het ook serieus neemt.'

'Maar waarom denkt ze dat Adam vreemdgaat?' wilde Cate weten.

Bree vertelde haar van het gesprek dat Nessa in de sauna had afgeluisterd en vermeldde ook de ansichtkaart van 'xxx A'.

'Godallemachtig.' Cate kon het nauwelijks geloven. 'Arme Ness.'

'Ze weet niet of het echt waar is,' verklaarde Bree. 'Ze blijft maar denken dat die meisjes het misschien wel over iemand anders hadden, terwijl ze diep vanbinnen best weet dat het niet zo is. En ze blijft zich ook haar hoofd breken over iemand met een naam die met een A begint en die ze allebei kennen.'

'Waarom denkt ze eigenlijk dat het iemand is die ze allebei kennen?' vroeg Cate.

'Geen idee,' zei Bree. 'Ik denk dat ze gewoon het gevoel wil hebben dat het iemand is die ze kennen. Maar waarom is me een raadsel.'

'Wat gaat ze nu doen? Hem alles voor de voeten gooien?' vroeg Cate.

'Dat weet ze nog niet,' zei Bree.

'Zal ik haar bellen?'

'Als je haar nu belt, denkt ze misschien dat ik meteen de telefoon heb gepakt om het hele verhaal door te kleppen. Je weet hoe ze is. Dan denkt ze vast dat ik niet kon wachten om haar uit te lachen omdat haar volmaakte huwelijk bij nader inzien toch niet helemaal je dat is.'

'Dat zit er dik in.'

'Dus misschien kun je beter tot morgen wachten.'

'Dat lijkt mij ook beter,' beaamde Cate.

'Laat me dan even weten hoe het met haar gaat,' vroeg Bree. 'Ik heb gezegd dat ik bereid was om Adam te schaduwen als ze dat wilde.'

'Hem schaduwen?'

'Nessa dacht grappig genoeg dat hij het wel zou merken als ik hem op mijn motor volgde, maar jij kent Adam ook, Cate. Hij heeft nooit iets in de gaten. Dus ik zou best kunnen controleren waar hij uithangt als hij weer tegen haar zegt dat hij pas laat thuiskomt.'

'Ik neem aan dat hij vanavond ook niet thuis was?'

'Hij beweerde dat hij een afspraak had met een klant,' zei Bree. 'God mag weten hoe vaak hij dat smoesje heeft gebruikt.'

'Arme Nessa,' zei Cate opnieuw. 'Ze moet zich afschuwelijk voelen.'

'Ze zag er niet bepaald goed uit,' beaamde Bree. 'Ze had make-up opgedaan omdat ze zich de ogen uit haar hoofd had zitten janken, maar op de een of andere manier maakte dat het nog erger. Als je snapt wat ik bedoel.'

'Maar waarom zou hij zoiets doen?' vroeg Cate. 'Hij heeft een leuk gezin. Nessa houdt van hem. En ik dacht dat hij van haar hield.'

'Zo zie je maar hoe je je kunt vergissen.'

'O, Bree. Doe niet zo verdomd cynisch.'

'Dat gaat vanzelf.'

Cate zuchtte. 'Is het dan echt alleen maar een droom?' vroeg ze. 'Dat je na het huwelijk nog lang en gelukkig met elkaar kunt leven?'

'Dat vraag je aan de verkeerde,' zei Bree tegen haar. 'Ik wacht ook nog steeds op een mogelijke ware Jakob. Maar jij zou het moeten weten, Cate. Jij bent verloofd.'

'Wat wilde je me eigenlijk vragen over kleren?' veranderde Cate van onderwerp.

'Dat is nou niet belangrijk meer,' zei Bree afwerend. 'Ik wilde weten waar ik een chic, strak jurkje kon kopen.'

'Wat?'

'Waarom doet iedereen zo verbaasd als ik over jurken begin?'

'Dat weet je donders goed,' zei Cate kortaf. 'Volgens mij was je vier toen je voor het laatst een jurk aanhad.'

'Die rooie,' zei Bree.

'Dus dat weet je nog!'

'Ja,' zei Bree. 'Een verdomd afdragertje van jou. Iedere keer als ik me bukte, kon je mijn onderbroek zien. Waarom mam het zo lang bewaard had, mag god weten.'

'Dat weet je best.' Cate klonk geamuseerd. 'Mam vond het leuk om de indruk te wekken dat ze zuinig was op kleren.'

'Waarschijnlijk heb ik daar een levenslang jurkencomplex aan overgehouden,' zei Bree somber. 'Maar goed, ik ga met iemand uit en ik heb een jurk nodig. Ik wilde weten of er een winkel was waar ik het best naartoe kon gaan.'

'Wat voor soort jurk?'

'Chic en strak,' herhaalde Bree. 'En bij voorkeur een model waarin mijn onderbroek niet te zien is.'

'Neem me niet kwalijk,' zei Cate toen ze uitgelachen was. 'Ik kan me jou gewoon niet in iets chics en straks voorstellen.'

'Nessa deed tenminste nog een poging in die richting,' zei Bree kribbig. 'Ook al heeft ze een gebroken hart.'

Cate was even stil. Heel even was ze haar eigen problemen vergeten.

Ze genoot van dit soort ogenblikken, waarin alles weer volkomen normaal leek.

'Het spijt me,' zei ze. 'Waarom wil je dat?'

Bree bracht haar op de hoogte van haar afspraak met Michael Morrissey en het feit dat hij haar benen wilde zien.

'Jij moet niet echt iets chics en straks dragen,' zei Cate. 'Dat denk je misschien, maar dat zou je niet staan. Jij moet iets hebben dat wat minder geraffineerd is.'

'Bedoel je dat ik niet elegant genoeg ben om dat soort dingen te dragen?' informeerde Bree.

'Luister eens, je moet wel realistisch blijven,' zei Cate kortaf. 'Natuurlijk moet je een jurk aantrekken en je zult er zeker geweldig uitzien. Maar niet iets dat strak zit.'

'Cate, ik heb maat achtendertig... nou ja, een kleine veertig,' zei Bree. 'Jij doet net alsof ik een olifant ben.'

'Wil je nou dat ik je raad geef of niet?' vroeg Cate ongeduldig.

'Ja.'

'Het is zomer,' zei Cate. 'En nog steeds warm. Draag iets losvallends, zodat je je niet steeds hoeft af te vragen of er niet ergens een naadje loszit. Als je wat zwaarder bent...'

'Ik – ben – niet – zwaar,' zei Bree met de nadruk op ieder woord.

'Goed dan,' verbeterde Cate. 'Als je niet broodmager bent, kun je je niet veroorloven om in doorzichtige dingen rond te lopen. Volgens mij kun je het best een leuke katoenen jurk kopen. En kies dan een opvallende kleur. Een warme kleur, met jouw huid. Donkerroze of paars zou je goed staan.'

'Roze?'

'Je hebt het zelf gevraagd.'

Bree slaakte een diepe zucht. 'En waar moet ik zoiets kopen?'

'Dat maakt niet uit,' zei Cate. 'Er zijn winkels genoeg. Wil je veel geld uitgeven? Is hij zo belangrijk voor je?'

'Ik heb niet veel geld,' zei Bree.

'Ga dan naar de Mango toe,' stelde Cate voor. 'Die is best goed. Of Oasis.'

'Bedankt,' zei Bree. Ze zuchtte. 'Ik voel me echt schuldig dat ik hier een beetje over kleren zit te babbelen, terwijl Nessa zo ongelukkig is.'

'Dat hoeft niet,' zei Cate. 'Dat zou ze helemaal niet willen.'

'Dat weet ik wel,' zei Bree. 'Maar ik kan er niets aan doen.'
'Ik zal haar morgen wel bellen,' beloofde Cate. 'En ik hoop echt dat je me precies zult vertellen hoe je afspraakje is afgelopen.'
Bree lachte. 'Het zal wel een complete ramp worden. Als ik ergens aan begin, loopt het altijd faliekant mis.'
'Vast niet alles,' zei Cate.
'Breek me de bek niet open,' zei Bree.

Cate legde de telefoon langzaam neer en keek Finn aan die net had gedaan alsof hij niet meeluisterde met haar gesprek met Bree. Maar zijn wenkbrauwen waren omhooggeschoten toen de term 'vreemdgaan' was gevallen.
'Nessa denkt dat Adam vreemdgaat,' zei ze tegen hem.
'Dat had ik al begrepen.'
'De smeerlap!' Cate stond er zelf van te kijken dat ze zo kwaad was.
'Misschien staan jullie allemaal een beetje te vlug met je oordeel klaar.'
'Ik kreeg anders de indruk dat het min of meer vaststond.'
'Maar daar hoef jij je niet druk over te maken, Cate. Dat moeten ze zelf maar oplossen.'
'Dat weet ik wel,' zei ze ongeduldig. 'Maar Nessa is mijn zusje en als die klootzak haar bedrogen heeft...'
'Elk verhaal heeft twee kanten,' weerlegde Finn.
Cate keek hem aan. 'Wou je beweren dat het misschien haar schuld is?'
Hij schudde zijn hoofd. 'Alleen dat iets nooit puur zwart-wit is.'
Vertel het hem nu, moedigde ze zichzelf aan. Hij heeft nu zelf net gezegd dat elk probleem twee kanten heeft. En dat niets puur zwart-wit is. Vertel hem dan nu maar dat hij vader wordt.
Hij gaapte. 'Ik zit propvol van al dat brood,' zei hij tegen haar. 'En morgen is het weer vroeg dag. Ik denk dat ik maar beter naar bed kan gaan.'
'Ik kom zo ook,' zei Cate.
'Goed hoor.' Hij kuste haar op haar mond. 'Welterusten.'
'Welterusten,' zei ze.

Nessa lag al in bed toen Adam thuiskwam. Ze deed net alsof ze sliep toen hij naast haar tussen de lakens glipte. Zodra zijn ademhaling regelmatig werd, stapte ze uit bed en pakte zijn overhemd uit de wasmand. Ze rook eraan. Sigarenrook en Chinees eten, concludeerde ze. En de Polo-aftershave die ze voor zijn verjaardag had gekocht. Ze rook geen vleugje parfum. Dus misschien was hij vanavond inderdaad met klanten op stap geweest. Sigarenrook en Chinees deden eerder aan een zakenafspraak denken dan aan een stiekeme relatie.

Ach barst, wat weet ik daar nou van, dacht ze wanhopig. Ik ben alleen maar zijn stomme vrouw.

15

Maan/Saturnus-aspecten

Behoedzaam, waarschijnlijk pessimistisch van aard,
zonder zelfvertrouwen, problemen met relaties.

Cate was al wakker toen Finns wekker de volgende ochtend afliep. Ze lag te luisteren toen hij zoals gewoonlijk rondstommelde in het appartement, overal tegenop botste, met de deuren smeet en zelfs onder de douche stond te zingen (als je dat geblèr tenminste zo mocht noemen). Zou hij nou nog steeds niet weten hoeveel herrie hij maakt, vroeg ze zich af. Of zou hij het expres doen? Maar ze bewoog zich niet toen hij de slaapkamer weer binnenkwam en de luxaflex opendeed om het bleke ochtendlicht binnen te laten terwijl hij zich aankleedde.

Hij vloekte binnensmonds en Cate wist dat hij weer met zijn das stond te vechten. Ondanks het feit dat hij graag pakken droeg, had hij een hekel aan stropdassen. Hij schopte tegen de zijkant van het bed toen hij de slaapkamer uit liep en ze beet haar tanden op elkaar. Op een dag zou ze tegen hem zeggen dat hij altijd tegen het bed schopte. En als ze al niet wakker was geworden van de herrie die hij daarvoor had gemaakt, dan zorgde dat er wel voor.

Ze deed haar ogen open toen hij de deur van de slaapkamer achter zich dichttrok. Over vijf minuten zou hij weg zijn. Dan zou ze ook opstaan, dacht ze. Ze zou stapelgek worden als ze hier wakker bleef liggen. Ze fronste toen ze het geluid van zijn stem door de gesloten deur hoorde. Zat hij al zo vroeg met iemand te bellen? Ze steunde op haar elleboog en luisterde ingespannen.

'Finn Coolidge. De stem van een natie.'

Ze besefte wat hij hardop zei. De slogan van zijn tv-programma. Op verschillende manieren, telkens met de klemtoon iets anders. Ze kreeg een brok in haar keel. Het betekende zoveel voor hem. Hij had er altijd van gedroomd en nu kwam die droom uit.

Ineens hield hij zijn mond en ze hoorde de deur van het appartement opengaan en achter hem dichtvallen.

Ze bleef nog een tijdje in bed liggen, omdat ze geen vin kon verroeren. Toen schoot ze plotseling overeind. Ze holde naar de badkamer en was net bij de wasbak toen ze hevig moest overgeven.

Ze leunde tegen de muur en sloot haar ogen.

Er hangt al een tijdje verandering in de lucht maar tot nog toe heb je je er niet voldoende in verdiept om tot een besluit te komen,' las Nessa. *'De wisselwerking tussen de maan en Saturnus kan je depressief maken. Geleidelijk aan zul je beseffen dat je je invalshoek zult moeten bijstellen. Overleg met anderen zal je helpen om de kansen die zich voordoen aan te grijpen.*

Ik wil mijn invalshoek niet bijstellen, dacht ze verdrietig. Die bevalt me best. En zou dit nou betekenen dat als ik met hem over die verrekte andere vrouw begin, hij de kans zal aangrijpen om tegen me te zeggen dat tussen ons alles voorbij is?

Ik wil niet dat het voorbij is. Ze keek weer neer op het tijdschrift. Ik wil niet dat alles waar ik zo hard aan heb gewerkt zomaar weg wordt gevaagd.

Ook al heb je nog zo lang over bepaalde recente besluiten nagedacht, de kans is groot dat je toch je positie nog eens moet overwegen, stond er in Adams horoscoop. *Je maakt je kwaad over uitstel en omstandigheden waarin andere mensen beslissen wat er gebeurt. Overleg is noodzakelijk.*

Praten. Overleg. Communiceren. Alsof ik al die onzin niet allang weet. Maar ik wil geen confrontatie. Ze wreef over haar armen. Ik haat confrontaties. Dat heb ik altijd al gedaan. Ik wil niet tegen Adam zeggen dat ik met hem moet praten en vervolgens verzeild raken in een ruzie over die andere vrouw.

Ze nam nog een biscuitje uit de doos en knabbelde erop. Vervolgens sloeg ze de Gouden Gids open.

Ze was verrast door het grote aantal landelijk werkzame detectivebureaus. En ze hielden zich ook bijna allemaal bezig met wat zij juridische huwelijks- en gezinsproblemen noemden. Er waren er zelfs bij die zich daarin specialiseerden. En ook in het discreet nagaan van iemands gangen. Nessa was nog lang niet verzoend met het idee om Adams gangen na te laten gaan, discreet of niet. De firma's beloofden ook fotografisch bewijsmateriaal. Ze lachte een beetje grimmig bij het idee dat iemand een foto zou nemen van Adam terwijl hij bezig was zijn tong in de strot van de ansichtvrouw te duwen.

Maar het was een idee. En een stuk beter dan hem te beschuldigen en hem de kans te geven tegen haar te zeggen dat ze niet goed wijs was en dat er helemaal geen ander was. Ze had zo weinig bewijs dat Adam gemakkelijk kon beweren dat ze zich vergiste. En de gelegenheid aan zou grijpen om alle sporen uit te wissen (als hij dat tenminste wilde). Hij kon zeggen dat Portia Laing hem helemaal niet kende en dat ze hem kennelijk met iemand anders verwarde. Dan zou Nessa nooit het tegendeel kunnen bewijzen en zou ze voor niets stennis hebben geschopt.

Ze voelde weer een sprankje hoop. Misschien had Portia hem inderdaad met iemand anders verward. Ze had gezegd dat ze Adam met een vrouw had gezien, maar hoe kon ze er zo zeker van zijn dat hij het was? Ze had hem hooguit een minuut staan uitfoeteren omdat hij tegen de auto van haar vader was opgereden. Het was eigenlijk best mogelijk dat ze zich vergist had.

Nessa voelde een golf van opluchting door haar heen slaan toen ze nog eens nadacht over wat ze Portia had horen zeggen. Ze twijfelde geen moment dat het meisje inderdaad iemand had gezien die even oud was als Adam en die misschien zelfs wel iets van hem weg had. En omdat die aanrijding nog vers in haar geheugen zat, had Portia misschien Adams gezicht op die andere man geprojecteerd. En dan zou het verhaal dat ze over Adam had verteld in feite op iemand anders slaan. Dat klonk logisch, vond Nessa, want per slot van rekening had ze nog steeds geen bewijs dat Adam schuldig was. Alleen die ansichtkaart. Maar een kaart betekende niets.

Ze liep zijn kleine studeerkamer in en sloeg het boek over werkindeling weer open. De ansicht lag nog op dezelfde plek waar ze hem achter had gelaten. 'Ik wou dat je hier was, xxx A'.

'Daar zijn genoeg onschuldige verklaringen voor,' zei ze hardop. 'Meer dan genoeg.'

De telefoon ging en ze schrok zich een hoedje. Ze keek argwanend naar het toestel, half en half verwachtend dat het 'xxx A' zou zijn, hoewel ze meteen besefte hoe dwaas dat was. Maar ze pakte het toestel toch op alsof het radioactief was.

'Hallo.' Haar stem klonk aarzelend.

'Hoi, Nessa.' Cate klonk al even onzeker.

'Hallo, Cate.' Nessa zei verder niets.

Cate wist ook niet precies wat ze moest zeggen. Ze haalde diep adem. 'Bree heeft me gisteren gebeld,' vertelde ze Nessa. 'Ze zei dat ze bij jou was geweest.'

'Ja, dat is zo.'

'Ze was daarvoor naar mij op zoek geweest,' verklaarde Cate. 'Maar ik zat in vergadering en ik heb geen kans gehad haar terug te bellen. Daarna heb ik samen met Finn gegeten, dus...' Haar stem stierf weg.

'Ik heb Bree een paar jurken laten zien,' zei Nessa. 'Ze schijnt een nogal spannend afspraakje te hebben.'

'Ze zei dat je een paar fantastische dingen had.'

'Ja, maar niets waar jij op valt.'

'We hebben een heel andere smaak,' zei Cate. 'Dat was altijd al zo.'

'Ze gaat vanavond winkelen,' zei Nessa. 'Het is koopavond, dus ze zal wel iets op de kop tikken.'

'Ik heb haar een paar tips gegeven,' zei Cate.

'Grappig hè, om je haar voor te stellen in een chic, strak jurkje.'

'Ik heb tegen haar gezegd dat ze niets straks moest kopen. Ik zei dat iets wijdvallends van katoen veel leuker zou zijn.'

'Katoen!' zei Nessa vol walging. 'Ze wil er adembenemend uitzien, niet netjes.'

'Ze kan ook best iets heel leuks vinden in katoen,' zei Cate. 'Het hoeft geen alledaagse jurk te zijn.'

'Bree heeft een fantastisch figuur,' protesteerde Nessa. 'Ze kan best voile of satijn dragen.'

'Maar daar heeft ze niet genoeg stijl voor,' zei Cate. 'In een satijnen jurk zal ze een boerentrien op klompen lijken en zich helemaal niet op haar gemak voelen. Ik wilde haar helpen om er adembenemend uit te zien en zich toch oké te voelen.'

'Ze moet het zelf maar uitzoeken,' zei Nessa vermoeid.

'Ja.'

Het bleef even stil. Nessa plukte aan de hoek van de 'xxx A'-ansicht, terwijl Cate, die achter haar computer zat, per ongeluk een rij getallen wiste.

'Bree zei dat je ook een beetje in de put zat vanwege Adam.' Cate leek over haar woorden te struikelen. 'Ze zei dat je het idee had dat hij een buitenechtelijke relatie had.'

'Keurig geformuleerd.' Nessa sloeg het boek dicht voordat ze de ansichtkaart aan stukken scheurde.

'Als ik je ergens mee kan helpen, Nessa...'

'Hoe?'

'Ik heb geen flauw idee.'

'Het is toch niet belangrijk,' zei Nessa. 'Ik heb een hoop stampij om niets gemaakt. Dat meisje verwarde Adam met iemand anders.'

'Hoe weet je dat?' informeerde Cate. 'Heb je met hem gepraat?'

'Nee,' zei Nessa. 'Maar ik heb er nog eens over nagedacht. Dat kind heeft hem nauwelijks gezien. Dus ik snap niet waarom ze ervan overtuigd was dat het om hem ging.'

'Waarom zou ze dat soort dingen zeggen als ze het niet zeker wist?' wilde Cate weten.

'Ze zat met een vriendinnetje te praten,' legde Nessa uit. 'En dat verhaal van haar zou een stuk beter klinken als ze net deed alsof ze de man in kwestie kende. Je weet wel.'

'Misschien heb je wel gelijk,' zei Cate aarzelend.

'Ik was gisteravond knap overstuur,' zei Nessa. 'En ik liep een beetje hard van stapel. En omdat Bree toevallig hier was, kreeg ze de volle laag. Het is echt niet belangrijk.'

'Nou ja, als je tot de ontdekking komt dat er toch meer aan de hand is dan je denkt...'

'Dat is gewoon niet zo,' zei Nessa vastberaden. 'Zeker weten. Mijn relatie met Adam staat als een huis. Net als die van jou en Finn.'

Cate zei niets. Ze had het gevoel dat ze in tranen uit zou barsten. Ze wilde niet huilen, zeker niet op kantoor en absoluut niet waar haar zus bij was. Zouden het mijn hormonen zijn, vroeg ze zich af. Overkomt dit alle vrouwen die in verwachting zijn? Beginnen die allemaal om het minste of geringste te janken? Beginnen *wij* allemaal om het minste of geringste te janken, verbeterde ze in gedachten.

'Cate?' verbrak Nessa de stilte. 'Ben je er nog?'

'Ja.' Cate schraapte haar keel.

'Ik moet weg,' zei Nessa. 'Jill heeft zwemles.'

Het zou niet eerlijk zijn om Nessa op te zadelen met haar problemen terwijl ze zelf al genoeg in de put zat, dacht Cate. En bovendien zou Nessa meteen met haar oordeel klaarstaan. En dat kon ze haar niet eens kwalijk nemen. Nessa had zo naar een tweede kind verlangd, dat Cate zich niet kon voorstellen dat haar zus ook maar een schijn van sympathie zou kunnen opbrengen voor het feit dat zij het afschuwelijk vond dat ze zwanger was. Zwanger en verloofd. Wat Nessa betrof, zou er geen enkel probleem zijn.

'Kunnen we een afspraak maken?' vroeg Cate tot haar eigen verbazing. Ze wreef over haar nek. Ze had de vraag eruit geflapt, terwijl ze eigenlijk net had besloten Nessa niets te vertellen. Wat was er in vredesnaam met haar aan de hand?

'Een afspraak?'

'Ja,' zei Cate ongeduldig. 'Alleen jij en ik.'

'Waarom?'

'Ik wil even met je praten.'

'Waarover? Ik heb je net verteld dat er niets mis is met Adam en mij.'

'Het gaat helemaal niet over jou en Adam,' zei Cate. 'De wereld draait niet alleen om jullie tweetjes.'

'Als je op die manier begint...'

'Sorry. Het spijt me,' zei Cate. 'Dat was niet mijn bedoeling.'

Nessa zuchtte. 'Waar wil je over praten?'

'Niet over de telefoon,' zei Cate. 'Ik wil met je onder vier ogen praten.'

'Is er iets aan de hand?' Nessa fronste. Dit was helemaal niets voor Cate.

'Ik weet het niet,' zei Cate.

'Je bent toch niet ziek of zo?'

'Nee, natuurlijk niet,' zei Cate. 'Ik wilde alleen... ik wilde je om raad vragen.'

'Mijn god!' Nessa lachte even. 'Eerst Bree en nu jij. Aangezien zij bij me aanklopte met een vraag over mode – een onderwerp waarvan ik de ballen weet zoals we al eerder hebben vastgesteld – kom jij zeker aan met een vraag over zuigerringen?'

'Nee,' zei Cate. 'Ik zit gewoon ergens over in.'

'Nou, mij best,' zei Nessa. 'Wat wil je? Hier langskomen?'

'Nee.' Cate klonk fel. 'Laten we maar ergens iets gaan drinken. Komt morgenavond gelegen?'

'Ik zal eerst moeten uitzoeken of Adam wel op tijd thuis is,' waarschuwde Nessa.

'Godverdorie, Nessa, jij hebt toch evenveel recht als hij om een avond niet thuis te zijn,' snauwde Cate. 'Zeg maar gewoon dat hij op tijd thuis moet zijn.'

Nessa haalde haar schouders op. 'Ik zie wel. Waar wil je afspreken? Kun je naar Malahide komen?'

'Natuurlijk,' zei Cate. 'Bij Smythe's? Om een uur of acht?'

'Dat lijkt me prima,' zei Nessa.

'Tot morgen dan,' zei Cate en verbrak de verbinding.

Nessa staarde naar de telefoon in haar hand. Ze had nog nooit meegemaakt dat Cate zo abrupt was. Maar als Cate dacht dat zij morgenavond naar Smythe's zou komen om over Adam te praten, vergiste ze zich. Ze zou Cate geen kans geven om hatelijke opmerkingen te maken over haar huwelijk en haar de wet voor te schrijven. Cate had weliswaar gezegd dat ze raad nodig had, maar Cate was een type dat van jongs af aan te pas en te onpas met ongewenst advies was aangekomen. Nessa moest toegeven dat het meestal vrij zinnige opmerkingen waren geweest, over make-up, kleren en vriendjes. Maar Nessa had die raad meestal aan haar laars gelapt.

Maar goed, ze kan me geen advies geven over mijn huwelijk, besloot Nessa terwijl ze de studeerkamer uit liep en de deur achter zich dichttrok. Ik houd van Adam. Ik vertrouw hem. We hebben een goede, hechte relatie.

Ze vertelde hem dat ze had afgesproken om met Cate ergens iets te gaan drinken toen ze naar het nieuws zaten te kijken. Hij was die avond vroeg thuisgekomen, met een doos bonbons.

'Ik wou dat ik kon zeggen dat ik ineens de deur uit ben gelopen om die voor jou in een vlaag van hartstocht te kopen,' zei hij met twinkelende ogen. 'Maar een van onze klanten heeft ons een mand vol lekkers gestuurd als dank voor al het werk dat we voor hem hebben opgeknapt. We hebben de inhoud eerlijk verdeeld en ik kreeg de bonbons.'

'Bedankt dat je ze mee naar huis hebt genomen.'

'O, ik weet best dat de weg naar het hart van een vrouw via een doos bonbons gaat,' zei hij tegen haar. Hij sloeg zijn armen om haar heen en drukte haar tegen zich aan. Daarna kuste hij haar zacht op haar mond. Op hetzelfde moment kwam Jill de keuken binnenlopen, die onmiddellijk deed alsof ze moest kotsen bij de aanblik van haar ouders in een tedere omhelzing. En daardoor werd het romantische moment waar Nessa juist zo naar snakte helemaal bedorven.

Er was geen tijd geweest voor meer romantiek. Jill had honger en hetzelfde gold voor Adam. Nessa wist dat ze geen rust zou hebben tot ze aan tafel konden. Na het eten gingen ze samen tv kijken.

'Waarom heeft Cate morgen uitgekozen?' vroeg Adam. 'Dat komt me verrekt slecht uit, Nessa.'

'Morgen kon ze toevallig,' zei Nessa. 'Waarom komt het je niet uit?'

'Ik moet een paar dingen doen,' zei hij. 'Ik was eigenlijk van plan om pas rond acht uur thuis te zijn.'

'Ik vraag je nooit om vroeg naar huis te komen,' zei Nessa.

'Dat weet ik wel.'

'Dus zorg dan maar dat je er morgen bent,' zei ze.

Hij keek even opzij, maar haar ogen waren op het scherm gericht.

'Vertel me nou niet dat dit weer zo'n zussencrisis is,' zei hij. 'Weet je nog die keer dat jij en Cate per se de koppen bij elkaar wilden steken over Bree? Omdat jullie dachten dat ze aan de drugs was?'

'We dachten helemaal niet dat ze aan de drugs was,' zei Nessa ongeduldig. 'Ze woonde samen met iemand die dat deed. We maakten ons zorgen over haar.'

'Bemoei je niet met dingen die je niet aangaan,' waarschuwde Adam. 'De laatste keer heeft het tijden geduurd voordat ze weer met je wilde praten.'

'Het gaat helemaal niet om Bree,' zei Nessa. 'En ze was er trouwens zo overheen. Ze wist dat we het voor haar eigen bestwil deden.'

'Als ik me goed herinner, zei ze dat jullie het heen en weer konden krijgen.'

'Ja, maar uiteindelijk is ze toch bij hem weggegaan! Maar goed,' vervolgde Nessa, 'ik heb al gezegd dat het niet over Bree gaat. Cate en ik gaan gewoon samen iets drinken, anders niet. Het zal wel iets met de bruiloft te maken hebben.'

Adam grinnikte. 'Wil ze van jou horen hoe lang haar sluier moet zijn en zo?'

'Nee,' zei Nessa droog. 'De kans lijkt me groter dat ze me vraagt of het wel de moeite waard is.'

'Natuurlijk wel,' zei Adam.

'Voor mannen wel,' gaf Nessa toe. 'Maar misschien wil zij weten of een vrouw er ook iets mee opschiet.'

'Het heeft jou veel opgeleverd,' zei Adam.

'Ik heb jou eraan overgehouden.'

'Precies.' En hoewel haar man tegen haar glimlachte en zij net had besloten om hun huwelijk bij nader inzien toch niet op de klippen te laten lopen, kostte het Nessa de grootste moeite terug te lachen.

Bree wist niet of Michael haar nieuwe kleren wel chic genoeg zou vinden, maar ze vond ze zelf best leuk. Ze had Cates raad opgevolgd en iets uitgezocht waarin ze zich prettig voelde. Nadat ze vier jurken had gepast en afgekeurd wegens te strak, te diep uitgesneden, te kort en te kriebelig begreep ze ook wat Cate bedoelde toen ze zei dat zij zich niet op haar gemak zou voelen in iets chics. Ze had een bleekroze creatie gezien die volgens haar perfect was voor de gelegenheid, maar zodra ze zich erin had gewurmd wist ze al dat ze daar niet de juiste persoon voor was. Chic en strak betekende dat je op een andere manier moest lopen... een soort glijdende beweging die Bree niet voor elkaar kreeg. Ze wist dat zij altijd door een kamer beende in plaats van er sierlijk doorheen te lopen, en dat bedierf het effect van de glanzende stof. Ze moest iets hebben waarin ze er niet uit zou zien als iemand die de godganse dag tot aan haar nek in de olie zat en waarin ze als een normaal mens kon lopen. Vandaar dat ze uitkwam op een donkerpaarse rok met een bijpassend topje met spaghettibandjes, een combinatie die op het eerste gezicht een jurk leek. Het was in zekere zin een compromis, maar het flatteerde haar en ze zag er iets kwetsbaarder uit dan normaal. Ze vond dat het haar erg leuk stond, ook al had ze het gevoel dat het meisje dat haar in de spiegel stond aan te kijken in niets leek op het meisje dat ze in werkelijkheid was.

Natuurlijk was ze vergeten dat ze ook schoenen moest kopen en de schoenwinkels waren een nachtmerrie. Ze wist dat ze een paar fatsoenlijke schoenen moest hebben in plaats van de sportschoenen of de laarzen die ze het liefst droeg, maar ze had zich gegeneerd omdat ze zulke brede voeten had dat de schoenen die ze op het oog had niet pasten. Uiteindelijk had ze toch een paar gevonden dat wel lekker zat (ook al waren de hakken eigenlijk veel te hoog voor haar) en dat bij haar kleren paste. Nadat ze die had gekocht, liep ze nog even binnen bij de Body Shop en trakteerde zichzelf op nieuwe make-up, nieuwe oogschaduw en nieuwe lipstick.

En als hij me na al die moeite niet bespringt, zal het er ook nooit van komen, besloot ze treurig terwijl ze de winkel uit liep en met haar vracht aan tassen op weg naar huis ging.

16

Mars in het eerste huis

Impulsief en onbesuisd, maar energiek en positief ingesteld.

Nessa wist niet hoe ze Cate in de drukte moest vinden. Het mooie weer dat vrijwel de hele zomer had gedomineerd had plotseling plaatsgemaakt voor een grauwe, bewolkte dag waarop het ieder moment kon gaan regenen. Vandaar dat iedereen naar binnen was gegaan om aan de toog te hangen en Smythe's was afgeladen vol. Ze ging op haar tenen staan en probeerde een glimp op te vangen van haar zus.

Ze maakte een sprongetje van schrik toen ze haar telefoon in haar broekzak voelde trillen.

'Ik sta aan de andere kant van de bar,' zei Cate en toen Nessa opkeek, zag ze Cate naar haar zwaaien. Ze zwaaide terug en wrong zich door de menigte. Toen een meisje met plateauzolen op haar tenen ging staan, vloekte ze hardop.

'Dit was geen goed idee,' zei Cate toen Nessa bij haar was. 'Ik kan mezelf niet eens horen denken.'

Nessa moest min of meer liplezen om haar te verstaan. 'Zullen we ergens anders heen gaan?' vroeg ze.

Cate knikte en ze worstelden zich samen weer naar buiten.

'Sorry,' zei Cate. 'Ik word kennelijk oud. Die herrie binnen is nauwelijks te harden.'

'Zo is het iedere vrijdagavond,' zei Nessa. 'Daar had ik aan moeten denken, dan had ik een andere tent kunnen voorstellen.'

'Zullen we maar gewoon naar het Grand gaan?' stelde Cate voor. 'Daar zal het ongetwijfeld rustig zijn. Mijn auto staat aan de overkant, dus we kunnen er binnen een minuut zijn.'

'Dat is veel beter,' zei Nessa toen ze naar binnen liepen.

'Maar ik vind het toch een veeg teken dat we uit een hiphoptent zijn weggevlucht naar een verdomde hotelbar,' zei Cate. 'Ik heb ineens het gevoel dat ik op mam ga lijken.'

'Als je alleen maar iets wilt drinken, kunnen we best teruggaan,' zei Nessa. 'Maar als je wilt praten...'

'Eerlijk gezegd weet ik eigenlijk niet wat ik wil,' bekende Cate. 'Maar ik zal eerst iets te drinken bestellen. Wat wil jij?'

'Een glas rode wijn,' zei Nessa.

Ze keek Cate verwonderd aan toen haar zus rode wijn voor haar bestelde en zelf een glas spawater nam.

'Ben je nu al aan het afkicken om er beter uit te zien op de grote dag?' informeerde ze. 'Wanneer is die eigenlijk gepland?'

'Waarschijnlijk in maart,' zei Cate. 'Finns programma begint in september en het loopt tot maart.'

'Hij verheugt er zich vast op,' zei Nessa.

'Ja.'

'Ik kan bijna niet geloven dat mijn aanstaande zwager een tv-beroemdheid zal worden,' grinnikte Nessa tegen Cate. 'Dat moet voor jou ook heel raar zijn.'

'Min of meer.'

'En ik weet wel dat je hebt gezegd dat je niet wilt dat je bruiloft een mediaspektakel wordt, maar de kranten zullen zeker aanwezig zijn.'

'Waarschijnlijk wel,' zei Cate met een matte stem.

Nessa nam een slokje van haar wijn. 'Is er iets mis?' vroeg ze. 'Ben je bang dat er veel publiciteit aan te pas komt? Of wil je niet wachten tot maart?'

'Niet precies.'

'Wat dan?' Nessa keek Cate vragend aan. 'Vertel me nou niet dat je je hebt bedacht.'

'Ik... nee, dat geloof ik niet.'

'Hoezo geloof je dat niet?'

'O, Nessa,' zei Cate handenwringend. 'Het gaat helemaal niet om Finn en mij. Het gaat om... nou ja, als ik er niet gauw iets aan doe, zal ik in maart waarschijnlijk een baby krijgen.'

Nessa keek Cate sprakeloos aan. Het was alsof ze de woorden had verstaan zonder dat de betekenis echt tot haar doordrong. Maar toch wist ze precies wat Cate had gezegd. Ze was zwanger. Ze kreeg een baby!

'Gefeliciteerd!' riep ze ten slotte uit. 'Ik begrijp wel dat het een probleem is, want je wilt natuurlijk niet naar het altaar lopen met je bruidsboeket op een dikke buik. Wat vindt Finn ervan? Kost het te veel moeite om de trouwdatum te veranderen? Hebben jullie alles al geboekt?' Ze krabde even op haar hoofd. 'Of wil hij alles zo gauw mogelijk geregeld hebben? En ben jij bang dat het een haastklus wordt?'

'Nee, daar gaat het helemaal niet om,' zei Cate.

'Wat je ook voor problemen hebt, die zijn gemakkelijk op te lossen,' zei Nessa. 'Alleen wil je natuurlijk niet dat je bruiloft en de geboorte van je baby op dezelfde dag vallen!'

Cate strengelde haar vingers opnieuw zenuwachtig in elkaar. 'Ik wil helemaal niet dat de baby geboren wordt,' zei ze uitdrukkingsloos.

Dit keer duurde het veel langer voordat Nessa haar mond weer opendeed.

'Wat zeg je nou?' Haar ogen waren strak op Cates gezicht gevestigd.

'Ik wil helemaal geen baby.'

'Dat meen je niet.'

'Ja, dat meen ik wel,' zei Cate. 'Ik ben helemaal tegen mijn zin zwanger geworden.'

'Maar... je gaat toch trouwen,' zei Nessa. 'Misschien ben je wat eerder in verwachting geraakt dan de bedoeling was, maar dat maakt toch niets uit? Je woont immers al jaren met Finn samen.'

'Dat weet ik wel,' zei Cate effen. 'En ik houd ontzettend veel van Finn. Maar hij wil nog geen kind en ik ook niet.'

'Heeft hij dat gezegd?' Nessa sloeg haar wijn achterover.

'Ik heb het hem nog niet verteld.'
'Cate!'
'Ik kan het hem niet vertellen, Nessa. Hij staat op een keerpunt in zijn carrière. Ik kan hem nu niet aan zijn hoofd gaan zeuren over een kind waarvan ik weet dat hij het niet wil. Niet nu.'
'Baby's komen nu eenmaal niet op bestelling.' Nessa's stem klonk gevaarlijk kalm. 'Je hebt niet voor het kiezen wat je krijgt en wanneer je het krijgt. Dat weet ik als geen ander.'
'O god, Nessa... dat weet ik best. Ik weet hoe jij over kinderen denkt. Echt waar. Maar jij moet toch ook weten dat ik heel anders ben. En het gaat niet alleen om Finns carrière maar ook om de mijne. Ik heb een beroerd eerste halfjaar achter de rug, maar nu begint het tij langzaam maar zeker te keren en dat komt omdat ik er zo ontzettend hard aan getrokken heb. Dit is ook voor mij belangrijk. Het betekent dat ik me niet ondergeschikt hoef te voelen aan Finn omdat we het allebei goed doen, niet alleen hij. Dat kan niet als ik in de puree zit.'
'Praat er niet op die manier over,' zei Nessa woedend. 'Alsof het een aantasting is van je manier van leven.'
'Maar dat is het ook,' zei Cate. 'Ik zal mijn manier van leven toch moeten veranderen, of niet soms? Met of zonder kinderen.'
'Soms heb je daar zelf weinig over te vertellen,' zei Nessa. 'Sommige vrouwen willen graag kinderen en die krijgen ze niet. Sommige willen ze niet en die worden zwanger. Of je wordt zwanger op een moment dat je niet goed uitkomt. Zo gaat het nu eenmaal in het leven, Cate. Je kunt het niet plannen alsof het een marketingcampagne is.'
'Dat weet ik ook wel,' zei Cate ongeduldig. 'Ik had het idee dat ik het wel klaar zou spelen als we echt besloten om kinderen te nemen en ik helemaal achter dat besluit zou staan. Maar ik ben doodsbang geweest vanaf het moment dat ik ontdekte dat ik zwanger was. En nog steeds. Ik wil niet dat een ander bezit neemt van mijn lichaam, ik wil geen negen maanden lang voelen hoe alles van binnen verandert terwijl ik constant misselijk ben en niet mag drinken. En als er één ding als een paal boven water staat, dan is het wel dat ik geen twaalf uur lang wil liggen hijgen en persen, terwijl artsen het gevoeligste plekje van mijn lichaam met tangen en scharen en god mag weten wat nog meer te lijf gaan.'

'Je bent de grootste egoïst die ik ooit ben tegengekomen.' Nessa keek haar met grote ogen aan. 'Ik geloof mijn oren niet.'

'Waarom ben ik egoïstisch als ik geen baby wil hebben?' wilde Cate weten. 'Het is toch net zo egoïstisch om te besluiten dat je er wel een neemt? Per slot van rekening heeft het kind er zelf niets over te vertellen. Het wordt gemaakt, of het zijn of haar ouders nou wel aardig vindt of niet!'

'Gedraag je niet zo onvolwassen.'

'Dat doe ik ook niet. Hoor eens, ik weet dat jij meer dan één kind wilde, Nessa. En het gaat me ontzettend aan het hart dat je nog geen tweede hebt gekregen. Maar op een dag lukt het misschien wel. Ondertussen ben je dol op Jill. Je geeft ontzettend veel om haar. En als ik nu een baby krijg, zal ik er niet van houden.'

'Natuurlijk wel,' zei Nessa. 'Het is toch je eigen kind, Cate. Een stukje van jezelf. Daar moet je wel van houden.'

'Het is nu ook een stukje van mij en ik haat het,' zei Cate ronduit.

'Ik dacht dat ik je kende,' zei Nessa terwijl ze Cate aankeek. 'Maar dat is niet zo. Zoals jij reageert daar kan ik met mijn pet niet bij.'

'Omdat het voor jou zo'n mooie ervaring was, hoeft het dat voor mij toch niet te zijn.' Cates stem klonk smekend. 'Ik kan me gewoon niet voorstellen hoe het zou zijn. Ik kan me niet voorstellen dat ik ermee zou moeten leven.'

'Dus wat je eigenlijk bedoelt, is dat je ervan af wilt?' Nessa beet haar de woorden bijna toe.

'Als je het zo zegt, klinkt het net alsof ik een harteloos kreng ben, dat alleen maar aan zichzelf denkt.'

Nessa trok haar wenkbrauwen op. 'Dat zijn jouw woorden.'

'Ik wist dat ik er niet over had moeten beginnen. Ik wist dat je het niet zou begrijpen.' Cates stem trilde.

'Ik begrijp alleen dat je niet goed bij je hoofd bent. Goeie genade, Cate, je hebt het over een baby. Niet over een verrekte sportschoen!' Nessa bleef haar strak aankijken.

'Het is een ongewenst kind,' zei Cate fel. 'Je begrijpt absoluut niet hoe ik me voel, hè?'

'Natuurlijk begrijp ik daar niets van. Wat ik wel begrijp, is dat het misschien een schok voor je is dat je ineens zwanger bent. Ik begrijp ook wel dat je een beetje in de war bent. En bang. We zijn allemaal bang als we het ontdekken. Er is geen vrouw ter wereld die niet bang is, Cate. Maar vraag me niet om begrip te tonen voor het feit dat je een abortus overweegt, alleen maar omdat je nog niet klaar bent voor deze baby.'

'Is dat voor jou dan niet voldoende reden?' Cate had tranen in haar ogen. 'Vind jij dan niet dat mijn gevoel dat ik op dit moment absoluut geen baby wil genoeg reden is om het niet te krijgen? Er is geen betere reden te bedenken, Nessa. Echt niet.'

'Niemand is er ooit klaar voor,' bitste Nessa. 'Niemand weet hoe het in werkelijkheid gaat. God weet dat ik Jill wilde. Maar toen ik werd geconfronteerd met de realiteit van een kind krijgen, was ik daar achteraf toch compleet ondersteboven van. Toch heb ik ermee leren leven, Cate. Omdat ik van haar hield.'

'Ja, dat zegt iedereen die een baby heeft gekregen. Ik ben echt niet stom, hoor!' riep Cate. 'Daarom wil ik ook geen kind. Omdat ik weet dat ik het niet aankan. Godallemachtig, Nessa, Finn heeft nu bij de radio al idiote werktijden. En dat wordt alleen maar erger zodra dat tv-programma van start is gegaan. Wanneer zou hij volgens jou dan aandacht aan dat kind moeten schenken, laat staan aan mij? Ik wil niet dat dit kind hem alleen maar leert kennen van radio en tv. En ik wil geen toneelstukjes van school inplannen tussen de lancering van een nieuw product en mijn maandelijkse verkoopoverleg. We hebben gewoon geen tijd voor deze baby, Nessa. Echt niet.'

'Moet je horen wat je zegt!' riep Nessa uit. 'Je vergelijkt het stichten van een gezin met een maandelijks verkoopoverleg.'

'Niet waar.'

Nessa dronk haar wijn op. 'Je kunt je ook aanpassen, Cate,' zei ze. 'Dat zou je best kunnen. Maar je kunt echt geen abortus laten plegen.'

'Maar dat ga ik wel doen.' Cate knipperde snel met haar ogen. 'Ik had gehoopt dat ik bij jou steun zou vinden. Maar als dat niet zo is, vind ik het ook best.'

Nessa stond op. 'Doe wat je niet laten kunt,' zei ze koel. 'Maar vraag me niet om je te steunen. Want dat verdom ik.'

Finn drukte op de afstandsbediening en stopte de videotape toen Cate binnenkwam. Maar ze wist dat hij naar de video's had zitten kijken die van hem waren gemaakt tijdens de repetitie van zijn programma. Ze vond het aandoenlijk dat hij niet wilde dat zij ze zou zien, dat hij niet wilde dat zij getuige was van alle fouten die hij had gemaakt.

'Hoe ging het met Nessa?' vroeg hij toen ze haar tas op de grond liet vallen en in de leren stoel ging zitten.

'Zoals altijd,' zei Cate.

'Wat had ze over Adam te vertellen?' Hij keek haar vragend aan.

Adam! Cate had geen moment meer aan Nessa en Adam gedacht. Nessa had ongetwijfeld verwacht dat ze haar het hemd van het lijf zou vragen over Adams vermoedelijke ontrouw en in plaats daarvan hadden ze alleen maar over Cates zwangerschap gepraat.

'Niet veel,' zei ze ontwijkend.

'Denk jij ook dat hij vreemdgaat?' vroeg Finn.

Cate haalde haar schouders op. 'Het zou me niets verbazen. Nessa is wel erg voorspelbaar, vind je ook niet? En misschien heeft Adam er genoeg van dat hem iedere avond een zelfgekookt maaltje wordt voorgezet en dat zijn fris gestreken, schone boxershorts 's morgens al op hem liggen te wachten.'

'Cate!' Finn wierp haar een geamuseerde blik toe. 'Ik dacht dat het zo'n volmaakt stel was. Adam vindt het toch prettig dat hij verzorgd wordt? En Nessa vindt het leuk om te zorgen.'

'Alleen als ze denkt dat de persoon in kwestie de moeite waard is,' zei Cate.

Finn trok zijn wenkbrauwen op. 'Hebben jullie ruzie gehad?'

Cate aarzelde.

'O, Cate, hoe kun je nou ruzie met haar maken, als je weet dat ze waarschijnlijk helemaal over haar toeren is.'

'Daar bleek anders weinig van,' zei Cate.

'Ik heb medelijden met haar,' zei Finn.

'Hoezo?'

'Hij betekent toch alles voor haar?' vroeg hij. 'Als Adam weggaat, wat houdt ze dan over?'

'Een verdomd groot huis en het kind dat ze altijd heeft gewild,' zei Cate.

'Jullie hebben echt bonje gehad!'

'Ze is veel te rechtlijnig,' zei Cate. 'Ze kijkt niet verder dan haar neus lang is.'

'En dat maakt het volgens jou waarschijnlijker dat Adam vreemdgaat?'

'Ik zou het hem niet kwalijk nemen,' zei Cate.

'Dat meen je niet.'

'Toen ik haar vanavond hoorde praten, kreeg ik er plotseling begrip voor,' vertelde ze hem.

'Verdorie.' Hij grinnikte tegen haar. 'Gisteren was je nog bereid om Adam zijn nek om te draaien omdat hij haar besodemieterde. Vanavond schijn je te denken dat het haar eigen schuld is.'

Cate zuchtte. 'Ach, als hij echt bij haar weggaat, zal ik toch wel haar kant kiezen.'

'Als het je niet te veel inspanning kost,' zei Finn.

'Wat is er met jou aan de hand?' vroeg ze. 'Je zei dat we het niet van één kant mochten bekijken, maar nu sta je ineens achter haar. Ik zou eerder hebben verwacht dat je het voor Adam zou opnemen, vanuit het idee dat elke man het recht heeft om vreemd te gaan als hij daar behoefte aan heeft.'

'Denk je echt dat ik zo ben?' Finn was duidelijk gekwetst.

'Ik dacht dat alle mannen zo waren.'

'Cate, je bent vanavond niet te genieten,' zei Finn. 'Ik weet niet of het door Nessa komt, of dat er nog iets anders meespeelt, maar ik heb je in tijden niet zo chagrijnig gezien.'

'Mag ik dan nooit chagrijnig zijn?' vroeg ze. 'Mag ik er niet af en toe de pest in hebben?'

'Het hangt ervan af door wie dat komt,' zei Finn.

'Het ligt niet aan jou.' Ze stond op uit de stoel. 'Maar ik ben geen prettig gezelschap. Ik denk dat ik maar in bed ga liggen lezen, of zo.'

'Doe wat je niet laten kunt,' zei Finn zonder zich op te winden. Hij wachtte tot ze in de slaapkamer was, voordat hij op de afstandsbediening drukte en voor de twintigste keer keek hoe hij zijn programma aankondigde.

17

De zon in het teken van de Leeuw
De maan in het teken van de Leeuw

Charismatisch en aantrekkelijk,
overtuigd van je eigen reputatie.

Na haar borrel met Cate ging Nessa niet rechtstreeks naar huis, maar liep naar de kust waar ze ondanks de motregen op een rotsblok ging zitten en naar de af en aan kabbelende golfjes keek. Ze kon niet geloven wat haar zus haar net had verteld. Ze werd heen en weer geslingerd tussen woede en afschuw over de voorgenomen abortus van Cate en jaloezie omdat haar zus wel in verwachting was. Waarom is het leven toch zo verdomd oneerlijk, piekerde ze. Waarom gaan de dingen nooit zoals wij dat graag zouden willen? Waarom was de verkeerde zus zwanger geworden? Waarom liep haar huwelijk gevaar? Waarom, o waarom gebeurden er niet alleen prettige dingen?

Ze bleef daar nog een hele tijd zitten, kijkend naar de mensen die over de boulevard liepen. Stelletjes natuurlijk. En vrouwen die samen een wandelingetje maakten. Eigenlijk grappig, dacht Nessa, dat je zo vaak twee of drie vrouwen samen zag lopen en nooit groepjes mannen. Die zouden wel allemaal in een kroeg over sport zitten te praten. Ze kwam tot de conclusie dat ze volkomen terecht niet probeerden om hun problemen met elkaar te delen zoals vrouwen wel deden. Meestal schoot je daar niets mee op. En ze had niet eens met Cate over haar eigen problemen gepraat, dacht ze terwijl ze opstond. Ze was zo in beslag genomen door de onthullingen van haar zus, dat ze daar niet eens aan had gedacht.

Het opgeluchte gevoel dat haar had bekropen toen ze had besloten dat Portia Laing zich had vergist, was alweer verdwenen. Ze was gewoon stom. Het meisje had zich helemaal niet vergist. Adam had iemand gekust. Dat was iets dat ze moest accepteren. Maar iedere keer als ze op het punt stond zich daarbij neer te leggen, schoot haar weer een ander excuus te binnen, een andere reden waarom het verhaal van Portia niet klopte. En daardoor raakte ze nog meer in de war. Het feit dat ze ineens enorm opgelucht kon zijn, om een moment later weer diep in de put te zitten maakte haar doodmoe.

Ze liep terug naar de auto en reed naar huis. Binnen vond ze Adam voor de tv met een enorme zak tortillachips en een biertje.

'Was het gezellig?' Hij keek even op.

'Prima,' zei ze. Daar had je dat woord weer, dacht ze, toen ze haar jasje uittrok. Prima. En het ging helemaal niet prima. Niet met Cate en niet met haar. Een maand geleden was er nog niets aan de hand geweest. Een maand geleden zou ze Adam meteen alles hebben verteld over Cate en haar zwangerschap en haar afschuwelijke beslissing om het kind niet te laten komen. Ze zouden er samen over hebben gepraat en hij zou het met haar eens zijn geweest. Maar Adam kennende, zou hij ook vast iets vriendelijks over Cate hebben gezegd. En misschien had hij Nessa dan over de woede heen kunnen helpen die nog steeds in haar opborrelde. Maar nu ging ze gewoon naast hem op de bank zitten en pakte een tijdschrift op.

'Jill ligt al eeuwen in bed.' Adams ogen bleven op het scherm gericht, hij nam niet de moeite haar aan te kijken.

'Goed,' zei Nessa. Ze bladerde het tijdschrift door, hoewel ze het allang gelezen had. Het was het exemplaar van *New Woman* dat Jill voor haar had gekocht op de dag dat ze voor het eerst hoorde dat Adam vreemdging. Ze beet op haar duim en wierp een korte blik op hem. Hij was weer helemaal verdiept in het tv-programma, een of andere politieserie. Die vond hij leuk. Zelf vond ze er eigenlijk niets aan, maar ze keek altijd gewoon mee. Hij dacht dat zij er ook van hield, omdat ze hem nooit iets anders had verteld.

'Wil je ook wat chips?' vroeg hij toen het programma door de reclame werd onderbroken. Hij duwde de zak naar haar toe.

'Nee, dank je.'

'Heb je samen met Cate iets gegeten?'

'Nee,' zei ze.

'Dat dacht ik al. Je bent eerder terug dan ik had verwacht.'

'We hadden elkaar niets meer te vertellen.'

Hij wendde zijn blik af van de tv en keek Nessa aan. 'Hebben jullie ruzie gehad of zo?'

'Niet echt,' zei Nessa. 'Meer een verschil van mening.'

'Het is al een tijd geleden dat jullie bonje hebben gehad,' zei hij. 'Hopelijk gaat het dit keer anders. De vorige keer was je niet te genieten tot het weer voorbij was.'

'Nietwaar.'

'Je was chagrijnig,' zei Adam. 'Net als nu.'

Ze zei niets. Ze had hem wel lik op stuk willen geven, maar ze kon het niet. Toen de serie werd vervolgd, keek Adam weer naar de tv.

Ze vroeg zich wanhopig af wat er toch mis met haar was. Ik kan mezelf er niet toe brengen om over Cate te beginnen en ik kan hem de vraag niet stellen die vanbinnen aan me vreet. Ik blijf maar redenen verzinnen om het niet te hoeven vragen. Dat klopt toch niet? Andere vrouwen gingen vast niet zo rustig naast hun vreemdgaande man zitten, als die op de bank voor de tv hing en tortillachips kaande. Ik moet hem eigenlijk de waarheid voor de voeten gooien en erover praten in plaats van net te doen alsof er niets aan de hand is.

Ze beet weer op haar duimnagel. Hoe zou het gaan als ze eindelijk de moed kon opbrengen? Ze nam aan dat hij haar zou vertellen dat het allemaal een vergissing was. En dat was toch ook precies wat ze wilde horen? Ze was bang voor de andere dingen die hij zou kunnen zeggen. Het klamme zweet brak haar uit bij het idee dat hij opgelucht zou zijn dat ze het wist en dat hij dan plotseling tot de conclusie zou komen dat het hoog tijd was om een eind te maken aan de schijnvertoning van hun huwelijk en bij 'xxx A' in te trekken.

Het is helemaal geen schijnvertoning, prentte ze zichzelf in. Helemaal niet. Ik hou van hem. Hij houdt van mij. En we houden allebei van Jill.

De gedachte aan Jill bracht haar terug bij haar gesprek met Cate. Ergens diep vanbinnen had ze wel medelijden met Cate, maar Cate was een geluksvogel. Ze had een fantastische, waanzinnig aantrekkelijke vriend, die haar aanbad en die een geweldige baan had. En Cate had zelf ook een goede baan en meer dan genoeg geld. Dus ze was niet in alle staten omdat ze niet wist hoe ze een extra mond moest vullen. Cate begreep gewoon niet hoe gelukkig ze was. Misschien was haar besluit om de baby niet te krijgen wel overhaast genomen, toen ze een beetje in de war was. Misschien veranderde ze nog wel van gedachten. Ook al overkwam dat Cate zelden. Wat zou Cate doen als haar ter ore kwam dat iemand Finn had gezien terwijl hij zijn tong in de strot van een andere vrouw duwde? Nessa staarde met nietsziende ogen naar de tv terwijl ze daarover zat na te denken. Cate zou het niet over haar kant laten gaan. Ze zou het Finn meteen voor de voeten gooien. Zij zou de waarheid wel boven tafel krijgen. En als de waarheid was dat Finn nog een andere vrouw had, dan zou Cate bij hem weggaan. Dat wist Nessa heel zeker. Ze zou de schijn niet willen ophouden. Dat lag niet in haar aard.

Maar, dacht Nessa, Cate houdt nu ook in zekere zin de schijn op. Ze had Finn niets verteld over het kind en ze had hem ook niet verteld dat ze overwoog het weg te laten halen. Cate had besloten om dat voor zich te houden tot ze met zichzelf in het reine was gekomen. Misschien is het niet zo verkeerd van me om te wachten tot ik precies weet wat ik wil voordat ik er zelf met Adam over begin, dacht Nessa. Misschien is het maar goed dat ik er nog met niemand over heb gepraat. Behalve met Bree. Ze was een beetje verbaasd dat Bree niet meer had gebeld. Maar Bree was een praktisch meisje, dat niet goed met gevoelskwesties overweg kon.

Haar voorstel om Adam in de gaten te houden was een typisch voorbeeld van hoe Bree het leven aanpakte. Heb je een probleem, doe er dan iets aan en help het uit de wereld. Nessa wenste dat het echt zo simpel was, maar ze vroeg zich wel af of het zinnig zou zijn om Adam een paar dagen lang door iemand te laten volgen. Het leek een verschrikkelijk overdreven reactie, maar toch zou ze op die manier zeker achter de waarheid komen. Adam moest minstens twee keer per week 'overwerken'. Misschien moest ze maar eens uitvissen wat dat 'overwerken' precies inhield. Moest ze een van die detectivebureaus inschakelen of zou ze vragen of Bree het wilde doen? Haar zus had ongetwijfeld gelijk toen ze zei dat Adam haar nooit zou herkennen als ze haar motorpak aanhad.

Ze stond op. 'Ik ga Bree even bellen,' zei ze.

Adam grinnikte. 'Ga je met je jongste zus bellen om over je middelste zus te konkelefoezen?'

'Nee,' zei ze. 'Ik wil alleen even met haar praten.'

'Met Bree. Sorry, maar ik heb nu even geen tijd. Laat maar een nummer achter, dan bel ik terug.'

Nessa slaakte een geërgerde zucht. Ze had bijna besloten om Bree te vragen Adam te volgen. Ze had met haar willen praten voordat ze van gedachten veranderde. Maar plotseling herinnerde ze zich dat Bree vanavond dat spannende afspraakje had. Dus het zat er dik in dat ze de telefoon helemaal niet zou oppakken.

'Ik ben het,' zei ze tegen Brees voicemail. 'Bel me even terug. Het zal wel pas vanavond laat of morgenochtend zijn als je dit afluistert. Ik hoop dat je een leuk strak jurkje hebt gevonden.'

Om de rok en het topje een handje te helpen op het gebied van verleidingskunsten had Bree veel meer tijd dan gewoonlijk besteed om zich op te tutten voor haar afspraakje. Ze zorgde ervoor dat haar make-up netjes aangebracht was in plaats van het op goed geluk op haar gezicht te smeren. Ze gebruikte zelfs het kleine sponsborsteltje dat bij haar nieuwe oogschaduw zat in plaats van haar vinger, hoewel ze niet zeker wist of het veel verschil maakte. En ze gebruikte zelfs Cates trucje om lipstick op te doen, die vervolgens af te deppen met behulp van een papieren zakdoekje (of, in het geval van Bree, met een stukje wc-papier omdat ze al haar papieren zakdoekjes had gebruikt om de generator waaraan ze werkte olievrij te maken) en dan een nieuwe laag aan te brengen. En ze moest zelf toegeven dat het eindresultaat er een stuk beter uitzag dan ze gewend was. In feite was het een hele schok dat ze er zo chic uit kon zien als ze een beetje haar best deed.

Toen Michael een kwartier te laat aanbelde, gierden de zenuwen haar door de keel. Ze had het gevoel alsof dit eigenlijk haar eerste echte afspraakje met hem was en toen ze de trap af rende, kon ze maar net voorkomen dat ze voorover naar beneden tuimelde, toen ze met haar hak achter een stukje losliggende vloerbedekking bleef haken.

'Sjonge!' Hij zette grote ogen op toen ze de zware voordeur opentrok. 'Je ziet er geweldig uit.'

'Dank je wel.' Ze grinnikte.

'Nee, ik meen het. Echt fantastisch. En...' Zijn ogen twinkelden. 'Je hebt inderdaad benen!'

'Waarvan ik er net bijna één brak toen ik de trap afkwam,' bekende ze treurig. 'Ik bleef met mijn hak haken en het scheelde maar een haartje of ik had op mijn gat gelegen.'

Michael lachte. 'Waarom probeer je mijn beeld van jou als mijn droommeisje nou te verpesten?'

'Sorry.' Ze lachte ook. 'Waarschijnlijk omdat ik niet gewend ben om een droommeisje te zijn.'

'Vanavond ben je dat wel,' zei hij. 'En nu ik jou zie, begin ik me eerlijk gezegd af te vragen of het wel nodig is dat we uit eten gaan.'

Ze keek hem met grote ogen aan.
'In die kleren zie je eruit om op te eten,' zei hij. 'En ik weet niet zeker of ik wel een paar uur tegenover je wil zitten, zonder daar iets aan te doen.'
Ja! dacht Bree vol verrukking. Het is me gelukt! Als ik maar eerder had beseft dat een rok en een paar benen dat voor elkaar zouden krijgen, had ik mezelf een boel ellende kunnen besparen.
'Maar goed, ik heb beloofd je mee uit eten te nemen en pa zou een hartaanval krijgen als ik hem vertelde dat ik ons etentje had ingeruild voor lust.'
'Zou je hem dat echt vertellen?' vroeg ze geschokt.
'Nee.' Michael grinnikte. 'Maar vroeg of laat zou hij er toch achter komen.'
'Dan kunnen we maar beter gaan eten.'
'Eigenlijk zouden we jouw motor moeten nemen.' Michael wierp er een verlangende blik op toen ze over het tuinpad liepen. 'Dan kan ik rijden, terwijl jij achterop zit met haren die wapperen in de wind.'
'Vergeet het maar,' snoof Bree. 'In werkelijkheid zou mijn haar al een puinhoop zijn voordat we dertig meter verder waren. Alleen in films wappert het haar van een meisje als een gouden vlag achter haar aan als ze op een motor zit.'
'Hè, bederf mijn illusie nou niet opnieuw.' Michael trok een gezicht tegen haar toen hij het portier van zijn Punto opendeed.
'Sorry,' zei ze opnieuw toen ze instapte. 'Ik vrees dat ik niet veel van illusies af weet.'
'Waar gaan we naartoe?' vroeg ze toen ze wegreden.
'Daar heb ik heel lang over zitten dubben,' zei hij. 'We gaan naar een tent even buiten Swords.'
'Swords?' Ze keek hem verwonderd aan. 'Is dat niet een beetje uit de buurt?'
'Ja, het is niet de eerste tent die je te binnen schiet,' zei hij. 'Maar vrienden van pa hebben daar vorig jaar een restaurant geopend en dat schijnt behoorlijk goed te zijn. Hij gaat daar vaak naartoe als hij een afspraak heeft met cliënten die in het noorden van de stad wonen, en wat goed genoeg is voor hem, is goed genoeg voor mij.'
'Hoe heet het?' vroeg Bree. 'Misschien zijn Cate of Nessa er weleens geweest.'

'De Old Mill of de Old Stream of zoiets,' zei hij met een zijdelingse blik op haar. 'In ieder geval iets ouds.'

Ze giechelde en deinsde achteruit toen hij bij een stoplicht een andere auto sneed.

'Rustig aan,' zei hij.

'Sorry.' Ze glimlachte. 'Ik ben geen ideale passagier.'

Zodra ze de stad uit waren en op de snelweg reden, ontspande ze een beetje. Michael ging wat minder gehaast rijden en ze drukte op de knop van de cd-speler. Ze keek verbaasd op toen ze traditionele Spaanse muziek te horen kreeg.

'Ik moet de meisjes morgen van het vliegveld halen,' legde Michael uit. 'Ze moeten binnenkort weer naar school en naar de universiteit. Het leek me dat ik deze cd het best voor hen kon draaien, zodat ze zich niet al te ellendig voelen bij het idee dat ze weer in Ierland zijn.' Hij lachte. 'Ik weet wel dat ze meer van pophitjes houden, maar... ach, het is gewoon een beetje maf.'

'Ik vind het leuk van je.' Bree glimlachte. 'Maar dit jaar hoeven ze daar toch niet over te treuren. Hoewel het daar gisteren niet naar uitzag, hebben we toch prachtig weer gehad.'

'Ik weet het,' zei Michael. 'Het is echt een schitterende zomer geweest, hè?'

'Fantastisch,' zei Bree. 'En ik hoop dat het nog een tijdje zo blijft. Voor eind oktober moet ik nog een week vakantie opnemen.'

'Die had je moeten opnemen toen het zulk schitterend weer was,' merkte Michael op.

'Ja, dat weet ik wel.' Bree trok een gezicht. 'Maar we hadden het zo druk en ik werk graag als het druk is.'

'Wat vreselijk.' Michael klonk geamuseerd. 'Volgens mij wordt onze generatie geacht te werken om te leven en niet te leven om te werken.

'Ik leef niet om te werken,' zei Bree. 'Ik hou gewoon van mijn werk.'

'Heb je nooit iets anders willen doen? Klootzak!' riep hij plotseling toen een Ford plotseling zonder richting aan te geven van rijbaan wisselde.

Bree huiverde.

'Wat zijn sommige mensen toch oerstom,' zei Michael.

'Het was inderdaad niet slim,' beaamde Bree. 'En nee, ik wilde altijd doen wat ik nu doe.'

'Dat moet fijn zijn,' zei Michael. 'Ik heb nooit geweten wat ik wilde worden, om eerlijk te zijn. Ik heb weleens overwogen om ook jurist te worden, net als pa. Maar daar moet je zoveel moeite voor doen!'

'Het verdient wel goed.'

'Pas na een tijdje,' zei Michael.

Een kwartier later kwamen ze aan bij het restaurant. Het grind van de oprit spatte op toen Michael overdreven hard remde en Bree trok een gezicht. Ze stapte uit de auto en wreef over haar armen.

'Heb je het koud?' vroeg hij.

Ze schudde haar hoofd. Het was een warme avond, maar ze was niet gewend aan het dragen van minieme topjes met een diep uitgesneden hals, die een grote deel van haar smetteloze huid toonden.

'Kom maar mee.' Michael sloeg zijn arm om haar schouders en liep met haar naar het restaurant.

Bree had verwacht dat het een oud gebouw zou zijn, maar ze zag dat het een nieuw pand was, opgetrokken uit oude, verweerde granietblokken. Binnen waren de tafels van ondoorzichtig glas en gedekt met modern bestek. Een van de eigenaars, een kleine vrouw met asblond haar en heldere blauwe ogen, lachte Michael stralend toe.

'Ik heb je in geen tijden gezien,' zei ze, nadat ze hem vluchtig op de wang had gezoend. 'Je vader zei dat je groot was geworden, maar hij zei niet hoe groot!'

'Doe me een lol, Carolyn,' zei hij. 'Ik ben hier met mijn vriendin. Het laatste waar zij behoefte aan heeft, zijn verhalen over mij als jochie.'

Bree vond het leuk dat hij haar zijn vriendin noemde. Ze vond het een hele verbetering vergeleken bij iemands beste vriendin te zijn.

'Ik zou juist dolgraag verhalen willen horen over toen hij nog een jochie was,' zei ze tegen Carolyn. 'Misschien kun je er een paar komen vertellen als we gegeten hebben.'

'Als je dat doet, betaal ik de rekening niet,' dreigde hij.

Carolyn lachte en bracht hen naar een afgelegen hoektafeltje en zei: 'Ik zal even een paar menu's halen.'

Bree ging zitten en beschutte haar ogen tegen het felle licht van de ondergaande zon. 'Wat een enige tent,' zei ze.

'Ik ben hier zelf ook nog nooit geweest,' bekende Michael. 'En toen ik Carolyn zag, vroeg ik me ineens af of het wel zo'n goed idee was. Omdat ze zelfs nog verhalen zou kunnen vertellen over toen ik nog een baby was. Ik had ineens het gevoel dat ik weer een jaar of tien was.'

'Dus ze is een echte familievriend.'

Michael knikte. 'Mijn moeder had samen met haar een flat toen ze voor het eerst naar Ierland kwam,' zei hij. 'Niet ver van waar jij woont, trouwens. Ze zei altijd dat je vandaar zo in Leeson Street en het uitgaansdistrict was.'

'Ik vind het altijd maar moeilijk te begrijpen dat je ouders ook al een eigen leven hadden voordat je zelf bestond,' zei Bree. 'Ik kan me mijn moeder echt niet in een nachtclub voorstellen.'

'Ik weet wat je bedoelt,' zei Michael. 'Daar heb ik zelf ook moeite mee.' Hij pakte zijn servet en legde het op zijn schoot.

Carolyn kwam terug met de menu's en twee glazen champagne. 'Van het huis,' zei ze tegen Michael. 'Nog ter ere van je eenentwintigste verjaardag, ook al is het een beetje laat. Heb je een feestje gegeven?'

'Ja, maar daar zou jij niets aan hebben gevonden,' zei hij. 'Er waren voornamelijk knullen die moesten kotsen.'

'O, Michael!' riepen Carolyn en Bree tegelijk en vol afschuw uit.

'Zelfs pa werd misselijk op mijn eenentwintigste verjaardag,' zei hij.

Hij stootte zijn glas tegen dat van Bree en ze bestudeerden samen het menu.

'Om eerlijk te zijn kan ik de helft van die dingen niet eens thuisbrengen.' Michael krabde over zijn kin. 'Ik heb me altijd afgevraagd wat polenta is.'

'Ik ben ook meer een type voor hamburgers en patat,' zei Bree. 'Dus op mij hoef je niet te rekenen. Al ziet die paella er wel lekker uit.'

Hij grinnikte. 'Je hoeft vanwege mij niet op de Spaanse toer te gaan.'

'Dat heeft niets met jou te maken,' zei ze. 'Ik heb een paar maanden in Spanje gewoond.'

'Echt waar?' Hij keek haar verrast aan.

'Ja,' zei ze. 'In Villajoyosa.'

'Dat ken ik,' zei hij tegen haar. 'Mam kwam uit Valencia. Maar dat ligt natuurlijk wel een stukje verder aan de kust. Ik ben nooit in Villajoyosa geweest, maar ik weet waar het ligt.'

'Ik heb daar in een garage gewerkt,' zei Bree. 'Ik ben er niet naartoe gegaan vanwege het natuurschoon of zo. Ik logeerde in Benidorm, toen ik hoorde dat daar een baantje vrij was.'

'Waarom ben je er weggegaan?'

Bree had geen zin om hem alles te vertellen over Enrique en zijn galerie vol vriendinnen.

'Het was gewoon tijd om verder te gaan,' zei ze. 'Daarna kwam ik in Frankrijk terecht.'

'Hou je van reizen?'

Ze knikte.

'Denk je dat je weer naar het buitenland gaat?'

'Misschien wel.' Ze glimlachte. 'Tenzij er iets is dat me hier houdt.'

'Ik zit zelf aan de Verenigde Staten te denken,' zei Michael. 'Een jaar of twee aan de westkust lijkt me best leuk.'

Met of zonder haar, vroeg ze zich af. Zou ze met hem meegaan als hij dat vroeg?

'Wat zal je vader daarvan zeggen?' vroeg ze.

'Die vindt het best,' zei Michael. 'Zodra ik zelf geld verdien, mag ik van hem doen wat ik wil.'

'En je zusjes dan?' vroeg Bree.

'Dat zijn allebei echte meiden,' zei Michael achteloos. 'Ik ben dol op ze, natuurlijk, maar het is wel een stel huismussen. Ik kan me niet voorstellen dat een van hen in het buitenland zou willen werken.'

'Zelfs niet in Spanje?'

'Nee,' zei Michael. 'En Marta maakt zich trouwens veel te veel zorgen over pa om hem lang alleen te laten.'

Op dat moment kwam Carolyn hun bestelling opnemen, maar daarna zetten ze hun gesprek weer voort.

'Waar maakt ze zich dan zorgen over?' vroeg Bree.

'Dat hij dan niemand heeft,' antwoordde Michael.

'Maar je hebt me zelf verteld dat je andere zus pas veertien is,' merkte Bree op. 'Die zal toch nog wel een tijdje thuis blijven wonen?'

'Dat hij niemand van zijn eigen leeftijd heeft,' verklaarde Michael zich nader. 'Marta is ervan overtuigd dat een man zich zonder vrouw niet kan behelpen.'

Bree lachte. 'Ze zou weleens gelijk kunnen hebben.'

'Maar ik denk ook dat ze helemaal overstuur zou zijn als pa echt met een vrouw aankwam,' zei Michael.

'Zou ze haar als een indringster beschouwen?'

Hij knikte. 'Ongeveer een jaar geleden had pa iemand met wie hij regelmatig uitging. Een aardige vrouw, ongeveer even oud als hij. Gescheiden. Geen kinderen, dus je zou verwachten dat Marta en Manuela dat een pluspunt zouden vinden. Maar toen hij haar mee naar huis nam, bleek Marta haar niet aardig te vinden. Dus dat was dat.'

'Arme vrouw,' zei Bree.

Michael haalde zijn schouders op. 'Zo is Marta nu eenmaal. En Manuela is van hetzelfde laken een pak.'

'Goh,' zei Bree. 'Hebben ze ook iets over jouw vriendinnen te vertellen?'

Hij grinnikte. 'Nee, hoor. Normaal gesproken houden mijn vriendinnetjes het niet lang genoeg uit.'

'Wat is je record?' vroeg Bree.

'Het is maar hoe je het bekijkt,' antwoordde Michael. 'Maar langer dan drie maanden heb ik nog nooit een vriendin gehad. En de kortste tijd... nou dat kan ik je maar beter niet vertellen, anders denk je nog dat ik een koude, harteloze kikker ben.'

Bree lachte. 'De langste tijd dat ik verkering heb gehad was ook ongeveer drie maanden,' zei ze. 'En mijn kortste verhouding duurde ongeveer twee minuten.'

'Twee hele minuten?'

'We hadden afgesproken in de pub. Hij had een of andere afschuwelijke aftershave op, waardoor je zelfs het bier en de rook niet meer opmerkte. Ik zei dat ik naar de plee moest en ben meteen weggegaan.'

'Harteloos kreng.' Maar Michael keek haar bewonderend aan.

'Eerlijk gezegd zat ik er ontzettend over in. Toch was het de juiste beslissing.'

'Ik kan maar beter een oogje op je houden,' zei hij.

'Daar heb ik niet het minste bezwaar tegen,' zei ze.

Het eten was verrukkelijk. Ze hadden samen een gemengde salade met paprika genomen, gevolgd door paella en abrikozentaart. Daarna gingen ze gezellig in een zijkamer van de eetzaal een kopje koffie drinken.

Bree kon zich niet herinneren dat ze ooit zo lekker had gegeten. En ook niet zo chic. De bediening was attent maar discreet geweest. Glazen werden bijgevuld en vuile borden verdwenen zonder dat ze iets in de gaten hadden.

'Ik vond het echt ontzettend gezellig,' zei Bree terwijl ze haar kopje leegdronk. 'Nu zou ik me zo kunnen oprollen en in slaap vallen.'

'Ik had eigenlijk andere plannen,' zei Michael tegen haar.

'Ja, dat zal best.' Ze grinnikte. 'Maar ik kan er niets aan doen. Ik ben het niet gewend om zo verwend te worden.'

Hij keek op zijn horloge. 'Het lijkt me verstandiger als we nu teruggaan.'

'Ja, waarschijnlijk wel.'

'Kom op, dan.' Hij stond op uit de fauteuil en stak haar zijn hand toe.

Ze namen afscheid van Carolyn en haar man, Ken, de chef-kok. Daarna liepen ze samen naar buiten.

Ze huiverde in de koele nachtlucht en wenste opnieuw dat ze iets mee had gebracht dat ze om haar schouders kon slaan. Al was het nu een verlangen naar warmte en geen valse bescheidenheid.

'Stap maar gauw in,' zei Michael. 'Het is niet echt koud. In de auto ben je zo weer warm.'

'Bedankt.'

Ze gaapte en deed even haar ogen dicht. Misschien zou hij op weg naar huis wel langs het strand rijden, dacht ze. Hij kon de afslag bij de rotonde naar Malahide nemen, en dan naar de monding van de rivier rijden, waar ze... Ze trok een gezicht. Malahide had haar ineens aan Nessa en Adam doen denken en ze besefte dat ze haar zusje niet had gebeld zoals ze van plan was geweest. Misschien zou Nessa haar wel ontzettend onattent en gevoelloos vinden. Ze zou haar morgen echt bellen en opnieuw aanbieden om Adam te volgens als Nessa dat wilde. Bree was direct bereid om te geloven dat die Portia het helemaal bij het verkeerde eind had, ook al leek de kans daarop nog zo klein, maar ze wist ook dat Nessa nooit meer gelukkig zou worden als ze niet achter de waarheid kwam. Het moest verschrikkelijk zijn om zoveel twijfels te koesteren over de persoon van wie je hield, dacht ze. Om het gevoel te hebben dat je hem niet meer kon vertrouwen.

Arme Nessa. Bree hoopte dat er een redelijke verklaring voor zou zijn en dat Adam niet vreemd was gegaan... of ging. Als dat wel zo was... Ze perste haar lippen op elkaar. Als het wel zo was, hoopte ze dat Nessa die klootzak de deur uit zou schoppen en zou proberen hem uit te kleden. De heftigheid van haar gevoelens verraste haar, net als haar plaatsvervangende boosheid. Ze voelde dat ze sneller gingen rijden en deed haar ogen weer open. Ze waren bijna bij een van de rotondes op de rondweg rond Swords. Er was nauwelijks verkeer en Michael gaf gas om de auto voor hem in te halen.

'Kijk uit!' Haar stem klonk gespannen toen hij dicht achter de andere auto zat.

'Niets aan de hand,' zei hij, terwijl hij het gaspedaal intrapte. 'Maak je geen zorgen.'

'Sorry,' zei ze. 'Ik zei al dat ik geen ideale passagier was.'

'Ik weet dat je tegen mijn vader hebt gezegd dat ik voor geen meter kon rijden, maar zo slecht rijd ik echt niet.'

'Het ligt aan mij,' zei Bree. 'Ik ben bang dat ik altijd het gevoel heb dat ik beter rijd dan degene die toevallig achter het stuur zit.'

'Je bent in veilige handen, dat beloof ik je.'

Ze leunde weer achterover toen hij de rotonde had genomen en op weg was naar de stad. Ze moest echt iets doen aan haar aversie tegen andere chauffeurs. Met name mannen. Een vriend zou het helemaal niet op prijs stellen als hij constant werd bekritiseerd op zijn rijgedrag en Michael was haar vriend. Vanavond had het er echt op geleken dat ze verkering hadden en dat wilde ze niet bederven door tegen hem te gaan zeuren. Bovendien reed hij niet echt slecht. Hij voldeed alleen niet aan de hoge eisen die zij stelde aan iemand achter het stuur.

Ze moest zich dwingen om te ontspannen, toen hij de snelweg opreed. Ze had echt een fantastische avond gehad, dacht ze. En ze was blij dat ze de moeite had genomen om haar schone lakens te strijken voordat ze die op het bed legde, want ze wist zeker dat dit de eerste nacht zou worden dat ze met elkaar zouden slapen. Het was al tijden geleden dat ze met iemand naar bed was geweest. Ze verheugde zich op het gevoel van Michaels handen op haar lichaam, zijn lippen op de hare, de lieve woordjes die hij vast zou fluisteren. Of geile woordjes. Dat maakte haar eigenlijk niets uit. Nee, dat was niet waar, zei ze bij zichzelf. Ze wilde dat het lieve woordjes zouden worden. Michael Morrissey was een van de aardigste mannen die ze ooit had ontmoet.

Ze hield haar adem in toen hij een vrachtwagen met oplegger inhaalde. Ze slikte de opmerking in dat hij er te dicht achter zat en te scherp uitweek, omdat ze hem niet wilde ergeren. Of afleiden. Maar ze keek onwillekeurig toch in haar buitenspiegel en zag dat er een andere auto aankwam die hen snel inhaalde. Michael zag hem ook. Hij zwenkte terug naar de linkerbaan en Bree kon maar met moeite een kreet inhouden omdat hij te veel overstuurd had en dat niet snel genoeg corrigeerde.

Ze kon haar ogen niet geloven. De auto raakte in een slip en reed recht op een bosje kleine bomen en struiken af dat langs de snelweg stond en ze wist niet hoe Michael het klaar moest spelen om daar niet in terecht te komen.

Ze zag de vrachtwagen die hen passeerde en de rode remlichten van de auto's voor hem. Ze vroeg zich af hoe ze al die dingen in godsnaam kon opmerken terwijl de auto in een slip raakte.

'Verdomme.'

Ze wist niet of zij dat had gezegd of Michael. Maar ze wist wel dat ze in de berm terecht zouden komen omdat hij dat niet meer kon vermijden. Ze wist ook dat het geen zin had om haar beide voeten hard tegen de vloer van de auto te drukken, zoals ze onwillekeurig deed, want dat zou haar niets helpen.

Ze zat nog steeds mee te remmen toen ze de eerste struik raakten. Op hetzelfde moment vroeg ze zich af hoe ze in vredesnaam de tijd kon hebben om te zien hoe de airbag aan de kant van de chauffeur opgeblazen werd en hoe de voorruit aan diggelen ging. Daarna voelde ze hoe haar gordel, die haar op haar plaats hield, in haar borst sneed terwijl haar hoofd naar voren sloeg en de auto tot stilstand kwam.

18

Maan/Uranus-invloeden

Spanning en emotie, wisselende stemmingen,
een allesoverheersende wilskracht.

Nessa ging vroeg naar bed, maar ze was nog niet in slaap gevallen toen Adam zich bij haar voegde. Hij glipte onder de dekens en sloeg automatisch zijn arm om haar heen.

'Cate is in verwachting,' zei ze abrupt.

'Wat?' Adam had op het punt gestaan om met haar te gaan vrijen, maar toen ze dat zei, steunde hij op zijn elleboog en keek haar aan.

'Ze is zwanger,' zei Nessa. 'Dat wilde ze me vertellen.'

'O, Ness.' Hij trok haar naar zich toe. 'Wat vind ik het naar voor je dat het haar wel is gelukt.'

Ze voelde de tranen in haar ogen branden. 'Ze wil de baby niet.'

'Die past zeker niet bij haar levensstijl, hè?' zei Adam.

'Dat heeft ze inderdaad gezegd.'

'Ze is geen moederlijk type.'

'Ze is een stomme trut,' zei Nessa.

Adam vouwde zijn hand om haar borst. 'Denk maar niet aan haar,' zei hij tegen Nessa. 'Zet haar maar uit je hoofd. Denk alleen maar aan ons.' Hij boog zich voorover en kuste haar.

Ze was absoluut niet in staat om hem weg te duwen, ook al moest ze meteen aan zijn 'xxx A'-vrouw denken toen hij dat had gezegd. Ze rolde op haar rug en hij drong zich snel bij haar binnen. Ze vond zichzelf een walgelijk product omdat ze hem toestond haar te neuken, terwijl ze daar helemaal geen zin in had en eigenlijk tegen hem had moeten zeggen dat ze niet in de stemming was. Dat had ze nog nooit tegen hem gezegd, zelfs niet als het echt waar was. Ze had er lang niet zo vaak zin in als hij, maar ze hield van de intimiteit en van de wetenschap dat hij haar na tien jaar huwelijk nog steeds wilde. Dus zei ze niets.

Ik moet iets doen, zei ze bij zichzelf toen ze na afloop in het donker lag. Ik moet een of andere positieve daad stellen. Morgen. Morgen besluit ik wel wat ik ga doen. Dan bel ik Bree en vraag of zij voor detective wil spelen, ook al klinkt dat nog zo mal. En dan zal ik voor eens en altijd weten of hij inderdaad vreemdgaat. En als dat zo is, dan zal ik... dan zal ik... Ze wist nog steeds niet wat ze zou doen als ze van Bree te horen zou krijgen dat 'xxx A' echt bestond en dat Adam zijn tong in haar strot duwde als hij toevallig even vrij had.

Ze wist dat ze droomde toen ze Adams tong als iets zelfstandigs zag, groot en roze en glinsterend. En toen schrok ze wakker.

Bree wist niet zeker of ze bewusteloos was of gewoon dood. Ze kon van alles horen. Pratende mensen, de sirene van ambulances en de geluiden van een druk ziekenhuis. En af en toe had ze ook het idee dat ze iets kon zien. Een man in een lichtgevend geel jack. Een man in een lichtgevend oranje jack. Een verpleegster in een blauw uniform.

Ze wilde tegen hen praten, hun vertellen dat met haar alles in orde was. Maar ze kon niets uitbrengen en ze wist niet zeker of ze zich wel kon bewegen. Af en toe had ze het gevoel dat ze naast een bed naar zichzelf stond te kijken. Ze had vaak genoeg sensatieverhalen gelezen over mensen die dood waren verklaard en uit hun lichaam waren getreden om toe te kijken hoe een hele ploeg artsen en verpleegsters probeerde hen te reanimeren. Alleen probeerde niemand haar levensgeesten weer op te wekken. Af en toe holden ze het hokje waar ze lag binnen, wierpen een blik op haar en renden weer weg.

Langzaam maar zeker raakte ze in paniek. Ze wist dat ze haar best moest doen om hen te laten weten dat ze niet dood was. Ze probeerde te gaan zitten en toen dat niet lukte, werd ze zo bang dat ze plotseling haar stem terugvond.

'Help!'

Toen ze dat had gezegd, drong het ineens tot haar door dat ze haar ogen inmiddels open had. Ze knipperde een paar keer om de persoon die naast het bed stond beter te kunnen zien. Het was een lange, forsgebouwde arts. Hij was eigenlijk best aantrekkelijk, dacht Bree. Waardoor ze meteen weer het idee kreeg dat ze dood was.

'Hallo,' zei hij. 'Je bent weer wakker.'

'Heb ik geslapen?'

'Nou ja, je was buiten westen,' zei hij opgewekt. 'Maar we wisten al dat je ieder moment kon bijkomen.'

'Leef ik nog?' vroeg ze.

Hij lachte. 'Ja, natuurlijk.'

Een traan biggelde over haar wang. Ze schaamde zich een beetje dat ze moest huilen in plaats van blij te zijn dat ze nog leefde.

'Maar je hebt natuurlijk wel een shock,' zei de dokter.

En toen herinnerde ze ineens hoe ze hier beland was.

'Michael!' zei ze, snakkend naar adem. 'Is met Michael ook alles in orde?'

De dokter krabde over zijn wang en keek haar nadenkend aan.

'O, god!' Ze worstelde om overeind te komen, maar iedere spier in haar lichaam protesteerde.

'Doe maar rustig aan,' zei de dokter. 'Met Michael komt alles ook weer goed, dat beloof ik je. Hij zit alleen een beetje meer in de lappenmand dan jij.'

Dit keer stroomden de tranen over Brees gezicht. 'Ik had moeten rijden. Hij is helemaal geen goede chauffeur.'

'Zeg daar maar niets over,' zei de dokter. 'Je zult straks een verklaring moeten afleggen aan de politie.'

'De politie?' Bree keek hem vol afgrijzen aan.

'Het was een verkeersongeluk en zij zijn erbij geroepen,' zei de arts. 'Ze zullen zo wel even met je willen praten.'

'Ik weet niet wat ik tegen ze moet zeggen,' zei Bree. 'Ik kan me wel allerlei dingen herinneren, maar ik ben nog erg in de war.'

'Maak je daar nou maar niet druk over,' zei de dokter. 'En nu je weer bij je positieven bent, kan ik je mooi even onderzoeken.'

'Vertel eens wat er met Michael aan de hand is,' vroeg Bree.

'Ik zal je eerst vertellen wat je zelf mankeert.' De dokter pakte een instrument uit zijn zak waarmee hij in haar ogen keek. 'In principe is er met jou niets aan de hand,' zei hij tegen haar. 'Maar je bent natuurlijk wel bont en blauw. Waarschijnlijk heb je hoofdpijn en je hebt hier en daar wat schaafwonden. Plus een snee boven je oog, die inmiddels al is gehecht. Als het genezen is, zul je nauwelijks een litteken overhouden. Je hebt behoorlijk veel geluk gehad. Het ergste wat je eraan hebt overgehouden zijn verrekte pezen in je voeten.'

'Hoe ben ik daar aan gekomen?'

'Je hebt mee zitten remmen.' De dokter keek haar grinnikend aan. 'Je zat duidelijk op een niet-bestaand rempedaal te trappen.'

'Ja.' Bree knikte. 'Dat kan ik me nog herinneren.'

'We zullen straks een röntgenfoto van je voet laten maken. Van je beide voeten, om precies te zijn,' zei hij. 'Voor het geval er toch iets is gebroken, al denk ik dat niet. Je zult een paar dagen lang nauwelijks kunnen lopen, maar daarna ben je weer snel de oude.'

'Bedankt.' Ze glimlachte wrang. 'En Michael?'

'Met hem komt het ook wel weer in orde,' zei de dokter. 'Alleen zal dat wat langer duren. Hij heeft zowel zijn rechterarm als zijn rechterbeen gebroken.'

Bree huiverde en klemde de dunne deken die over haar lag in haar handen.

'Plus nog een stel ribben,' vervolgde de dokter. 'En hij heeft ook snijwonden in zijn gezicht en heel wat meer kneuzingen dan jij. Bovendien heeft hij flink wat bloed verloren.'

'Hebt u al iemand gewaarschuwd?' vroeg ze.

'We hebben nog niemand gebeld,' antwoordde hij. 'Als je wilt, kun jij dat nu doen. We houden jou nog een nachtje hier, ter observatie. Je vriendje zal hier minstens een week moeten blijven.'

Ze begon opnieuw te huilen. Ze wenste dat ze kon ophouden, want het was al erg genoeg om hier als verkeersslachtoffer te liggen met die dokter die zo ontzettend aardig tegen haar deed.

'Mijn mobiel zit in mijn tas.' Ze zag er plotseling een beetje verloren uit. 'Als die het tenminste overleefd heeft.'

Hij gaf haar haar tas en ze besefte dat haar handen trilden.

'Ik zal zorgen dat een van de verpleegkundigen je een kopje thee brengt,' zei de dokter. 'Dan zal je je wel een stuk beter voelen.'

'Dank u wel.' Ze snufte. 'Het spijt me. Ik blijf maar huilen terwijl ik dat helemaal niet wil. U bent erg aardig voor me.'

Hij glimlachte. 'Ik begrijp het wel, hoor. En dat je moet huilen is gewoon het gevolg van de shock. Het komt allemaal weer in orde, dat beloof ik je.'

Ze slaagde erin om het beven te onderdrukken, zodat ze kon zien dat ze een gesprek had gemist. Maar dat liet haar even als ijs. Ze zocht het nummer van Nessa op en drukte op de sneltoets.

Ze was wakker geworden van de telefoon. Nessa luisterde naar Brees trillende stem en schoot het bed uit om haar kleren aan te schieten.

'Wat is er aan de hand?' Adam deed zijn ogen open en keek haar slaperig aan. 'Iets mis?'

'Dat was Bree,' zei Nessa. 'Ze heeft een ongeluk gehad.'

'Wat?' Adam keek haar aan. 'Wat voor soort ongeluk?'

'Een auto-ongeluk,' zei Nessa kortaf.

'Mijn god,' zei Adam. 'Is ze gewond?'

'Kennelijk wel,' snauwde Nessa. 'Ze ligt in het ziekenhuis.'

'Wil je dat ik naar haar toe ga?' Adam ging rechtop zitten.

Nessa schudde haar hoofd. 'Ik wil er zelf naartoe. Ze zegt dat er niets aan de hand is, maar ze klonk verschrikkelijk. Ik wil haar zien.'

Adam wist dat hij er toch niet in zou slagen om Nessa van gedachten te laten veranderen. 'Zorg dat je voorzichtig rijdt,' waarschuwde hij haar. 'En niet te snel. Neem geen risico's. Je bent overstuur.'

'Dat weet ik.' Ze glimlachte bevend. 'Maar je snapt best dat ik daar zelf naartoe moet, Adam. Ja, toch?'

'Ja.' Hij stapte uit bed en sloeg zijn arm om haar heen. 'Laat me eerst nog even een kopje thee voor je zetten.'

Ineens was Nessa er weer van overtuigd dat Adam echt van haar hield. Hij had eerder die avond met haar gevrijd en nu maakte hij zich zorgen om haar. Hij zou zelfs een kopje thee voor haar zetten voor ze vertrok. Dan kon hij toch ook niet vreemdgaan? Mannen die vreemdgingen, vrijden misschien nog wel steeds met hun vrouw, maar ze waren vast niet zo bezorgd als hij nu was.

Toen ze zich aangekleed had en beneden kwam, gaf hij haar een mok thee.

'Ze loopt niet weg uit dat ziekenhuis,' zei Adam. 'Dus het maakt ook niet uit als jij even vijf minuten de tijd neemt om tot rust te komen.

'Ik voel me verantwoordelijk voor haar,' riep Nessa uit. 'Ze is mijn zusje en mam zit in Galway. Ik word geacht op haar te letten en nu heeft ze een ongeluk gehad.'

'Nessa, ze is vijfentwintig,' weerlegde Adam. 'Je hoeft helemaal niet voor haar te zorgen. Hoe haal je het in je hoofd. Drink die thee nou maar op, dan kun je naar het ziekenhuis toe waar je ongetwijfeld te horen zult krijgen dat ze niets mankeert. Als ze in staat was om je op te bellen, kan ze niet ernstig gewond zijn.'

Nessa glimlachte tegen hem. 'Ik kan echt op je bouwen,' zei ze.

Hij sloeg zijn arm om haar heen en trok haar tegen zich aan. 'Het komt heus wel weer in orde met haar,' verzekerde hij.

Nessa reed haastig over Malahide Road. Ze prentte zich in dat Adam gelijk had en dat Bree niets mankeerde, omdat ze zelf had gebeld. Maar ze bleef zich toch zorgen maken. Ze wenste dat ze wat positiever kon zijn in plaats van aan vreselijke dingen te denken, bijvoorbeeld dat iedereen dacht dat er niets met Bree aan de hand was, maar dat ze een klap op haar hoofd had gehad of iets anders had wat niet was opgemerkt en dat Bree als ze bij het ziekenhuis aankwam toch bewusteloos zou zijn, terwijl iedereen zich grote zorgen maakte.

Ze reed veel te snel de oprit van het ziekenhuis op en de parkeergarage in, waar ze schokkend tot stilstand kwam.

Het was druk op de spoedeisende hulp. Nessa had gehoord dat vrijdag hier altijd de drukste avond van de week was, maar het was nooit tot haar doorgedrongen dat er zoveel mensen hulp nodig hadden. Er bleven zich aan de lopende band mensen melden, sommigen met wonden die duidelijk meteen behandeld moesten worden, anderen die alleen maar dronken leken en weer anderen die eruitzagen alsof er helemaal niets met hen aan de hand was, maar die toch op de plastic stoeltjes op een dokter zaten te wachten. Ze keek hulpeloos om zich heen voor ze de administratieve medewerker achter de balie zag.

'Bree Driscoll?' vroeg ze aan de vrouw. 'Ze heeft eerder vanavond een auto-ongeluk gehad.'

Ze werd doorgestuurd naar een van de hokjes en Nessa liep haastig de gang door. Ze schoof het blauwe gordijn dat ervoor hing opzij en zag haar zus met gesloten ogen liggen. Er liep een koude rilling over haar rug.

'Bree?'

Bree deed langzaam haar ogen open. 'Hoi,' zei ze flets.

'O, Bree.' Nessa had haar het liefst willen omhelzen, maar dat durfde ze niet. 'Ik was zo ongerust...'

'Alles is in orde,' zei Bree. 'Ik heb hier een ontzettend aardige dokter gehad die zei dat mijn zwaarste verwonding de verrekte pezen in mijn voet zijn. Het doet nu ontzettend zeer, maar hij verzekerde me dat de pijn gauw weg zal zijn en dat ik dan alleen maar een technicolor-voet over zal houden. Ik zal een paar dagen lang alleen kunnen strompelen, maar daar kom ik wel overheen.'

'Je hebt een snee boven je oog,' zei Nessa.

'Dat is een van mijn lichte verwondingen,' zei Bree tegen haar.

'Licht?'

'Hij zegt dat er nauwelijks een litteken zal overblijven,' zei Bree.

'Wat is er gebeurd?'

Bree deed verslag.

'Was hij dronken?' wilde Nessa weten. 'Ben jij in een auto gestapt met een dronken man achter het stuur?'

'Doe niet zo idioot,' zei Bree vermoeid. 'Hij was niet dronken. Hij had alleen maar een glas champagne gedronken. Hij kan alleen niet goed rijden en probeerde indruk op me te maken.'

'O, Bree!'

'Hij is er zelf niet zo goed vanaf gekomen,' zei Bree. 'Hij heeft een arm, een been en een paar ribben gebroken en de dokter zei dat zijn gezicht ook kapot is.'

'Komt het wel weer in orde met hem?'

'Ze zeggen van wel,' zei Bree. 'Ik hoop het van harte, Nessa.' Ze beet op haar lip. 'Ik heb zijn vader gebeld. Die zal hier zo ook wel zijn. En de politie wil me ondervragen.'

'De politie?'

'De auto is weggetakeld,' zei Bree. 'Misschien willen ze een aanklacht indienen wegens het in gevaar brengen van zijn medeweggebruikers.'

'Deed hij dat dan?' wilde Nessa weten.

Bree haalde haar schouders op en vertrok haar gezicht van de pijn. 'Niet echt,' zei ze. 'Maar ik kan ook weer niet zeggen dat hij echt veilig reed.'

'Zou jij een aanklacht tegen hem kunnen indienen?'

'Ik wil helemaal geen aanklacht tegen hem indienen,' weerlegde ze. Haar stem klonk ontzet.

'Ik ben heel blij dat te horen.' Het gordijn ging open en de beide zussen keken naar Declan Morrissey. Hij zag er grimmig en vastberaden uit.

Bree begon prompt weer te huilen.

19

Mars in het derde huis

Prestatiegericht, gaat graag in discussie, driftig.

Omdat ze van de artsen te horen had gekregen dat ze de volgende ochtend naar huis mocht, gaf Bree de sleutel van haar flat aan Nessa en vroeg of ze wat kleren mee wilde brengen als ze haar kwam ophalen. 'Want mijn gloednieuwe jurk is helemaal naar de maan,' zei ze. En ze vocht tegen de waterlanders die weer te voorschijn dreigden te komen. Ze had er genoeg van om steeds maar weer in tranen uit te barsten. Dat was helemaal niets voor haar. Normaal gesproken huilde ze nooit.

Het duurde eeuwen voordat Nessa eindelijk bereid was om weer naar huis te gaan en Bree heel even alleen in haar bed lag. In feite wist ze niet eens of het wel een bed was, ze lag nog steeds op de spoedeisende hulp en was niet overgebracht naar een zaal, omdat die allemaal vol waren. Maar dat kon haar niets schelen, ze was doodmoe en ze wilde niets liever dan slapen.

Declan Morrissey was weer teruggegaan naar de zaal waar Michael lag. Toen hij tegen Bree zei dat hij blij was dat ze niet overwoog om een aanklacht tegen Michael in te dienen, had Nessa hem afgesnauwd en gezegd dat hij van geluk mocht spreken dat Bree nog in leven was. Dom genoeg (dat vond Bree tenminste) had Declan zich hardop afgevraagd of er misschien iets mis was met de auto wat wellicht de aanleiding was voor het ongeluk en Nessa was hem bijna aangevlogen. Ze had staan schreeuwen als een viswijf dat hij verdomme de kans niet zou krijgen om de garage of Bree aan te klagen en dat alle advocaten hetzelfde waren, vuile bloedzuigers die altijd de schuld bij anderen zochten. En dat ze wenste dat haar zus zijn kennelijk volkomen incompetente zoon nooit had ontmoet. Bree nam aan dat Declan behoorlijk onder de indruk was geweest van Nessa's woede-uitbarsting, want hij begon te stotteren en te hakkelen. Hij had gezegd dat hij helemaal niemand wilde beschuldigen, dat hij best wist dat Bree niets verkeerds met de auto had gedaan en dat het geen zin had om nu ruzie te maken.

Op dat punt had een verpleegkundige haar hoofd om de hoek gestoken en tot grote opluchting van Bree gezegd dat Declan en Nessa echt weg moesten omdat Bree rust nodig had.

Maar vrijwel onmiddellijk nadat Declan en Nessa waren verdwenen, was de Gardai opgedoken om haar over het ongeluk te ondervragen. Bree wist dat mensen vaak het gevoel kregen dat ze oud werden als een politieagent jonger leek dan zijzelf en dat gevoel bekroop haar nu ook, want het knappe meisje met de rode krullen dat op de rand van het bed ging zitten en vroeg wat er was gebeurd zag eruit alsof ze nog op school zat.

'Het was een ongeluk,' herhaalde Bree keer op keer. 'Hij ging terug naar zijn eigen weghelft nadat we een vrachtauto hadden ingehaald en toen raakte de auto in een slip en daar kreeg hij hem niet meer uit.'

'Hoe hard reed hij?' vroeg het meisje.

'Dat weet ik niet.' Bree sloot haar ogen. 'Waarschijnlijk rond de tachtig, maar hij zal wel iets harder zijn gaan rijden om die vrachtwagen in te halen. Volgens mij remde hij alweer af toen we in die slip raakten.'

'Hadden jullie gedronken?' vroeg ze.

Bree wenste plotseling dat Declan bij haar was. Ze wist niet wat ze wel en niet moest zeggen en of ze überhaupt wel vragen moest beantwoorden. Ze wist ook niet of de politie al met die arme Michael had gesproken, die zich op dit moment waarschijnlijk allerbelabberdst voelde en die misschien maar zei wat er bij hem op kwam om ervan af te zijn. Zo voelde zij zich tenminste wel.

'We waren uit eten geweest,' zei ze ten slotte. 'Hij heeft een glas champagne gedronken. Meer niet. Ik heb ook nog wijn gehad.'

'Wil je een aanklacht indienen?' vroeg de agent.

'Wat voor aanklacht?'

'Omdat hij door zijn rijgedrag je leven in gevaar heeft gebracht.'

'Maar dat heeft hij helemaal niet gedaan,' zei Bree. 'Echt niet. Hij had gewoon pech.'

De roodharige agent glimlachte tegen haar. 'Zo gaat dat in het leven.'

'Ja. Nou ja.' Bree haalde haar schouders op en vertrok haar gezicht toen alle botten in haar lijf protesteerden. 'In ieder geval zijn er geen doden gevallen.'

De agent knikte. 'Bedankt dat je met me wilde praten.'

'Graag gedaan.' Bree was plotseling doodmoe. Maar toen de knappe, jonge agent het hokje uit liep, kwam Nessa weer binnen. Haar gezicht stond grimmig en vastberaden en Bree vroeg zich vermoeid af wat ze verder nog tegen Declan Morrissey had gezegd.

De volgende dag trok Bree haar papieren ochtendjas stijf om zich heen en hobbelde met behulp van een stel krukken de lange gangen door om bij Michael op bezoek te gaan. Hij zat met een bleek gezicht achterovergeleund in de kussens. Een diepe snee ontsierde zijn voorhoofd en hij had nog een paar kleinere, maar toch lelijke wonden in zijn gezicht. Zijn rechteroog was blauw en zat bijna dicht.

'Hoi,' zei ze terwijl ze naast hem ging zitten. 'Hoe voel je je?'

'Wil je de waarheid horen of wat ik tegen pa heb gezegd?' vroeg hij flets.

'De waarheid.'

'Ik voel me rot,' gaf hij toe. 'Ik heb hoofdpijn, ik heb pijn in mijn rug, pijn in mijn zij en mijn gezicht voelt aan alsof het gemangeld is. Ik heb een been en een arm gebroken. En ik had bijna jouw dood op mijn geweten, Bree.'

Ze keek schichtig de zaal rond. 'Dat soort dingen moet je niet zeggen.'

'Het was mijn schuld,' zei hij. 'Dat heb ik ook tegen de politie gezegd.'

'Ik hoop dat je pa dat niet weet,' zei Bree.

'De agent zei dat ze misschien een aanklacht tegen me zouden indienen,' zei Michael. 'Wegens onverantwoord rijgedrag, zei ze.'

'Dat heeft ze ook tegen mij gezegd,' vertelde Bree. 'Maar ik zei dat het een ongeluk was.'

'Het was ook een ongeluk,' zei Michael treurig. 'Maar het had voorkomen kunnen worden.'

'Och, dat weet ik niet...'

'Natuurlijk wel,' zei hij fel. 'Ik hing de stoere bink uit omdat jij naast me zat. Ik wilde indruk op je maken.'

'Michael...'

'Ik heb nog nooit zo iemand als jij ontmoet,' zei hij. 'Jij geeft me het gevoel... je bezorgt me een minderwaardigheidscomplex.'

'Ik heb toch echt nooit...'

'Jij weet zoveel van auto's af en zo, dat ik het gevoel had dat ik me waar moest maken.'

'Ja, dat weet ik,' zei Bree.

'En dat was niet alleen stom, het had ons ook allebei het leven kunnen kosten.'

'Maar dat is niet gebeurd,' zei Bree met een flauw glimlachje. 'We houden er niets aan over.'

'In ieder geval is jouw gezicht er goddank nog redelijk vanaf gekomen,' zei Michael. 'Maar ik zie eruit alsof ik bij een of andere knokpartij betrokken ben geweest.'

'Als je er littekens aan overhoudt, zul je er nog beter uitzien,' verzekerde Bree hem. 'Meisjes vinden een paar littekens altijd wel interessant en zo.'

Michael probeerde te lachen.

'Natuurlijk had je eigenlijk niet naar je vader moeten luisteren en me nooit mee moeten nemen naar zo'n chic restaurant,' zei Bree. 'Dit zou ons nooit overkomen zijn als we het gewoon bij bier en patat hadden gehouden.'

'Pa heeft me bijna gevild,' vertelde Michael. 'Nadat ze hem hadden verzekerd dat ik niet dood zou gaan en zo, werd hij helemaal des duivels dat ik met jou in de auto als een gek heb gereden. Hij zei dat het best was als ik mezelf zo nodig om zeep wilde brengen, maar dat ik dan geen kwetsbare jonge meisjes mee moest nemen.'

'Goh, dan heeft hij het wel over een andere boeg gegooid,' zei Bree. 'Toen hij gisteravond langskwam in dat hokje waar ik lag, heeft hij ruzie gemaakt met mijn zus over onverantwoord rijgedrag en zo.'

'Echt waar?'

'Allemaal onzin,' zei Bree. 'Ze zullen wel allebei overstuur zijn geweest.' Ze keek op toen een verpleegkundige binnenkwam, die bij het bed bleef staan.

'Michael moet een injectie hebben,' zei ze tegen Bree. 'En het lijkt me niet dat je daarbij wilt blijven.'

'Nee,' beaamde Bree. Ze stond voorzichtig op en pakte haar krukken. 'Ik zie je binnenkort wel weer,' zei ze tegen Michael. 'Pas maar goed op.'

'Maak je geen zorgen,' zei de verpleegkundige grijnzend. 'Je kunt het gerust aan ons overlaten om voor hem te zorgen.'

'Dank je wel,' zei Bree terwijl ze met pijn in haar lijf de kamer uit strompelde.

Ze begreep er niets van waarom Nessa niet naar haar flat was gegaan om wat kleren voor haar mee te nemen, zoals ze had gevraagd. In plaats daarvan kwam haar zus opdagen met een van haar eigen spijkerbroeken en een knalgeel sweatshirt.

'Ik lijk wel een pop,' mopperde Bree terwijl ze door de gang strompelde. Ze had nu al pijn in haar handen van de krukken en ze verloor om de haverklap haar evenwicht. Het leek zo gemakkelijk als je het andere mensen zag doen, dacht ze treurig terwijl ze er maar ternauwernood in slaagde om een bezoeker te omzeilen, maar je moest het echt oefenen.

Ze slaakte een zucht van opluchting toen ze bij de auto was. Nessa gedroeg zich echt als een oudere zus toen ze zorgzaam informeerde of ze wel goed zat en zei dat ze haar gordel om moest doen.

'Dat doe ik heus wel,' klaagde Bree. 'Hou nou op, Nessa. Ik heb iets aan mijn voet, niet aan mijn hoofd. Je hoeft me echt niet te behandelen alsof ik drie jaar ben.'

'Ik wil alleen maar zeker weten dat alles oké is,' zei Nessa terwijl ze het sleuteltje omdraaide. 'Ik heb mam vanochtend gebeld en ze maakte zich zorgen over je.'

'Wat heb je tegen haar gezegd?' vroeg Bree.

'Dat je niets mankeert,' antwoordde Nessa.

Bree wierp haar een dankbare blik toe. Ze wilde niet dat Miriam op zou bellen en zou beginnen te zeuren. Of nog erger: halsoverkop vanuit Galway afreizen om bij haar te zijn. Miriam was normaal gesproken vrij kalm, maar Bree had het idee dat haar moeder een auto-ongeluk weleens kon aangrijpen om flink over haar toeren te raken. Ze vertrok haar gezicht toen de auto door een gat in de weg reed en ze een felle pijnscheut voelde.

'Alles goed?' vroeg Nessa met een blik opzij.

'Prima,' zei Bree.

Toen ze bij haar flat aankwamen, zag Bree tot haar stomme verbazing de Alfa van Cate voor de deur staan.

'Je hebt me niet verteld dat zij hier ook zou zijn,' zei ze beschuldigend tegen Nessa. 'Het is echt niet nodig dat de hele familie om me heen komt hangen.'

'Ik heb haar vanmorgen gebeld en ze stond erop om te komen.' Bree keek op van de koele toon in Nessa stem. 'Daarom ben ik jouw kleren niet gaan halen. Cate zei dat ze de boel voor je zou opruimen en zorgen dat alles in orde was, aangezien je gisteravond zo hardnekkig weigerde om een paar dagen bij mij te komen tot je weer beter was.'

'Is dat zo?' vroeg Bree. 'Daar herinner ik me niets van.'

'Op een gegeven moment werd je een beetje onsamenhangend,' zei Nessa. 'Nadat je met die politieagent had gesproken. Ik vroeg je om een paar dagen met mij mee te gaan, maar je zei dat je niet op je geweten wilde hebben dat mijn huwelijk op de klippen liep.'

'Echt waar?'

Nessa knikte. 'En aangezien de vader van dat joch nog steeds in de buurt was, kun je je voorstellen dat de verbazing niet van de lucht was.'

'O, god Ness, neem me niet kwalijk!' jammerde Bree. 'Daar kan ik me niets van herinneren.'

'Dat was nadat ik hem had verteld dat als hij van plan was jou voor de rechter te slepen omdat je de auto van zijn zoon niet goed gerepareerd had, dat zo'n beetje het laatste was wat hij ooit zou doen.'

'Dat kan ik me nog wel herinneren,' zei Bree treurig. 'Daarna ben ik kennelijk een beetje van de wereld weg geweest.'

'Nou, volgens mij heeft hij donders goed begrepen dat er met de Driscolls niet te spotten valt,' zei Nessa grimmig.

'Ja, dat zal wel,' zei Bree.

Cate had hen kennelijk zien aankomen, want ze deed de deur al open toen ze nog op het tuinpad liepen.

'Jezus Christus, Bree!' Ze slaakte een kreet van ontzetting toen ze naar haar zus keek. 'Ik dacht dat je alleen maar een enkel had verstuikt. Je ziet er vreselijk uit.'

'Bedankt,' zei Bree. 'Hetzelfde geldt voor jou.' Hoewel ze moest bekennen dat Cate er even aantrekkelijk en verzorgd als altijd uitzag in haar wijde spijkerbroek en het grijze sweatshirt.

Cate lachte. 'Sorry, dat klonk helemaal niet aardig. Ik bedoelde alleen maar... je arme gezicht!'

'Het valt best mee.' Bree raakte even haar voorhoofd aan. 'De dokter heeft me verzekerd dat je er straks niets meer van ziet. Je zou die knul eens moeten zien!'

'Is met hem ook alles in orde?' vroeg Cate.

'Hij zit behoorlijk in de lappenmand,' zei Bree. 'Maar hij komt er wel weer overheen.' Ze wurmde zich langs haar zus en wierp een bezorgde blik op de trap.

'We dragen je wel naar boven,' zei Cate die haar gezicht zag.

'Doe niet zo mal.'

'Dat hebben we wel eerder gedaan,' hielp Cate haar herinneren. 'Toen je op je rolschaatsen onder aan de heuvel op je neus ging.'

Bree grinnikte. 'Toen was ik een stuk jonger en lichter.'

'Dat maakt niets uit,' zei Cate.

'Zou je dat nou wel doen?' Nessa keek Cate aan.

'Wat?'

'Iemand optillen,' zei Nessa. 'Ik weet niet of dat wel zo verstandig is.'

'Dat maakt immers toch niets uit.' Cate klonk korzelig.

Bree keek hen verbaasd aan. 'Wat is er aan de hand?'

'Niets,' zei Cate vastberaden. 'Kom op, zusje. Daar gaan we dan.'

Ze droegen Bree de trap op en de flat in, waar ze van hun handen afgleed en stomverbaasd om zich heen keek. De hoop vuile kleren die meestal in een hoek van de kamer lag, was opgeruimd, net als de stapels kranten en tijdschriften op tafel. De schoorsteenmantel was ook opgeruimd, er lagen geen bouten, schroeven, met olie besmeurde lappen en andere rommel meer op, zodat ze eigenlijk voor het eerst het mooie zwarte marmer kon zien.

'Ik wist niet dat je zo'n huisvrouw was.' Ze keek Cate aan. 'Ik dacht dat jullie huis er altijd zo netjes uitzag omdat er niets in staat. Het was niet tot me doorgedrongen dat je de hele dag loopt op te ruimen.'

Cate lachte. 'Bij mij is het inderdaad niet zo propvol als bij jou,' zei ze. 'Maar ik heb een hekel aan rommel. Daar kan ik niet tegen.'

'Dan moet het een nachtmerrie voor je zijn geweest toen je hier binnenkwam.' Bree omhelsde haar. 'Het ziet er fantastisch uit, Catey. Bedankt. Hoewel het waarschijnlijk niet lang zal duren tot ik alles weer overhoop heb gehaald,' zei ze met een treurige blik op haar zus.

'Zorg dan alsjeblieft dat het netjes blijft.' Nessa liet haar hand over de rozenhouten tafel glijden. 'Je hebt echt een paar prachtige dingen.'

'Die zie ik nu ook weer voor het eerst in maanden,' zei Bree opgewekt. 'Het was al één grote rotzooi toen ik hier introk en ik heb er gewoon nooit iets aan gedaan.'

'Het is best een leuk huis,' zei Cate. 'Niet helemaal mijn smaak, maar toch leuk.'

'Kun je je voorstellen dat dit vroeger eengezinswoningen waren?' vroeg Nessa. 'Geen wonder dat de mensen toen zoveel bedienden nodig hadden.'

'Het is maar goed dat ik nooit zo'n groot huis zal krijgen,' zei Bree. 'Ik kan niet eens mijn eigen kamers op orde houden, laat staan een heel huis.'

'Je bent gewoon een slons,' beaamde Nessa. 'Maar goddank wel een slons die nog steeds in leven is, ondanks de dappere poging van die gek.'

'Ik heb echt geen zin om daar nu over te praten,' zei Bree.

'Wel in thee of koffie?' vroeg Cate.

'Ik zou best een kopje thee lusten,' bekende Bree.

'Oké,' zei Cate. 'Ga jij nou maar lekker zitten, dan zet ik even een pot thee.'

Ze leek ineens zoveel op hun moeder dat Bree met moeite haar lachen inhield. Bree had Cate nooit een type gevonden om een pot thee te gaan zetten. Nessa wel. Maar Nessa die aanvankelijk zo geredderd had en zo zorgzaam was geweest maakte nu de indruk dat ze in een droomwereld verkeerde. Bree besefte plotseling dat ze waarschijnlijk over Adam zat te piekeren. Ze voelde zich schuldig dat Nessa nu voor haar moest zorgen in plaats van te proberen haar eigen leven weer op de rails te krijgen.

'Hoe is het met Adam?' vroeg ze abrupt.

Nessa zuchtte. 'Ik weet het niet. Toen jij vannacht belde, was hij echt geweldig. En vanochtend moest hij zijn golf afzeggen omdat hij op Jill moest passen. Ik denk dat ik me alles verbeeld heb, Bree.'

'Wat je hebt gehoord, was geen verbeelding.' Bree wilde best sympathie tonen, maar ze wilde niet dat Nessa zich zou gaan inbeelden dat er niets aan de hand was.

'Dat weet ik wel. Maar ik heb er al zo lang over nagedacht en ik geloof echt dat ik het bij het verkeerde eind had. Het enige is dat ik dat nog steeds niet zeker weet,' voegde ze er met een treurig glimlachje aan toe.

'We komen er wel achter,' zei Bree tegen haar. 'Zit er maar niet over in.'

'Dat doe ik ook niet.'

Maar Bree zag dat de frons nog steeds op Nessa's voorhoofd stond. Meteen daarna begon ze zelf ook te fronsen en snoof. 'Wat ruik ik daar?'

'Het lijkt wel of er iets aanbrandt.' Nessa keek haar aan.

'O, shit!'

Ze keken elkaar even aan bij die uitroep van Cate.

'Wat is er aan de hand?' Bree strompelde naar het keukentje dat inmiddels al blauw was van de rook.

'Ik had wat brood meegebracht,' zei Cate. 'Van de delicatessenwinkel verderop in de straat. Voorgebakken ciabatta. Ik dacht dat je daar wel trek in zou hebben.'

'Waarom probeer je dan mijn hele flat in brand te steken?' Bree zette kuchend het keukenraam open.

'Ik heb alleen maar je oven aangezet,' zei Cate. 'En die begon spontaan te roken.'

'O.' Bree beet op haar lip om haar lachen in te houden toen Nessa binnen kwam lopen.

'Goeie genade, Cate, wat spook je in vredesnaam uit?' wilde ze weten.

'Ze wilde wat brood afbakken,' zei Bree tegen haar. 'Maar ze wist niet dat ik mijn oven als kast gebruik. Ik bak immers nooit! Dus ze heeft net een stapel gebruiksaanwijzingen, een rode wollen trui en twee plastic bakjes vol schroeven geroosterd.'

'Daar kan ik echt niets aan doen,' riep Cate uit. 'Wie gebruikt er nou een oven als kast?'

Bree giechelde en zelfs Nessa kon haar lachen niet inhouden.

'Het was gewoon aardig bedoeld!' jammerde Cate.

'Ik ben de aardige zus,' zei Nessa. 'Jij bent de onnadenkende zus en Bree de wispelturige. Dat verander je niet door met een stapel brood onder je arm aan te komen.'

Bree keek Nessa verbijsterd aan.

'Laat dat brood maar zitten,' zei Cate kribbig. 'Ze heeft nog een pakje vijgenkoekjes in de kast liggen. Dan moeten we ons daar maar mee behelpen.'

In een onbehaaglijke stilte gingen ze met hun kopjes thee en de vijgenkoekjes aan de inmiddels weer zichtbare tafel zitten. Bree wist dat er iets vreemds aan de hand was met Cate en Nessa, want Nessa bleef haar zus vernietigend aankijken, terwijl Cate net deed alsof ze niets merkte. Misschien had Cate helemaal niet willen komen. Normaal gesproken was Nessa degene die alles regelde als er een familiecrisis was en ze vond het helemaal niet leuk als andere mensen zich er ook mee bemoeiden. Waarom had ze Cate dan gebeld? En waarom was Cate gekomen? En wat haar vooral intrigeerde: waarom had Cate zich zo uitgesloofd om de flat op te ruimen? Nessa had het niet beter kunnen doen.

Misschien was dat het. Bree ving de kruimeltjes van haar koekje op voordat ze op de pas geboende tafel vielen. Misschien probeerden ze elkaar op huishoudelijk gebied de loef af te steken, al was dat nog zo'n raar idee.

'Vinden jullie het ook niet vreemd dat alles ineens zo anders is?' verbrak Nessa de stilte.
'Anders?' vroeg Bree.
'Dan de laatste keer dat we bij elkaar waren.'
'Toen we mijn verloving vierden.' Cate klonk onzeker.
'Ik bedoelde eigenlijk eerder. Bij mij thuis, toen mam en pa er ook waren,' zei Nessa. 'Toen waren we met ons allen, want Adam en Finn waren er ook bij.'
Bree keek van de een naar de ander. 'Zoveel verschil is er toch niet?' zei ze.
'Toe nou,' zei Nessa met een boze blik. 'Toen waren we allemaal gelukkig.'
'Hoor eens, Nessa, ik snap best dat je inzit over Adam,' zei Bree. 'Ik heb toch tegen je gezegd dat ik bereid was om hem te volgen, als je dat wilt. Dan weet je eindelijk waar je aan toe bent.'
'Maar dat is niet het enige,' zei Nessa. 'We waren die avond bijna uitgelaten. Adam en ik en Cate en Finn, met het geweldige nieuws over zijn tv-programma, ook al waren ze toen nog niet verloofd. En jij was even opgewekt als altijd, Bree. We hadden zoveel plezier met die krasloten. Ik was ervan overtuigd dat de horoscopen klopten toen mam dat geld won. Maar er werd met geen woord gerept over de akelige dingen die met ons zouden gebeuren.'
'Nessa!' Bree keek haar met grote ogen aan. 'Zoveel is er toch niet veranderd? Goed, ik had bijna het loodje gelegd, maar ik zit hier nog steeds. En Cate en Finn hebben zich verloofd, dus dat is toch ook goed nieuws? Die problemen tussen jou en Adam zullen heus wel opgelost worden.'
'Ze heeft het niet over de problemen tussen Adam en haar,' zei Cate. 'Ze heeft het over mij.'
'Over jou?' Plotseling schoot er een gedachte door Brees hoofd, die te belachelijk was voor woorden. Maar ze kon zich niet inhouden. 'Hij is toch niet met jou vreemdgegaan?'
Cate die steeds grimmiger was gaan kijken terwijl Nessa aan het woord was, begon plotseling te schateren. Ze moest zo hard lachen dat de tranen over haar wangen biggelden. Het leek alsof ze zichzelf niet meer in de hand had. Bree keek haar onzeker aan.
'Cate heeft het over het feit dat ze in verwachting is,' zei Nessa zonder omhaal.

'Cate!' Brees gezicht klaarde op. 'Wat geweldig voor je.'
'Helemaal niet.' Het was Nessa die antwoord gaf, terwijl Cate de tranen uit haar ogen poetste. 'Ze wil het weg laten halen.'
Plotseling lachte Cate niet meer en Bree hield verbijsterd haar mond. Ze keek toe hoe Cate haar poederdoos pakte en de uitgelopen mascara van haar wangen wreef.
'Daarom is alles anders,' zei Nessa. 'Een paar maanden geleden liep alles nog op rolletjes. Vandaag ben ik een vrouw die misschien wel bedrogen wordt door haar man, jij bent gewond geraakt bij een afschuwelijk verkeersongeluk en Cate heeft het klaargespeeld om niet alleen verloofd maar ook zwanger te raken en wil nu abortus plegen.'
'Cate?' Bree keek haar aan. 'Waarom wil je de baby niet?'
'Wat dacht je?' Cates stem klonk vast maar haar vingers trilden. 'Dit is niet het goede moment voor mij, Bree. Finn wil geen kind en ik ook niet. Ik kan me nu niet veroorloven mijn baan op te geven, niet nu hij het zo goed doet. Hij zou me er alleen maar om verachten. En ik wil geen kind krijgen terwijl hij dat tv-programma doet.'
'Je hoeft je baan toch niet op te geven,' zei Bree tegen haar. 'Massa's werkende vrouwen krijgen kinderen.'
'Maar die maken niet dezelfde uren als ik. En ze hebben ook geen man die drie keer per week opstaat op een uur waarop de meeste mensen net gaan slapen.'
'Misschien zou de tv-zender het best leuk vinden als je zwanger was,' opperde Bree. 'Dan zou Finn een supermoderne presentator zijn... een vrouw, een kind, en altijd in de weer.'
'Ik ben niet van plan om een baby te krijgen omdat de zender dat misschien een leuk idee zou vinden,' zei Cate. 'Waar het op neerkomt, is dat ik gewoon geen kind wil, Bree.'
'En Finn?' vroeg Bree. 'Wat vindt hij ervan?'
Cate moest iets wegslikken. 'Hij weet het nog niet.'
'Dus je hebt niets tegen hem gezegd!' Bree keek haar met grote ogen aan. 'Maar dat kun je niet maken, Cate. Hij heeft het recht om het te weten.'
'Helemaal niet,' zei Cate. 'En als hij het wist, zou hij alleen maar over zijn toeren zijn. Het heeft geen zin om allebei in paniek te raken.'
'Misschien gebeurt dat helemaal niet,' opperde Bree. 'Misschien vindt hij het wel leuk om een kind te krijgen.'

'Ik denk dat ik mijn verloofde beter ken dan jij,' snauwde Cate. 'Hij wil geen baby en ik ook niet. Meer valt er niet over te zeggen.'

'Cate...'

'Ze is toch veel te egoïstisch om een kind te hebben,' viel Nessa hen in de rede. 'Dat heb ik al eerder gezegd. Ze houdt nooit rekening met iemand.'

'Val toch dood, Nessa.' Cate keek haar aan. 'Ik heb het jou verteld, omdat ik je steun nodig had. Ik wist dat het niet mee zou vallen en ik zou het helemaal niet erg hebben gevonden als je had gezegd dat je het niet eens was met mijn beslissing. Maar ik laat me niet door jou beledigen of overstuur maken, zodat ik me nog beroerder ga voelen.'

'Je voelt je alleen maar zo omdat je weet dat het niet goed is. Ik zal je kind wel voor je opvoeden, als dat het enige is waar je je zorgen om maakt.'

'Wat ben je toch een neerbuigend stuk vreten, Nessa.' Cates ogen glinsterden. 'In welke eeuw leven we volgens jou? Ik ga echt geen kind krijgen om het aan andere mensen af te staan. Ik wil het niet hebben omdat ik niet zwanger wil zijn en misselijk en dik en ongelukkig en ga zo maar door. En omdat het mijn hele leven zal bederven. Maar dat begrijp jij toch niet.'

'Nee,' zei Nessa abrupt. 'Denk eens aan al die vrouwen die helemaal geen kinderen kunnen krijgen, Cate.'

'Wat een belachelijke opmerking!' Cate stond op. 'Dat is precies die emotionele onzin waar je mee aan komt als je je gelijk niet op een normale manier kunt halen. Dat is jouw grote probleem, Nessa Driscoll. Jij gebruikt je verstand niet, je laat je altijd weer meeslepen door allerlei gevoelszaken, die niets met het onderwerp te maken hebben. Zo ben je altijd geweest. Geen wonder dat je man vreemdgaat.'

'Vuil kreng!' Nessa kon haar woede nauwelijks onderdrukken. 'Rotwijf. Gemene trut... Smerige...' Ze kon even geen nieuwe scheldwoorden bedenken. 'Hoe durf je zo tegen me te praten!'

'Omdat jij precies op dezelfde manier tegen mij praat,' snauwde Cate.

'Ik heb je niet persoonlijk beledigd,' zei Nessa.

'O, neem me niet kwalijk, dus kreng is niet persoonlijk bedoeld?'

'Je bent altijd een kreng geweest.'

'O, natuurlijk. Maar hetzelfde geldt voor jou. Altijd maar de baas over ons spelen omdat je toevallig de oudste was. Alsof dat iets te betekenen had. Met alle geweld die kamer met uitzicht op zee willen hebben omdat je per ongeluk als eerste bent geboren. En ons altijd allerlei dingen laten doen omdat wij je kleine zusjes waren. Bah! En gauw naar mam rennen en ons verklikken omdat je dat...'

'Cate.' Brees stem klonk hol. 'Zo is het wel genoeg.'

'Ja,' zei Nessa. 'Meer dan genoeg.'

'Dat geldt ook voor jou, Nessa,' zei Bree. 'Ik geloof mijn oren gewoon niet. Dat jullie al die walgelijke dingen van elkaar zeggen!'

'Maar het is verdomme wel waar,' zei Cate bitter.

'Dat doet er niet toe. Dat soort dingen hoor je voor je te houden.'

'Je hebt gelijk.' Nessa pakte haar spullen bij elkaar. 'Ik heb dan ook geen zin om hier nog langer te blijven en dat aan te horen. Hoor eens Bree, ik vraag je nog één keer of je bij mij wilt logeren tot je je weer iets beter kunt redden.'

'Je kunt ook naar mij toe komen,' zei Cate.

'Hou allebei op!' Bree was het liefst kwaad geworden, maar dat lukte niet. De vijandigheid tussen haar beide oudere zussen maakte haar bang. 'Ik blijf hier. Dit is mijn huis. Ik red me best.'

'Bel maar als je iets nodig hebt,' zei Nessa.

'Of mij.'

'Ik heb helemaal niets nodig. Bedankt dat je naar het ziekenhuis bent gekomen, Nessa. En jij bedankt omdat je de flat hebt opgeruimd, Cate. Ik denk dat ik nu maar even ga pitten.'

Maar terwijl haar zussen de flat uit liepen, wist ze al dat ze geen oog dicht zou doen.

Ze had zich vergist. Toen ze tussen de gladde katoenen lakens gleed, kreeg ze even een gevoel van spijt. Daarna sloot ze haar ogen en viel binnen de kortste keren in slaap. Maar ze droomde dat ze weer bij Michael in de auto zat. Dit keer reden ze met een noodgang over een startbaan, tussen felle rode en blauwe lichten, waarvan Bree wist dat ze aangaven dat er ieder moment een vliegtuig kon landen. Ze probeerde Michael nog te waarschuwen, maar hij luisterde niet. Hij trapte het gaspedaal steeds verder in, terwijl zij die enorme Airbus recht op hen af zag komen. Ze probeerde een ruk aan het stuur te geven, maar ze slaagde er alleen in de claxon te raken. En om de een of andere reden klonk die niet als een toeter, maar als een bel.

Haar ogen vlogen open en ze besefte dat het de deurbel was. Ze kreunde en ging zitten. Meteen daarna werd er opnieuw gebeld. Bree wenste dat ze net als Cate een camera had, zodat ze kon zien wie er voor de deur stond, en een knopje waarmee ze open kon doen. Maar dat had je niet in Marlborough Road. Die bel was minstens vijftig jaar oud.

Ze strompelde moeizaam naar de trap en zag de schaduw van iemand die buiten op de stoep stond. Ze ging op de bovenste tree zitten en zakte op haar kont naar beneden, alsof ze een kind van drie was. Daarna strompelde ze naar de deur en deed open. Ze had zich zo ingespannen dat de zweetdruppeltjes op haar voorhoofd parelden.

'O.' Ze trok haar wenkbrauwen op toen ze Declan Morrissey zag staan. Hij had een bruin papieren zakje bij zich en een stapeltje tijdschriften.

'Hallo, Bree,' zei hij. 'Hoe gaat het ermee?'

'Ben je nu advocaat of wil je het echt weten?'

Hij grinnikte. 'Ik wil het echt weten.'

'Het gaat best.'

'Je ziet er anders uit alsof je kapot bent.'

'Dat komt omdat er een gek aan de deur stond te bellen terwijl ik op de eerste verdieping woon en krakkemikkige enkels heb,' zei ze pinnig.

'Het spijt me,' zei Declan. 'Daar heb ik niet aan gedacht.'

'Daar hebben mannen wel vaker last van,' zei ze tegen hem.

'Mag ik binnenkomen?'

'Waarom?'

'Ik wil echt graag weten hoe het met je gaat,' zei hij. 'Ik maakte me zoveel zorgen over Michael dat ik volgens mij niet voldoende heb laten blijken dat ik ook bezorgd over jou was.'

'Je bent nog steeds bang dat ik een aanklacht tegen Michael zal indienen,' zei Bree.

'Je hebt al gezegd dat je dat niet zou doen.'

'Nou, dan is alles dus in orde,' zei ze. 'Je hoeft niet langs te komen en net te doen alsof je bezorgd om me bent. Echt niet.'

'Ik doe niet net alsof,' zei Declan. 'God mag weten dat jullie allebei door het oog van de naald zijn gekropen, Bree. En hoewel Michael er inderdaad een stuk slechter aan toe is dan jij, krijg ik het klamme zweet in mijn handen als ik denk aan wat er met jou had kunnen gebeuren. Het spijt me echt ontzettend. En ik vind het vervelend dat ik je helemaal naar beneden heb laten komen, terwijl je nauwelijks kunt lopen. Daarvoor bied ik mijn welgemeende excuses aan.'

'Je staat nu niet tegen zo'n belangrijke rechter te praten, hoor,' zei Bree. Haar ogen begonnen te twinkelen. 'Je mag net doen alsof ik een normaal mens ben.'

Declan lachte. 'Neem me niet kwalijk. Dat doe ik zonder na te denken.'

'Het zal wel een beroepsafwijking zijn,' veronderstelde Bree.

'Hoor eens, zal ik je even helpen om weer boven te komen?' vroeg Declan. 'Ik wil het niet op mijn geweten hebben dat je je weer zo moet inspannen.'

'Goed dan,' zei Bree. 'Ik leun wel op je.'

Ze deden er heel lang over en ze wilde hem niet laten merken hoeveel pijn ze nog steeds had. Bovendien begon ze weer moe te worden.

'We zijn er.' Ze duwde de deur van de flat open. 'Wil je een kop koffie of zo?'

'Ik zal het zelf wel zetten,' zei Declan. Hij stond midden in de kamer en Bree was plotseling heel blij dat Cate alles zo keurig opgeruimd had. Ook al was haar bed niet opgemaakt.

Declan snoof. 'Brandt er iets aan?' vroeg hij.

'Nu niet meer,' zei Bree. 'Maar mijn zus was hier net en die heeft haar uiterste best gedaan om de hele flat in de fik te steken.'

'Het meisje dat ik in het ziekenhuis heb gezien? Ze leek me vrij koppig, maar toch niet het type om...'

'Nee,' zei Bree. 'De andere. Die maakt er ook geen gewoonte van om brand te stichten, maar het was niet tot haar doorgedrongen dat ik mijn oven als kast gebruik en ze heeft hem aangezet.'

Declan lachte. 'Met hoeveel zijn jullie?'

'Met ons drieën,' zei Bree. 'En dat is meer dan genoeg.'

Ze ging aan tafel zitten en keek naar de stapel tijdschriften die hij had neergelegd voordat hij koffie ging zetten. Er zaten een paar autobladen bij, plus een paar chique damesbladen.

'Die heb ik voor jou meegebracht.' Hij kwam binnen met twee mokken koffie toen zij ze doorbladerde. 'Ik wist niet wat je graag las.'

'Deze zijn geweldig,' zei ze. 'Bedankt.'

'Waar geef je de voorkeur aan?' vroeg hij. 'De auto- of de damesbladen?'

Ze grinnikte. 'Dat hangt van mijn bui af.'
Hij zette de koffie voor haar neer en maakte de bruine zak open. 'Wat dacht je hiervan?' Hij hield haar de zak voor en ze pakte een van de grote chocoladekoeken die erin zaten.
'Die doen zeker wonderen voor mijn stemming,' zei ze tegen hem.
'Mooi zo.' Hij glimlachte.
'Heb je die zelf gebakken?'
Hij knikte.
'God, je bent echt een man waar een heleboel vrouwen van dromen.' Bree zuchtte. 'Rijk, aantrekkelijk, je kunt koken...' Ze bloosde toen ze besefte wat ze eigenlijk zei, maar hij glimlachte alleen maar.
'Mijn kinderen vinden me een ramp,' zei hij. 'Ik werk te hard, ik ben een perfectionist, ik leef in mijn eigen wereld...'
'Michael had vandaag je dochters op moeten halen,' herinnerde ze zich plotseling.
'Ik ga ze straks zelf halen,' zei hij. 'En dan zet ik ze op de terugweg af bij het ziekenhuis.'
'Heb je het hun al verteld?' wilde ze weten.
Hij schudde zijn hoofd. 'Dat had geen zin. Het is beter om hen naar hem toe te brengen, zodat ze zelf kunnen zien hoe het met hem gaat. Ik heb er een hekel aan om slecht nieuws via de telefoon door te geven.'
Ze grinnikte. 'Ik dacht anders dat een advocaat dat regelmatig moet doen.'
'Dat klopt,' zei hij. 'Maar ik blijf het vervelend vinden.'
Ze nam nog een koekje en bedacht dat het jammer was dat Cate het brood niet had kunnen afbakken. Ze had niets te eten in huis.
'Ze zijn heerlijk,' zei ze tegen Declan.
'Ja, dat hoor ik wel vaker.'
'Ze zijn erg vers.'
'Ik heb ze vanmorgen gebakken.'
Ze keek hem vragend aan.
'Ik kon niet slapen,' vertelde hij haar. 'Ik maakte me zorgen over Michael en over jou en dan helpt het om iets te gaan bakken. Vandaar die koeken.' Hij haalde zijn schouders op. 'Dat heb ik me aangewend toen mijn vrouw zo ziek was.'
'Daar heeft Michael me iets over verteld,' zei Bree voorzichtig. 'Dat moet een moeilijke tijd zijn geweest.'

'Ja, omdat toen pas tot me doordrong dat ik veel meer tijd met haar had kunnen doorbrengen in plaats van zo hard te werken,' zei Declan. 'Maar achteraf is dat makkelijk praten. Het leek wel mee te vallen, hoewel we er af en toe ruzie over hadden.'

'En ben je nog steeds een workaholic?'

Hij zuchtte. 'Nu kan ik niet zonder. Het is een reden om door te gaan, begrijp je?'

'Maar je hebt de kinderen toch.'

'Michael is eenentwintig,' zei Declan. 'De meisjes zijn tieners. Ze hebben allemaal hun eigen leven.'

'Maar jij ook,' zei Bree. 'En dat hoeft toch niet alleen uit werken te bestaan? Er mag best een beetje ontspanning aan te pas komen.' Ze zag zijn gezicht betrekken en beet op haar lip. 'Neem me niet kwalijk. Het gaat me niets aan.'

'Monica zei dat ook altijd tegen me. Ik zei dat we daar later nog tijd genoeg voor zouden hebben. Maar ik vergiste me. Ik heb haar verloren.' Hij wreef over zijn neus. 'En nu was ik Michael ook bijna kwijt. Daar ben ik ontzettend van geschrokken.'

Ze had het liefst haar armen om hem heen geslagen, maar dat deed ze niet. In plaats daarvan keek ze hem vol medeleven aan. 'Maar je bent Michael niet kwijtgeraakt,' zei ze. 'Alles is goed afgelopen.'

'Ja.' Hij glimlachte. 'Dat kun je wel zeggen.'

Uranus in het teken van de Steenbok

Een nadenkend type, dat het af en toe laat afweten.

In de week daarna kwamen Nessa en Jill 's morgens bij Bree langs om haar kranten en iets te eten te brengen, terwijl Cate 's avonds binnenviel (één keer zelfs in het gezelschap van Finn). Bree had het gevoel dat Nessa en Cate met elkaar wedijverden om te laten zien welke zus het meest attent en zorgzaam was. Eigenlijk vond ze het een beetje belachelijk dat Cate, die er bleek en ellendig uitzag, al die moeite deed, maar ze stond erop om naar haar toe te komen. Bree maakte zich zorgen over haar zus en vroeg zich af of Finn niet in de gaten zou hebben dat ze er zo slecht uitzag. Maar toen hij meekwam, had Finn over niets anders gepraat dan over zijn radio- en tv-programma's en Bree besefte plotseling waarom Cate zo paranoïde deed over de baby en de gevolgen die het kind voor hun manier van leven zou hebben. Toen Finn erbij was, had ze ook alleen over radio en tv gepraat en als ze alleen was, had ze het over van alles en nog wat, behalve over haar zwangerschap. Maar Bree kon de moed niet opbrengen om er zelf over te beginnen.

Bree was een echte geluksvogel, vertelde Jill haar op de donderdag na het ongeluk. Als het maar een week later was gebeurd, had Jill weer op school gezeten en dan had Nessa ook weer moeten werken. En dan – zei Jill – had Bree helemaal niemand gehad die voor haar kon zorgen. Vervolgens pakte ze de krukken en sloeg in de veel te dicht begroeide tuin achter het huis dapper aan het oefenen. Nessa en Bree zaten op het gammele bankje onder de prunus toe te kijken.

'Het duurt langer dan ik had verwacht,' zei Bree. 'Die dokter zei tegen me dat het een weekje zou duren tot ik weer behoorlijk zou kunnen lopen, maar ik heb nog steeds behoorlijk veel pijn. Ik heb Christy afgelopen maandag gebeld en gezegd dat ik volgende week wel weer zou kunnen beginnen, maar daar lijkt het niet op.' Ze zuchtte. 'En ik begin me zo langzamerhand behoorlijk te vervelen.'

'Ik doe anders mijn best om je bezig te houden,' zei Nessa.

'Sorry hoor.' Bree keek haar verontschuldigend aan. 'Dat weet ik best. En ik vind het hartstikke lief van je dat je iedere dag langskomt, echt waar. Maar... nou ja, ik ben gewoon niet het type om dag in dag uit thuis te zitten.'

'En ik wel?' vroeg Nessa.

'Natuurlijk niet,' zei Bree ongeduldig. 'Wat ben je toch snel op je teentjes getrapt, Nessa.'

'Helemaal niet.'

'Wel waar,' hield Bree vol. 'En Cate is al even erg.'

'Ik wil niet over Cate praten,' zei Nessa. 'Ze is oppervlakkig en egoïstisch en ze gedraagt zich als een idioot.'

'Misschien gedraagt ze zich als een idioot,' zei Bree, 'maar ze is niet oppervlakkig en egoïstisch, Nessa.'

'Ach, hou op!' Nessa keek haar ongeduldig aan. 'Is het dan niet ontzettend egoïstisch dat ze helemaal geen rekening houdt met Finns gevoelens? Ze denkt alleen maar aan zichzelf en aan haar baan. Haar baan! Wat voor soort meisje vindt een baan nou belangrijker dan een kind krijgen?'

'Ik denk niet dat het alleen om die baan gaat,' zei Bree. 'Volgens mij is Cate bang dat ze op jou zal gaan lijken.'

'Nou, hartelijk bedankt!' Nessa kon haar woede nauwelijks onderdrukken. 'Ik heb voor jullie allebei mijn best gedaan. Ik heb op jullie gepast en voor jullie gezorgd. En wat is mijn dank? Dat Cate niet zo wil worden als ik! Ik neem aan dat hetzelfde voor jou geldt. Het zal je ook wel de keel uithangen dat ik iedere dag met Jill langskom om te kijken of alles in orde is.'

'Nessa, loop toch weer niet zo hard van stapel,' zei Bree ongeduldig. 'Ik bedoelde alleen maar dat Cate andere dingen van het leven verlangt. Zij zou het geen prettig idee vinden als Finn de enige was die geld inbracht. Ze denkt dat hij geen respect meer voor haar zal hebben als ze niet even ambitieus is als hij. Zijn nieuwe baan was voor haar een klap in het gezicht, want dat betekende dat ze nooit meer in staat zal zijn om hem te evenaren. Dus gaat ze steeds harder werken om hem bij te kunnen benen. En nu is ze in verwachting, terwijl ze weet dat hij geen kinderen wil hebben.' Bree haalde haar schouders op. 'Ik zeg niet dat ik het met haar eens ben. Maar ik begrijp wel hoe ze ertoe is gekomen.'

Nessa zei niets terwijl ze toekeek hoe Jill Brees krukken opzij gooide en door de tuin dartelde. Daarna trok ze een grasprietje kapot.

'Misschien heeft ze wel gelijk,' zei ze ten slotte. 'Maar om altijd te doen wat Finn wil – wat zij denkt dat hij wil – dat is toch ook niet goed?'

'Zij denkt van wel,' zei Bree.

'Maar als haar voornaamste reden is, dat Finn...' Nessa beet op haar lip. 'O, Bree, ik heb zo ontzettend veel dingen gedaan omdat Adam dat wilde en kijk waar het toe geleid heeft!'

'Heb je al iets meer ontdekt?' Bree was maar al te blij dat ze van onderwerp kon veranderen.

'Ik heb alle detectivebureaus in de Gouden Gids nagelopen,' bekende Nessa. 'Ik heb er zelfs één opgebeld. Ze zijn gespecialiseerd in huwelijksproblemen. Maar ik wil geen huwelijksprobleem zijn, Bree! Ik wil alleen maar dat alles weer goed komt.'

'Denk je dan dat dat niet gebeurt?'

'Hoe moet ik dat nu weten?' Nessa zuchtte en keek naar de stukjes gras aan haar voeten. 'Ik heb deze week nauwelijks de tijd gehad om erover na te denken.'

'Volgende week,' beloofde Bree. 'Als ik volgende week weer op de been ben, doe ik het wel voor je. Dan hoef je niet naar een van die bureaus toe.'

'Het is net alsof...' Nessa plukte opnieuw een grasssprietje. 'Het is net alsof alleen andere mensen dat doen. Dat gebeurt toch niet in het echte leven. Ik kan gewoon niet geloven dat ik er serieus over nadenk.'

'Je moet het gewoon zeker weten,' zei Bree. 'Anders kom je er nooit uit.'

Zodra Nessa en Jill weer waren vertrokken, belde Bree Michael in het ziekenhuis. Hij vertelde haar dat hij met de dag vooruitging en dat hij aan het eind van de week weer naar huis mocht. Hij miste haar. Ze zei tegen hem dat ze hem ook miste en dat ze wilde dat ze goed genoeg zou kunnen lopen om hem op te zoeken, in plaats van de hele dag in de flat rond te hangen. Daar werd ze helemaal beroerd van.

Ze bracht de rest van de dag door met tv-kijken en het lezen van de tijdschriften die Declan voor haar had meegebracht. Toen Cate later die avond langskwam, zat ze zich stierlijk te vervelen. Nessa en Cate hadden inmiddels allebei een sleutel van haar flat, zodat ze binnen konden komen zonder dat zij de trap af hoefde om de deur open te doen. Cate klopte op de deur van de flat en kwam binnen.

'Hoi.' Bree liet *Bikers Monthly* op de tafel vallen.

'Hoe gaat het ermee?' vroeg Cate.

'Ik ben het zat,' zei Bree. 'Het is helemaal niets voor mij om de hele dag te niksen.'

'Dat kan ik me best voorstellen.' Cate pakte een sixpack Miller-bier uit de tas die ze bij zich had. 'Wil je een pilsje?'

'Heerlijk,' zei Bree.

Cate gaf haar een blikje en pakte een flesje spawater uit de tas.

'Waarom doe je dat eigenlijk?' vroeg Bree.

'Wat?'
'Water drinken.'
Cate haalde haar schouders op. 'Ik moet nog rijden.'
'Eén biertje kan geen kwaad.'
'Na wat jou is overkomen, ben ik extra voorzichtig.'
'Daar heb je je vroeger nooit druk over gemaakt.'
'Hou nou op, Bree.'
'Ik zou het best kunnen begrijpen als je alleen water dronk omdat je zwanger bent,' vervolgde Bree. 'Dat zou logisch zijn. Maar als je toch abortus wilt laten plegen, dan maakt het immers niets uit?'
'Ik zei dat je op moest houden.'
'Heb je het nou al aan Finn verteld?'
'Bree!' zei Cate dreigend. 'Begin daar nou alsjeblieft niet over. Je bent nog erger dan dat kreng Nessa.'
'Ze heeft alleen maar gezegd hoe zij erover denkt,' zei Bree tegen haar. 'Misschien had ze haar mond moeten houden. Maar je mag het haar niet kwalijk nemen.'
'Luister eens,' zei Cate. 'Ze zal mij dit ook altijd blijven verwijten. In haar ogen ben ik een moordenaar. Ik weet hoe ze is. Ze begrijpt het gewoon niet.'
'Je moet het Finn vertellen.' Bree nam een slokje bier. Het smaakte heerlijk fris, want het was weer erg warm geweest en het was benauwd in de flat, ondanks het feit dat ze alle ramen open had gezet.
'Ik weet wel dat ik het tegen Finn moet zeggen,' zei Cate. 'Maar dan wordt alles nog veel ingewikkelder. Het is gemakkelijker om het in mijn eentje te doen. Wat niet weet, wat niet deert.'
'Zou hij zich er dan iets van aantrekken?'
'Bree, hou er nou over op, ja?' Cate stond op. 'Het is al erg genoeg dat ik Nessa heb moeten aanhoren. En nu begin jij ook nog.'
'Helemaal niet,' protesteerde Bree. 'Ik wil alleen dat je alles tegen elkaar afweegt. Ik wil niet dat je iets doet zonder er goed over nagedacht te hebben.'
'Dacht je soms dat ik er vanaf het moment dat ik erachter kwam niet de godganse dag over loop te piekeren?' wilde Cate weten. 'Ik denk nergens anders aan, Bree. Dus vertel me nou niet dat ik er niet goed over heb nagedacht!'
Bree zei niets. Ze had het liefst haar armen om haar zus heen gesla-

gen, maar ze was te moe om zonder hulp uit haar stoel te komen. En als Cate haar overeind moest helpen, bleef er van een spontane knuffel niet veel over.

'Zijn programma begint toch volgende week?' vroeg ze ten slotte.

Cate knikte.

'Is hij zenuwachtig?'

Ze knikte opnieuw. 'Als de dood,' zei ze. 'Maar tegelijkertijd opgewonden. Het is echt ontzettend belangrijk voor hem, Bree. Het belangrijkste wat hij ooit heeft gedaan.'

'Dat snap ik wel,' zei Bree.

'Daarom ga ik morgen ook naar Londen,' zei Cate. 'Ik word zaterdagochtend geholpen. Zondag kom ik weer thuis en dan ben ik klaar voor zijn tv-show en voor zijn nieuwe radioprogramma dat maandag voor het eerst tijdens de spits uitgezonden zal worden.'

'En je zegt helemaal niets tegen hem?'

'Dat kan ik toch niet?' Ze keek Bree aan.

'Nee, dat denk ik eigenlijk ook niet.'

'Ik heb de juiste beslissing genomen.' Cate keek uit het raam en zei met haar rug naar haar zus toe: 'Ik weet het zeker.'

Het was al negen uur geweest en bijna donker toen Cate vertrok. Ondanks het feit dat de zomerse hitte aanhield, begonnen de dagen toch alweer korter te worden.

Plotseling ging Brees mobiele telefoon en ze schrok ervan. Ze keek om zich heen, omdat ze niet wist waar ze dat ding gelaten had. De flat begon alweer wat rommeliger te worden, ondanks haar dappere pogingen alles even netjes te houden als toen Cate net had opgeruimd.

De telefoon lag onder een stapel tijdschriften. Er was geen nummerweergave voor de persoon die belde.

'Hallo?'

'Hallo, Bree. Ik ben het, Declan Morrissey. Michaels vader.'

'Ik ken maar één Declan Morrissey,' zei ze.

Hij lachte. 'Sorry. Hoor eens, ik sta nu voor de deur. Mag ik binnenkomen?'

'Is er iets aan de hand?' vroeg ze bezorgd.

'Natuurlijk niet,' zei hij. 'Ik wilde alleen maar even weten hoe het met je gaat.'

'Het gaat prima met me,' zei ze.

'Mooi zo,' zei Declan. 'Mag ik toch binnenkomen? Of heb je het druk?'

'Nee.' Ze giechelde. 'Ik verveel me suf. Ik zou het heerlijk vinden als je bovenkomt.' Ze verbrak de verbinding en liep behoedzaam de trap af.

'Hallo,' zei ze toen ze de voordeur opendeed.

'Hoi.' Hij glimlachte.

Ze liep voor hem uit de trap op, nog steeds een moeizaam proces. Hij volgde haar naar binnen en zette een bruine papieren zak op tafel.

'Weer koekjes?' vroeg ze hoopvol.

'Muffins,' zei hij. 'En zachte chocoladekaramels.'

'Lieve help!' Ze gluurde in de zak. 'Het was bijna de moeite waard om hiervoor naar beneden te strompelen.'

Hij lachte. 'Dat hoop ik dan maar.'

'Ik zei toch bijna.' Ze pakte een chocoladekaramel. 'Maar het komt in de buurt.'

'Zal ik koffie zetten?' vroeg Declan.

'Ga je gang.'

Ze luisterde hoe hij in de keuken met de mokken stond te rammelen. Ze vermoedde dat hij dit wel zou doen omdat hij nog steeds bang was dat ze misschien een aanklacht tegen Michael in zou dienen, maar ze zag er geen kwaad in om zich te laten paaien met chocola en koekjes.

'Dus je begint er weer bovenop te komen?' Declan zette een mok koffie voor haar neer.

'Ja hoor,' zei ze tegen hem. 'Niet zo snel als ik had verwacht, maar het gaat iedere dag beter. Ik had gehoopt dat ik maandag weer aan het werk zou kunnen, maar dat haal ik niet. Nu reken ik op woensdag.'

'Heb je genoeg geld?' vroeg Declan. 'Krijg je minder salaris als je niet werkt?'

Hij begon alweer over geld. Ze glimlachte. 'Ja natuurlijk, maar ik red me best.'

'Michael heeft me namelijk verteld dat je nu alleen een minimumuitkering krijgt en ik wil niet dat dit je geld gaat kosten.'

'Ik red me best,' herhaalde ze.

'Ik weet dat je hebt gezegd dat je geen aanklacht in zou dienen en ik heb het volste vertrouwen in je, maar...'

'Declan, alsjeblieft.' Ze keek hem geërgerd aan. 'Ik ben echt niet van plan om maatregelen te nemen. Ik heb het overleefd en daar ben ik blij om. Ik genees goed en volgende week ga ik weer aan het werk. Ik hoef geen geld te hebben. Ik wil geen geld hebben. Ik vind het afschuwelijk dat iedereen altijd maar meteen over geld begint, terwijl er veel ergere dingen zijn om je druk over te maken.'

Hij schudde zijn hoofd. 'Over tien jaar zou je er weleens anders over kunnen denken.'

'Wat maakt het nou uit wat ik over tien jaar denk?' wilde ze weten. 'Ik weet hoe ik er nu over denk. En ik heb absoluut geen zin om er nog meer woorden over vuil te maken.'

'Maar mag ik je dan echt niets geven?' vroeg Declan. 'Per slot van rekening schiet jij er geld bij in.'

'Je geeft me al tijdschriften, chocolaatjes, koekjes en muffins,' zei ze tegen hem. 'Dat is genoeg om elk meisje blij te maken.'

'Wees nou even serieus,' zei Declan.

'Ik ben serieus.'

Hij slaakte een diepe zucht. 'Ik wil je alleen maar goed behandelen. En Michael ook.'

'Dat weet ik wel,' zei ze. 'En dat waardeer ik echt. Maar dit is werkelijk de laatste keer dat ik hier met je over wil praten.'

'Oké,' zei hij.

'Mooi.' Ze pakte een muffin uit de zak. 'Maar tegen die voedselpakketten zeg ik geen nee. Ik ben dol op al dat lekkers!'

'Ik heb nog nooit zo iemand als jij ontmoet,' zei Declan.

Ze trok een gezicht tegen hem. 'Dat zegt Michael ook altijd.'

'Je neemt alles zo gemakkelijk op,' zei Declan. 'Ik heb meestal alleen te maken met een stel driftige meiden dat van alles een drama maakt, of met juristen met wie ik het aan de stok heb, zodat ik zelf elke crisis aangrijp om er een drama van te maken. Maar jij schijnt je nergens iets van aan te trekken.'

'Wat heeft het nou voor zin om te gaan lopen zeuren?' Bree plukte een kers van haar muffin. 'Het helpt niets om opstandig te zijn.' Ze at de kers op en keek hem treurig aan. 'Ik had echt een hoop heisa gemaakt over dat etentje met Michael. Ik had er zelfs nieuwe kleren voor gekocht, omdat ik er anders uit wilde zien. En wat heb ik daarmee bereikt? Die kleren hebben het ongeluk niet overleefd. Ik had beter mijn leren pak aan kunnen hebben.'

'Laat me je dan die kleren vergoeden,' zei Declan haastig. 'Dat is wel het minste wat ik kan doen.'

'Declan! Als je nog één keer probeert me geld aan te smeren, duw ik je al die muffins door je strot!' riep Bree uit. 'Alsjeblieft, hou daar nou mee op!' Tot haar afschuw voelde ze dat de tranen weer in haar ogen sprongen. Niet weer, dacht ze. Ze had gedacht dat die waterlanders nu wel achter de rug waren. Ze had al twee dagen niet meer gehuild.

'Het spijt me, Bree.' Declan keek haar ontzet aan toen de tranen over haar wangen begonnen te biggelen. 'Echt waar. Het was niet mijn bedoeling om je overstuur te maken.'

Ze schudde haar hoofd. 'Dat ligt ook niet aan jou. Heus niet. Ik ben alleen... nou ja, je weet wel. Een beetje bibberig. Dat zal wel aan de shock liggen en zo.'

'Hier.' Hij pakte een katoenen zakdoek uit zijn zak en gaf die aan haar.

'Een zakdoek?' Ze snufte en keek hem met haar betraande ogen aan. 'Ik dacht dat die dingen allang niet meer bestonden.'

'Ik krijg ze met Kerstmis nog steeds van mijn Spaanse schoonouders,' zei hij. 'Ze weten niet wat ze me anders moeten geven. Droog je tranen nu maar en snuit je neus. Hij is echt schoon, hoor.'

Ze snufte opnieuw. 'Dat hoop ik dan maar.'

Ze wenste dat hij weg zou gaan. Hij was zo lief en bezorgd dat ze nog bibberiger werd dan ze al was. Ze voelde zich anders nooit kwetsbaar in het gezelschap van een man. Meestal liet ze hun goed merken dat ze even sterk en even goed was als zij en dat ze het best tegen hen op durfde te nemen. Een moderne vrouw zat niet in een vers gestreken zakdoek te brullen.

Ze probeerde haar neus beschaafd te snuiten, maar het klonk toch als een misthoorn. Hij glimlachte en ze haalde haar schouders op.

'Wil je nog een kop koffie?' vroeg hij.

'Nee, dank je wel.'

Hij keek op zijn horloge. 'Ik kan er nu maar beter vandoor gaan,' zei hij tegen haar. 'Het viel al niet in goede aarde dat ik vanavond weg wilde. Ik had het gevoel dat Marta eigenlijk zelf op stap wilde in plaats van op haar jongere zusje te letten.'

'Dat komt me bekend voor.' Ze lachte. 'Nessa, de oudste...'

'De driftkikker,' viel Declan haar in de rede, 'niet de pyromaan.'

'Precies.' Ze lachte. 'Nessa moest af en toe ook op mij passen als mam en pa uitgingen en daar werd ze helemaal gek van. Vanaf dat ze een jaar of achttien was, beschouwde ze volgens mij elke avond dat ze niet op jacht kon gaan naar een potentiële echtgenoot als verspilde tijd.'

'Ik hoop dat ze niet lang heeft hoeven te jagen,' zei Declan.

'O, ze heeft er wel degelijk een te pakken gekregen,' zei Bree tegen hem. 'Ze heeft een schitterend huis in Malahide, een schat van een kind en alle gordijnen en vloerbedekking die haar hartje maar begeert.'

'Dat klinkt een tikje cynisch.'

'Ze hebben wat problemen op het ogenblik.' Ze fronste toen ze zich herinnerde dat ze daar kennelijk ook iets over had gezegd toen hij bij haar in het ziekenhuis was. Maar dat scheen hij vergeten te zijn en ze was echt niet van plan hem te vertellen dat Adam ervan verdacht werd dat hij het met vreemde vrouwen aanlegde en dat Nessa overwoog om een privé-detective in de arm te nemen om erachter te komen of dat echt waar was.

'Dat komt wel vaker voor,' zei Declan. 'Maar af en toe wordt de relatie daar alleen maar sterker door.'

'Hebben jij en Monica weleens problemen gehad?' vroeg Bree.

Hij knikte. 'Voordat ze ziek werd. En zelfs nog toen ze ziek was.' Hij zuchtte. 'Ik nam haar kwalijk dat ze ziek was. Ik weet dat het afschuwelijk klinkt... zij was degene die op sterven lag en ik nam haar dat kwalijk. Af en toe was ik niet eens lief voor haar en daar schaam ik me nu voor. Maar ik had dit helemaal niet verwacht. Ik had nooit gedacht dat ik al voor mijn veertigste voor een stervende vrouw zou moeten zorgen.'

'Wat naar voor je,' zei Bree.

'Het heeft me wel veranderd,' zei Declan tegen haar. 'Ik ben er sterker door geworden en een beter mens. Maar ik was liever gewoon dezelfde man gebleven als ik haar bij me had mogen houden.'

Bree beet op haar lip. 'Ik vind je echt geweldig,' zei ze tegen hem. 'En ik ben dol op je zoon.'

Hij glimlachte. 'Hij is nog erg jong.'

'Dat weet ik wel,' zei Bree.

'Je moet niet te veel van hem verwachten,' zei Declan. 'Nog niet.'

'Dat zal ik niet doen.' Bree leunde achterover in haar stoel en sloot haar ogen.

Declan bleef naar haar kijken. De snee op haar voorhoofd begon al te genezen, maar nu zat er een enorme blauwe plek omheen. En toch werd ze er niet minder aantrekkelijk door. Ze was niet echt knap, peinsde hij. Maar ze had een vastberaden gezicht vol karakter. Maar nu had die vastberadenheid plaatsgemaakt voor een vrediger blik. Ze snurkte zacht en hij keek op zijn horloge. Bijna elf uur. Hij vroeg zich af of hij haar wakker moest maken om afscheid te nemen, maar hij was ervan overtuigd dat ze doodmoe was. Hij bleef nog vijf minuten naar haar kijken. Haar ademhaling was rustig en gelijkmatig. Hij stond op en tilde haar op. Ze gaapte, maar deed haar ogen niet open. Hij droeg haar naar het bed en legde haar erop. Daarna trok hij het dekbed over haar heen. Ze rolde op haar zij, maar werd niet wakker.

Hij liep op zijn tenen de flat uit en trok de deur zacht achter zich dicht.

21

Maan/Mars-aspecten

Eerst doen, dan vragen.

Cate had nooit eerder aandacht geschonken aan mensen op vliegvelden. In het verleden had ze gewoon haar instapkaart afgehaald en was regelrecht naar de gate gelopen waarbij ze onderweg alleen een krant of een tijdschrift had gekocht om tijdens de vlucht te lezen. Zelfs bij de schaarse gelegenheden dat ze naar het hoofdkantoor van haar bedrijf in de Verenigde Staten was gevlogen had ze nooit de moeite genomen om rond te neuzen in de belastingvrije winkels. Ze nam nooit notitie van haar medepassagiers of van mensen die toevallig naast haar zaten en een gesprek wilden beginnen.

Maar vandaag merkte ze dat ze iedereen gadesloeg en zich afvroeg waarom ze naar Londen vlogen. Er waren zakenreizigers, die gemakkelijk te herkennen waren aan hun pakken, hun koffertjes en de manier waarop ze hun mobiele telefoons te voorschijn haalden en zenuwachtig nummers intoetsten, alsof ze het helemaal niet leuk vonden dat ze een tijdje niet op kantoor konden zijn. Zij was zelf ook gekleed alsof ze op zakenreis moest, hoewel ze voor het eerst had gemerkt dat de tailleband van haar rok akelig strak zat en dat haar buik een tikje dikker begon te worden. Ze stond er echt van te kijken dat Finn, die het zo leuk vond om zijn vingers van haar keel naar haar kruis te laten glijden, nog niets had gemerkt. Of misschien was dat wel het geval, dacht ze, en wil hij me gewoon niet overstuur maken door te zeggen dat ik dikker word.

Ze had tegen hem gezegd dat ze voor zaken naar het kantoor in Engeland moest. En ze had op kantoor in Dublin gezegd dat ze een weekendje naar Engeland ging. Ze voelde zich wel een beetje schuldig omdat ze tegen mensen had moeten jokken, maar ze had geen andere keus gehad.

Het meisje tegenover haar zat nerveus met haar instapkaart te frommelen. Cate zou er vroeger nooit aandacht aan hebben geschonken, maar vandaag vroeg ze zich af waarom het meisje zo zenuwachtig was. Had ze vliegangst? Was ze bang voor wat haar te wachten stond? Of voor wat ze achter moest laten?

Ze was een jaar of twintig, dacht Cate, met lang stroblond haar dat voor haar gezicht hing. Ze had een verschoten blauwe spijkerbroek aan en een al even verschoten jack. Ze droeg een ring aan iedere vinger, allemaal dezelfde, een smalle zilveren band met een ankh-kruis in het midden. Cate was er plotseling van overtuigd dat dit meisje ook naar Londen ging om abortus te laten plegen. Dat ze ook had geworsteld met die hartverscheurende beslissing om een eind te maken aan haar zwangerschap. Dat zij ook wist hoe het was om doodsbang te zijn voor dat hele gedoe met een baby.

Af en toe keek het meisje even op om de meute bezorgd te bestuderen. Ze is bang, dacht Cate, dat ze iemand zal zien die ze kent. Iemand die haar zal herkennen en die meteen met zijn oordeel klaar zal staan en haar weer aan het twijfelen zal brengen.

Ze keek op haar horloge. Over twintig minuten zou ze kunnen instappen. Ze sloeg haar krant open bij het cryptogram. Normaal gesproken had ze dat binnen vijf minuten af, maar vandaag begon ze de lege vakjes in te kleuren met haar blauwe balpen, af en toe dik, af en toe zo licht dat ze het papier nauwelijks raakte.

'Brian!' Het meisje tegenover haar sprong plotseling op. Haar zenuwachtigheid was als sneeuw voor de zon verdwenen en haar gezicht straalde.

De man, een knul van begin twintig volgens Cate, omhelsde haar. 'Sorry dat ik zo laat ben,' zei hij. 'Je zult wel in de zenuwen hebben gezeten. Maar er stond een file van je welste.'

'Ik dacht dat je niet op tijd zou zijn.' Ze keek hem opgelucht aan. 'Stel je toch voor dat we onze aansluiting naar Antigua hadden gemist? Dat zou een leuk begin van de vakantie zijn geweest!'

Hij gaf haar een kus en ging naast haar zitten, met zijn arm om haar schouders.

Cate keek weer naar haar cryptogram en maakte het laatste hokje blauw.

Het uitzicht vanuit haar slaapkamer was op de achterkant van het hotel. Ze had om een kamer aan de achterkant gevraagd, omdat het onwaarschijnlijk was dat iemand haar daar zou zien. Ze ging op de rand van het bed zitten en deed haar schoenen uit. Ze wist bijna zeker dat haar voeten ook opgezet waren. Daarna liep ze de badkamer in en draaide de kranen open. Door de wolk stoom besloeg de spiegel meteen. Ze goot een beetje van de badgel van het hotel in het water.

Ze vroeg zich af wat ze nu in vredesnaam zou moeten doen. Wat moest ze zeggen? Hoe moest ze het aan Finn uitleggen? Ze moest het hem vertellen, dat was de enige logische oplossing. Hij mocht dit weekend nooit met iets anders in verband brengen, want het allerbelangrijkste was nu dat hij er nooit achter zou komen dat ze van plan was geweest voor een abortus naar Londen te gaan. Niet nu ze toch de moed niet had kunnen opbrengen om die laatste stap te zetten.

Ze kon het eigenlijk nog niet geloven dat ze het niet had doorgezet. Ze had alle voor- en nadelen zorgvuldig op een rijtje gezet, ze had haar keus gemaakt en ze had er met Nessa ruzie over gemaakt. Ze had zichzelf ervan overtuigd dat dit het verstandigste was. Het enige wat haar overbleef. Het was een koele, rationele beslissing, rekening houdend met haar manier van leven, Finns baan en het feit dat haar zwangerschap haar de doodschrik op het lijf joeg. Al die dingen had ze afgezet tegen de opmerkingen die Nessa had gemaakt. En het gevoel vanbinnen dat ze misschien inderdaad erg egoïstisch was. Toch had ze zeker geweten dat ze gelijk had. Dus had ze zich aangemeld bij de kliniek, haar ticket gekocht en iedereen een verhaaltje op de mouw gespeld. En vervolgens had ze iets gedaan dat absoluut niet koel of rationeel was.

De vlucht was precies op tijd omgeroepen. Het zenuwachtige meisje en haar vriendje stonden als eersten in de rij om in te stappen. Zij was bij de gate blijven zitten, met haar weekendtas aan haar voeten, en had gewacht tot alle andere mensen ingestapt waren. Ze had toegekeken hoe het grondpersoneel alle instapkaarten had gecontroleerd en om zich heen keek of er nog mensen op het laatste moment aankwamen. Er waren nog drie mannen aan komen hollen, hijgend en puffend. Ze riepen dat ze hun drankjes hadden moeten laten staan, omdat ze geen moment hadden geloofd dat de vlucht echt op tijd zou vertrekken. Een van de meisjes die de instapkaarten controleerden, had tegen Cate geglimlacht en gevraagd of zij ook deze vlucht zou nemen. 'Want dan moet u nu instappen,' zei ze. 'We zijn klaar om te vertrekken.'

Cate had naar haar instapkaart gekeken, naar de stewardess en naar het vliegtuig dat buiten wachtte. Ze was opgestaan en naar de balie toe gelopen.

'Ik wens u een prettige vlucht.' Op het naambordje van de stewardess stond dat ze Tanya heette.

'Het spijt me.' Cate bleef haar instapkaart vasthouden. 'Het spijt me, maar ik kan niet mee met deze vlucht.'

'U hoeft zich geen zorgen te maken, hoor,' zei Tanya. 'Vliegen is de veiligste manier van reizen.'

'Dat weet ik wel,' zei Cate. 'Ik vlieg vaak genoeg.'

'Maar u moet nu werkelijk doorlopen,' zei Tanya streng. 'Anders zorgt u voor vertraging.'

'Het spijt me,' herhaalde Cate. 'Maar ik kan niet instappen.'

'Waarom niet?'

'Omdat ik... er is plotseling iets tussen gekomen, ziet u, ik kan gewoon niet weg.'

'Hebt u uw bagage ingecheckt?'

'Ik had geen bagage,' zei Cate. Ze tilde haar weekendtas op. 'Alleen dit. Daar hoeft u zich dus geen zorgen over te maken.'

'Ik zal het even nakijken.' Het meisje pakte Cates instapkaart aan en keek ernaar. Ze tikte iets in op haar computer. 'U hoeft echt niet bang te zijn om te gaan vliegen,' zei ze opnieuw.

'Ik zei toch al dat ik niet bang ben.' Cate kon de woorden maar met moeite uitbrengen. 'Echt niet. Maar ik kan deze vlucht niet nemen, omdat ik... Ik kan het gewoon niet.' Ze deed haar ogen dicht. Ze voelde zich misselijk.

'Oké,' zei Tanya ten slotte. 'U moet zelf beslissen wat u doet.'

En daarom zat ze nu in het hotel op het vliegveld, omdat ze niet wist waar ze anders naartoe moest. Ze had natuurlijk naar huis kunnen gaan om tegen Finn te zeggen dat er iets tussen was gekomen en dat het weekendje Londen bij nader inzien toch niet doorging. Dat zou hij onmiddellijk accepteren, hoewel hij het knap vervelend voor haar zou vinden.

Maar, dacht ze terwijl ze controleerde of het badwater op de juiste temperatuur was, ze zou het nooit klaarspelen om vandaag naar huis te gaan en Finn onder ogen te komen zonder eruit te flappen dat ze zwanger was. Dan zou hij vast hebben geraden waarom ze naar Engeland had gewild. Hij was niet op zijn achterhoofd gevallen. Hij zou meteen begrijpen dat ze de moed niet had kunnen opbrengen en de gedachte aan zijn medelijden, zijn ergernis of zijn boosheid was ondraaglijk. Wat zal hij denken, vroeg ze zich af, als ik het hem uiteindelijk vertel? Zal hij zo boos op me worden dat alles tussen ons meteen uit is? Of heb ik hem volkomen verkeerd ingeschat en zal hij het toch prachtig vinden? Ze liet zichzelf in bad zakken. Hij vindt het vast niet prachtig, mompelde ze. Dat weet ik zeker. Dat was mijn belangrijkste reden om een abortus te overwegen.

Ze sloot haar ogen en dacht na over de smoes die ze moest vertellen. Het was het verstandigst om tot zondag, de dag waarop ze terug zou komen, in het hotel te blijven. Dan kon ze met haar bagage naar het vliegveld gaan, waar Finn haar zoals afgesproken af zou komen halen. Misschien belde ze hem wel om te vertellen dat ze erin was geslaagd een eerdere vlucht te nemen. Daarna konden ze samen naar huis gaan en ze zou met geen woord over de baby reppen tot later in de week. Misschien moest ze tegen hem zeggen dat ze naar de dokter ging omdat ze zich in Londen helemaal niet goed had gevoeld. En dat ze bang was dat ze iets onder de leden had. En nadat ze bij de dokter was geweest, kon ze hem het nieuws vertellen. Ze zou net doen alsof ze zelf ook stomverbaasd en diep geschokt was. Dat zou haar niet veel moeite kosten, want zo voelde ze zich nog steeds.

En dan? Ze zuchtte. Hij zou ook verbaasd en geschokt zijn. Finn kennende zou hij tegen haar tekeergaan. Over zijn plannen. Over het feit dat ze het er allebei roerend over eens waren geweest dat ze nog geen kinderen zouden nemen. En dan zou zij waarschijnlijk een potje gaan zitten janken. Het zou een hele opluchting zijn om te kunnen huilen waar hij bij was.

Zou hij haar de schuld geven, omdat zij degene was die altijd voor hun voorbehoedsmiddelen zorgde? Zou hij haar vragen om het kind weg te laten halen? En als ze weigerde, zou hij dan gewoon tegen haar zeggen dat alles voorbij was, omdat hij echt geen zin had om zijn leven door een stel kinderen te laten verpesten? Ze slaakte opnieuw een zucht. Misschien ging het helemaal niet zo. Misschien zou hij er ondanks alles toch begrip voor kunnen opbrengen.

Ze deed haar ogen weer open en sprenkelde wat water over haar borst. Hij zou het vast niet begrijpen. Het had geen zin om net te doen alsof dat wel het geval zou zijn. Maar misschien kon ze hem zover krijgen dat hij het accepteerde. Misschien kon ze hem aan zijn verstand brengen dat het niet het eind van de wereld was. Ook al had ze zelf dat gevoel wel gehad. En het had een hele tijd geduurd voordat ze tot de conclusie was gekomen dat het allemaal misschien best meeviel. Hoewel ze eigenlijk nog niet zover was. Het enige wat ze had besloten, was dat ze geen abortus wilde.

Ze wist nog steeds niet waarom ze het niet had doorgezet. Maar toen ze daar bij de gate had gezeten, in die rok die veel te strak zat, had ze ineens het gevoel gehad dat het haar baby was en dat ze die niet zomaar kon laten weghalen. Dat gevoel had ze nooit eerder gehad. Dat soort gedachten had ze altijd uit haar hoofd weten te bannen. Maar toch was ze langzaam maar zeker en met een groeiend gevoel van paniek gaan beseffen dat abortus niet de oplossing voor haar was, ook al vertelde haar verstand haar nog steeds dat het de enige juiste beslissing was.

Nessa zou blij zijn. Cate stapte uit bad en sloeg een badlaken om. Nessa zou denken dat ze geluisterd had naar alles wat zij had gezegd. Maar Nessa had er helemaal niets mee te maken gehad ook al was het verschrikkelijk oneerlijk dat Nessa, die zo graag nog een kind wilde, niet zwanger was en bovendien problemen met haar huwelijk had, ook al deed ze net alsof dat niet waar was. Als Adam het inderdaad met iemand anders had aangelegd, had ze wel degelijk problemen. En die arme Nessa was doodsbang om hem dat voor de voeten te gooien, omdat ze doodsbang was om hem kwijt te raken.

En ik ben doodsbang om Finn alles voor de voeten te gooien, dacht Cate, terwijl ze haar armen inwreef met bodylotion, omdat ik doodsbang ben dat ik hem kwijtraak.

Hoewel ze eigenlijk van plan was geweest om de hele tijd in haar kamer te blijven zitten, ging ze later op de avond toch naar het restaurant om iets te eten. Ze kon zich niet voorstellen dat ze iemand tegen zou komen die ze kende en ze begon een beetje last te krijgen van claustrofobie omdat ze constant in de kamer zat opgesloten. Ze stond een halfuur voor de spiegel om zich op te maken voordat ze Finn belde om te zeggen dat alles in Londen geweldig was en dat ze hem miste. Daarna ging ze naar het restaurant. Ze had eruitgezien als een geest toen ze uit bad kwam, met roodomrande ogen, bleke wangen en slappe haren. Nu zag ze er weer goed uit en zo voelde ze zich ook. Ze leek helemaal niet op een zwangere vrouw. Ze was zichzelf weer.

Het restaurant zat tot haar verrassing bijna vol, maar een van de serveersters wist toch nog een tafeltje voor haar te vinden en ze bestelde een caesarsalade en pasta. Ze rammelde ineens van de honger en vroeg zich af of caesarsalade en pasta wel voedzaam genoeg waren voor de baby. Ze kreunde inwendig. Ze wilde niet zo iemand worden die haar eigen dieet volkomen aanpaste aan haar baby. Dus bestelde ze een half flesje pinot grigio bij haar eten. En het kan me niet schelen of je er een kater van krijgt, mompelde ze tegen haar buik. Als je bij me wilt blijven, zul je eraan moeten wennen dat je af en toe een kater hebt.

'Cate Driscoll!'

Ze keek op van het tijdschrift dat ze had zitten lezen terwijl ze op haar eten wachtte en hield haar adem in. De man die voor haar stond, keek haar stralend aan. Onder tafel balde ze haar vuisten.

'Tiernan.' Ze stak haar hand uit naar een van Finns oudste vrienden, die ook werkzaam was bij de media. 'Wat leuk om je te zien.'

'Wat spook jij hier uit?' vroeg hij. 'Waar is Finn?'

'Ik ben op weg naar Londen,' zei ze tegen hem. 'Voor zaken. Finn is aan het werk.'
'Je zult de laatste vlucht missen,' zei Tiernan.
'Die van mij gaat later dan normaal,' jokte ze. 'Het is een uitgestelde vlucht.'
'En jij bent van het vliegveld hierheen gekomen om nog gauw iets te eten? Wat dapper.'
'Vertel me maar eens hoe het met je gaat,' zei ze in een wanhopige poging om zijn gedachten af te leiden van het feit dat het heel onwaarschijnlijk was dat ze zo laat op de avond nog een vlucht naar Londen zou krijgen. 'Wat heb je gedaan?'
'Ik kom zelf ook net uit Engeland,' zei hij. 'Ik ben hier om met een paar mensen over een radioserie te praten. Niets bijzonders. Ik ben bang dat Finn inmiddels veel te duur voor ons is geworden.'
Cate lachte. 'Hij heeft al genoeg te doen.'
'Zijn nieuwe programma begint vrijdag,' zei Tiernan. 'Jullie zullen wel popelen van verlangen.'
'We zijn er allebei heel opgewonden over,' vertelde ze hem.
'Ik zal hem eens bellen om hem succes te wensen,' zei Tiernan.
Cate liet haar tong over haar lippen glijden. 'Hij zal het vast leuk vinden om iets van je te horen.'
'We moeten samen maar eens iets gaan drinken,' zei Tiernan. 'Het is al eeuwen geleden dat we bij elkaar zijn geweest. Toevallig had Moira het laatst nog over jullie.'
'Hoe gaat het met Moira?' Cate wist dat Tiernan al minstens twee jaar verkering had met het meisje van de make-up.
'Heel goed,' antwoordde hij. 'Ze werkt bij die nieuwe film die in Wexford wordt geschoten. Je weet wel, met al dat bloed en die gore troep waar de mensen zo gek op zijn.'
'Dan zal ze haar handen wel vol hebben,' zei Cate.
Tiernan lachte. 'Ze krijgt in ieder geval de kans om te laten zien wat ze kan.'
Cate wierp een blik op haar horloge.
'Weet je zeker dat je genoeg tijd hebt om te eten?' vroeg Tiernan toen de serveerster de pasta voor haar neerzette.
'Net genoeg,' zei Cate.
'Nou, dan kan ik je beter aan je lot overlaten. Prettige reis.'

'Ja,' zei ze. 'Dank je wel, Tiernan.'

'En we moeten maar eens gauw weer bij elkaar komen.'

'Natuurlijk.'

Ze keek hem na toen hij het restaurant uit liep. Shit, dacht ze terwijl ze een stevige slok nam van de pinot grigio. Ik hoop in godsnaam dat hij Finn niet belt.

22

Waterman, 21 januari – 18 februari

Gevoelsmens, hartstochtelijk maar wil het hart met verstand regeren.

Op zondagochtend belde Nessa Bree.

'Hoe is het nu met je?' vroeg ze.

'Veel beter,' antwoordde Bree. 'Ik heb nog wel een beetje pijn in mijn voeten, maar ik kan ze al goed bewegen. En met mijn kleine verwondingen gaat het ook goed, want ze jeuken als de pest.'

'Wanneer ga je weer aan het werk?' vroeg Nessa.

'Ik heb Christy weer gebeld en afgesproken dat ik morgen en dinsdag nog thuisblijf en woensdag zal proberen of het gaat.' Ze zuchtte. 'Ik ga nu een eindje motorrijden om te zien hoe lang ik dat volhoud.'

'Wees alsjeblieft voorzichtig op die motor!'

'Ja, natuurlijk ben ik voorzichtig. Maar ik trappel van verlangen om weer naar buiten te kunnen. Ik word hier stapelgek, ondanks al die mensen die op bezoek komen om me bezig te houden.'

'Andere mensen dan Cate en ik?' vroeg Nessa.

'Hoor eens, als er niemand anders zou komen dan jij en Cate was ik aan het dementeren geslagen,' zei Bree tegen haar. 'Jullie zijn in staat om zelfs een gezond mens tegen de muur op te laten vliegen.'

'Cate is niet goed wijs,' zei Nessa koel. 'En het spijt me dat mijn aanwezigheid die uitwerking heeft.'

'Ach, je weet best wat ik bedoel!' riep Bree uit. 'Als jullie er zijn moet ik elk woord op een goudschaaltje leggen.'

'Niet vanwege mij,' zei Nessa. 'Maar van haar snap ik dat wel. Het is vrij logisch dat ze er niet over wil praten, hè?'

'Ze moet zelf weten wat ze doet,' zei Bree. 'Ook al vind jij het fout.'

'Wat zij wil doen is niet alleen fout,' zei Nessa fel. 'Het is veel meer.'

'Ik heb geen zin om daarover te praten,' zei Bree. 'En dat meen ik.'

'Oké.' Nessa zuchtte. 'Het spijt me. Ik zou niet zo tegen jou tekeer moeten gaan over dat kreng.'

'Nessa!'

'Ja, het is al goed. Hoor eens...' Ze dempte haar stem. 'Adam is momenteel niet thuis, dus nu wilde ik je vragen... wil je echt doen wat je zei?'

'Waarover?'

'Dat je hem voor mij zou willen bespioneren.'

'Wil je echt dat ik dat doe?'

'Ja,' zei Nessa. 'Dat wil ik echt.'

'Oké.' Bree probeerde voorzichtig haar enkel uit. 'Ik kan er morgen mee beginnen als je dat wilt. Dan heb ik tenminste iets te doen. Verwacht je dat er morgen iets geks gaat gebeuren?'

'Nee.' Nessa klonk plotseling ontmoedigd. 'Maar ik verwacht nooit dat hij gekke dingen doet. En eigenlijk gaat hij nooit uit op maandagavond. Wel op dinsdag. Dan zou je hem kunnen volgen. Of morgen overdag. Hij zit altijd in vergadering. Misschien klopt dat van geen kanten, hoewel ik het betwijfel.' Ze zuchtte. 'Morgen en dinsdag. Dat is genoeg, Bree. Als hij zich dan nog niet verdacht heeft gedragen, ben ik bereid om toe te geven dat Portia zich heeft vergist en dan zet ik alles van me af.'

'Twee dagen is niet veel tijd om iets uit te zoeken,' zei Bree tegen haar. 'Ik dacht eerder aan twee weken.'

'Twee dagen, meer tijd wens ik er niet aan te besteden,' zei Nessa. 'Ik wil het wel weten, maar als je in die tijd niets ontdekt, zal ik in staat zijn het van me af te zetten.'

'Maar, Nessa...'

'Twee dagen,' zei Nessa vastbesloten. 'Anders moet je het maar vergeten.'

Nadat ze de telefoon had neergelegd, keek ze naar de horoscoop in de weekendbijlage.

Er hangen al een tijdje veranderingen in de lucht, stond er. *Je hebt de beslissing voor je uit geschoven, maar nu weet je dat bepaalde dingen opgelost moeten worden. De veranderingen vinden plaats in een positieve sfeer. Wat je nu overkomt, kan in de toekomst schitterende kansen opleveren.*

Het was de horoscoop die voor haar de doorslag had gegeven. Ze was bang geweest om beslissingen te nemen, maar nu had ze dat toch gedaan. Het resultaat van Brees onderzoek zou op de een of andere manier een oplossing brengen. En wat Bree ook ontdekte, ze zou klaar zijn om alle noodzakelijke veranderingen aan te brengen, zodat ze 'in de toekomst schitterende kansen' zou krijgen. Ze had er een goed gevoel over dat ze Bree het groene licht had gegeven. Het was prettig om de touwtjes in handen te hebben.

Cate belde Finn vanuit de aankomsthal op het vliegveld, zodat hij de achtergrondgeluiden zou horen.

'Ik ben weer thuis,' zei ze. 'Ik heb een vroegere vlucht genomen.'

'O ja?'

'Ja. We waren gisteravond al klaar, dus het had geen zin om langer te blijven.' Ze vond het verschrikkelijk dat ze zo tegen hem moest liegen. Maar, hield ze zichzelf voor, ze had de laatste paar weken toch al een heleboel voor hem verborgen gehouden. Dus wat maakte dat ene leugentje dan nog uit?

'En wil je dat ik je op kom halen?'

'Als je wilt,' zei ze tegen hem. 'Ik kan ook een taxi nemen.'

'Zou je het erg vervelend vinden om een taxi te nemen?' vroeg Finn. 'Ik ben nogal druk op dit moment. Ik had je nog niet verwacht.'

'O, goed hoor.' Ze had half en half verwacht dat hij zoiets zou zeggen, maar ze had toch gehoopt dat hij haar zou komen halen. 'Dan zie ik je straks.'

'Ja,' zei Finn.

Ze klapte haar mobiel dicht en pakte haar tas op. Er stond geen lange rij bij de taxistandplaats, dus ze hoefde niet lang te wachten. Onderweg naar de flat las ze de *Sunday Business Post.* Ze wilde nog niet nadenken over hoe ze Finn zou vertellen dat ze een baby kreeg. Dat was iets voor volgende week, voor na zijn programma. Deze week zou een normale week worden. Een saaie week. Waarin hij op de eerste plaats kwam. Ik gedraag me alsof ik Nessa ben, dacht ze wrang. Misschien heeft het feit dat ik in verwachting ben wel een soort Nessa van me gemaakt. Ze betaalde de chauffeur en gaf hem een veel te grote fooi omdat ze zich plotseling weer vrolijk voelde. Natuurlijk was ze nog steeds bang, dat was zeker. Ze wist nog steeds niet of het wel een verstandig besluit was geweest om niet naar Londen te gaan. En ze moest nog steeds alles met Finn bepraten. Maar er drukte niet meer zo'n loden last op haar schouders.

Ze deed de deur van het appartement open en struikelde bijna over de koffer. Haar koffer. De knalrode Delsey die ze had gebruikt toen ze bij Finn was ingetrokken.

'Hallo?' riep ze aarzelend. 'Finn?'

Ze had hem nog nooit zo kwaad gezien. Zijn gezicht leek een parodie van zijn normale uiterlijk, met gefronste wenkbrauwen en strakke lippen.

'Wat is er aan de hand?'

'Kreng!'

Ze keek hem met grote ogen aan.

'Leugenachtig, stiekem kreng!'

'Waar heb je het over?' vroeg ze.

'Je hoeft me niet te beledigen,' zei Finn. 'Jezus, Cate, ik kan nog steeds niet geloven dat ik zo stom ben geweest. Zo oerstom. Ik dacht altijd dat dit soort dingen alleen vrouwen overkwam. En daaruit kun je wel opmaken dat ik nog echt van de oude stempel ben! Ik had nooit gedacht dat mij dit zou overkomen.'

'Finn, ik weet niet waar je het over hebt. Echt niet.'

'Hoe kun je zo tegen me liegen?' wilde hij weten.

Ze klemde haar kaken op elkaar om te voorkomen dat ze zou gaan klappertanden. Ze wist niet hoeveel hij had ontdekt. Maar dat hij iets wist, was duidelijk en dat het niet veel goeds was ook.

'Vertel me dan maar op welke manier ik tegen je gelogen heb,' zei ze.

'Dat is gemakkelijk zat.' Hij snoof. 'Je hebt me vrijdag opgebeld. Even na zessen. Toen zei je dat je in Londen zat en dat alles in orde was.'

Ze slikte.

'Dus hoe kan ik dan diezelfde avond om elf uur een telefoontje krijgen van mijn oude vriend Tiernan Brennan die me vertelt dat hij je in het hotel op het vliegveld tegen het lijf liep en dat je op weg was naar Londen? Terwijl je daar allang had moeten zitten? Zoals je me ook verteld had?'

'Ik kan je alles uitleggen.' Mijn god, dacht ze. Mensen zeggen dus echt 'ik kan je alles uitleggen'. Ik heb altijd gedacht dat zulke dingen alleen in films voorkwamen.

'Nee, dat kun je niet,' zei Finn zonder omhaal.

'Wel waar,' zei Cate.

'Cate, ik mag dan de grootste sufferd ter wereld zijn, maar ik ben niet zo stom om allerlei opgeklopte verhalen aan te horen over vluchten die je hebt gemist en latere vluchten die je wel hebt genomen,' zei Finn. 'Je hebt geen verklaring voor het feit dat je iets hebt uitgespookt wat je niet had mogen doen. Dat je me hebt bedrogen.' Hij trok een gezicht. 'En nog wel in dat verdomde hotel op het vliegveld! Ik bedoel maar, Cate, als je me toch wilde besodemieteren had je wel een wat chiquere gelegenheid uit kunnen kiezen.'

'Ik besodemieterde je helemaal niet.' Cates hart bonsde. Ze zou het hem moeten vertellen. Maar daar was ze nog helemaal niet op voorbereid. Ze had nog niet bedacht wat ze zou zeggen.

'Hoor eens, het maakt allemaal geen bal uit,' zei Finn tegen haar. 'Je hebt tegen me gelogen. Je zei dat je in Londen zat, terwijl je gewoon in Dublin was. Of je nou wel of niet met een of andere vent hebt liggen neuken, maakt geen verschil. Je hebt tegen me gelogen.'

'Ik weet het,' zei ze. 'Maar daar had ik mijn redenen voor.'

'Ik wil ze niet horen,' zei Finn. 'Ik wil dat je nu vertrekt. Ik heb al je spullen al ingepakt. Je andere koffer staat in de slaapkamer. Die zal ik wel even pakken.'

'Finn, alsjeblieft!' Ze pakte zijn arm vast. 'Er is iets dat ik je moet vertellen.'

'Ik wil het niet horen.'

'Het is belangrijk, Finn.'

'Je hebt gelogen,' zei hij opnieuw. 'Ik heb nog nooit tegen jou gelogen. Echt nog nooit. Ik wil je niet meer kennen, Cate.'

'Ik ben zwanger,' zei ze.

Er bestaat echt zoiets als het geluid van de stilte, dacht ze toen. Ze kon de stilte om hen heen niet alleen horen, maar zelfs voelen. En zij was niet van plan om die te verbreken.

'Zeg dat nog eens.'
'Ik ben zwanger.'
'Van wie?'
Ze snakte naar adem. In haar wildste verbeelding was ze nooit op het idee gekomen dat Finn misschien niet zou willen geloven dat het kind van hem was.
'Van jou, natuurlijk,' zei ze beverig. 'Van wie anders?'
'Hoe moet ik dat weten?' vroeg hij. 'Jij bent degene die zonder mij weekendjes in hotels doorbrengt.'
'O, Finn!' Ze had geweten dat ze vroeg of laat in tranen zou uitbarsten, maar ze had gehoopt dat ze het wat langer zou uithouden. 'Ik heb het weekend niet zonder jou in een hotel doorgebracht.'
'Pardon?'
'Nou ja, in zekere zin wel, maar...' De tranen stroomden haar over het gezicht, ze kon er niets aan doen. Ze spetterden op de rand van de rode koffer en op de vloer eronder. Ze wenste uit alle macht dat Finn haar in zijn armen zou nemen, maar in plaats daarvan liep hij weg. Ze volgde hem naar de zitkamer.
'De baby komt in maart,' zei ze. 'Ik weet het al een paar weken.'
'Bedankt dat je mij dat ook verteld hebt.'
'Maar ik kon je toch niets vertellen, Finn,' riep ze uit. 'Dat kon ik toch niet maken? Je had het zo ontzettend druk. De tv-show, je nieuwe radioprogramma... en nog veel meer. Je werd er zo door in beslag genomen. Ik wist dat je helemaal gek zou worden, als je hoorde dat ik zwanger was.'
'Je had het me eerder kunnen vertellen,' zei hij kil. 'Hoewel dat natuurlijk afhankelijk is van het feit of ik wel of niet de vader ben.'
'Natuurlijk ben je dat,' zei ze fel. 'Maar ik was bang. Ik wilde helemaal geen baby en ik wist dat jij dat ook niet wilde. Daar hebben we het immers over gehad. Dus...' Ze begon te hakkelen. 'Dus daarom besloot ik abortus te laten plegen.'
'Wat?'
Ze had hem nog nooit zo geschokt gezien.
'Dat leek me gewoon het beste,' zei ze. 'Per slot van rekening heb ik een heel drukke baan en momenteel zitten we met de introductie van de nieuwe HiSpeed-schoen. En jij zit ook helemaal verstrikt in je werk... wanneer zouden wij nu tijd hebben voor een baby, Finn? En ik

wilde je eigenlijk niet met al die dingen lastig vallen, dus besloot ik om in mijn eentje naar Londen te gaan.'

Hij zag er nog steeds onthutst uit. 'Heb je het laten weghalen? Mijn kind? Zonder iets tegen me te zeggen?'

'Nee, want toen puntje bij paaltje kwam, kon ik het niet opbrengen,' zei ze. 'Maar ik had je pas willen vertellen dat ik zwanger was nadat je het eerste programma achter de rug had, omdat ik bang was dat het je zou afleiden.'

'Je bent in verwachting en daar heb je me niets van verteld. Je was van plan om abortus te laten plegen zonder dat met mij te overleggen. Je deed net alsof je in Londen zat, terwijl je in werkelijkheid in Dublin was. Neem me niet kwalijk, Cate, maar ik vraag me af wat mijn rol in dit geheel is. Of ben ik alleen maar een toeschouwer?'

'Luister nou eens, ik kon niet goed meer nadenken. Ik was overstuur.'

'Je was overstuur?' Finn staarde haar aan. 'Jij? En wat dacht je dan van mij?'

'Ik weet wel dat ik het eerder had moeten vertellen, maar dat kon ik gewoon niet.'

'Dus jij zag er geen kwaad in om dit besluit in je eentje te nemen. Je woonde met me samen, je wist dat je mijn kind verwachtte en toch vond je dat je best in je eentje kon besluiten of je het wel of niet zou laten komen.'

'Finn, nu klink je net als Nessa. Zij zei...'

'Nessa! Dus je hebt het Nessa wel verteld en mij niet.'

'Zij is mijn zus. Ik wilde haar om raad vragen.'

'Ach, hou toch op, Cate. Je wist best wat ze je zou aanraden. Dat je het kind gewoon moest krijgen. Je wilde helemaal geen raad. Je wilde het aan iemand vertellen. Maar niet aan mij.' Hij schudde zijn hoofd. 'Dus misschien had ik toch gelijk. Misschien is het helemaal mijn kind niet.'

'Finn, het is echt van jou,' zei ze. 'Natuurlijk is het jouw kind.'

'Hoe kan ik daar zeker van zijn?' wilde hij weten. 'Hoe kom ik erachter of je iedere keer dat je volgens jou in Londen zat niet stiekem ergens anders heen bent gegaan?'

'Omdat ik nog nooit tegen je gelogen heb. Ik ben je nooit ontrouw geweest.'

Hij lachte kort. 'Laten we daar eens iets dieper op ingaan. Dus je hebt nooit tegen me gelogen?'

'Dit was iets heel anders,' jammerde ze. 'Ik had een shock, Finn. Je hebt geen flauw idee hoe dat is.'

'Ik weet alleen wat het is als een van mijn vrienden me opbelt met de mededeling dat hij net mijn vriendinnetje heeft gezien die in het hotel op het vliegveld zat te eten terwijl ik denk dat ze in Londen zit,' zei Finn woedend.

'Ik heb het toch uitgelegd!' riep Cate uit. 'Begrijp je het dan niet?'

'Nee,' zei Finn. 'Ik begrijp niet waarom je dacht dat je dit wel voor je kon houden. Ik begrijp niet waarom je dacht dat jij wel in je eentje over leven of dood kon beslissen. En ik begrijp ook niet waarom je niet naar huis kwam toen je van gedachten was veranderd.'

'Ik had tijd nodig om na te denken,' zei ze.

'Kennelijk is dat het enige wat je hebt gedaan,' zei hij. 'Natuurlijk heb ik sinds dat telefoontje van Tiernan ook tijd gehad om na te denken. En ik ben tot de conclusie gekomen dat je niet te vertrouwen bent. En als het vertrouwen binnen een relatie is verdwenen, blijft er niets over.'

'Ik weet best dat je kwaad op me bent,' zei ze. 'En dat kan ik je niet kwalijk nemen. Maar ik was echt helemaal in de war, Finn. En bang.'

'Ja,' zei hij. 'Dat weet ik. Dat zie ik nu ook. Maar je bent niet naar mij toe gekomen.'

Ze haalde haar handen door haar haar. Dit ging helemaal verkeerd. Ze had verwacht dat ze een discussie zouden hebben over de baby, maar daar had hij het helemaal niet over. Hij had het over vertrouwen, over het feit dat je op elkaar moest kunnen rekenen en over allerlei andere dingen waar ze geen moment aan had gedacht.

'Ik wil niet meer met je trouwen, Cate,' zei Finn.

'Maar...'

'Op dit moment kan ik je zelfs niet meer zien.'

'Ik heb niets verkeerds gedaan!' riep ze uit. 'Ik heb in mijn eentje geworsteld met het abortusprobleem en ik ben eruit gekomen. Massa's mensen zouden zeggen dat ik de juiste beslissing heb genomen, ook al valt er best iets te zeggen voor abortus. Maar ik heb toch anders besloten en nu zeg je dat je me haat?'

'Ik haat je niet,' zei hij. 'Maar ik geloof ook niet dat ik nog van je houd.'

'Maar ik ben in verwachting!' snikte ze. 'Van jouw kind.'

'Ik ben best bereid om te helpen bij het onderhoud van dat kind,' zei Finn. 'Je hebt gelijk, Cate. Ik zou het vreselijk vinden om op dit punt in mijn carrière een baby te krijgen. Maar het is gebeurd en ik ben bereid om de verantwoordelijkheid ervoor te accepteren. Maar wel nadat er een test is gedaan, natuurlijk. Want ik ben er toch niet helemaal van overtuigd dat het van mij is. Maar ik ben niet bereid om te accepteren dat je het mij niet hebt verteld en dat je besloot om het weg te laten halen zonder daar met mij over te praten.'

'Ik heb het niet weg laten halen!'

'Maar daar gaat het ook niet om, hè?' zei Finn.

'Waar gaat het dan wel om?' wilde ze weten. 'Als ik dan ten slotte toch de juiste beslissing heb genomen, waar gaat het dan om?'

'Dat moet je maar voor jezelf zien uit te maken,' zei hij tegen haar. 'Maar ik zal wel je koffers naar de auto dragen.'

23

Schorpioen, 24 oktober – 22 november

Vastberaden en wilskrachtig, lastig en arrogant.

Bree zat schrijlings op de Yamaha R6. Ze boog zich voorover om een klopje op de koplamp te geven voordat ze weer rechtop ging zitten en om zich heen keek of iemand had gezien wat ze deed. Er waren niet veel mensen die zouden begrijpen waarom zij haar motor liefkoosde. Maar ze had hem echt gemist. Voor die tijd was er vrijwel geen dag voorbijgegaan dat ze niet op die motor had gezeten. Na het ongeluk was ze een paar dagen lang bang geweest dat ze nooit de kracht meer zou hebben om erop te rijden, maar vandaag voelde ze zich sterk genoeg. Ze draaide het contactsleuteltje om en luisterde tevreden naar het ronkende geluid toen ze de motor had gestart. Ze reed voorzichtig Marlborough Road op om te controleren of ze de machine voldoende in bedwang had en genoot van de manier waarop de motor reageerde, hoewel ze het voorlopig nog rustig aan deed. Ze was nog niet bereid om het uiterste uit de motor te halen, omdat ze wist dat ze daar nog niet sterk genoeg voor was.

Ze reed de weg op die naar Michaels huis leidde. Declan had hem gisteren opgehaald uit het ziekenhuis en ze had beloofd dat ze vandaag langs zou komen. Ze verheugde zich erop dat ze hem weer zou zien. Ze had hem niet opgezocht in het ziekenhuis, omdat ze hem niet rechtop in bed had willen zien zitten, helemaal overmand door schuldgevoelens. Thuis zou hij er wel anders tegenaan kijken, dacht ze.

Ze zette de motor op de oprit en gebruikte de deurklopper. Ze hoorde geschuifel in het huis en toen werd de deur opengedaan door een aantrekkelijk, donkerharig meisje. Bree nam aan dat het Michaels achttienjarige zusje Marta was. Marta droeg een strakke, blauwe spijkerbroek, een effen wit T-shirt en platte donkerblauwe schoenen. Ze was ook perfect opgemaakt en deed Bree aan Cate denken.

'Hallo,' zei Bree. 'Ik kom Michael opzoeken.'

Marta keek haar met haar donkerbruine ogen aan. 'O ja,' zei ze. 'Jij bent het vriendinnetje, hè? Kom binnen.'

Bree volgde haar naar de woonkamer, waar Michael op de bank zat, met zijn in gips verpakte been voor zich uit gestrekt.

'Hallo.' Bree kuste hem op zijn wang. 'Hoe gaat het ermee?'

Het viel haar op dat hij nog steeds bleek was, hoewel zijn gezicht een soort caleidoscoop van blauwe plekken was.

'Wat dacht je?' zei hij.

Ze trok een gezicht. 'Je ziet er wel iets beter uit.'

Hij moest even lachen. 'Volgens mij wordt het steeds erger.'

'Dat komt gewoon door al die blauwe plekken,' zei ze tegen hem. 'Die trekken vanzelf weg. En ik heb al eerder tegen je gezegd dat meisjes die littekens prachtig zullen vinden.'

'Maar hoe gaat het met jou?' vroeg Michael. 'Je ziet er fantastisch uit.'

'Dank je wel.' Ze had er moeite genoeg voor gedaan om er goed uit te zien. Ze had de make-up die ze voor hun avondje uit had gekocht gebruikt om de kringen die ze nog steeds om haar ogen had te verbergen en haar wangen wat kleur te geven. 'Ik voel me een stuk beter. Ik kan alweer motorrijden, hoewel ik pas later deze week weer aan het werk ga. Ik ben af en toe nog een beetje wiebelig. Maar het was heerlijk om hiernaartoe te komen.'

'Jullie hebben geluk gehad,' zei Marta. 'De dokter zei dat Michael best dood had kunnen gaan.'

Bree beet op haar lip. 'Ik dacht dat we er allebei waren geweest,' bekende ze. 'Ik was doodsbang.'

'Je had hem niet moeten aanmoedigen,' zei Marta afkeurend.

'Maar dat heb ik helemaal niet gedaan!' protesteerde Bree. 'Hij heeft zelf toch gezegd dat hij probeerde indruk op me te maken!'

Marta leek niet overtuigd. Ze schudde het kussen achter Michael op en ging toen weer tegenover hem zitten. Bree wenste dat ze weg zou gaan. Ze had zich haar hereniging met Michael heel anders voorgesteld. Ze had verwacht dat ze hem in haar armen zou kunnen nemen en tegen hem zou zeggen dat ze van hem hield en ze had verwacht dat hij haar eindelijk de kus zou geven waar ze al zo lang op wachtte. Maar zijn zus gedroeg zich alsof ze zijn chaperonne was waardoor Bree zich helemaal niet op haar gemak voelde.

'Hallo!' De deur ging open en Bree was opgelucht toen ze Declan zag, hoewel ze zich ook in zijn aanwezigheid niet zou kunnen laten gaan.

'Hallo,' zei ze hartelijk. 'Wat leuk om je weer te zien. Het spijt me dat ik in slaap ben gevallen toen je me laatst kwam opzoeken.'

Declan keek van Bree naar Michael en glimlachte toen tegen haar. 'Zit daar maar niet over in. Je was duidelijk uitgeput. Heb je geen problemen gehad om hierheen te komen? Met de motor, bedoel ik.'

Ze schudde haar hoofd. 'Het ging veel gemakkelijker dan ik had verwacht. Maar voorlopig doe ik het wel rustig aan.'

'Wanneer ben je in slaap gevallen toen pa bij je was?' Marta keek Bree fronsend aan.

'Hij kwam me in mijn flat opzoeken om me een paar muffins te brengen,' legde Bree uit. 'Na het ongeluk. Maar ik ben in slaap gevallen, dus ik heb hem niet eens weg horen gaan.'

'Dat heb je me nooit verteld, pa,' zei Michael beschuldigend.

'Zo belangrijk was het niet,' zei Declan.

'Je vader probeerde me om te kopen om geen aanklacht tegen je in te dienen wegens onverantwoord rijgedrag,' zei Bree tegen hem.

'Pa!'

'Ik heb helemaal niet geprobeerd om haar om te kopen,' zei Declan haastig. 'Maar het scheelde een haartje of jij had dat meisje gedood, Michael. Ik maakte me zorgen.'

'Volgens mij mankeert ze niets,' zei Marta.

Bree ging onbehaaglijk verzitten.

'Heb je zin in een kopje koffie?' verbrak Declan de plotselinge stilte.

'Ja, lekker,' zei Bree.

'Ik zal het wel even zetten.' Marta stond op. 'Ga jij maar zitten, pa. Je hebt een zware tijd achter de rug.'

'Bedankt.' Declan ging in de stoel zitten waar zijn dochter net uit was opgestaan. 'Of zit ik in de weg?'

Meer dan dat, dacht Bree. Het was duidelijk dat niet alleen Marta maar ook Michael het helemaal niet leuk vond dat hij haar alleen maar in haar flat had opgezocht om te zien of alles goed met haar ging en niet om juridische redenen.

Ze keek haar vriend aan. 'Wat ben je de komende week van plan, Michael?'

'Hier zitten en de hele dag tv kijken,' zei hij.

'Doe niet zo somber,' zei ze luchtig. 'Er zijn vast een heleboel dingen die je kunt doen.'

'Hiermee?' Hij wees naar zijn arm en zijn been. 'Ik dacht het niet.'

Ze fronste. Dit ging niet gemakkelijk. Ze had verwacht dat Michael het leuk zou vinden om haar te zien, maar daar leek het niet op. En hij was ook in een slecht humeur, al had ze dat natuurlijk kunnen verwachten. Per slot van rekening had zij ook dagen gehad waarop ze knap chagrijnig was geweest. En Michael was veel zwaarder gewond dan zij.

'Hoe gaat het met je zus?' Declan scheen niets te merken van de gespannen sfeer.

'Welke?' vroeg Bree.

'Ik bedoelde eigenlijk de driftkikker,' zei Declan. 'Maar het geldt natuurlijk ook voor de pyromaan.'

Michael keek hen vragend aan.

'Je vader noemt mijn oudste zus de driftkikker,' legde Bree hem uit, 'omdat ze hem in het ziekenhuis bijna aanvloog. En mijn andere zus heeft bijna mijn flat in brand gestoken, dus vandaar dat zij de pyromaan is.'

'Hij schijnt je familie beter te kennen dan ik.'

'Je mag blij zijn dat je die driftkikker niet tegen het lijf bent gelopen,' zei Declan. 'Ze had je ondanks je verwondingen aan stukken gescheurd.'

'Het zijn fantastische meiden,' zei Bree tegen Declan. En dat lieg ik, besefte ze plotseling. Als je nagaat dat Nessa me net heeft gevraagd om haar man te bespioneren en dat Cate op dit moment waarschijnlijk ligt bij te komen van haar abortus. Mijn god, dacht ze, we zijn doodgewone mensen. Hoe komt het dat ons dit soort dingen overkomt? Bij andere mensen gaat het leven gewoon z'n gangetje... waarom dan niet bij ons? Ze knipperde met haar ogen toen ze even naar Declan keek. Hij was ook een doodgewone man, maar hij had meegemaakt dat zijn vrouw overleed en dat zijn zoon een auto-ongeluk kreeg. Allemaal afschuwelijke dingen die een doodgewoon mens konden overkomen. Maar het leek net of de familie Driscoll alles ineens te verwerken kreeg.

'Doe de groeten maar aan Nessa,' zei Declan. 'En misschien leer ik die ander ook nog weleens kennen.'

'Je weet maar nooit.' Bree glimlachte tegen hem, maar ze wenste toch dat hij weg zou gaan.

'Koffie.' Marta kwam de kamer binnen met een dienblad. Ze schonk eerst een kopje koffie in voor Michael, daarna voor Declan en ten slotte voor Bree. 'Wil je een stukje cake?' vroeg ze.

'Wat heb je nu weer gebakken?' vroeg ze aan Declan.

'Dit komt uit Spanje,' zei Marta. 'Van mijn familie.'

'Heerlijk,' zei Bree haastig. 'Dank je wel.'

Het was een onplezierige middag. Michaels humeur werd er niet beter op, ook niet toen Marta zei dat ze naar haar eigen kamer ging en Declan hen ten slotte alleen had gelaten. Michael beantwoordde haar vragen alleen maar met ja of nee, zodat ze het gevoel kreeg dat hij veel liever alleen wilde zijn.

'Heb ik iets verkeerds gezegd?' vroeg ze ten slotte. 'Of iets fout gedaan?'

'Waar heb je het over?'

'Dat ik kennelijk iets heb gedaan of gezegd dat je in het verkeerde keelgat is geschoten.'

'Nee,' zei hij. 'Ik ben alleen moe. Ik heb een moeilijke tijd achter de rug. En mijn familie ook.'

'Ik snap best dat ze allemaal knap overstuur waren,' zei Bree. 'Dat was iedereen. Maar je kunt er niet stil bij blijven staan. Per slot van rekening is er niemand om het leven gekomen, Michael. Het had veel erger kunnen zijn.'

'Ik heb dingen meegemaakt die veel erger waren. Dus je hoeft mij niet te vertellen wat ik moet doen,' zei Michael gespannen.

'Oké,' zei Bree. 'Ik houd mijn mond wel. Sorry.'

Hij gaapte en deed zijn ogen dicht.

'Wil je liever dat ik wegga?' vroeg ze. 'Ben je zo moe?'

'Ja,' zei hij. 'Volgens mij kan ik beter even gaan slapen.'

'Dan ga ik maar,' zei ze. 'Ik bel je nog wel.'

'Goed,' zei hij.

Hoe zou het toch komen, dacht ze toen ze zich klaarmaakte om weg te gaan, dat dingen waar je je zo op verheugt vaak op een teleurstelling uitlopen? Ik had hoge verwachtingen van vandaag. Ik dacht dat het een romantisch weerzien zou worden. Ik dacht dat hij tegen me zou zeggen dat hij van me hield. Wat ben ik toch een sukkel.

Ze zette grote ogen op toen ze Cates auto voor haar flat zag staan. Haar zus kwam haar vast niet opzoeken om te vragen hoe het met haar ging, als ze net zelf zo'n traumatische ervaring had gehad. Ze reed voorzichtig op haar motor langs de auto en stapte af. Dat viel niet mee, omdat ze nog steeds een beetje bang was om haar ene voet te belasten.

Cates hoofd leunde tegen het raampje aan de kant van de bestuurder. Bree klopte er zacht op en Cate schoot verschrikt overeind. Ze drukte op een knopje en het elektrische raam zakte open.

'Wat spook jij hier nou uit?' vroeg Bree. 'Is alles goed met je?'

Maar dat sloeg nergens op, dat wist ze best. Haar gezicht was gevlekt en haar mascara was uitgelopen. Haar ogen waren rood. Ze had geen lipstick op. Ze leek helemaal niet op de Cate die ze kende.

'Het komt wel weer in orde,' zei Cate schor.

'Wat is er in vredesnaam gebeurd?' vroeg Bree bezorgd. 'Is er iets misgegaan met de behandeling, Cate?'

Cate liet haar tong over haar lippen glijden en schudde haar hoofd.

'Wat is er dan?'

'Finn heeft me het huis uit gezet.'

Bree trok het portier open. Cate struikelde bij het uitstappen en knipperde met haar ogen tegen de zon.

'Wat bedoel je daarmee?' wilde Bree weten. 'Waarom heeft hij je de deur uitgeschopt? Wat is er gebeurd?'

'Mag ik binnenkomen?' vroeg Cate. 'Ik wil er hier niet over praten.'

'God, ja, natuurlijk. Sorry.'

Cate liep naar de kofferbak van de auto en deed de klep open. Ze pakte er een rode Delsey-koffer en een wat kleiner exemplaar uit.

Bree keek ongelovig toe en droeg de beide koffers naar boven.

'Vertel op,' beval ze toen ze in de flat waren. 'Hoe ben je hier beland Cate? Is Finn zo kwaad geworden omdat je abortus hebt laten plegen? Is dat het probleem? Hij heeft je toch niet echt op straat gezet, hè? Hield je het niet meer met hem uit?'

Cate vertelde haar wat er was gebeurd, hoewel ze eigenlijk nog steeds niet kon geloven dat Finn zo kwaad op haar was. Ze kon ook niet geloven dat hij het niet begreep. En ze snapte niet hoe ze het had klaargespeeld om alles voorgoed te bederven.

'Ik vind wel iets anders,' zei Cate bevend. 'Ik blijf hier heus niet lang. Maar ik heb even de tijd nodig om alles weer op een rijtje te zetten.'

'Je mag zo lang blijven als je wilt,' zei Bree, die zich in stilte afvroeg hoe lang het zou duren voordat Cate en zij elkaar naar de keel vlogen. En waar ze zou moeten slapen. Cate was kennelijk vergeten dat ze maar één tweepersoonsbed had.

'Ik bedoel maar, ik heb toch de juiste beslissing genomen,' zei Cate. 'Daar zal iedereen het over eens zijn, maar hij heeft me toch de deur uit geschopt.'

'Maak je daar nou maar even geen zorgen over,' zei Bree.

'En Nessa... Ik heb wel overwogen om naar Nessa te gaan, maar die zit zelf ook in de problemen en ze zou alleen maar vervelende preken afsteken en zo...'

'Je hoeft je ook niet druk te maken over Nessa,' zei Bree.

'Je bent echt lief.' Cate schoof een paar kranten opzij en legde haar hoofd op de rozenhouten tafel. 'Je bent echt mijn lieve kleine zusje.'

'Dank je wel,' zei Bree. Ze trok haar leren jack uit, ging naar de keuken en zette water op. Ze waste de kopjes die ze de afgelopen paar dagen in de gootsteen had gezet en hing theezakjes in twee mokken.

'Het heeft geen zin dat je om hem gaat zitten janken,' zei ze toen ze met twee gloeiend hete mokken thee de kamer in liep en naar Cates schokkende schouders keek. 'Dat is hij niet waard. Kom op, Catey, drink maar gauw je thee op. Dan voel je je vast beter.'

'Waarom zeggen mensen dat toch altijd?' Cate tilde haar hoofd op. 'Je voelt je helemaal niet beter.'

'Drink het toch maar op,' drong Bree aan.

Cate trok de gele mok naar zich toe en nam een slokje. 'Ik voel me zo stom.' Ze snufte. 'Ik wist het namelijk allang, zie je.'

'Wat?' vroeg Bree.

'Dat hij niet meer van me hield.'

'Hoe kun je dat nou zeggen?' vroeg haar zus. 'Jullie waren net verloofd!'

'Maar ik heb hém gevraagd,' zei Cate. 'Dat had ik niet moeten doen. Het was stom. Ik wist dat zijn carrière belangrijker voor hem was dan wat ook, maar ik was bang dat ik hem kwijt zou raken, dus heb ik hem gevraagd of hij met me wilde trouwen, terwijl hij dat eigenlijk helemaal niet wilde.'

'Wat een onzin!' riep Bree uit. 'Als hij niet met je had willen trouwen, had hij geen ja gezegd.'

'Maar het leverde goede publiciteit op,' zei Cate. 'Zelfs jij en Nessa vonden dat.'

'Cate, je moet niet vergeten dat je hem diep gekwetst hebt,' zei Bree nadat ze even had zitten nadenken. 'Er was iets heel belangrijks gebeurd en daar heb je hem niets van verteld. Je hebt tegen hem gelogen. Het hoeft niet te betekenen dat hij niet meer van je hield.'

'Ik wil er niet meer over praten,' zei Cate abrupt. 'Als je het niet erg vindt, ga ik nu mijn koffers uitpakken.'

'Goed.' Bree wist niet wat ze moest zeggen. Ze was er zo aan gewend dat Cate altijd alles onder controle had, dat ze ook niet wist wat ze met deze nieuwe, ongelukkige versie van haar zus moest beginnen. Ze keek toe hoe Cate haar kleren in de kleine garderobekast hing en vroeg zich opnieuw af hoe lang het zou duren voordat ze een nieuw huis had gevonden. Natuurlijk mocht ze bij haar intrekken, dat was geen punt, maar ze waren gewoon te verschillend om het lang met elkaar uit te houden.

'Heb je zin om even naar de pub te gaan?' vroeg ze. 'We kunnen een paar borrels pakken, zodat je alles even van je af kunt zetten.'

'Ik mag niet drinken,' zei Cate. 'Ik ben zwanger.'

'O, shit.' Bree liet haar hoofd op haar handen zakken. 'Het spijt me. Dat was een stomme opmerking.'

'Ga jij maar,' zei Cate. 'Ik wil graag even alleen zijn.'

'Weet je het zeker?'

'Heel zeker.'

'Oké.' Bree pakte haar tas en hing die op haar rug. Ze vond het eigenlijk bespottelijk dat zij een borrel ging pakken waar ze helemaal geen trek in had, alleen maar omdat haar zus graag even alleen wilde zijn. 'Doe alsof je thuis bent. De grote badkamer is op de volgende verdieping, als je even lekker languit in bad wilt gaan liggen, maar eigenlijk zou ik je dat niet aanraden. We moeten die met zes mensen delen en vier daarvan zijn kerels. Ik weet nooit zeker of...' Ze haalde haar schouders op. 'Je kunt ook in de achtertuin gaan zitten. Die is wel een beetje verwilderd, maar het is er heerlijk rustig.'

'Ik weet het,' zei Cate. 'De afgelopen week ben ik hier bijna iedere dag geweest!'

'Sorry. Ik begin een beetje te malen. Dat weet ik best.' Bree keek haar bezorgd aan. 'Je weet toch wel zeker dat je alleen wilt blijven, hè?'

'Ja, natuurlijk weet ik dat zeker,' zei Cate ongeduldig. 'Ik ben echt niet van plan om zelfmoord te plegen, hoor.'

'Goed dan.' Bree glimlachte aarzelend. 'Misschien moet je even een tukje gaan doen.'

'Misschien wel,' zei Cate.

'Ik blijf niet lang weg.'

'Je ziet maar.'

'Tot straks.'

'Tot straks, Bree,' zei Cate.

De tuin was een puinhoop. Cate waadde door het hoog opgeschoten gras en het zevenblad naar de verweerde bank bij de achtermuur. Ze ging voorzichtig zitten om splinters te vermijden, trok haar benen op de bank en legde haar kin op haar knieën. Ze sloot haar ogen en dacht terug aan de ruzie.

Een zacht briesje streek door de prunus en de eucalyptusboom en ze huiverde in de koele avondlucht. Ze was volkomen overdonderd door de manier waarop haar leven ineens op zijn kop was gezet. Ze had het feit dat ze zwanger was nog niet eens fatsoenlijk verwerkt en ze kon gewoon niet geloven dat ze nu ineens met haar jongste zusje samenwoonde in een aftands flatje in plaats van een duur appartement te delen met haar succesvolle vriend. En ze vond het een afschuwelijk idee dat Finn het waarschijnlijk heerlijk vond dat hij eindelijk van haar af was.

Ze vroeg zich af of dat echt waar zou zijn toen ze haar ogen weer opendeed en om zich heen keek. Is dat alles wat ik aan die drie jaar heb overgehouden? Dat ik hier nu in de tuin van een haveloos huis midden in Donnybrook zit te janken en niet weet waar ik naartoe moet?

24

Steenbok, 22 december – 20 januari

Koestert het verleden, creëert kansen voor de toekomst.

Bree werd de volgende morgen wakker van het geluid van de douche. Ze gluurde naar de wekker naast het bed en huiverde toen ze zag dat het pas zes uur was. Ze vroeg zich af of Cate iedere morgen zo vroeg opstond. Of was dat alleen maar het gevolg van de onrustige nacht die ze achter de rug hadden? Bree was vergeten dat Cate altijd in haar slaap lag te zuchten, een geluid waar ze stapelgek van werd. En Cate was vergeten dat Bree snurkte als ze op haar rug lag. Iedere keer als een van hen beiden zich omdraaide, was de ander wakker geworden. Bree moest toegeven dat het niet zo vreemd was dat Cate al wakker was, maar ze vond het bijna misdadig dat ze al op was.

Ze hoorde Cate vanuit de douche de kamer weer in komen.

'Goedemorgen,' zei Bree.

'Heb ik je wakker gemaakt?'

'Nee, ik word altijd midden in de nacht wakker.'

'Het spijt me,' zei Cate. 'Maar ik wil niet te laat op mijn werk komen.'

'Te laat!' kreunde Bree. 'Hoe laat beginnen jullie dan in vredesnaam?'

'Eigenlijk wanneer we willen,' zei Cate terwijl ze in haar koffer rommelde, op zoek naar haar föhn. 'Maar ik ben altijd op z'n laatst rond acht uur op kantoor.'

Bree kreunde. 'Ik heb ook weleens een vroege dienst in de garage, maar dan sta ik geen uren eerder op.'

Cate haalde haar schouders op en stopte de stekker van de föhn in het stopcontact. 'Ik vind het prettig om vroeg te beginnen. Dan kan ik veel meer werk verzetten.'

Bree duwde het dekbed opzij en stond op. Het had geen zin om in bed te blijven liggen met die herrie van de haardroger en ze vond dat het eigenlijk wel een goed idee was om zelf ook vroeg op pad te gaan als spion voor Nessa. Maar ze had het vermoeden dat Nessa, Adam en Jill nog op één oor zouden liggen als zij klaarstond om de achtervolging op zich te nemen.

Toen Bree uit de douche kwam, had Cate haar haar gedroogd en zat zich op te maken. Bree keek gefascineerd toe hoe haar zus een vochtinbrengende crème opbracht, oogcrème, vloeibare make-up, oogschaduw, een camouflagecrème, rouge, mascara, lipcrème, lipstick en een fixatie voor die lipstick.

'Geen wonder dat je al zo vroeg moet opstaan,' zei ze tegen Cate. 'Vertel me nou niet dat je dat iedere ochtend doet.'

'Ik moet er goed uitzien,' zei Cate. 'Dat hoort bij mijn werk.'

'Ik dacht dat je directeur verkoop was,' zei Bree. 'En volgens mij hoeft een directeur verkoop echt niet elke dag al die troep op haar gezicht te smeren.'

'Het is geen troep.' Cate borg haar potjes en tubes weer op in haar beautycase. 'Het is noodzaak.'

'Waarom?'

'Omdat ik vaak met belangrijke mensen van doen krijg,' zei Cate. 'Ik voel me beter als ik er op mijn best uitzie.'

'Maar je ziet er ook heel behoorlijk uit zonder al die rotzooi, hoor,' zei Bree. 'Dat heb je helemaal niet nodig.'

'Wel waar,' zei Cate. 'En zeker vandaag. Ik zag eruit als een spook toen ik opstond.'

'Nou ja, vandaag misschien wel,' gaf Bree toe. 'Maar lang niet altijd, Cate. Jij bent de mooiste zus.'

'Volgens Nessa ben ik de egoïstische, onattente zus,' zei Cate bitter.

'En nu ben ik ook de ongetrouwde, zwangere zus die geen vriend meer heeft.'

'Je bent helemaal niet egoïstisch en onattent,' zei Bree. 'Maar je ziet er wel verdomd goed uit. Je vindt vast wel iemand anders, Cate.'

'Ja, dat zal best.' Cate probeerde te lachen, maar het leek meer op een grimas. 'Ik en het kind dat ik aanvankelijk niet eens wilde hebben.'

'We praten er later nog wel over door,' zei Bree. 'Ik hoop dat je een prettige dag op kantoor hebt.'

'Dank je wel.' Cate sloeg even haar armen om haar heen. 'En bedankt voor alles.'

Toen Cate weg was, belde Bree Nessa.

'Waarom bel je al zo vroeg?' wilde Nessa weten. 'Adam is nog niet eens naar zijn werk.'

'Ik dacht dat je het wel prettig zou vinden als ik hem naar zijn werk volgde,' zei Bree.

'Het lijkt me hoogst onwaarschijnlijk dat hij...' Nessa hield abrupt haar mond toen Jill, die voor het eerst na de vakantie haar schooluniform weer aanhad, de keuken binnenkwam. 'Vanavond lijkt me de kans groter,' zei ze.

'Volgens mij heb je gezegd dat hij op maandagavond altijd thuis was,' protesteerde Bree. 'Maar goed, het lijkt me toch beter dat ik hem deze week elke avond volg, ondanks wat we eerder hebben afgesproken. Het heeft geen zin om het maar twee dagen te doen, zeker niet als hij één van beide dagen nog thuis blijft ook!'

'Alleen vandaag en morgen heb ik gezegd,' zei Nessa kortaf.

'Maar dat is belachelijk.'

'Niet half zo belachelijk als dit hele verdraaide plan,' siste Nessa. 'Ik wou maar dat ik er niet mee had ingestemd.'

'Mij best.' Bree zuchtte diep. 'Waar werkt hij precies?'

'Op Merrion Square,' zei Nessa zacht. 'Bij Time Concepts. Ik weet het nummer niet zo gauw, maar de voordeur is groen.'

'Ik vind het wel,' zei Bree.

'Weet je zeker dat je weer helemaal in orde bent?' vroeg Nessa bezorgd. 'Ik wil niet dat je van je motor valt of zo.'

'Met mij gaat het prima,' zei Bree. 'Ik ben gisteren al bij Michael op bezoek geweest.'

'Hoe gaat het met hem?'
'Hij zit een beetje in de put,' zei Bree. 'Maar zijn vader zegt dat hij wel weer zal opknappen.'
'Ik mag zijn vader niet,' zei Nessa. 'Wat een arrogante kwal. Alleen maar omdat hij een verrekte advocaat is.'
'Je hebt te veel tv gekeken,' zei Bree. 'Hij is heel rechtschapen, Nessa. Echt waar. Maar nu kan ik maar beter gaan.'
Bree had Nessa eigenlijk het nieuws over Cate willen vertellen, maar bij nader inzien dacht ze dat Cate liever zelf met Nessa zou praten. Over een poosje. Toch kostte het haar moeite om haar mond te houden. De ellende van haar beide zussen begon zo langzamerhand een loden last te worden.
'Oké,' zei Nessa. 'Ik weet eigenlijk niet of ik je succes moet wensen.'
'Ik ook niet,' zei Bree.
'Bel straks maar terug,' zei Nessa toen Adam de keuken binnenkwam.
'Wie belt er al zo vroeg?' wilde hij weten.
'Bree,' zei Nessa.
'Wat is er nu weer met haar aan de hand?'
'Niets.'
'Ik dacht dat ze deze week weer aan het werk ging.'
'Woensdag,' zei Nessa.
'Goed zo,' zei Adam. 'Dan heb je tenminste weer wat tijd voor jezelf.'
'Ik moet vandaag ook weer aan het werk,' zei ze. 'Dus dat klopt niet.'
'Je mist die baan van je 's zomers wel, hè?'
'Af en toe,' zei Nessa.
Adam keek op zijn horloge. 'Ik kan er maar beter zelf ook vandoor gaan.' Hij drukte een vluchtige kus op haar wang en plotseling sloeg ze haar armen om hem heen en drukte hem tegen zich aan.
'Nessa!' Hij keek haar geamuseerd aan.
'Ik hou van je,' zei ze.
'Dat weet ik,' zei Adam en kuste haar op haar mond.

Bree zette haar motor tegenover Adams kantoor neer, vlak bij het busje van een stel wegwerkers die op het punt stonden een gat in de weg te hakken. Als hij uit het raam keek, zou hij denken dat ze een van die honderden motorkoeriers was die overal in de stad rondreden. Hij zou geen moment vermoeden dat de figuur in het zwarte leren jack en de bijpassende zwarte broek zijn schoonzus was.

Ze pakte haar mobiele telefoon en toetste zijn nummer in. Volgens zijn assistente zat hij in vergadering. Gewoon op de zaak, zei ze toen Bree dat vroeg. Hij zou pas rond de lunch weer vrij zijn.

Bree zette haar motor vast met het kettingslot en liep naar het park tegenover het zeventiende-eeuwse kantoorgebouw. Hoewel het vandaag een stuk koeler was, was de lucht nog steeds blauw en ze vond het lekker om buitenshuis te zijn. Ze wierp een blik op haar horloge. Het was even na elven. Ze zou om twaalf uur terugkomen, want het leek onwaarschijnlijk dat Adam voor die tijd al naar buiten zou komen. Inwendig moest ze toegeven dat de kans groot was dat hij geen stap buiten de deur zou zetten. Dit hele gedoe was eigenlijk stom. In theorie klonk het goed, alsof het een van die maffe spelletjes was die ze vroeger als kind hadden gespeeld, maar in werkelijkheid was het eigenlijk belachelijk. De kans zat er dik in dat Adam helemaal niet vreemdging. Waarschijnlijk was het allemaal gewoon een stomme samenloop van omstandigheden geweest. Het was best mogelijk dat hij een vrouw had gekust, erkende Bree, maar in zijn eigen belang was het verstandiger om geen buitenechtelijke relatie te hebben en Adam was iemand die zijn eigenbelang nooit uit het oog verloor. Bovendien houdt hij van Nessa, dacht ze. Dat weet ik zeker. En hij is stapelgek op Jill.

Ze ging op een bankje zitten en pakte het boekje met cryptogrammen dat ze een week geleden van Cate had gekregen om iets te doen te hebben. Cate was dol op cryptogrammen en ze had gezegd dat Bree deze waarschijnlijk iets te gemakkelijk zou vinden, maar Bree had nog steeds de grootste moeite om een puzzel helemaal af te maken. Toch begon ze het langzaam maar zeker door te krijgen. Het zou een hele triomf zijn, besloot ze, als ze erin slaagde dit exemplaar af te krijgen terwijl ze op Adam zat te wachten.

Maar ze zat er behoorlijk op te ploeteren. Ze had net vol trots weer een antwoord ingevuld, toen ze op haar horloge zag dat het al twaalf uur was geweest. Heel even raakte ze in paniek bij het idee dat ze Adam had gemist en ze liep haastig terug naar haar motor. Maar het zat er dik in dat hij nog steeds in vergadering zat. Ze had honderden detectivefilms gezien en ze wist dat het vaak een lange, saaie en nutteloze klus was om iemand te schaduwen. Tenzij de hoofdrolspeler erbij betrokken was, want in dat geval werd het meestal een spannende bedoening die vaak uitliep op geweld, gepaard met veel stuntwerk. Eigenlijk hoopte ze een beetje dat haar dat gespaard zou blijven. Ze zette net haar helm op, toen de groene deur van het kantoor openging en Adam naar buiten kwam. Ze startte haar motor toen hij nog op het bordes stond en bedacht dat ze een figuur als modder zou slaan als hij alleen maar even om de hoek een broodje ging halen.

Maar hij liep op zijn gemak de trap af, ging aan de rand van het trottoir staan en keek de straat af. Bree bleef hem in de gaten houden. Hij zag er niet uit alsof hij haast had en kennelijk was hij ook niet echt iets van plan. Ze liet de motor wat extra toeren maken. Een knalgele Audi stopte voor hem. Hij deed het bijrijdersportier open en stapte in. Shit, dacht Bree, misschien is het al meteen raak! Misschien is dit zijn geheime minnares wel. Maar toen schudde ze haar hoofd. Dan zou hij zich vast niet hier laten oppikken, waar iedereen hem kon zien. Waarschijnlijk werd hij door iemand afgehaald voor een vergadering of zo. Maar ze reed toch achter hen aan en ze had geen enkele moeite om de gele auto te volgen naar een pub buiten de stad, waar de wagen het parkeerterrein opreed. Bree volgde. Ze wist niet zeker hoe ze Adam in een pub in de gaten moest houden.

Hij stapte uit de auto en zijn roodgouden haar glansde in de vroege middagzon. De chauffeur stapte ook uit en Bree vertrok haar gezicht. Het was een vrouw. Was dit het type, vroeg ze zich af, waar Adam vreemd mee zou willen gaan? Ze keek toe hoe de vrouw iets tegen Adam zei dat hem aan het lachen maakte. Daarna legde hij zijn arm om haar schouders en nam haar mee naar binnen.

Daar viel nog niets uit op te maken. Het was een vriendschappelijk gebaar geweest. Een beetje bezitterig misschien, maar geen sprake van hartstocht. Bree bleef op haar motor zitten en knabbelde op haar onderlip. Ze had geen flauw idee wat ze moest doen. Ze wist dat het een grote pub was, met verschillende ruimtes, maar ze kon zich niet voorstellen dat Adam haar niet zou zien als ze gewoon naar binnen wandelde. En wat was dan het beste moment om naar binnen te gaan en hem te betrappen op een buitenechtelijk vrijpartijtje? Nessa had gewoon zo'n detectivebureau in de arm moeten nemen, dacht ze somber. Een detective had naar binnen kunnen gaan en met een verborgen camera stiekem foto's kunnen maken. Het enige dat zij kon doen, was zich een beetje zitten vervelen op de parkeerplaats. Ze gaapte, zette haar helm af en deed haar oordopjes in. Daarna leunde ze achterover en wachtte.

Tegen de tijd dat Adam en de onbekende vrouw weer te voorschijn kwamen, rammelde ze van de honger. Hij lachte (alweer, dacht Bree, zou die vrouw echt zo grappig zijn?) terwijl hij achter zijn metgezellin de trap af liep. Ze leek eigenlijk wel een beetje op Nessa, vond Bree. Een beetje langer, misschien. En ongeveer van dezelfde leeftijd. Maar ze besteedde duidelijk veel meer aandacht aan haar uiterlijk. Deze vrouw zag eruit zoals Nessa eruit zou zien als ze evenveel geld en moeite aan zichzelf zou spenderen als Cate deed.

Dat hoefde nog niets te betekenen. Een man kon best met een aantrekkelijke vrouw uit een pub komen, dat betekende nog niet dat hij een verhouding met haar had! Het kon ook gewoon... en op dat punt kreunde Bree want de vrouw draaide zich om en kuste Adam. Geen vluchtig kusje. Geen zakelijk kusje op de wang. Ze kuste hem precies zoals Bree Michael Morrissey had willen kussen. Ze kuste hem zoals iemand die zo geil is als boter haar minnaar kust. Ze kuste hem alsof ze hem al veel vaker had gekust.

Shit, dacht Bree. Shit, shit, shit.

Ze reed weer achter hen aan naar Adams kantoor. Ze keek toe hoe hij uit de auto stapte en zag de Audi wegrijden. Daarna herinnerde ze zich plotseling de taak die ze op zich had genomen en volgde de auto via Merrion Street naar Ely Place en om St. Stephen's Green. Vervolgens reed de wagen Camden Street in en stopte op een parkeerplaats voor een kleine kantoorflat, op korte afstand van de hoofdweg. De chauffeur parkeerde achteruit op een gereserveerde plaats en tikte even een vervelend geplaatste pilaar aan. Bree zuchtte. Als Adam het met deze vrouw had aangelegd, dan was het niet omdat ze beter kon rijden dan Nessa. Ze keek toe hoe de vrouw uitstapte, de auto op slot deed en naar de kantoorflat liep.

Bree stapte af en keek naar het koperen bord naast de deur. Er stonden vier bedrijfsnamen op. Op de tweede verdieping zat A. Boyd & Associates. Ze beet opnieuw op haar lip. Het leek erop dat ze die verdomde 'xxx A' had gevonden. Op de een of andere manier betreurde ze dat toch.

Ze reed langzaam terug naar Merrion Square. Ze zou het Nessa moeten vertellen. Ze had niet verwacht dat ze nu al iets aan Nessa zou moeten doorgeven. Eigenlijk, bedacht ze toen ze bij een broodjeszaak stopte en een clubsandwich en een flesje cola kocht, had ze helemaal niet verwacht dat ze iets aan Nessa zou moeten doorgeven.

Ze had zichzelf wijsgemaakt dat Adam een beetje indiscreet was geweest en een stommiteit had begaan, waar iemand toevallig getuige van was geweest, zoals dat zo vaak gebeurt. En ze had alleen aangeboden om hem te volgen omdat ze Nessa wilde helpen, niet omdat ze dacht dat zij degene zou zijn die haar zus moest vertellen dat Portia inderdaad de waarheid had gesproken. Bree slaakte een diepe zucht. Ondanks het feit dat ze zelf al een tijdje niet meer was gekust, was ze best in staat om een gepassioneerde omhelzing te herkennen.

Waarom, vroeg ze zich kwaad af, speelde hij dit soort spelletjes? Wat schoot hij daarmee op? Ze at haar brood op, dronk haar flesje cola leeg en gooide de verpakking in een afvalbak. Het had geen zin om hier nog langer rond te hangen, besloot ze. Adam zou zich toch niet meer laten zien en als hij wel de deur uitging, wilde ze dat eigenlijk helemaal niet weten. Ze had al genoeg gezien.

Ze draaide de motor om en reed naar Donnybrook, langs haar flat en rechtstreeks naar Michaels huis. Ze had behoefte om hem te zien. Ze wilde eraan herinnerd worden dat er ook nog aardige mannen bestonden. Kerels die je niet besodemieterden.

Marta deed open. Bree voelde de moed in haar schoenen zakken toen ze tegen Michaels jongere zusje glimlachte, maar het meisje was kennelijk in een beter humeur dan de dag ervoor en ze liep voor Bree uit naar de woonkamer. Michael zat in een fauteuil tv te kijken.

'Hoi.' Bree had hem het liefst geknuffeld, maar ze was bang dat ze hem pijn zou doen.

'Hallo,' zei Michael. 'Ik had je niet verwacht.'

'Ik ga pas woensdag weer aan het werk,' zei ze tegen hem. 'En ik wilde weten hoe het met je ging.'

'Nog steeds hetzelfde eigenlijk.' Hij drukte op een knopje om het geluid van de knokfilm waar hij naar zat te kijken uit te schakelen.

'Zorgt Marta voor je?' vroeg ze.

'Ze heeft vanmorgen college gehad,' zei hij. 'Dus ik was alleen.'

'Als ik dat geweten had, was ik wel langsgekomen,' zei Bree. Ze vroeg zich af of dat echt waar was. Als hij had gebeld om te vragen of ze naar hem toe wilde komen, zou ze dan haar achtervolging van Adam gestaakt hebben? Waarschijnlijk wel, moest ze bekennen. En dan zou ik verdomme ook niet hebben gezien dat hij vreemdging en dan had Nessa gewoon in zalige onwetendheid verder kunnen leven.

'Ik wilde een tijdje alleen zijn,' zei Michael tegen haar. 'De afgelopen twee weken ben ik omringd geweest door mensen die hun uiterste best doen om het mij naar de zin te maken. Daar word ik stapelgek van.'

'Ze zullen wel bezorgd zijn,' zei Bree. 'Net als ik.'

'Het komt allemaal best weer in orde,' zei hij. 'Ik weet wel dat ik de laatste tijd een beetje in de put zat, maar het is ook een ramp als je niet kunt gaan en staan waar je wilt. En af en toe schiet me weer te binnen dat ik ook dood had kunnen zijn.'

'Dat is helemaal niet waar,' zei Bree vastberaden. 'Je bent zwaar gewond, maar je hebt geen moment in levensgevaar verkeerd.'

'Eén meter verder en we waren tegen die lantaarnpaal opgeknald,' zei Michael. 'Ik ben ervan overtuigd dat we dat geen van beiden overleefd hadden.'

'Maar het is niet gebeurd,' zei Bree.

'Toch was het een bijna-doodervaring.'

Ze haalde haar schouders op. Ze wilde er niet meer aan denken. Het was voorbij. Het had geen zin om jezelf er constant aan te herinneren hoeveel mazzel ze hadden gehad.

'En het was mijn schuld,' zei Michael.

'Daar hebben we het al over gehad,' antwoordde ze. 'Vergeet het nou maar. Het had afschuwelijk kunnen aflopen, maar dat is niet gebeurd. We worden allebei weer helemaal beter. Het is niet nodig om jezelf van alles te verwijten.'

'Een van de dingen die pa achteraf tegen me zei, was dat ik me onvolwassen had gedragen,' zei Michael. 'En daar heeft hij natuurlijk gelijk in. Ik probeerde indruk op je te maken, Bree. Omdat jij wel heel goed met snelheid om kunt gaan.'

'Op die manier hoef je niet te proberen indruk op me te maken,' zei Bree. 'Je hebt genoeg andere dingen waarmee je mensen kunt imponeren.'

Hij grinnikte. 'Dat heb ik al vaker gehoord.'

Ze was opgelucht dat hij weer een sprankje van zijn oude humor vertoonde. Ze had op dit moment echt geen behoefte aan een sombere Michael die met zichzelf overhoop lag.

'Het probleem is,' ging hij verder, 'dat ik je zo ontzettend leuk vind, Bree. Echt waar.'

'Ik vind jou ook leuk,' zei ze haastig.

'En je bent echt een heel bijzonder meisje.'

Ze keek hem argwanend aan. Het was niet de eerste keer dat iemand zoiets tegen haar zei. Een zinnetje met de woorden 'fantastisch meisje', 'briljante meid', of 'heel bijzonder meisje' werd meestal onmiddellijk gevolgd door het woordje 'maar'.

'Maar ik geloof niet dat ik de juiste persoon voor je ben. En ik denk ook niet dat jij de juiste voor mij bent,' besloot hij.

Ze zei niets. Wat was er toch mis met haar, vroeg ze zich troosteloos af, dat het altijd op deze manier afliep? In het begin vonden ze haar allemaal geweldig en sommigen gingen zelfs met haar naar bed. Maar. Maar. Maar. Ze beet op haar lip. Ze had echt gehoopt dat het met Michael anders zou lopen. Ze vond hem leuk. Ze dacht dat hij haar ook helemaal zag zitten. Maar toch leek het erop dat hij plotseling van mening was veranderd nadat hij een hele dag op een bank had moeten zitten, zonder zich te kunnen bewegen.

'Ik weet zeker dat er iemand anders op je wacht,' zei Michael. 'Iemand bij wie de kans een stuk kleiner is dat hij je om zeep helpt als je met hem uit eten gaat.'

'Het was een ongeluk,' zei ze dof.

'Dat weet ik wel,' zei Michael. 'Maar ik heb het idee dat jij het soort meisje bent met wie ik opnieuw een ongeluk zou krijgen. Omdat ik altijd stomme dingen zal doen om indruk op je te maken.'

'Waarom?' vroeg ze. 'Ik heb toch al gezegd dat je niet hoeft te proberen indruk op me te maken, Michael. Ik hou van je zoals je bent, echt waar.'

'Het lijkt me toch het beste,' zei hij tegen haar. 'En je houdt helemaal niet van me, Bree. Je kent me nauwelijks.'

Het kostte haar moeite om niet in huilen uit te barsten. Ze had het idee dat ze sinds het ongeluk al meer tranen had vergoten dan in haar hele leven daarvoor. Vandaar dat ze het nu verdomde om te gaan janken, ook al waren de waterlanders niet ver weg. Maar die zou ze hem niet laten zien. Als hij dacht dat zij sterk, koel en indrukwekkend was, dan zou ze dat zijn ook.

'Jammer,' zei ze na een tijdje. 'Ik dacht dat we goed met elkaar konden opschieten. Zeker tijdens dat etentje.'

'Dat is ook zo,' zei hij. 'Het spijt me, Bree. Alleen...'

Ze haalde haar schouders op. 'Het is al goed.'

'Ik durf te wedden dat er massa's kerels zijn die met je uit willen.'

Was dat maar waar, dacht ze triest. Maar ze glimlachte toch. 'Ik had nooit zo'n chic jurkje aan moeten trekken,' zei ze zo opgewekt mogelijk. 'Ik wist dat alles fout zou lopen zodra je mijn benen te zien kreeg.'

25

De maan in het teken van de Leeuw

Vol zelfvertrouwen, een tikje opdringerig,
probeert altijd indruk te maken.

Op het moment dat ze thuiskwam, ging haar telefoon. Ze viel neer op de rand van het bed en nam het gesprek aan.

'Hoi,' zei Nessa, 'ik zat me af te vragen hoe het ging. Adam heeft net gebeld om te zeggen dat hij om zes uur thuis is en dat hij niet meer weg hoeft, dus het heeft geen zin om vanavond weer de wacht te houden.'

Bree zocht tevergeefs naar een manier om het haar te vertellen en stelde het lafhartig uit. 'Misschien gaat hij toch uit,' zei ze slap. 'Ook al zegt hij van niet.'

'Ik betwijfel het.' Nessa klonk ongelooflijk opgewekt, waardoor Bree zich nog beroerder voelde. 'Hij heeft me verteld dat hij helemaal kapot is omdat hij de hele dag heeft zitten vergaderen en zelfs een zakenlunch heeft gehad, dus hij wil gewoon lekker lui in een stoel hangen.'

Vuile leugenaar, dacht Bree woedend.

'Hij heeft inderdaad een zakenlunch gehad,' zei ze even later. 'In Gleeson's pub.'

'O, nou ja,' zei Nessa luchtig. 'Ik neem aan dat een zakenlunch net zo goed in een pub kan zijn als ergens anders. Echt iets voor een kerel.'

Was ze echt zo stom, vroeg Bree zich af. Of hield ze zichzelf gewoon voor de gek? En deed ze nu nog stommer dan anders omdat ze wist dat hij gevolgd was?

'Hij had een zakenlunch met een vrouw.' Bree had het gevoel dat ze onnodig cru was, maar ze wilde haar zus met de neus op de feiten drukken.

'Maar het was wel een zakenlunch?' vroeg Nessa met een stem waarin de hoop te horen was.

'O, Nessa,' zei Bree verdrietig, 'dat zou best kunnen. Ik heb het zakelijke gedeelte niet gezien. Alleen het deel waarin zij hem die kus gaf.'

Nessa greep de hoorn nog steviger vast. Ze had dit verwacht, dat wist ze heel goed. Ze had geprobeerd zich erop voor te bereiden. Maar om het dan ook werkelijk voor de voeten gegooid te krijgen is weer iets heel anders.

'Is alles goed, Ness?' vroeg Bree bezorgd. 'Ik wilde je het eigenlijk niet via de telefoon vertellen.'

'Heeft zij hem gekust of hij haar?' wilde Nessa weten.

'Allebei,' antwoordde Bree. 'Zij begon, maar hij...'

'Heeft hij zijn tong in haar strot geduwd?'

'Hoor eens, Nessa, dat is gewoon een vervelende uitdrukking,' zei Bree. 'Ik geloof niet dat je over die tong in moet zitten.'

'Hebben ze elkaar in het openbaar gekust?'

'Dat lijkt me wel,' zei Bree. 'Ik heb ze gezien. Het gebeurde op de parkeerplaats van de pub.'

'Hij heeft mij nog nooit op de parkeerplaats van een pub gekust,' zei Nessa.

'Volgens mij heeft dat er niets mee te maken,' zei Bree.

'Volgens mij wel,' zei Nessa. 'Hij heeft altijd tegen mij gezegd dat hij een hekel heeft aan mensen die zich in het openbaar laten gaan. Lieten ze zich gaan?'

'Ze stonden elkaar te kussen,' merkte Bree op. 'Dus ik veronderstel van wel.'

'De vuile klootzak!'

Bree had haar zus nog nooit zo venijnig gehoord.

'Luister, Ness, wil je dat ik naar je toe kom?'

'Ben je nu helemaal gek geworden?' vroeg Nessa. 'Wil je er echt bij zijn als ik hem zijn nek omdraai?'

'Ach, toe nou, Ness...'

'Hij heeft tegen me gelogen en me vernederd,' zei Nessa. 'Vind je dat niet voldoende reden om die zak om zeep te helpen?'

'Nessa, misschien...'

'Niets misschien,' snauwde Nessa. 'Hij heeft me bedrogen, Bree. Ik veronderstel dat jij met je onverschillige manier van leven niet weet hoe dat voelt, maar ik heb jaren van mijn leven aan die man gegeven en door zijn schuld is daar nu ineens niets van overgebleven. Niets! Wat heeft het allemaal voor zin gehad?'

'Ik zeg niet dat hem niets te verwijten valt,' zei Bree. 'Natuurlijk niet. Ik sta echt helemaal aan jouw kant, Nessa. Jij was degene die voortdurend excuses voor hem zocht en daar was ik het gewoon niet mee eens. Het enige wat ik zeg, is dat je het een beetje voorzichtig moet aanpakken.'

'Met een moker, bijvoorbeeld,' zei Nessa.

'Ben je van plan hem te vertellen dat ik hem geschaduwd heb?' vroeg Bree.

'Ik weet niet of ik hem wel de kans zal geven zijn mond open te doen.'

'Misschien kan ik toch maar beter naar je toe komen,' stelde Bree opnieuw voor. 'Om je morele steun te geven.'

'Nee.' Plotseling klonk Nessa uitgeblust, haar boosheid verdwenen. 'Nee. Doe dat nou maar niet. Laat het aan mij over, Bree. Ik wil zelf beslissen wat ik zal zeggen en wanneer.'

'Het spijt me ontzettend,' zei Bree. 'Echt waar.'

'Wie was ze?' vroeg Nessa.

'Dat weet ik niet zeker,' zei Bree. 'Ik ben haar gevolgd naar een kantoorgebouw en daar zat een bord op de muur met A. Boyd & Associates. Ik ging er min of meer van uit dat zij de mevrouw van de drie kruisjes was.'

Nessa kreeg een brok in haar keel. Plotseling bestond de mevrouw van de drie kruisjes echt. Maar dat had ze eigenlijk aldoor al geweten. Ze wilde het alleen niet geloven.

'Bedankt voor wat je gedaan hebt,' zei ze tegen Bree. 'Ik ben blij dat ik het van jou te horen heb gekregen.'

'Ik wou dat iemand anders erachter was gekomen,' zei Bree. 'Ik weet wel dat ik tegen je heb gezegd dat je de waarheid onder ogen moest zien, Nessa, maar verdomme nog aan toe, ik hoopte toch ook dat het niet waar zou zijn.'

'Dat weet ik wel,' zei Nessa.

'Bel je me nog terug?' vroeg Bree.

'Ja, hoor,' zei Nessa.

'Red je het wel?'

'Natuurlijk.'

'Zeker weten?'

'Heel zeker.'

'Vooruit dan maar,' zei Bree. 'Vergeet me niet te bellen.'

'Nee.'

Nessa legde de telefoon neer en keek in de spiegel die aan de wand hing. De grijze ogen die haar aankeken, glansden verdacht, maar ze knipperde de tranen weg. Ze wilde niet huilen. Ze wilde niet toegeven dat er iets was om te huilen. Ze wilde boos zijn. Op Adam die de mevrouw van de drie kruisjes had gekust. Op de mevrouw van de drie kruisjes die probeerde haar man in te pikken. En op zichzelf omdat ze niet eerder had ingegrepen. Maar wat had ze kunnen doen? Ze begon weer fanatiek te knipperen. Ze had altijd gedacht dat ze de juiste vrouw voor Adam was. De vrouw met wie hij zijn leven wilde delen. Om haar had hij het met zijn vorige vriendinnetje uitgemaakt. Zou hij nu bij haar weg willen om bij een ander te kunnen zijn? Of zou ze er nog iets aan kunnen doen? Iets aan moeten doen?

Ze sloeg haar handen voor haar ogen.

Ze blijft alleen bij hem vanwege het geld en het huis. Dat had Portia gezegd. Of iets in die trant. En ze was woedend geweest omdat het meisje dat dacht. Maar nu vroeg ze zich af of het misschien toch waar was. Had haar liefde voor Adam plaatsgemaakt voor liefde voor haar huis in Malahide en de tevredenheid dat hij in ieder geval gul was met geld, ook al had hij weinig tijd voor haar? Ging ze wel uit van de juiste prioriteiten? Was het dan toch haar eigen schuld?

Ze draaide de spiegel de rug toe en liep naar de woonkamer. Daar stond een foto van hen drieën op de plank. Adam, zij en Jill. Ze had zich vastgeklampt aan het idee dat zij een eenheid vormden. Dat zij erin was geslaagd hen bij elkaar te houden, terwijl dat zoveel andere mensen niet was gelukt. Maar dat was dus niet waar. Haar man ging vreemd, net zoals miljoenen andere mannen voor hem hadden gedaan. En ook in de toekomst zouden doen. Hoewel ze zich had uitgesloofd om hem gelukkig te maken, was het niet genoeg geweest. En nu was hun toekomst als gezin in gevaar. Hoe zou Jill het vinden als zij bij Adam wegging? Of als Adam hen in de steek liet voor zijn verdomde liefje? Zou hij dat echt van plan zijn? En zou ze dat kunnen voorkomen? Bijvoorbeeld door hem eraan te herinneren dat, ook al hield hij niet meer van haar, hij nog altijd rekening diende te houden met Jill? Ze slikte. Ze kon ervoor zorgen dat hij Jill niet meer te zien kreeg. Ze kon ervoor zorgen dat hij zijn deel van de ellende kreeg als hij bij hen wegging, omdat hij dan zijn dochter niet meer te zien zou krijgen. Ze wreef over haar neus en walgde van de gedachten die onwillekeurig bij haar opkwamen. Jill was geen prijs, ze was een mens. Wat er ook gebeurde, ze zou ervoor moeten zorgen dat Jill ongeschonden uit de strijd kwam. O god, dacht ze verdrietig, ik wil eigenlijk niets met dit soort dingen te maken hebben. Ik wil gewoon niet dat het waar is. Maar ik wil wel weten waarom. Waarom hij behoefte heeft aan iemand anders.

Ze vroeg zich af of het aan haar uiterlijk lag. Ze was niet meer zo aantrekkelijk als ze tien jaar geleden was geweest, maar ze was niet echt verslonsd. Nou ja, ze was een beetje dikker geworden, maar wie verdomme ook niet. Ze had hem weleens gevraagd of hij dat erg vond en hij had altijd tegen haar gezegd dat hij van haar hield zoals ze was. En Adam was ook weer niet zo oppervlakkig dat hij alleen op iemands uiterlijk viel. Hij had zelf gezegd dat hij daarom met haar was getrouwd. Hij had haar verteld dat hij een geluksvogel was, omdat ze niet alleen knap en intelligent was, maar ook interessant. En omdat ze nooit zeurde. Dat was waar. Af en toe liep haar hoofd om en dan stond ze wel degelijk onder druk, maar daar liet ze hem nooit iets van merken. Als er in huis een kleine ramp gebeurde, zorgde zij er altijd voor dat alles opgelost werd zonder dat hij zich daar druk over hoefde te maken. Ze hadden allebei hun eigen verantwoordelijkheden. Hij werkte buitenshuis. Zij werkte 's ochtends bij dokter Hogan en ze zorgde dat het huishouden op rolletjes liep. Ze betaalde de rekeningen, ze deed de boodschappen, ze lette op dat alle apparatuur op tijd een onderhoudsbeurt kreeg. Ze kookte, ze hield het huis schoon, ze deed alles wat ze als haar plicht beschouwde. En ze ging nog met hem naar bed ook. Daar zou het toch niet aan liggen? Ze dacht dat hij het leuk vond om met haar naar bed te gaan. Ze lag nooit op haar rug te kijken naar de barsten in het plafond, terwijl ze ondertussen piekerde over de dingen die ze de volgende dag zou moeten doen. (Paula had dat wel gedaan... ze had toegegeven dat haar liefdesleven met John niet bepaald iets was om over naar huis te schrijven en dat ze af en toe had liggen denken aan alles wat ze nog voor de kinderen moest doen terwijl John met haar lag te neuken. Volgens Paula viel het niet mee om er constant je aandacht bij te houden.) Maar Nessa wist dat ze Adam nooit had afgewezen, zelfs niet in de laatste paar weken, toen ze die vreselijke vermoedens koesterde. Ze had ze gewoon uit haar hoofd proberen te zetten en zichzelf wijsgemaakt dat er niets van klopte, terwijl ze best wist dat het wel waar was.

Hoe heb ik mezelf toch zo voor de mal kunnen houden, vroeg ze zich af. Waarom heb ik dat gedaan?

Jill kwam met veel lawaai de trap af en rende de kamer in. Ze droeg nog steeds haar schooluniform.

'Waarom heb je je nog niet verkleed?'

'Ik heb eerst huiswerk gemaakt.' Jills stem klonk verdacht onschuldig.

'Je hoort je om te kleden zodra je thuis bent,' zei Nessa. 'Ik dacht dat je zo'n hekel had aan dat uniform, dus ik snap niet waarom je het nog steeds aanhebt. En je had je huiswerk allang af.'

'Je klinkt ontzettend chagrijnig,' zei Jill. 'Ik heb op mijn kamer tv zitten kijken.'

Adam had Jill het toestel met de kerst cadeau gegeven. Hij had erom moeten lachen en grapjes gemaakt over zijn eigen jeugd, toen er nog geen sprake van was dat kinderen tv op hun kamer hadden. En hij had gezegd dat hij zijn dochter nu waarschijnlijk voorgoed bedorven had, maar alle kinderen die hij kende hadden een toestel op hun kamer, dus mocht Jill niet achterblijven. Nessa had haar twijfels gehad, maar zich erbij neergelegd. Ze vroeg zich af of ze altijd zo inschikkelijk was omdat ze bang was om hem tegen te spreken. Wat was er in vredesnaam met haar gebeurd?

'Voel je je wel goed, mam?' vroeg Jill. 'Je ziet er een beetje raar uit.'

'Raar om te lachen of raar raar?' vroeg Nessa.

'Raar raar,' antwoordde Jill vol overtuiging.

'Ik begin kennelijk oud te worden,' zei Nessa.

'Waarschijnlijk wel.' Jill grinnikte tegen haar. 'Ik ben acht. Dat is al best oud. Dus eigenlijk ben jij stokoud, hè?'

'Dat zal wel,' zei Nessa. 'Ik voel me in ieder geval alsof ik honderd ben.'

Jill liep naar de keuken om een glaasje sinaasappelsap in te schenken. Nessa sloeg *Het Komende Jaar van de Kreeft* open. Ze had het stukje al minstens vijftig keer gelezen. *Je voelt je geremd door oneerlijke omstandigheden en je hebt geprobeerd bepaalde persoonlijke kwesties te negeren. Los die eerst op, dan zul je in staat zijn om de veranderingen door te voeren waarnaar je hunkert.*

Ze sloeg het boek dicht en wachtte tot Adam thuis zou komen.

Cate ging om zes uur weg van kantoor. Ze stapte in haar auto en startte de motor, terwijl ze probeerde om alleen maar aan de schitterende, enorme order te denken die ze net voor hun nieuwe sportschoen hadden gekregen, waardoor deze maand de beste zou worden die het bedrijf ooit had gehad. Iedereen in het bedrijf had het over de plotselinge ommezwaai en over het feit dat alles plotseling gesmeerd scheen te lopen. Er had de hele dag een uitgelaten en opgewonden sfeer gehangen en Ian Hewitt had haar naar zijn kantoor laten komen om haar te feliciteren met haar harde werken.

Waarom is dit allemaal niet twee maanden eerder gebeurd, vroeg ze zich af terwijl ze zich tussen het verkeer voegde. Waarom gebeurde dit niet op een tijdstip dat ik er echt blij om zou zijn geweest? Nu kon ze er nauwelijks enthousiasme voor opbrengen.

Ze stond bij een stoplicht en staarde zonder iets te zien naar de rij auto's voor haar. Alles is fout gegaan, dacht ze verdrietig. Iedereen vond ons zo'n goed stel. Een succesvol stel, modern en helemaal van deze tijd. Nu is hij succesvol en vrijgezel... al zal hij dat niet lang blijven. En ik ben gewoon een ongetrouwde, zwangere vrouw. Waarom heb ik die verdomde abortus niet gewoon doorgezet, dacht ze woedend, in plaats van er zo zweverig en emotioneel over te gaan doen? Ik ben niet het soort vrouw voor wie gevoelens belangrijker zijn dan gezond verstand. Ik ben sterk, vastbesloten en zakelijk. Dus waarom was ik dat verdomme dan niet toen het nodig was?

Het licht sprong op groen en ze schakelde. Terwijl ze wegreed, zette ze de radio aan.

'...en dit was Finn Coolidge, die u nogmaals bedankt dat u naar me hebt willen luisteren. Ik hoop u morgen weer als luisteraar te mogen begroeten.'

Zijn stem galmde door de auto. Ze klemde haar vingers om het stuur. Ze was helemaal vergeten dat hij vandaag zijn eerste uitzending tijdens het spitsuur had. Terwijl de tune van het programma gedraaid werd (een opgewekt, vrolijk muziekje, heerlijk voor in de auto) zag ze in gedachten hoe hij zijn koptelefoon afzette en tevreden achterover leunde in zijn stoel, opgelucht dat alles goed was verlopen.

De volgende stoplichten sprongen op rood. Ze knipperde met haar ogen toen ze besefte dat ze door Amiens Street reed. Ze was op weg naar huis, maar naar het appartement in plaats van naar Brees flat. Ze kreunde toen ze besefte dat ze op automatische piloot had gereden, zonder te beseffen wat ze deed. Maar als ze nu naar Donnybrook wilde, zou ze een grote omweg moeten maken en dat zou in het spitsuur uren duren. Ze keek even om zich heen. Ze mocht hier eigenlijk niet keren, maar als ze dat wel deed, zou het haar minstens de helft van de tijd schelen.

Wat oerstom van me om deze kant op te rijden, dacht ze, terwijl ze de Alfa in de versnelling zette en de auto haastig keerde, vlak voor het aanstormende verkeer op weg naar het centrum dat driftig claxonneerde. Toen kreunde ze opnieuw. Ze zag de motoragent pas nadat ze haar verboden manoeuvre had uitgevoerd. Ze stopte en drukte op het knopje om haar raampje te laten zakken.

'U weet toch wel dat u hier niet had mogen keren?' De agent bukte zich om in de auto te kijken.

Ze knikte. 'Het spijt me. Ik had haast.'

'U moest eens weten hoeveel mensen dat zeggen,' zei hij tegen haar. 'Is deze wagen van u?'

Ze knikte opnieuw.

'Mag ik uw rijbewijs zien?'

Ze pakte haar tas, terwijl de agent om de auto heen liep om te zien of hij een of ander defect kon vinden waarvoor hij haar ook op de bon kon slingeren. Ze voelde zich helemaal niet lekker en hoopte dat ze er met een boete af zou komen. Ze kon zich niet veroorloven haar rijbewijs kwijt te raken, ze moest veel te vaak naar klanten toe.

Ik dacht dat alles al beroerd genoeg was, mopperde ze inwendig, terwijl ze haar tas doorspitte. Ik had niet verwacht dat het nog erger kon worden.

Plotseling voelde ze haar misselijkheid toenemen. Toen het tot haar doordrong dat ze op het punt stond over te geven, smeet ze het portier open en sprong uit de auto om naast het voorwiel haar maag om te keren. De politieagent keek verbaasd en bezorgd toe.

'Voelt u zich niet goed?' Hij stopte zijn opschrijfboekje weg en kwam iets dichterbij.

Ze knikte en streek een beetje beverig haar haar uit haar ogen.

Hij stond haar argwanend aan te kijken. Met een mengeling van afschuw en plezier besefte Cate ineens dat hij dacht dat ze gedronken had. Zo meteen moest ze nog blazen ook!

'Ik ben zwanger.' Ze zuchtte. 'Het spijt me. Ik kon er niets aan doen.'

Verbeeldde ze zich dat nou, of zag ze een spoortje van sympathie? Tegelijkertijd keek hij haar een tikje onbehaaglijk aan.

'Ik ben nog niet zo lang in verwachting,' vertelde ze hem. 'Ik weet wel dat het normaal is om 's morgens misselijk te zijn, maar het is net alsof ik de hele dag lang op de meest ongelegen momenten ineens misselijk kan worden.'

Nu was duidelijk te zien dat hij enig begrip voor haar kon opbrengen.

'Het feit dat u zwanger bent, geeft u nog niet het recht om te keren op een plek waar dat niet is toegestaan,' zei hij streng.

'Dat weet ik best,' zei Cate. 'Alleen... normaal gesproken rijd ik door deze straat naar huis, ziet u, maar vanavond moest ik ergens anders zijn. En dat was ik vergeten.'

Hij tuitte zijn lippen.

'Ik rijd altijd veilig,' zei ze. 'Echt waar.'

'Wat u net hebt gedaan was anders helemaal niet veilig,' zei hij.

'Dat weet ik.'

Zijn ogen bleven nog even op haar gezicht gevestigd, toen slaakte hij een zucht. 'Vooruit, rij maar door,' zei hij. 'Maar haal niet meer van die rare streken uit.'

Ze keek hem stralend aan. 'Dank u wel. Heel hartelijk bedankt.'

'Ik hoop dat u een pracht van een baby krijgt,' zei hij. 'En dat u snel over die misselijkheid heen zult zijn.'

'Dat hoop ik ook,' beaamde ze.

Ze voelde zich een stuk beter toen ze weer in de auto stapte en wegreed. Om op die manier over te moeten geven was weliswaar vernederend, maar het was haar tegelijkertijd ook goed uitgekomen. Mannen werden nog steeds een beetje zenuwachtig van een zwangere vrouw, dacht ze. Maar eigenlijk gold hetzelfde voor haar. Toch had ze heel even het gevoel gehad dat zij en de baby eendrachtig hadden samengewerkt om haar uit een hachelijke situatie te redden. Hoewel dat natuurlijk een belachelijk idee was. Maar ze had wel gezegd dat ze zwanger was. Ze had het er zomaar uit geflapt. Alsof ze het volste recht had om zwanger te zijn. Alsof het helemaal niet erg was. Alsof het iets volkomen normaals was. Misschien begon ze wel aan het idee te wennen, dacht ze. Ze wist niet zeker of ze dat wel prettig vond.

Een halfuur later was ze bij de flat. Bree zat met haar cryptogrammen bij het raam.

'Hoi,' zei Bree, terwijl Cate de keuken in liep om een glas water te pakken. 'Ik zit al uren met dit ding te worstelen.' Ze gooide de puzzel van zich af. 'Het is allemaal zo krom en verdraaid als de pest.'

'Dat klopt,' beaamde Cate. 'Daarom vind ik ze juist zo leuk.' Ze dronk haar glas leeg. 'Er is me op weg naar huis iets overkomen,' zei ze en vertelde het voorval met de politieagent.

'Ik sta ervan te kijken dat hij je niet op de bon heeft geslingerd,' zei Bree. 'Hun salaris is gekoppeld aan het aantal bekeuringen dat ze uitdelen, zie je. Maar goed, het was behoorlijk slim om te gaan staan kotsen.'

'Ik kon er niets aan doen,' zei Cate. 'Het ene moment was er niets aan de hand en het volgende... ik kon het echt niet binnenhouden.' Ze huiverde. 'Dat is ook het probleem met in verwachting zijn, Bree. Je kunt het niet tegenhouden. Het gaat gewoon door en je weet precies hoe het af zal lopen... met veel pijn en een boel vieze troep...'

'Zo erg zal het heus niet zijn,' zei Bree.

'Kon ik daar maar zeker van zijn.' Cate zuchtte. 'Ik weet dat Nessa waarschijnlijk van iedere wee genoten heeft, maar ik weet een hoop leukere manieren om de dag door te brengen.'

Bree grinnikte, maar meteen daarna keek ze weer ernstig. 'Ik heb Adam vandaag geschaduwd,' zei ze tegen Cate.

'En?'

'Hij had een afspraakje.'

'O, Bree!' Cate kneep haar lippen op elkaar. 'Arme Nessa. Heb je het haar al verteld?'

'Ja, natuurlijk. Ik moest het wel vertellen. Weet je, ze wilde alleen dat ik hem vandaag en morgen zou schaduwen. Als ik dan niets had ontdekt, was ze volkomen bereid om te doen alsof er niets aan de hand was.'

'Dat kan ik wel begrijpen, ook al komt het nog zo vreemd over,' zei Cate.

'Ik snap niet waarom ze bereid was zichzelf zo voor het lapje te houden!' Bree klonk verontwaardigd.

'Daar kom je nog wel een keer achter,' zei Cate schouderophalend. 'Ik vraag me af of ze het Adam al voor de voeten heeft gegooid.'

'Ze klonk door de telefoon alsof ze van plan was hem te kelen,' zei Bree. 'Ik denk niet dat hij een gezellige avond zal hebben.'

Nessa wenste dat ze nog steeds razend zou zijn, maar ze had alleen een gevoel van onmacht. Ze had de hele dag lopen te piekeren over wat er met haar was gebeurd en wat er precies mis was gegaan. Misschien lag het toch aan het feit dat ze dikker was geworden. Ze gaf Cate weliswaar regelmatig op haar duvel omdat ze zo mager was, maar stiekem was ze jaloers op haar zus die geen grammetje vet aan haar lijf had. Maar hoewel ze vaak genoeg had besloten om op dieet te gaan was het er nooit van gekomen. Het lukte haar gewoon niet omdat ze ook voor Adam en Jill moest koken.

Adam belde later in de middag nog een keer om te zeggen dat er plotseling om halfvijf een vergadering was ingelast en dat hij toch niet om zes uur maar om zeven uur thuis zou zijn. Ze nam de telefoon niet op en hij sprak het bericht in op hun antwoordapparaat. Hij zei tot slot dat hij al uitgebreid had geluncht dus dat ze geen extra moeite hoefde te doen voor het eten. Ze hoorde het tandenknarsend aan en wiste het bericht meteen.

Toen Adam eindelijk tegen halfacht thuiskwam, had ze zo vaak gerepeteerd wat ze zou gaan zeggen dat ze er doodmoe van was. En zodra ze hem zag, was ze alles weer vergeten.

Hij stak zijn hoofd om de deur van de zitkamer om te zeggen dat hij even koffie zou zetten en vroeg waar Jill was. Ze had Jill weggestuurd om met Nicolette en Dorothy te gaan spelen. Ze waren op dat moment in het huis van Dorothy, waar ze waarschijnlijk de arme Darina Richardson, die in de overgang was, stapelgek maakten.

'Weet je zeker dat jij ook geen kopje koffie wilt?' vroeg Adam toen hij binnenkwam met een mok in zijn hand.

Ze schudde haar hoofd.

'Wat een dag!' Hij slaakte een overdreven zucht. 'We hadden vanmorgen een stroomstoring. Kennelijk was een of andere telefoonmaatschappij erin geslaagd om de verkeerde kabels door te snijden toen ze bezig waren ergens een gat te graven... jammer dat ze hun eigen kabels niet doorgesneden hadden, want ze maakten een lawaai van je welste. Je kon bijna niet meer nadenken! En we hadden de ene vergadering na de andere, dus iedereen had de grootste moeite zijn aandacht erbij te houden.'

'Dus vandaar dat je buiten de deur bent gaan lunchen,' zei Nessa.

'Dat kun je me niet kwalijk nemen,' zei Adam opgewekt. 'En het was trouwens een zakenlunch.'

'Maar je hebt wel lekker gegeten, hè?' zei ze.

'Het was al fantastisch om even die ellendige tent uit te zijn,' zei hij tegen haar.

Hij gaf geen krimp bij al haar vragen. Nessa voelde weer een sprankje hoop opkomen. Maar Bree had hem gezien, prentte ze zichzelf in. Ze had gezien dat hij een vrouw stond te kussen. Op een openbaar parkeerterrein. Dat mocht ze niet vergeten.

'Met wie ben je gaan lunchen?' vroeg ze.

Hij wierp haar een behoedzame blik toe. 'Wat bedoel je?'

'Ik vroeg met wie je was gaan lunchen,' zei ze nog een keer. 'Dat is toch niet zo'n moeilijke vraag, Adam.'

'Nee,' zei hij. 'Het gaat om de manier waarop je het vraagt.'

'Hoe vroeg ik het dan?'

'Beschuldigend,' zei hij. 'Alsof ik niet had mogen gaan lunchen.'

'Ik heb er geen problemen mee dat je buiten de deur luncht,' zei ze. 'Het is die kus op het parkeerterrein die me dwarszit.'

Hij dronk zijn koffie op en zette de mok op de salontafel.

'Kus op het parkeerterrein?'

'Je hoeft geen moeite te doen om te ontkennen dat je iemand op het parkeerterrein stond te kussen.' Ze had moeite om haar stem in bedwang te houden. 'En probeer me ook maar niet wijs te maken dat het de eerste keer was.'

'Ik neem aan dat je het over Annika hebt,' zei Adam kalm.

Annika! 'xxx A'-Annika. Ik-wou-dat-je-hier-was-Annika. Nessa moest iets wegslikken.

'Deze Annika?' vroeg ze beheerst terwijl ze hem de ansicht gaf.

Hij pakte de kaart aan en draaide hem om. Hij las de boodschap die erop stond en draaide de ansicht opnieuw om. Toen begon hij te glimlachen.

'Is dit een voorbeeld van twee bij twee optellen en op vierhonderd uitkomen?' vroeg hij. 'Dat gebeurt wel vaker als je in de privé-papieren van iemand zit te neuzen.'

'Hij viel uit een boek,' zei ze effen.

'Maar niet uit een van de boeken die jij altijd leest,' zei hij tegen haar. 'Geen historische roman en ook niet een van die doktersromannetjes die je zo leuk vindt.'

'Ik lees ook andere boeken,' zei ze. 'Je hoeft me niet zo te kleineren, Adam.'

Hij zuchtte. 'Annika Boyd is een van onze beste cliënten,' zei hij. 'Ze is een charmante vrouw, maar overdreven hartelijk. Ik kan er ook niets aan doen dat ze mij kuste.'

'Maar je kunt er wel iets aan doen dat je haar terugkuste!' riep Nessa uit.

'Dat heeft niets te betekenen,' zei Adam. 'Ik zie Annika regelmatig. Ik ben haar accountmanager, dus ik heb geen keus. Ze is zo'n soort vrouw die altijd iedereen omhelst en kust. Je weet wel.'

'Wou je me nou echt vertellen dat je met die vrouw stond te knuffelen en te kussen op het parkeerterrein van Gleeson's, omdat ze toevallig zo'n soort vrouw is?' informeerde Nessa. 'Terwijl je zo'n hekel hebt aan kussen in het openbaar? Je wilt niet eens in het openbaar mijn hand vasthouden. Dus bespaar me dit soort geleuter.'

'Je gedraagt je bespottelijk,' zei Adam. 'Wie heeft me trouwens met Annika gezien?'

Nessa gaf geen antwoord.

'Goed, dan moet je het zelf maar weten,' zei Adam. 'Blijf dan maar overtuigd dat iemand die iets onschuldigs heeft gezien gelijk heeft en dat ik je een hoop leugens op de mouw speld.'

'Het was niet alleen dat geval bij Gleeson's,' zei ze gesmoord. 'Het is ook ergens anders gebeurd. Je had je tong in haar strot geduwd.'

'Nessa, dit is gewoon belachelijk.' Adam stond op. 'Ik heb je verteld wat er gebeurd is, of je me nu gelooft of niet.'

'Ik wil je geloven!' riep ze uit. 'Niets liever dan dat. Maar... maar je bent al meer dan eens met die vrouw gesignaleerd en ze stuurt je ansichten als ze op vakantie is...'

'Nessa, ik krijg stapels ansichten. Net als jij. Dat betekent nog niet dat we met al die mensen vreemdgaan. Want ik neem aan, dat je me daarvan beschuldigt, hè?'

'Ik begrijp niet waarom je zo nodig met haar moet lunchen en haar moet kussen,' zei Nessa opstandig.

'Omdat ze een van onze cliënten is,' zei Adam. 'Dat heb ik je al verteld. Ze is een handtastelijk type, maar ze betaalt het bedrijf een heleboel geld en ik ben niet van plan om tegen haar te zeggen dat ze het heen en weer kan krijgen, alleen maar omdat mijn vrouw jaloers is vanwege een onschuldig kusje.'

'Volgens mij is een kus niet bepaald onschuldig als je je tong in haar strot duwt.'

'Dat heb ik helemaal niet gedaan!' riep Adam uit. 'Ik heb dat mens gewoon gekust.'

Nessa knipperde met haar ogen. Ze wilde hem geloven. Hij klonk zo oprecht. Maar dat hoorde ook bij zijn werk, hè, om oprecht te klinken.

'Als je van me hield, zou je geen andere vrouwen kussen,' hield ze hardnekkig vol.

'Goeie genade, Nessa! Ik heb je toch verteld dat het volkomen onschuldig was?'

'We hebben een goed leven samen, hè?' vroeg ze. 'Dus het is helemaal niet nodig dat jij andere vrouwen kust.'

'Je maakt van een mug een olifant.'

'Op een parkeerterrein.' Nessa's ogen waren nat van de tranen. 'Waarom heb je haar op een parkeerterrein gekust?'

'Dit gesprek leidt nergens toe,' zei Adam gespannen. 'Wat ik ook zeg, je wilt per se het slechtste geloven.'

'Ik wil het weten,' zei Nessa. 'Ik wil gewoon weten waarom je me bedrogen hebt.'

'Ik heb je verdomme helemaal niet bedrogen,' snauwde Adam. 'In vredesnaam, Nessa, gedraag je niet alsof je midden in zo'n supersentimentele aflevering van *Eastenders* zit.'

'Je bent mijn man!' riep ze uit. 'En je hebt iemand anders gekust.'

'Ik heb geen zin om nog meer van die onzin aan te horen.' Adam pakte zijn autosleutels uit zijn zak.

'Waar ga je naartoe?' vroeg ze.

'Dat weet ik niet,' zei hij woedend. 'Ik denk dat ik een vrouw ga zoeken om mijn tong in haar strot te duwen.'

Hij stormde het huis uit en sloeg de voordeur hard achter zich dicht. Nessa pakte de 'xxx A'-ansicht op van de grond. Ze bleef de kaart voortdurend in haar handen ronddraaien terwijl ze de motor hoorde starten. Ze rende naar het raam en verwachtte dat ze zou zien dat hij achteruit de oprit weer op kwam rijden. Maar dat deed hij niet. Hij reed de weg op en verdween.

26

De maan in het zevende huis

Wispelturig, op zoek naar een hechte emotionele band.

Het was helemaal niet gegaan zoals ze had verwacht. Hij had niet ontkend dat hij Annika had gekust en hij had haar het gevoel gegeven dat het min en kinderachtig van haar was dat ze hem om uitleg had gevraagd. Alsof ze een of andere paranoïde vrouw was die niets beters te doen had dan hem ervan te beschuldigen dat hij vreemdging. Misschien had hij wel gelijk. Misschien maakte ze inderdaad van een mug een olifant. Ze liet haar tong over haar lippen glijden. Wat moest ze nu doen? Die hele zaak uit haar hoofd zetten? Doorgaan alsof er niets gebeurd was? Maar hoe moest ze dat klaarspelen als ze hem ervan verdacht dat hij tegen haar gelogen had?

Ze vroeg zich af of hij misschien toch de waarheid had gesproken.

Was het mogelijk dat het zo'n onschuldig voorvalletje was geweest als hij beweerde? Per slot van rekening had hij haar alle steun gegeven toen Bree dat ongeluk had gehad, hij was er steeds geweest als ze hem nodig had... zo zou een man die vreemdging zich toch niet gedragen? Nessa wist niet precies hoe een man die vreemdging zich gedroeg, maar ze had niet het idee dat een liefdevolle en bezorgde houding tegenover zijn vrouw daar deel van uitmaakte. Dan zou hij toch afstandelijk zijn en niet bij haar in de buurt willen blijven? En Nessa kende het soort vrouw dat Annika volgens hem was. Zo'n mens dat haar armen om je heen sloeg en je kuste, ook als je daar niets van moest hebben. Maar Portia had een heel ander soort kus beschreven. En Bree ook, met frisse tegenzin.

Ze moest eerst maar eens onder vier ogen met Bree gaan praten. Om een beter idee te krijgen van hoe haar zus de toestand had ingeschat. Om te bepalen of Adam een leugenachtige klootzak was of gewoon het slachtoffer van een misverstand.

Ze pakte de telefoon en belde Ruth Butler, een zestienjarig meisje dat aan het begin van de weg woonde en af en toe bij hen kwam babysitten. Ruth beloofde dat ze bij Jill zou blijven tot Nessa weer terug was en kwam vlak nadat Jill was thuisgekomen binnen met een video die ze meteen in de recorder stopte. Jill ging naast haar op de bank zitten.

'Je gaat naar bed als Ruth dat zegt,' waarschuwde Nessa haar dochter, die haar medelijdend aankeek, en haar aandacht weer op de tv vestigde.

Nessa stapte in de Ka en reed dwars door de stad. Ze had het gevoel dat ze zich nergens op kon concentreren, niet op Adams schuld en ook niet op zijn onschuld. Zodra ze het gevoel kreeg dat hij de waarheid had verteld, begon ze onmiddellijk weer te twijfelen. Ze had gedacht dat het een kwestie van ja of nee zou worden als ze hem van ontrouw beschuldigde, maar de toestand was alleen maar ingewikkelder geworden.

En ze wilde ook niet nadenken over waar hij nu naartoe was gegaan. Terug naar kantoor? Naar de kroeg? Of had hij zich regelrecht in de armen van Annika gestort, de mevrouw van de drie kruisjes?

Ze stopte voor Brees flat en fronste. Wat had Cate hier te zoeken, vroeg ze zich af toen ze uitstapte. Dat was echt de laatste die ze nu onder ogen wilde komen.

Hoewel ze nog steeds een sleutel had, drukte ze op de bel en wachtte tot Bree naar beneden kwam. Haar zus keek haar verbaasd aan.

'Wat kom jij doen?' vroeg ze.

'Dat klinkt erg hartelijk,' zei Nessa.

'Sorry,' zei Bree. 'Ik had alleen niet verwacht...'

'Zeker niet als Cate hier is,' viel Nessa haar in de rede. 'Maar ik neem aan dat ze wel meteen weg zal gaan als ze mij ziet.'

'Dat lijkt me niet,' mompelde Bree terwijl ze naar boven liepen.

Cate keek al even verbaasd toen ze Nessa zag, maar ze glimlachte vol medeleven tegen haar.

'Het spijt me van Adam,' zei ze.

'Wat?' Nessa keek van haar naar Bree. 'Wat heb je haar over mij verteld?' wilde ze weten. 'Heb je uit de school geklapt over dingen die alleen jou en mij iets aangaan? En zit je nou lekker met dit mens te roddelen? Een meisje dat niet kon wachten om haar eigen kind te laten weghalen?'

'Nessa, hou in vredesnaam op!' Brees ogen schoten vuur. 'Zoals gewoonlijk draaf je weer door.'

'O ja?' vroeg Nessa sceptisch. 'Waarom doet ze dan alsof ze medelijden met me heeft?'

'Je bent echt een stomme koe, Nessa,' zei Cate. 'Altijd overtuigd van je eigen gelijk.'

'In ieder geval heb ik geen abortus laten plegen.'

'Nessa!' Bree was ziedend. 'Als je niet van plan bent om je fatsoenlijk te gedragen, ga dan maar weer weg. Je bent in mijn flat en ik wil niet hebben dat je zo tekeergaat.'

Nessa keek haar stomverbaasd aan. Ze had nog nooit meegemaakt dat Bree zich zo gedroeg.

'Oké,' zei ze. 'Maar ik wil met je praten en daar wil ik haar echt niet bij hebben.'

'Dat is dan jammer,' zei Bree kortaf. 'Want ze blijft gewoon hier.'

'Waarom?' wilde Nessa weten. 'De verrukkelijke Finn-So-Cool zal zich vast afvragen waar ze uithangt.'

'Je bent echt een kreng, Ness.' Cate stond op van haar stoel. 'Als je Bree dan zo dringend wilt spreken, ga ik wel.'

'Ga zitten,' snauwde Bree. 'Niemand gaat weg!'

Cate en Nessa keken hun jongere zus met grote ogen aan. Ze had een kleur gekregen en haar ogen schoten vuur.

'Het is gewoon schandalig zoals jullie tegen elkaar tekeergaan,' vervolgde ze. 'Alleen maar omdat jullie in bepaalde opzichten van mening verschillen. Jij mag er dan van overtuigd zijn dat abortus verkeerd is, Nessa, maar dat geeft je niet het recht om je als een venijnig kreng te gedragen. Je weet donders goed dat Cate die keus heeft gemaakt omdat ze daar haar redenen voor had en jij weet écht niet welke redenen dat waren. Je kunt niet in iemands hoofd kijken, Nessa, en je kunt er ook niet van uitgaan dat iedereen dezelfde overtuiging aanhangt als jij.'

'Maar...'

'Hou je mond,' zei Bree fel. 'Hou alleen maar je mond. De laatste paar weken ben ik door jullie allebei gebombardeerd met opvattingen over allerlei dingen tot ik er doodziek van werd. Goed, Cate heeft dus een besluit genomen dat volgens jou niet deugde. Prima. Maar dat is nog geen reden om haar te behandelen alsof ze een stuk vullis is.'

'Dank je wel, Bree,' zei Cate. 'Hoewel het uiteraard...'

'Wacht nog heel even,' zei Bree. 'Want er is ook iets dat jij niet mag vergeten, Cate Driscoll. Jij toont ook weinig waardering voor de keuzes die Nessa heeft gemaakt. Jij vindt het noodzakelijk dat een vrouw onafhankelijk is en haar eigen geld verdient. Dat ze precies kan doen waar ze zin in heeft en er een soort designer-levensstijl op na houdt. En dus vind je dat je je best kunt veroorloven om op Nessa neer te kijken, omdat zij wel heeft gedaan wat jij uit alle macht probeert te vermijden: trouwen, een kind krijgen en je gezin op de eerste plaats zetten. Maar daar is ook niets mis mee, hoor.'

'Dat weet ik wel,' zei Cate. 'Maar...'

'Ondanks alles is er toch het een en ander veranderd,' ging Bree verder. 'Dus nu kunnen jullie elkaar vertellen wat er aan de hand is en ik blijf hier gewoon zitten luisteren. Maar alleen als jullie je volwassen gedragen.'

'Ik heb helemaal niets te vertellen,' zei Nessa gesmoord.

'Ik wel,' zei Cate. Ze keek Nessa aan en haalde diep adem. 'Ik woon hier voorlopig.'

'Wat?'

'Finn en ik zijn uit elkaar.'

'Cate!' Nessa zette grote ogen op. 'Omdat hij erachter is gekomen dat je zwanger was? Of vanwege de abortus?'

Cate probeerde net te doen alsof het helemaal niet belangrijk was. 'Toevallig ben ik ook van gedachten veranderd wat die abortus betreft.'

'Cate!'

'Maar Finn kwam erachter dat ik eraan heb lopen denken en heeft me de deur uitgezet.'

'Wat heeft hij...'

Cate vertelde haar wat er was gebeurd en Nessa keek haar zus verbijsterd aan. 'De smeerlap,' zei ze toen Cate haar verhaal had gedaan. 'Begrijpt hij dan niet hoe moeilijk het voor je was?'

'Dat begreep jij ook niet, dus waarom moet hij het dan wel begrijpen?' vroeg Cate.

'Ik begreep het wel,' zei Nessa. 'Alleen... ik vond je redenen niet goed genoeg.'

'Hij ook niet,' zei Cate flets. 'Dus heb ik het enige gedaan wat ik kon doen, toen hij mijn koffers al gepakt bleek te hebben... Ik ben hierheen gegaan.'

'O, Catey!' Nessa sloeg een arm om haar zus. 'Het spijt me zo voor je.'

Cate schudde Nessa's arm van zich af. 'Ja, mij ook,' zei ze. 'En ik ben nog steeds zwanger. En er nog steeds niet van overtuigd dat ik de juiste beslissing heb genomen.'

'Volgens mij wel,' zei Nessa. 'Maar je weet dat ik er zo over denk, hè?'

'Ik hou nog steeds van hem,' zei Cate somber. 'Aanvankelijk begreep ik niet eens waarom hij zo woest was, maar nu wel. Ik had het hem moeten vertellen, Nessa.'

'Misschien was hij dan ook wel woest geworden,' zei Nessa. 'Op een andere manier.'

'Dat zou best kunnen.'

Nessa keek haar aan. 'Ik denk dat het niet voldoende is om te zeggen dat het me spijt dat ik zo'n kreng ben geweest.'

'Laat maar zitten.'

Nessa schudde haar hoofd. 'Nee. Ik heb echt afschuwelijke dingen tegen je gezegd. Omdat ik dacht dat ik gelijk had.' Ze slikte. 'Ik denk nog steeds dat ik in bepaalde opzichten gelijk had, maar ik heb me in jou vergist, Cate. Je bent helemaal niet oppervlakkig en egoïstisch. En je deed alleen wat volgens jou juist was.'

Cate haalde haar schouders op.

'Ik was boos,' zei Nessa. 'En jaloers.'

'Dat maakt niets uit,' zei Cate.

'Natuurlijk maakt dat wel iets uit,' zei Nessa tegen haar.

'Ja,' zei Cate nadat het even stil was geweest. 'Het maakt inderdaad wel iets uit, Nessa. Je hebt bepaalde dingen gezegd die je ook echt meende, maar je had gedeeltelijk gelijk en gedeeltelijk ongelijk.'

'Dat weet ik wel,' zei Nessa. 'En ik heb alles nog veel moeilijker voor je gemaakt omdat ik alleen maar aandacht had voor mijn eigen gevoelens. Het is eigenlijk vaste prik geworden dat ik de emotionele Driscoll ben, dus ik vergeet weleens dat jij en Bree net zo goed emotioneel kunnen zijn.'

'Waarschijnlijk wel,' zei Cate.

'Kunnen we weer vrede sluiten?' vroeg Nessa.

'Dat doen we toch altijd?' Cate glimlachte flauw. 'Zelfs toen je mijn nieuwe, dure mascara had ingepikt en kwijt was geraakt.'

'Dit is wel iets anders,' zei Nessa.

'Dat weet ik wel,' zei Cate. 'Maar laten we de vrede maar weer tekenen.'

Nessa glimlachte met trillende lippen. 'Dank je wel.'

Bree keek van Cate naar Nessa en slaakte een zucht van opluchting.

'Maar goed, je kunt nu ook genoeg aanmerkingen maken op mijn manier van leven,' zei Nessa. 'Bree heeft je al verteld wat er met Adam aan de hand is. Dat maakte ik tenminste op uit wat je zei toen ik binnenkwam.'

'Ik heb er wel iets over gehoord,' zei Cate. 'Maar ik heb haar niet echt het hemd van het lijf gevraagd. Ze heeft me alleen verteld dat ze hem op jouw verzoek schaduwde en heeft gezien dat hij iemand anders kuste.'

'Ik wou dat hij dat niet had gedaan,' zei Bree verdrietig.

'Ik heb hem dat vanavond voor de voeten gegooid,' zei Nessa. 'Daarom ben ik naar je toe gekomen, Bree. Want hij zei tegen mij dat hij inderdaad met haar was gaan lunchen, maar alleen omdat ze zo'n goeie klant van hen is. Hij zegt dat ze een nogal handtastelijk type is. En dat hij niet anders kon dan haar terugkussen.'

Bree wierp Nessa een behoedzame blik toe. 'Ik kreeg een andere indruk.'

'Wat dacht jij dan?' wilde Nessa weten.

'Nou... ach, verdomme, Nessa, ik vind het zo vervelend om je dit te vertellen... maar hij zag er niet bepaald uit alsof hij haar afweerde.'
'Maar kan hij het wel hebben gedaan?' vroeg Nessa.
'Ik heb net gezegd dat ik die indruk niet kreeg.'
'Hij zei...'
'Maar hoe zit het nou met jou?' wilde Bree weten. 'Ik dacht dat je van plan was om hem te kelen. Je had het over mokers. Waarom heb je hem niet steviger aangepakt?'
'Ik was aanvankelijk woedend, maar dat ging over,' zei Nessa. 'Als hij op dat moment was binnengekomen, had ik hem misschien wel vermoord. Maar ik heb de hele middag lopen piekeren over alle fijne dingen die we samen hebben en over hoeveel hij van Jill houdt... en...' Haar stem stierf weg. Ze draaide aan de trouwring die om haar vinger zat en keek Bree en Cate aan. 'Ik dacht dat als het echt waar was... dat hij... nou, om eerlijk te zijn begon ik te denken dat het misschien mijn schuld was omdat ik niet chic genoeg meer ben.'
'Goeie genade, Nessa!' riep Bree vol ergernis.
'Toen hij thuiskwam en ik hem vroeg hoe het precies zat, vertrok hij geen spier,' bekende Nessa. 'Hij zag er niet eens schuldig uit. Hij zei dat het allemaal niets te betekenen had. En daarna is hij woedend weggereden.'
'Waarom?' vroeg Cate.
'Omdat ik er maar over bleef doorgaan. En dat irriteerde hem.'
'Waar is hij naartoe gegaan?' informeerde Bree.
'Hoe moet ik dat nou weten?' vroeg Nessa. Daarna keek ze haar beide zussen verdrietig aan. 'Misschien is hij wel naar haar toe.'
Bree zuchtte diep. 'Iemand trek in een biertje?' vroeg ze.
'Ik snak naar een biertje,' zei Cate. 'Maar je weet toch...'
'Ben je al bij een dokter geweest?' vroeg Nessa bezorgd.
Cate schudde haar hoofd.
'Daar mag je niet te lang meer mee wachten,' zei Nessa.
'Dat weet ik.' Cate zuchtte ook. 'Maar ik heb vandaag geen tijd gehad. Ik zat tot over mijn oren in het werk. En aangezien ik vorige week nog dacht dat ik vandaag niet meer in verwachting zou zijn, heb ik ook geen afspraak gemaakt.'
'Dokter Hogan is heel goed,' zei Nessa. 'Ik kan er wel voor zorgen dat je morgen een afspraak krijgt.'

'Nessa, ik wil niet naar dokter Hogan,' zei Cate vastbesloten. 'Ik heb zelf een dokter. Ik ga wel naar haar toe als ik zover ben.'

'Ja, natuurlijk. Uiteraard,' zei Nessa haastig.

'Wat moeten we nou met Adam beginnen?' vroeg Bree.

'Wat zouden we dan kunnen doen?' Nessa keek haar aarzelend aan.

'Ik kan wel zorgen dat je een bewijs krijgt,' zei Bree tegen haar. 'Ik kan hem opnieuw volgen.'

'Maar dat zou betekenen dat ik hem niet geloof,' zei Nessa.

'Geloof je hem dan?' vroeg Cate.

'Ik wil hem geloven.'

'Je moet het echt zelf weten,' zei Bree. 'Wat maakt het nou uit of je het zeker weet of niet? Ben je van plan om bij hem weg te gaan als hij echt vreemdgaat?'

Dat had Nessa zich ook al afgevraagd. Voortdurend. Nadat Bree haar had verteld van de kus op het parkeerterrein was haar eerste neiging geweest om haar koffers te pakken en op stel en sprong weg te gaan. Maar toen ze er wat langer over had nagedacht, wist ze niet zeker of ze dat eigenlijk wel wilde. Ze hield nog steeds van hem. Ze kon niet maar zo alles waar haar hele leven op was gebaseerd in de steek laten. Ze wist dat het niet altijd volmaakt was geweest, maar hun huwelijk was toch best goed.

Ze huiverde plotseling. Zou ze zich dat alleen verbeeld hebben? Was het wel zo goed?

'Ik denk het wel,' zei ze ten slotte.

'Laat me hem nog een keer schaduwen, Nessa,' zei Bree. 'Laat me proberen of ik hem met die ander kan betrappen.'

'Ik wil niet dat je hem er zelf op aanspreekt!' Nessa keek haar ontzet aan.

'Dat zal ik ook echt niet doen. Maar ik heb hen niet samen in de pub gezien. Als ik hem nou eens 's avonds ging schaduwen...'

'Misschien blijft hij wel thuis nu ik erover ben begonnen,' zei Nessa. 'Misschien was dat wel genoeg.'

'Dus als hij wel iemand heeft gehad, maar het inmiddels uit heeft gemaakt, blijf je wel bij hem?' vroeg Cate.

'Ik... o god, dat weet ik niet!' riep Nessa verdrietig. 'Zou jij morgen teruggaan naar Finn als hij dat vroeg?'

Cate trok een gezicht. 'Dat weet ik ook niet.'

'We geven je wel het slechte voorbeeld, Bree,' zei Nessa hoofdschuddend. 'Zorg maar dat je je niet aan ons spiegelt bij je relatie met Michael.'

'Om eerlijk te zijn...' Bree hield even haar mond en haalde toen haar schouders op. 'Die is ook voorbij.'

'Wat?' Haar beide zussen keken haar verbaasd aan.

'Wanneer is dat dan gebeurd?' vroeg Cate.

'Vandaag.'

'En daar heb je niets van gezegd?'

Bree schokschouderde opnieuw. 'Het is me al zo vaak overkomen. Ik ben echt hopeloos als het op vriendjes aankomt. Zo is het altijd geweest en zo zal het wel blijven ook. Om de een of andere reden moeten ze me niet.'

'Onzin,' zei Cate heftig.

'We krijgen het wel voor onze kiezen, hè?' zei Nessa met een diepe zucht. 'Wie had dat ooit kunnen denken?'

'Jij,' zei Bree ad rem. 'Jij bent altijd in de slag met die verdomde horoscopen van je. Ik begon er bijna in te geloven toen mam dat geld in die kraslοterij won.'

'Ik smijt mijn horoscoopboek weg,' zei Nessa. 'Zelfs vandaag zeurden ze erover dat ik iets moet doen aan mijn privé-zaken. Dus ik dacht dat alles met Adam snel opgelost zou zijn. Maar dat is helemaal niet waar. Ik heb het misschien nog wel erger gemaakt.'

'Je hebt hem in ieder geval de stuipen op het lijf gejaagd.' Bree grinnikte.

'Denk je dat echt?' vroeg Nessa hoopvol.

'Nessa, zelfs als hij zo onschuldig is als een pasgeboren lam, zal hij nu wel op zijn tellen passen als iemand hem weer op een openbare parkeerplaats wil kussen.'

'Vast niet,' zei Nessa. 'Adam maakt zich nooit ergens druk over.'

'Dat kan wel zijn, maar hij zal toch wel een beetje bang zijn dat je hem de deur uit schopt en probeert hem helemaal uit te kleden,' zei Cate tegen haar.

'Ik kan hem de deur niet uit schoppen als hij niets heeft gedaan,' zei Nessa aarzelend.

Bree en Cate keken elkaar aan.

Nessa wierp een blik op haar horloge. 'Ik moet ervandoor,' zei ze.

'Oké,' zei Bree. 'Rij voorzichtig.'
'Ja.' Ze keek Cate aan. 'Pas goed op jezelf,' zei ze.
'Komt in orde.'
'Ik bel je morgen wel weer, Bree.'
Bree knikte. Nessa pakte haar tas op en vertrok.

27

De maan in het teken van de Waterman

Streeft naar lichamelijke en geestelijke vrijheid,
af en toe kritisch en eigenwijs.

Haar hoofd liep om terwijl ze naar huis reed. Toen ze naar Bree toe ging, had ze alleen maar aan haar eigen problemen gedacht, maar nu had ze hun problemen er ook nog eens bij gekregen. Waarom overkwam hen dit allemaal? Het was niet eerlijk. Cate had een moedig besluit genomen en Finn had zich schandalig gedragen. Bree was op het nippertje aan de dood ontsnapt, maar daar scheen haar rijke ex-vriendje zich niet om te bekommeren. En zij... ze zuchtte diep toen ze Pearse Street in reed. Ze had geen flauw idee wat haar te wachten stond als ze thuiskwam.

Misschien had Adam haar inmiddels al wel verlaten. De gedachte alleen deed haar al huiveren. Misschien had hij echt een relatie met die Annika en had ze hem net het laatste zetje gegeven om te vertrekken door hem alles voor de voeten te gooien. Ze schakelde met een ruk door naar de vijfde versnelling. Het ging om haar huwelijk! Zelfs als hij een relatie had, moest ze proberen dat in stand te houden. Relaties waren toch vaak van voorbijgaande aard? Soms maakten ze een huwelijk alleen maar sterker.

Adams Alfa stond op de oprit. Er sloeg een golf van opluchting door haar heen. Ze stapte uit en deed de voordeur open.

Hij zat in de woonkamer naar *Newsnight* te kijken.

'Hoi.' Hij keek op toen ze binnenkwam.

'Hallo,' zei ze behoedzaam.
'Hoe gaat het met Bree?'
'Een stuk beter.'
'Is ze alweer aan het werk?'
Nessa schudde haar hoofd. 'Woensdag.'
'Ze heeft verdomd veel geluk gehad,' zei Adam.
'Ja.' Nessa liet haar tas op de fauteuil vallen. 'Waar ben jij geweest?'
'Bij Smythe's,' zei hij. 'Ik heb één borrel genomen en ben toen weer naar huis gegaan.'
'Juist,' zei Nessa.
'Ik heb Ruth geld gegeven.'
'Mooi.'
'Jill vertelde me waar je was.'
'Lag ze nog niet in bed?'
Hij knikte. 'Maar ze sliep nog niet.'
Ze vroeg zich af wanneer hij erover zou beginnen, wanneer ze een fatsoenlijke verklaring zou krijgen. De fase van beschuldiging en ontkenning was inmiddels voorbij en nu wachtte ze op iets anders. Ze wilde dat hij haar zou vertellen dat ze voor hem de belangrijkste persoon ter wereld was en dat er echt helemaal niets aan de hand was tussen hem en xxx-Annika. Of, als dat wel het geval was, dat het helemaal niets te betekenen had gehad en dat het nu toch voorbij was. En daarna moest hij haar in zijn armen nemen en haar tegen zich aantrekken, zodat alles weer helemaal in orde zou zijn.
'Wil je een kopje thee?' vroeg hij.
'Ik ga wel even zetten,' zei ze.
'Nee, dat doe ik.'
Ze ging zitten toen hij naar de keuken liep. Ze probeerde haar gedachten te ordenen, zodat ze tenminste zinnig met hem zou kunnen praten. Maar het kostte haar moeite zich te concentreren. Ze keek naar de tv. Een politicus was er net van beschuldigd dat hij zich had laten omkopen om een bepaalde fabriek in zijn kiesdistrict te krijgen en verslaggevers probeerden hem zover te krijgen dat hij commentaar zou geven. Alsof dat iets nieuws is, dacht ze ontmoedigd. Dezelfde dingen gebeuren toch keer op keer in het leven? Mensen bedriegen elkaar allemaal. Op welke manier maakt niet uit.
Adam kwam binnen met een dienblad.

'Alsjeblieft,' zei hij.
'Dank je.'
Ze nam een slokje thee. Hij ging naast haar zitten en keek weer naar het nieuws. Alles leek bijna normaal, dacht ze. Net als die andere honderden avonden dat ze bij elkaar waren geweest... hoewel zij dan meestal thee zette. Hij moest er toch iets meer over zeggen, dacht ze. Hij kon niet net doen alsof hun laatste gesprek niet was uitgelopen op haar beschuldiging dat hij vreemdging, waarop hij gewoon de deur was uit gelopen. Hij kon niet doen alsof er niets aan de hand was.
'Over dat gedoe met die Annika,' zei ze ten slotte terwijl ze haar kopje op de salontafel zette.
Hij keek haar aan.
'Ik wil gewoon zekerheid,' merkte ze op.
'Ik heb je alles al verteld,' zei Adam. 'Ik weet niet wat je te horen hebt gekregen, maar er klopt niets van. Ja, ik heb haar gekust. Maar meer was het niet. Ze betekent helemaal niets voor me, Nessa, ze is alleen maar een cliënt. Een verdomd belangrijke cliënt.'
'Misschien moeten we eens wat vaker uitgaan,' zei Nessa. 'Het begint erop te lijken dat we een beetje in een sleur verzeild zijn geraakt.'
Adam haalde zijn schouders op. 'Ik ga al zo vaak uit,' zei hij. 'Al die zakelijke afspraken. Ik vind het prettig om thuis te zijn bij mijn gezin. Bij jou en Jill kan ik me echt helemaal ontspannen.'
'Maar *ík* ga niet vaak uit,' zei Nessa. 'Ik heb geen zakelijke beslommeringen.'
'Vroeger ging je nog weleens mee,' merkte Adam op. 'Maar je zei dat je je altijd verveelde.'
'Dat is ook zo,' erkende Nessa. 'Maar misschien moet ik toch wat attenter zijn.'
'Als ik voor de zaak op stap moet, ben je van harte welkom,' zei Adam. 'Maar laat me het dan wel even van te voren weten.'
'Oké,' zei ze.
'Dus we hoeven hier geen woorden meer aan vuil te maken,' zei Adam.
Nessa schudde haar hoofd. 'Ik veronderstel van niet.'
Ze stond op en bracht haar kopje naar de keuken. Ze spoelde het om onder de kraan en zette het in het afdruiprek. Daarna liep ze terug naar de woonkamer.

'Hou je van me?' vroeg ze.

Hij keek naar haar op. 'Dat is een stomme vraag.'

'Hoezo?'

'Dacht je nou echt dat ik hier nog zou zitten als ik niet van je hield? Terwijl het overduidelijk is dat de helft van de vrouwen in Ierland hun best doet om me in hun bed te lokken?'

Ze glimlachte bleek. 'Of ben ik te oud, te onaantrekkelijk of te dik voor je?'

'Nu gedraag je je echt als een malle meid,' zei Adam. 'Je bent de meest aantrekkelijke vrouw die ik ken, Nessa. En je bent volmaakt zoals je bent.'

Die nacht vrijden ze heftig met elkaar. Hij trok haar al in zijn armen op het moment dat ze naast hem in bed stapte en hield haar zo stijf vast dat ze naar adem snakte. Toen ze onder hem lag, kwamen al haar opgekropte gevoelens van de hele dag vrij en ze krabde met haar nagels zijn rug open tot hij hijgend riep dat ze hem echt ontzettend pijn deed... om meteen daarna tegen haar te grinniken en te zeggen dat het eigenlijk best lekker was. Hij draaide haar om tot ze boven op hem lag en zei dat zij nu maar eens aan het werk moest. Ze kronkelde over hem heen, streelde hem, spande haar spieren en was energieker en inventiever dan ooit. Toen hij huiverde en haar weer in zijn armen trok, was ze ervan overtuigd dat hij echt van haar hield, want dat zei hij telkens opnieuw. En ze besefte plotseling dat het een hele tijd geleden was dat hij het op die manier had gezegd. Het was ook al heel lang geleden dat ze op die manier met elkaar hadden gevrijd.

Hij viel altijd meteen in slaap. Ze legde haar arm om hem heen en hij zuchtte tevreden in zijn slaap. Ze sloot haar ogen en wenste dat ze ook in slaap zou vallen. Maar ze deed geen oog dicht. Iedere keer als ze voelde dat ze wegzakte, schrok ze weer wakker. Dan lag ze na te denken over wat hij had gezegd en over wat Bree haar had verteld en vroeg zich af wie van de twee de waarheid zou vertellen, of dat ze allebei de dingen gewoon vanuit een ander perspectief zagen. Waar het uiteindelijk op neerkwam, was dat zij degene was die wakker lag.

Ze was opgelucht toen de wekker afliep en het tijd was om op te staan. Ze stapte uit bed, maakte Adam en Jill wakker en liep naar beneden om het ontbijt klaar te maken. Adam was in een verrassend goed humeur en Jill slaagde erin om haar ontbijt naar binnen te werken zonder op haar schooluniform te morsen. Ze gingen op tijd van huis en ze was zelfs vijf minuten te vroeg bij de praktijk van dokter Hogan.

Er is niets meer aan de hand, hield ze zichzelf voor terwijl ze haar afsprakenboek opensloeg en naar de patiëntenlijst keek. We hebben vannacht met elkaar gevrijd en het was gewoon fantastisch. Van nu af aan zal alles weer helemaal oké zijn.

Cate was weer misselijk. Bree hoorde hoe ze uit bed schoot en naar de badkamer rende. Ze kroop diep weg onder de dekens om het geluid van haar kotsende zus niet te horen. Ze voelde zich schuldig omdat ze wenste dat Cate ergens anders naartoe kon, maar het idee dat dit de komende paar weken iedere morgen zou gebeuren was ronduit walgelijk. Met die gedachte viel ze weer in slaap.

Ze werd wakker van de deur die dichtviel. Ze duwde het laken van haar gezicht en ging rechtop zitten. Het was pas zeven uur. Ze vond het ongelooflijk dat Cate nog steeds bij het krieken van de dag naar haar werk ging, terwijl ze haar zelf had verteld dat hun personeel flexibele werktijden had. Bree snapte niet waarom ze dan van zeven uur 's morgens tot zeven uur 's avonds op haar werk zat. Maar Cate had gezegd dat het er alleen maar om ging dat haar werk klaarkwam en dat ze aanwezig was. En vooral dat haar aanwezigheid opgemerkt werd. Ze wilde de nadruk leggen op het feit dat ze zo hard werkte, had Cate tegen Bree gezegd, omdat ze wel wat goodwill zou kunnen gebruiken als de tijd voor haar zwangerschapsverlof was aangebroken. En ze had gebloosd toen ze het over zwangerschapsverlof had, alsof ze zich daar nog steeds voor geneerde.

Bree gooide het dekbed van zich af en keek naar haar benen. De blauwe plekken werden al lichter en de pijn in haar voet was bijna weg. 's Avonds had ze er nog wel last van, maar overdag was er niets aan de hand. Ze gaapte en liep langzaam naar de keuken om een kop thee te zetten. Het werd echt tijd dat ze haar eigen leven weer oppakte, dacht ze. Laat Nessa en Cate hun eigen problemen maar oplossen. Ze had zich eigenlijk nooit met hen bemoeid en zo langzamerhand begon ze te wensen dat ze dat nu ook niet had gedaan. Misschien moest ze maar naar Californië gaan, waar de zon altijd scheen en waar de lucht altijd blauw was. Daar zou ze gemakkelijk aan werk kunnen komen. En daar zou ze misschien ook wel een gebruinde, gezonde kerel tegenkomen (absoluut geen rare snuiter, al zou dat in Californië weleens moeilijk kunnen zijn) met wie ze een zorgeloze relatie kon beginnen, zodat ze die nare nasmaak van dat Michael Morrissey-gedoe kwijt zou raken.

Ze zuchtte diep. Hij was vanaf het begin eigenlijk te mooi geweest om waar te zijn en natuurlijk hadden ze elkaar zelfs nog nooit een fatsoenlijke kus gegeven! Maar ze zou hem toch missen. En natuurlijk zou ze Declan Morrissey ook missen, dacht ze toen ze haar hand in het koekjestrommeltje stak en tot de ontdekking kwam dat het leeg was. Hij was een aardige man met wie je gezellig kon praten. Het was jammer dat ze niet zo gemakkelijk met Michael had kunnen praten als met Declan. En dat hij ook niet zoveel begrip had getoond als zijn vader.

Ze ging douchen, kleedde zich aan en vroeg zich af of ze Nessa zou bellen. Het was eigenlijk de bedoeling geweest dat ze Adam ook vandaag zou schaduwen, maar omdat ze hem de dag ervoor al met zijn zogenaamde cliënt had betrapt leek dat weinig zin te hebben. Maar misschien ging ze toch maar bij zijn kantoor op de uitkijk staan. Per slot van rekening zou zelfs Nessa nog eens goed moeten nadenken over wat hij tegen haar had gezegd als hij twee dagen achter elkaar een afspraakje met dezelfde vrouw had. Ze was zo verdomd goedgelovig, dacht Bree. Of misschien wilde ze hem gewoon geloven.

Het was een beetje heiig, niet warm maar ook niet koud. Minder geschikt om in het park te gaan zitten, dacht ze, toen ze haar motor vastzette. Gisteren had er een aantal mensen rondgelopen of op de bankjes gezeten met kranten of een boek. Vandaag was ze de enige. Ze had geen zin meer gehad om opnieuw met die cryptogrammen aan de slag te gaan, maar had in plaats daarvan een van haar technische autoboeken meegenomen. Ze was verdiept in het hoofdstuk over zuigers toen haar mobiele telefoon ging.

'Ik ben het,' zei Nessa.

'Hoe is het ermee?' vroeg Bree. 'Ik had je al eerder willen bellen, maar ik vond bij nader inzien dat ik je beter met rust kon laten.'

'Met mij gaat het prima,' zei Nessa. 'En met Adam ook.'

'Wat is er dan gebeurd?'

'Hij is gisteravond nadat we ruzie hadden gehad een borrel gaan drinken, maar hij was al voor mij thuis. Hij heeft de babysit betaald en gekeken of Jill sliep. En toen heeft hij een kopje thee voor me gezet.'

Dat hakt erin, dacht Bree. 'Heb je nog met hem gepraat?'
'Ja, natuurlijk,' zei Nessa. 'Wat dacht jij dan? Hij heeft alles nog een keer uitgelegd en toen hebben we besloten om het te laten rusten.'
'Nessa...'
'Ik heb er de hele nacht over nagedacht,' zei Nessa. 'Ik hou van hem. Hij houdt van mij. Hij houdt van Jill. Hij heeft geen enkele reden om dat allemaal in de waagschaal te stellen voor één kusje.'
'Weet je zeker dat je jezelf...' Bree wist niet precies hoe ze het onder woorden moest brengen.
'Dat ik mezelf niet voor de gek houd?' vulde Nessa aan. 'Dat geloof ik niet.'
'Ben je gisteren met hem naar bed gegaan?' vroeg Bree.
'Wat?'
'Heeft hij met je gevrijd?'
'Dat gaat je niets aan, Bree,' zei Nessa. 'Daar heb jij echt helemaal niets mee te maken!'
'Ik heb een vriendje gehad dat altijd met me ging vrijen als ik vroeg of hij met een ander op stap was geweest,' zei Bree. 'Dan hield ik weer een tijdje mijn mond. Tot ik me eindelijk realiseerde dat het gewoon een excuus was.'
'Jij mag hem dan niet geloven, Bree, maar ik geloof hem wel,' zei Nessa koel. 'En of ik nu wel of niet gevrijd heb met mijn man heeft daar helemaal niets mee te maken.'
'Waarom wacht je niet tot morgen voordat je besluit om je moker voorgoed aan de wilgen te hangen?' stelde Bree voor. 'Als je dat wilt, kan ik hem vandaag nog schaduwen.'
'Dat heeft absoluut geen zin,' zei Nessa scherp. 'Ik wil niet dat je hem volgt.'
'Maar...'
'Je bent hem nu toch niet aan het schaduwen?' wilde ze weten.
'Het is midden op de ochtend,' zei Bree schijnheilig. 'Ik neem aan dat hij op kantoor zit.'
'Je hoeft hem niet te volgen,' zei Nessa opnieuw.
'Oké,' zei Bree zuchtend. 'Je moet het zelf maar weten.'
'Het is aan Adam en mij om een oplossing voor onze problemen te vinden,' zei Nessa. 'Jij hoeft niet nog meer onheil te stichten.'
'Bedankt,' zei Bree.

'Sorry.' Nessa klonk beschaamd. 'Ik bedoelde niet...'

'Laat maar zitten,' zei Bree tegen haar. 'Dat schaduwen is toch een verschrikkelijk vervelend klusje.'

'Misschien kunnen we een afspraak maken voor komend weekend,' stelde Nessa voor. 'Jij, ik en Cate. Om ergens te gaan eten of zo.'

'Misschien,' zei Bree met een opvallend gebrek aan enthousiasme.

'Ik moet ophangen,' zei Nessa. 'Het is druk op de praktijk. Ik spreek je nog wel.'

'Prima,' zei Bree. Ze stopte haar mobiel weer in haar zak. Ze vond Nessa een stommeling, maar ze had het volste recht zich zo te gedragen als ze dat per se wilde. En misschien was het wel verstandig om alles te laten rusten. Als Nessa en Adam daar gelukkig mee waren en als Nessa kon leven met de wetenschap dat hij af en toe een slippertje maakte, hoefde zij daar toch geen stennis over te gaan maken?

Ze keek op haar horloge. Het was bijna tijd voor de lunch. Ze zou nog even blijven wachten om te zien of hij weer voor het kantoor zou worden opgepikt, hoewel het haar hoogst onwaarschijnlijk leek dat hij twee dagen achter elkaar een afspraak zou hebben met zijn ietwat handtastelijke cliënt. Dus als ze nu weer kwam opdagen, zou Bree zeker weten dat hij een leugenaar was en dan zou ze ervoor zorgen dat Nessa niet langer haar kop in het zand stak en de waarheid onder ogen zag. En het kon haar geen bal schelen of Nessa zich zou opwinden omdat ze niet naar haar had geluisterd.

Om één uur was ze stiekem opgelucht dat er nog steeds geen spoor van Adam te bekennen was. Maar op hetzelfde moment dat ze haar motor startte, kwam de Alfa langs. Ze herkende de auto van Adam meteen en ook zijn profiel achter het stuur. Hij had haar niet gezien. De auto stopte bij de verkeerslichten en zij ging erachter staan. Ze was niet van plan hem te volgen. Hij zat in zijn eigen auto, hij was niet door iemand opgepikt. Maar hij ging haar kant op, richting Donnybrook, dus ze moest wel achter hem aan rijden.

Toch sloeg ze niet af naar Marlborough Road. Ze was het wel van plan, maar ze deed het niet. Ze wilde zien waar hij naartoe ging. Ze hoefde niets tegen Nessa te zeggen, maar ze wilde het zelf weten.

Hij reed langs de afslag naar Michaels huis en verder naar Stillorgan. Daar sloeg hij linksaf naar de kust.

Misschien nam hij gewoon een andere weg naar Gleeson's, dacht

Bree terwijl ze hem op een veilige afstand volgde. Maar plotseling deed hij zijn rechterknipperlicht aan en reed een kleine nieuwbouwwijk in, met eengezinswoningen en een paar flatgebouwen. Bree zette haar motor uit en bleef er tegenover staan. Ze zag dat hij zijn auto parkeerde, waarbij hij veel te dicht langs een grote struik reed. Hij stapte uit en liep naar de ingang van een van de flatgebouwen. Hij belde aan, de deur naar de entreehal ging open en hij liep naar binnen.

Het was klaarlichte dag. Bree bleef aarzelend schrijlings op haar motor zitten en vroeg zich af wat ze moest doen. Ze wist eigenlijk niet precies wat Adam voor werk deed, dus het was best mogelijk dat hij daarvoor bij mensen op huisbezoek moest. En misschien moest hij ook wel bij iemand zijn die van huis uit werkte. Dat deden een heleboel mensen tegenwoordig. Maar onwillekeurig kreeg ze toch het gevoel dat ze excuses voor hem zocht. Net als Nessa.

Ze had het idee dat ze op haar motor erg opviel midden in die nieuwbouwwijk, dus zette ze haar helm af en schudde haar haar. Op de hoek van de straat was een winkel. Ze liep ernaartoe en kocht een broodje en een blikje Fanta. Daarna ging ze op het muurtje voor de winkel zitten, pakte haar boek en wachtte.

Een halfuur later liep ze terug naar de motor. Ze had zijn auto niet zien wegrijden, dus ze wist dat hij nog steeds binnen was. En om eerlijk te zijn, dacht ze schuldig, zat het er dik in dat hij daar voor zaken was. Het was gewoon omdat zij zo'n akelig achterdochtig type was, dat ze iets anders vermoedde. Ze zette haar helm op. Ze wist nog steeds niet wat ze moest doen.

Ineens kreeg ze hem in het oog. Hij stond op het balkon van de flat op de bovenste verdieping waar hij over de balustrade leunde en naar de bloeiende tuin beneden keek. Ze ging achter een notenboom staan om hem in de gaten te houden zonder dat hij haar zou zien. Terwijl ze naar hem stond te kijken, kwam er een vrouw naar buiten die naast hem op het balkon ging staan.

Het was niet de vrouw van het parkeerterrein. Deze vrouw had donker haar. Ze droeg een knalrood T-shirt en een wijde zwarte spijkerbroek. Ze leunde tegen Adam aan en hij draaide zich naar haar om. Hij kuste haar.

Bree was heel zeker van haar zaak. De vrouw had Adam niet gekust. Hij had haar gekust. Hij kuste haar nog steeds. Bree besefte ineens dat ze haar adem inhield terwijl ze toekeek hoe hij haar kuste. En die hield ze nog steeds in toen de vrouw haar armen om Adams nek sloeg. Ze haalde pas weer adem toen het stel al kussend en met de armen om elkaar heen weer naar binnen stommelde.

Ze stond te trillen op haar benen. Ze keek omhoog naar het lege balkon waar haar zwager voor de tweede keer in twee dagen een vrouw had staan kussen met wie hij niet getrouwd was.

Haar adem was schokkend en onregelmatig toen ze de motor startte en op weg ging naar huis.

28

De zon in het teken van de Steenbok
De maan in het teken van de Weegschaal

Charismatisch, succesvol, maar ervan overtuigd dat dromen nooit uitkomen.

'Je moet het haar vertellen.'

Later die avond zaten Cate en Bree in de flat omringd door de restanten van de Indische afhaalmaaltijd die Cate meegebracht had. De hele flat rook naar komijn en koriander.

'Dat kan ik niet maken,' zei Bree. 'Ik heb haar beloofd dat ik hem niet zou volgen.'

'Maar je kunt het niet voor haar verborgen houden,' protesteerde Cate. 'Ik zou het absoluut willen weten als mijn man met een andere vrouw naar bed ging. De vuile leugenaar!'

Bree zat onbehaaglijk te wiebelen. 'De tweede andere vrouw,' zei ze. 'Ik kan het gewoon niet geloven, Catey. Echt niet. Hij leek altijd zo aardig.'

'Op die manier nemen ze ons allemaal te pakken.' Cates stem klonk broos. 'Ze doen zich aardig voor, maar ze zijn het helemaal niet.'

'Hij kon die eerste keer nog verklaren door te zeggen dat het alleen maar een kus was, hoewel het heel wat meer was dan een wangzoentje. Maar dit...' Bree huiverde. 'O, Cate, waarom maakt hij er zo'n puinhoop van?'

'Wie zal het zeggen?' zei ze strak. 'De meesten hebben toch helemaal geen excuus nodig?'

'Ik dacht dat hij net zo geloofde in een goed gezinsleven als Nessa,' zei Bree. 'Gezellig rond de barbecue in de achtertuin. Een beetje doe-hetzelven in huis. Dat soort dingen.'

'Ze moet er toch een vermoeden van gehad hebben,' zei Cate. 'Zo verblind kan ze toch niet zijn! Hoeveel vrouwen zou hij volgens jou hebben?'

Bree keek haar vol afschuw aan. 'Meer dan twee?'

'Waarom niet?' Cate haalde haar schouders op. 'Je hebt hem twee dagen geschaduwd en twee verschillende vrouwen gezien. Waarom zou hij niet voor iedere dag van de week een ander hebben?'

'O, Cate, dat kan hij toch niet maken!'

'Ik zeg niet dat het zo is, alleen maar dat de kans bestaat.'

'Zou hij dan nog wel tijd overhouden om te werken?' vroeg Bree. 'Als hij zoveel vrouwen had?'

'Nessa klaagt vaak dat hij altijd aan het werk is,' zei Cate. 'Misschien werkt hij wel over op de dagen dat hij er tijdens de lunchpauze er even tussenuit knijpt om een wip te maken.'

'Ik dacht juist dat hij naar een andere vrouw ging als hij overwerkte,' zei Bree.

'Misschien doet hij dat ook wel.'

Ze keken elkaar zwijgend aan. Ten slotte stond Bree op en smeet de restanten van de maaltijd in de vuilnisbak.

'Heb je zin in koffie?' vroeg ze aan Cate.

Cate schudde haar hoofd. 'Ik houd me bij water.'

Bree maakte een mok koffie en ging weer naast Cate zitten.

'Als ik het was, zou ik het willen weten,' zei ze.

'Ik ook,' zei Cate. 'Waarom volg je hem morgen niet opnieuw?'

'Ik moet morgen werken,' zei Bree. 'En ik wil echt graag weer beginnen, Cate. Ik begin hier stapelgek te worden.'

'Dat begrijp ik best,' knikte Cate. 'En voor het geval je denkt dat ik van plan ben om hier voor onbepaalde tijd te blijven, zal ik je maar meteen vertellen dat ik morgenavond een appartement ga bekijken.'

'Je hoeft niet het gevoel te hebben dat...'

'Bree, dit is een eenpersoonsflat. Het is jouw huis. En jouw bed,' voegde Cate eraantoe. 'Ik zit je in de weg, dat weet ik best.'

Bree haalde haar schouders op.

'En trouwens,' zei Cate, 'je weet ook dat ik een plek wil hebben met strakke lijnen en nauwelijks meubels!'

'Ik zat erover na te denken om zelf weg te gaan,' zei Bree abrupt.

Cate keek haar verbaasd aan.

'Ik heb wel zin om voor een tijdje naar de Verenigde Staten te gaan,' zei Bree. 'Ik begin een beetje rusteloos te worden. Kennelijk is het weer tijd voor me om weg te gaan.'

'Waarom heb je dat gevoel?' wilde Cate weten. 'Waarom wil je toch geen vastigheid?'

'Zoals Nessa?' informeerde Bree.

'Ik begrijp wat je bedoelt.'

'Een vaste relatie is gewoon jezelf voor het lapje houden,' zei Bree tegen haar. 'Mensen die trouwen en kinderen krijgen willen dat iedereen dat doet, want dan hoeven ze geen spijt meer te hebben dat ze hun vrijheid hebben opgegeven.'

'Ach, dat is helemaal niet waar, Bree.'

'Je hebt zelf gezegd dat je het helemaal niet leuk vond om die baby te krijgen.'

Cate zuchtte. 'Ja, dat weet ik wel.'

'Denk je er nog zo over?'

'Dat... dat weet ik niet. Nou ja, ik betreur die hele gang van zaken natuurlijk wel. En ik vind het ook helemaal niet leuk dat mijn hele leven op zijn kop zal worden gezet. Maar ik zie het als een uitdaging.'

Bree glimlachte. 'Dat is echt iets voor jou, Cate. Als het niet anders kan, zoek je een oplossing. Maar ik ben nog niet zover dat ik aan kinderen wil denken.'

'Dat was ik ook niet,' zei Cate.

'Heb je nog iets van Finn gehoord?' vroeg Bree.

Cate schudde haar hoofd. 'Finn heeft genoeg van me,' zei ze. 'Het is gek, maar ik heb altijd gedacht dat Finn op een bepaald moment genoeg van me zou krijgen, Bree. Hij is zo ontzettend ambitieus, ik had gewoon moeite om dat bij te benen.'

'Hij is net zo'n grote klootzak als Adam,' zei Bree.

'En hoe zit het dan met die vent van jou?' informeerde Cate. 'Michael?'

'Daar geldt precies hetzelfde voor,' antwoordde ze. 'Hoewel ik echt mijn best heb gedaan met hem.'

De volgende avond zette Cate haar handtekening onder een huurcontract van zes maanden voor een klein tweekamerappartement in de buurt van Christchurch. De huur was schandalig, maar was inclusief een parkeerplaats en dat gaf voor haar de doorslag. De verhuurder had haar verteld dat er nog vijftig andere kandidaten waren omdat het zo vlak bij het centrum lag, dus gaf ze hem een cheque voor een maand huur en kreeg te horen dat ze de volgende week de sleutel zou krijgen.

Ze had voor zo'n korte huurperiode gekozen, omdat ze ervan uitging dat dit maar tijdelijk was. Ze hoopte in de tussentijd woonruimte te vinden die geschikter was voor haarzelf en de baby, hoewel ze op dit moment nog niet precies wist wat ze nodig zou hebben.

Nadat ze het huurcontract had getekend, deed ze het raam in de zitkamer open en staarde naar de gebouwen aan de overkant. Inwendig snakte ze naar Finns appartement met het spectaculaire uitzicht over de baai en wenste dat alles anders was gelopen.

In de flat in Donnybrook was Bree bekaf van haar eerste werkdag na het ongeluk. Maar het was heerlijk geweest om weer aan het werk te gaan. Ze had de onderlinge kwinkslagen en de gezellige manier waarop iedereen met elkaar omging echt gemist. Net als de zure op- en aanmerkingen van Christy Burke en de preken die hij af en toe afstak. Om elf uur had hij hen allemaal naar de kantine laten komen en hen getrakteerd op een heerlijke, kleverige taart met het opschrift *Welkom terug Bree*, plus een kort toespraakje waarin hij vertelde hoe blij ze waren dat ze niet om het leven was gekomen. Het gebaar had haar volkomen overdonderd en ze had iets moeten wegslikken. Maar dat had ze kunnen verbergen door bij wijze van grap te zeggen dat ze hoopte dat zij in ieder geval wel Michaels Punto hadden mogen repareren.

Enfin, dacht Bree, toen ze languit op haar bed ging liggen, het was fijn geweest om weer aan het werk te gaan en ze was weliswaar doodmoe, maar dat was toch een heel ander gevoel dan de verveling die vorige week om de haverklap had toegeslagen. Cate had opgebeld om te vertellen dat ze het appartement in Christchurch had gehuurd en dat ze in de stad zou blijven eten, zodat ze pas later thuis zou zijn. Bree wist dat Cate het vervelend vond dat ze zo plotseling een beroep op haar had moeten doen en omdat ze het prettig vond om een tijdje alleen te zijn had ze niet geprotesteerd.

Ik heb liever mijn problemen, dan die van Cate of Nessa, peinsde ze. Als er lichamelijk iets mis met je is, word je tenminste weer beter. Ze wilde niet denken aan de emotionele wonden die Michael Morrissey had veroorzaakt. Het was vreemd dat ze op het eerste gezicht voor hem was gevallen. Meestal overkwam haar dat niet.

Goed, dacht ze, zal ik dan maar naar de Verenigde Staten gaan? Haar stiekeme hoop met betrekking tot Michael was toch de bodem ingeslagen. Maar dan zou ze wel snel een beslissing moeten nemen en nog voor de kerst naar Californië moeten gaan, voordat de donkere, natte winter over Ierland viel.

Het had geen zin om hier langer te blijven hangen. Als ze in Ierland bleef – en met name in Donnybrook – was de kans groot dat ze Michael weer tegen het lijf zou lopen. Of zijn vader zou weer bij de garage langs kunnen komen en dat was nog erger. Ze wilde hem ook niet meer zien, want dat zou een soort vernedering zijn. Het meisje dat niet goed genoeg was voor zijn zoon. Ze gaapte. Volgende week zou ze gaan uitvissen hoe het met de Verenigde Staten zat. Zeker weten.

Ze schrok op toen er aangebeld werd. Ze ging zitten en wierp een blik op de schoorsteenmantel om te zien of Cate misschien haar sleutel had vergeten. Maar dat was niet het geval. Bree zuchtte. Ze had helemaal geen zin om met iemand te praten. Ze wilde lekker in haar eentje ontspannen.

Ze ging naar beneden en deed de voordeur open. ‘O,’ zei ze verrast toen ze Declan Morrissey zag.

‘Hallo,’ zei hij.

Ze bleven elkaar even aankijken, daarna haalde ze haar schouders op. ‘Kom maar even binnen.’

‘Graag,’ zei Declan.

Hij liep achter haar aan naar boven. Ze trok een gezicht toen ze de deur opendeed. Ondanks het feit dat Cate alles altijd opruimde, was de flat niet bedoeld voor twee personen en Bree was zich er scherp van bewust dat overal kleren lagen, dat er een paar smerige mokken op tafel stonden en dat er een stapel tijdschriften op de grond lag.

'Kom maar.' Ze pakte snel een berg ondergoed van een van de stoelen en gebaarde dat Declan kon gaan zitten.

'Heb je gewinkeld?' vroeg hij.

'Gewinkeld?'

'Het is net alsof je veel meer spullen hebt dan eerst.'

'Mijn zus logeert een paar dagen bij me,' legde Bree uit. 'De pyromaan.'

'O.' Declan leek niet op zijn gemak. 'Waar is ze nu?'

'Bezig met het tekenen van een huurcontract voor een ander appartement,' zei Bree.

'Gaan jullie verhuizen?'

Bree schudde haar hoofd. 'Ik niet, alleen Cate. Ze woont hier maar tijdelijk.'

Er viel even een onbehaaglijke stilte.

'Ik heb weer wat muffins voor je meegebracht.' Declan gaf haar de papieren zak die hij in zijn hand had.

'Dank je wel,' zei Bree. 'Maar ik ben inmiddels weer aan het werk, dus ik kan nu ook zelf eten kopen.'

'Pak ze toch maar aan,' zei Declan.

'Ik sla nooit iets te eten af.' Ze keek hem met twinkelende ogen aan. 'Zelfs niet als ik het best zelf kan halen.'

Hij lachte. 'Hoe ging het op je werk?'

'Vandaag was mijn eerste dag. Ik voel me lekker, maar moe.'

'Je houdt van je werk, hè?'

Ze knikte.

'Het spijt me van jou en Michael.'

Ze was blij dat hij er eindelijk over begon, want ze had zich eigenlijk zitten afvragen of hij het wel wist.

'Nou ja, die dingen gebeuren nu eenmaal.'

'Hij vertelde me dat hij je erg leuk vond, maar dat hij te veel tegen je opkeek.'

'Goeie genade!' Ze keek hem geërgerd aan. 'Ik ben toch geen popster. Alleen maar een gewone automonteur.'

'Maar ik begrijp wel wat hij bedoelt,' zei Declan. 'Michael is altijd gefascineerd geweest door auto's, boten en vliegtuigen. Hij snapt absoluut niet hoe ze werken, maar hij houdt van motoren en snelheid. Ik denk dat hij zijn geluk niet op kon toen hij jou had leren kennen. Maar natuurlijk was het niet de bedoeling dat hij je bijna dood zou rijden.'

'Het is echt een eng gevoel dat iemand om zulke belachelijke redenen tegen je opkijkt,' zei Bree scherp. 'Ik wilde gewoon graag een vriend hebben.'

'Hij is nog erg jong,' zei Declan. 'Hij zal op den duur wel volwassen worden.'

'Hij is niet zoveel jonger dan ik,' protesteerde Bree. 'En ik vond hem al best volwassen.'

'Maar hij is een vent.' Declan grinnikte. 'En we krijgen ons leven lang van vrouwen te horen dat we zo onvolwassen zijn. Dan kun je toch niet van hem verwachten dat hij zich volwassen gedraagt?'

Bree glimlachte ook. 'Daar zit wel iets in.'

'Het is maar goed dat het nu al is gebeurd,' zei Declan. 'Hij is geen type om het bij één vrouw te houden. Hij heeft vorig jaar wel twintig vriendinnetjes gehad. En ze stuurden hem van alles. Kaarten, bloemen en...' Hij zuchtte diep. 'Een van die stakkers stuurde hem zelfs een enorme teddybeer met een lintje om zijn nek.'

'Gelukkig dat ik nooit zo maf heb gedaan!'

'Ik kan me ook niet voorstellen dat jij dat zou doen,' zei Declan.

'Nee,' erkende Bree. 'Ik zou hem eerder een combinatietang sturen of zo. Maar hij is zo charmant. Hij vroeg of ik voor ons slecht afgelopen etentje een chic en strak jurkje aan wilde trekken en dat heb ik nog gedaan ook! Dat was echt de eerste keer.'

'Het spijt me dat ik je daar nooit in gezien heb,' zei Declan.

Bree keek hem verwonderd aan. 'Hoezo?'

Declan wreef over zijn slapen. Toen stond hij op en liep naar het raam, waar hij naar beneden ging staan kijken.

'Is er iets aan de hand?' vroeg Bree na een poosje.

'Nee, natuurlijk niet.' Hij draaide zich om. 'Ik wou alleen... Ik dacht...' Hij schudde zijn hoofd. 'Het spijt me Bree. Ik heb me als een sukkel gedragen.'

'Hoezo?'

'Ik had nooit hier moeten komen.'

Ze keek hem vragend aan.

'Toen Michael vertelde dat hij het met je uit had gemaakt – nadat je weg was gegaan – kon ik mijn oren niet geloven.'

'Daar snap ik niets van,' zei Bree. 'Uit wat je me net vertelde, maakte ik op dat het een regelrecht wonder is dat we het zo lang met elkaar hebben uitgehouden!'

'Ik heb tegen hem gezegd dat hij niet goed wijs was.'

'Dat is heel lief van je Declan. Maar...'

'Hij wist wel waarom ik dat zei. Dat heeft hij me zelf verteld. Omdat ik je zelf zo leuk vind.'

Bree keek hem verbijsterd aan, met ogen die even grijs en groot waren als die van Nessa. 'Omdat jij me leuk vindt?'

'Je weet wel wat ik bedoel,' zei Declan.

'Ik denk inderdaad dat ik precies weet wat je bedoelt, maar ik weet niet of je me dat ook echt wilt vertellen.'

'Ik voel me tot je aangetrokken,' zei hij. 'God, wat klinkt dat afgezaagd en belegen... Alsof...'

'Ja, dat klopt.' Bree was echt geschokt. Dit had ze helemaal niet verwacht. Goeie genade nog aan toe, dit was Michaels vader! Oud genoeg om ook háár vader te zijn! Hij zag er lang niet zo oud uit als haar eigen vader, natuurlijk, en hij was ontegenzeggelijk erg aantrekkelijk, maar toch...

'Toen Michael me vertelde dat hij het met je had uitgemaakt, was ik dolblij,' onderbrak Declan haar gedachtegang. 'Natuurlijk probeerde ik dat te verbergen, maar hij merkte het toch. Hij lachte me uit en zei dat hij dat allang wist, vanwege de manier waarop ik na het ongeluk had gereageerd.'

'Wat?'

'Hij zei dat het zo klaar als een klontje was dat ik meer om je gaf dan hij.'

Bree keek hem vol afschuw aan. 'Heeft hij het daarom uitgemaakt?' wilde ze weten. 'Omdat hij dacht dat jíj een oogje op me had? Was hij daarom zo sikkeneurig?'

'Dat had er wel iets mee te maken,' gaf Declan toe.

'O, verdomme nog aan toe!' Bree wierp hem een nijdige blik toe. 'De enige vent om wie ik echt iets geef, maakt het uit omdat zijn vader een oogje op me heeft!'

Declan wreef over zijn voorhoofd. 'Nee, dat klopt niet,' zei hij. 'Eerlijk niet, Bree. Hij... hij zei dat jij een veel te sterke persoonlijkheid had en dat je zo zelfstandig was dat je hem helemaal niet nodig had. Toen heb ik gezegd dat hij onzin verkocht en dat je een lieve meid was en niet half zo zelfstandig als je leek. En dat hij er gewoon voor moest zorgen dat hij je goed behandelde. Toen zei hij dat hij nooit in staat zou zijn om je anders te behandelen dan een toffe monteur, maar dat het overduidelijk was dat ik alleen maar op een kans wachtte om het zelf met je te proberen.'

'En heeft hij al die dingen gezegd voor of nadat hij me aan de kant had gezet?' vroeg Bree woedend.

'Erna,' zei Declan. 'Ik heb hem echt niet opgestookt, Bree. Eerlijk niet. Je hoeft me natuurlijk niet te geloven, maar...'

Bree haalde haar vingers door haar haar, waardoor het rechtop ging staan. 'Declan...'

'Ik weet best dat ik twintig jaar ouder ben dan jij,' zei Declan. 'En ik weet dat jij mij waarschijnlijk beschouwt als een ouwe bok die helemaal geschift is. Maar ik kan je niet uit mijn hoofd zetten.'

'Ik wil daar nu niet eens over nadenken,' zei Bree. 'Het spijt me.'

'Dat geeft niet,' zei Declan. 'Ik wilde alleen maar dat je het wist.' Hij strengelde zijn vingers in elkaar. 'Ik snap best dat ik helemaal niet eerlijk tegenover je ben. Ik weet dat iedereen zal zeggen dat ik je gewoon met rust had moeten laten. Maar ik... ik kan er niets aan doen. Ik moest gewoon naar je toe.'

'Je had helemaal niet hier moeten komen,' zei Bree.

'Dat weet ik wel,' zei Declan. 'Diep in mijn binnenste wist ik ook dat ik door moest rijden zonder aan te bellen, maar dat kon ik niet.'

Bree beet op haar lip. 'Ik vond je juist zo aardig,' zei ze. 'Ik dacht dat je een geweldige schoonvader zou zijn.'

'Het spijt me,' zei Declan. 'Ik denk dat ik in feite geen haar beter ben dan Michael.'

'Ik... ik zag Michael helemaal zitten,' zei Bree wanhopig. 'Ik wilde bij hem zijn. Ik wilde met hem naar bed.' Ze zag dat Declan rood werd.

'Ik kan maar beter weggaan.' Hij klopte op zijn colbertje, op zoek naar zijn autosleutels. 'Het is niet netjes van me dat ik naar je toe ben gekomen. Die muffins waren alleen maar een excuus. Wat een zielige vertoning, hè?'

Bree schonk hem een scheef lachje. 'Ik zal ze toch maar opeten.'

'Ik wilde je niet van je stuk brengen,' zei Declan. Hij zuchtte. 'Ik ben vijfenveertig, Bree. Ik ben getrouwd geweest. En toch gaat dit me geen haar beter af dan toen ik vijfentwintig was. Ik vermoed dat mannen echt nooit volwassen worden.'

'Nee, dat denk ik ook niet,' zei ze kortaf.

'Als je ooit...' Declan maakte zijn zin niet af.

'Ga nou maar, Declan,' zei Bree.

'Ja,' zei Declan. Hij deed de deur open. 'Bedankt dat je me niet uitgelachen hebt.'

'Bedankt voor de muffins,' zei Bree toen hij wegliep.

29

De zon in het teken van de Waterman
De maan in het teken van de Ram

Snel en enthousiast, vol ondernemingslust.

Nessa pakte een kip uit de koelkast en legde die op het aanrecht om te kruiden. Ze maakte vandaag gebraden kip met doppertjes, aardappelen en jus, een van Adams lievelingsgerechten. Maar dat maakte voor haar niets uit. Ze was op dieet en vastbesloten minstens zeven kilo af te vallen. Tot dusver was er drie pond af en het kostte haar niet de minste moeite. Ze had toch geen honger.

Het was een vervelende week geweest. Sinds ze ruzie hadden gehad over Annika was Adam iedere avond op tijd naar huis gekomen en dat zat haar nog meer dwars dan het feit dat hij daarvoor altijd zo laat was geweest. Ze had het gevoel dat hij zijn normale manier van doen veranderd had om haar te bewijzen dat hij de waarheid had verteld, maar eigenlijk had ze veel liever dat hij dat niet had gedaan. Ze wilde gewoon hun oude leventje weer oppakken. En zeker weten dat hij niet vreemdging. Ze hadden ook niet meer met elkaar gevrijd, hoewel dat niet zo vreemd was. Toch zat ze erover in. Toen ze hem een paar avonden geleden voor de grap had gevraagd waarom hij haar niet meer had aangeraakt, zei hij dat hij wachtte tot zijn opengekrabde rug weer genezen was.

Misschien gaat het volgende week wel beter, dacht ze terwijl ze de oven aanzette. Misschien houden we dan op met dat overdreven beleefde gedoe tegen elkaar en wordt alles weer gewoon.

Ze zuchtte diep toen ze de kip kruidde. Hoe kwam het toch dat ze hem in gedachten nog steeds een andere vrouw zag kussen, terwijl ze hem geloofde? En het feit dat Bree haar twijfels had gehad zat haar ook dwars. Maar Bree kende Adam niet. Bree ging gewoon van de verkeerde veronderstellingen uit.

Ze zou toch, dacht ze toen ze de met olie ingesmeerde en gekruide kip in de oven zette, nog eens met Bree moeten gaan praten. Ze had haar zus niet meer gesproken sinds dinsdagochtend toen ze tegen haar had gezegd dat ze Adam niet meer hoefde te schaduwen. Ze had min of meer verwacht dat Bree halverwege de week nog wel een keer zou bellen, maar Bree was natuurlijk weer aan het werk gegaan, dus misschien had ze het te druk gehad of was ze te moe geweest. Ik bel haar straks wel, besloot Nessa. Misschien wil ze samen met Cate volgende week wel een keertje komen eten. Ze moest het toch nog met Cate over haar eetgewoonten hebben. Nu ze zwanger was, kon ze het niet maken om alleen maar een stengeltje selderij op te knabbelen en geen hap fatsoenlijk eten naar binnen te werken. Ze moest goed voor zichzelf zorgen, vooral nu ze niemand meer had die haar in de gaten kon houden. Die klootzak van een Finn! Hij had best meer begrip mogen tonen.

Toen ze aan Finn dacht, herinnerde Nessa zich ineens dat vanavond zijn programma voor het eerst zou worden uitgezonden. Finn Coolidge, de stem van een natie. Ze vroeg zich af of hij ook een programma zou maken over ongetrouwde moeders. Als hij dat zou doen, belde ze de zender om een klacht in te dienen.

Het programma begon om negen uur. Bree was er niet tegen Cate over begonnen, omdat ze niet zeker wist of haar zus wel zou willen kijken. Maar Cate zei dat ze het wilde zien. Als het halve land keek, wilde zij niet achterblijven.

'Heb je het al op je werk verteld?' vroeg Bree.

Cate haalde haar schouders op. 'Tot gisteren hadden ze zelfs niet door dat ik mijn verlovingsring niet meer droeg,' zei ze. 'Toen viel het Glenda ineens op en ik heb haar verteld dat we van gedachten waren veranderd. Ze durfde niet naar bijzonderheden te vragen, dus ik heb er verder niets over gezegd.'

'Dat zal wel voor opwinding hebben gezorgd,' zei Bree.

'O, iedereen weet het inmiddels,' beaamde Cate. 'De mensen kijken me een beetje vreemd maar toch vol medeleven aan als ik langskom. Alleen Ian Hewitt heeft nog niets tegen me gezegd.'

'En heb je ze al verteld dat je in verwachting bent?'

Cate begon onbehaaglijk op haar stoel te wiebelen. 'Nee. Ik was het wel van plan, maar ik kon het niet.'

'Nou, als het nieuws van je verbroken verloving al als een lopend vuurtje rondging, dan vraag ik me af wat ze zullen zeggen als ze horen dat je in verwachting bent!'

'Ik heb het helemaal verkeerd gedaan, hè?' zei Cate wrang. 'Ik heb er een puinhoop van gemaakt.'

'Hoor eens, Catey, we maken allemaal weleens een fout,' zei Bree tegen haar. 'Zelfs jij.'

Toen de tune van het programma begon, hielden ze allebei hun mond en Cate keek naar het scherm waarop verknipte beelden van Finn te zien waren. Haar hart begon plotseling te bonzen. Het was bijna niet te geloven dat dit dezelfde Finn was die 's ochtends door het appartement had gestommeld. De Finn die haar ooit in zijn armen had gehouden en tegen haar had gezegd dat hij van haar hield. De Finn die haar koffers had gepakt en haar de deur had uit geschopt.

Daarna begon het programma en Finn kwam onder langdurig applaus van het aanwezige publiek de studio in lopen. Hij had gelijk dat je op tv dikker leek, dacht ze, ook al zag hij er piekfijn uit in een olijfgroen pak en een sportieve coltrui. Hij verwelkomde zijn publiek en vertelde wat de bedoeling was van het programma. Het zou variabel zijn, met veel onderwerpen die de mensen zouden boeien, maar er kwamen geen wilde en mallotige toestanden aan te pas. Daar was hij veel te oud voor, zei hij verontschuldigend. Het publiek lachte. Hij had ze nu al ingepakt, besefte Cate.

Zijn eerste gast was een klassiek zangeres die een drankprobleem had gehad. Ze was een knap meisje met kastanjekleurig haar en een schitterende stem dat nog niet eens oud genoeg leek om al van de limonade af te zijn, maar volgens Finn had ze per dag een fles wodka achterovergeslagen. 'En nog wel meer ook,' zei ze toen hij vroeg of dat echt waar was. 'Ik vond dat destijds heel gewoon.'

Na het gesprek zong ze iets en aan het publiek was te zien dat ze volkomen op haar hand waren.

'Goh, wat is ze goed,' zei Bree. 'En hij heeft meteen een idool van haar gemaakt!'

Cate produceerde een beverig glimlachje en knikte.

Het programma zou ongetwijfeld een succes worden. De camera hield van Finn en hij hield van de camera. Cate vroeg zich onder het kijken af of ze misschien heel diep vanbinnen had gewenst dat hij het niet zou redden, maar ze dacht eigenlijk van niet. Ze wilde dat hij succes zou hebben. En dat al zijn dromen uit zouden komen.

'Dat was verdomd goed,' zei Bree toen de aftiteling verscheen. 'Misschien vind je het niet leuk om te horen, Catey, maar dit is hem op het lijf geschreven.'

'Ja, dat wist ik allang,' zei ze. 'En ik ben blij voor hem.'

'Je zou hem best kunnen chanteren,' zei Bree nadenkend. 'Je weet wel, dreigen om met je verhaal naar de roddelpers te gaan.'

'Doe niet zo mal,' zei Cate. 'Je weet best dat ik dat toch niet doe.'

'Ja, dat weet ik wel,' zei Bree. 'Maar jij hebt het in je macht om met één klap een eind te maken aan zijn carrière.'

Cate keek haar zus nadenkend aan. 'Ja, ik veronderstel van wel.'

'En dat zou niemand je kwalijk nemen.'

'Wel waar,' zei ze. 'Hij hoeft immers alleen maar te zeggen dat ik overwoog om abortus te laten plegen! Dan valt half Ierland over me heen omdat ik een moordlustig kreng ben.'

'Half Ierland kent je niet zo goed als ik,' zei Bree. 'Je hebt eigenlijk maar een heel klein hartje.'

Cate grinnikte wrang. 'Denk je dat echt?'

Brees mobiele telefoon ging en ze pakte het toestel op.

'Ik ben het,' zei Nessa.

'Ja, dat zag ik al aan de nummerweergave,' zei Bree en wachtte tot Nessa zou beginnen. Ze voelde zich niet op haar gemak dat ze met haar zus moest praten zonder haar te vertellen dat die Adam van haar een leugenachtige smeerlap was die haar bedroog. Ze had iedere dag overwogen of ze haar zou bellen, maar ze had de moed niet op kunnen brengen.

'Hebben jullie naar het programma van Finn gekeken?' vroeg Nessa.
'Ja,' antwoordde Bree.
'Hij was goed, hè?'
'Heel goed.'
'Heeft Cate ook gekeken?'
'Ja.'
'En wat vond zij ervan?'
'Ze vond hem ook goed.'
'Adam zegt dat hij niet goed wijs is,' zei Nessa.
'Adam?' zei Bree schor. 'Heb je aan Adam verteld wat er met Cate en Finn is gebeurd?'
'Ja, natuurlijk,' zei Nessa. 'Dat moest ik toch wel? Hij zegt dat Cate voor Finn net zo'n goeie vangst is als andersom. En dat de baby alleen maar voordelig zou zijn voor zijn carrière.'
'Zo'n opmerking kun je van hem verwachten,' zei Bree kortaf.
'Maar hij heeft toch gelijk? Iedereen vond Finn vanavond fantastisch. En ze zouden het helemaal prachtig vinden als hij getrouwd was en een kind had.'
'En nog meer als ze erachter kwamen dat hij zijn verloofde de deur had uit getrapt omdat ze zwanger was?' Bree trok haar wenkbrauwen op en keek Cate aan, die zat mee te luisteren.
'Daar had ik niet aan gedacht,' zei Nessa. 'Eigenlijk is het vreemd dat er nog niets over hun verbroken verloving in de krant heeft gestaan. Je zou toch verwachten dat dat overal voor grote koppen zou zorgen.'
'Binnenkort zal iemand die op zoek is naar schandaaltjes er wel achter komen,' beaamde Bree.
'Ik zeg gewoon dat ik geen commentaar heb, als ze mij iets vragen,' zei Nessa.
'Doe niet zo belachelijk, Ness, niemand zal jou iets vragen!'
'Nou ja, voor het geval dat,' zei Nessa.
'Wil je Cate zelf spreken?' vroeg Bree.
Bree gaf haar telefoon aan Cate die tegen Nessa zei dat Finn inderdaad fantastisch was geweest en dat ze nog niet bij een dokter was geweest. En ja, hij was een echte smeerlap en nee, ze haatte hem niet.
'Heb je haar nog niets over Adam verteld?' vroeg Cate nadat ze uitgepraat was met Nessa.
Bree schudde haar hoofd. 'Ik kon de moed niet opbrengen,' zei ze.

'Dan vertel ik het haar wel,' zei Cate vastberaden. 'Iemand moet haar met de neus op de waarheid drukken.'

'Ze heeft altijd met haar hoofd in de wolken gelopen,' beaamde Bree.

Toen belde iemand Cates mobiel, die over de tafel huppelde omdat hij op trillen stond. Ze kon het toestel nog net opvangen. Ze keek naar de nummerweergave en haalde even diep adem voordat ze opnam.

'Hallo, mam,' zei ze. 'Ja, hij was goed, hè? Luister eens, voor we verder gaan moet ik je iets vertellen.'

Miriam luisterde zwijgend toe toen Cate haar vertelde dat ze zwanger was en alleen maar zei dat Finn en zij uit elkaar waren.

'Maar waarom dan?' vroeg ze verbijsterd. 'Ik dacht dat jullie van elkaar hielden. Een kind hoort je dichter bij elkaar te brengen in plaats van uit elkaar te drijven!'

'Er waren genoeg redenen,' zei Cate kortaf. 'Hij was er nog niet klaar voor.'

'En jij wel?' vroeg Miriam. De gespannen toon in Cates stem was haar niet ontgaan. 'Het stond ook niet echt hoog op jouw lijstje, hè?'

'Nee,' zei Cate. 'Maar ik ben inmiddels aan het idee gewend.'

'Wat ga je nu doen?' Miriam zorgde ervoor dat ze zakelijk bleef klinken. Ze wilde niet dat Cate zou horen dat het een hele schok voor haar was dat het leven van haar middelste dochter plotseling in puin was gevallen. Ze wilde niet dat Cate zich zorgen zou maken over haar reactie, hoewel ze wist dat elk meisje, ook zo'n succesvolle carrièrevrouw als Cate, het moeilijk zou vinden om haar moeder te vertellen dat ze zwanger was en dat de vader van het kind zou schitteren door afwezigheid.

'Ik logeer voorlopig bij Bree,' zei Cate.

'Bij Bree!' Dit keer kon Miriam niet voorkomen dat ze geschokt klonk.

'Het is maar voor even,' zei Cate. 'Ik trek binnenkort in mijn eigen appartement. Het komt allemaal best in orde.'

'Heb je geen zin om een paar dagen hier te komen?' vroeg Miriam. 'Om er even helemaal uit te zijn?'

In zekere zin zou het heerlijk zijn om naar Galway te gaan, waar ze zich helemaal zou kunnen ontspannen, dacht Cate. Maar ze wist ook dat ze dan uiteindelijk haar hart bij Miriam zou uitstorten en alles zou vertellen over de abortus die er mede aanleiding van was dat Finn haar de deur had uitgeschopt. En ze had absoluut nog geen zin om daar met Miriam over te praten.

'Over een tijdje, misschien,' zei Cate. 'Momenteel heb ik nog te veel aan mijn hoofd.'

'Maar hij is toch wel bereid voor de baby te zorgen, neem ik aan?'

'Hij zal ongetwijfeld bijzonder gul zijn.' Cate piekerde er niet over om Miriam te vertellen dat Finn betwijfelde of hij wel de vader van het kind was.

'Cate, je weet hoeveel ik van je hou,' zei Miriam. 'Ik wou dat ik bij je was, zodat ik mijn armen om je heen kon slaan om je te vertellen dat je je echt geen zorgen hoeft te maken. Alles komt heus wel in orde.'

'Dat weet ik,' fluisterde Cate.

'Ik wou dat het anders was gelopen,' zei Miriam. 'Maar dit soort dingen gebeurt nu eenmaal. En ik vind het best een leuk idee dat ik er een kleinkind bij krijg.'

'Dank je wel, mam.' Cates stem trilde. 'Het spijt me dat ik je teleurgesteld heb.'

'Dat is helemaal niet waar,' zei Miriam vastberaden. 'Beloof me dat je gauw naar ons toe komt, Catey.'

'Dat beloof ik.'

'En pas goed op jezelf,' zei Miriam. 'Je moet goed eten.'

'Ik zal mijn best doen,' zei Cate.

Ze verbrak de verbinding en legde de telefoon weer op tafel. Bree keek haar vragend aan.

'Mam nam het geweldig op.' Cate snufte. 'Ik zag er ontzettend tegenop om het haar te vertellen, omdat ik dacht dat ze het heel erg zou vinden, maar ze sloofde zich echt uit om hulpvaardig over te komen.'

'Dat komt omdat ze ook echt wil helpen,' zei Bree nadrukkelijk. 'Precies zoals Nessa en ik. Bekijk het eens op deze manier,' ging ze vrolijk verder. 'Over zestien jaar, als dat kind thuiskomt met een piercing door de navel of iets dat nog veel erger is en jij op het punt staat om te ontploffen, kun je aan vandaag terugdenken en aan je moeder die bereid was om je door dik en dun te steunen!'

'Een piercing door de navel zal wel het minste van de problemen zijn waarmee ik als moeder geconfronteerd word,' zei Cate. Ze zuchtte diep.

'Helemaal niet!' Bree omhelsde haar. 'Je wordt een fantastische moeder, let op mijn woorden.'

'Ik wou dat ik je kon geloven,' zei Cate.

De maandag daarna had Bree net een gloednieuwe Brava rijklaar gemaakt, toen Christy naast haar bleef staan.

'Je weet toch wel dat je voor eind september nog een week vakantie op moet nemen, hè?'

Ze keek hem verrast aan. 'Ik dacht dat het voor eind oktober was.'

'Nee,' zei Christy. 'September.'

'Maar ik ben net terug van ziekteverlof,' zei Bree. 'Ik kan er toch moeilijk weer tussenuit knijpen.'

'Je hebt volgens de wet recht op vakantie,' zei Christy. 'En je bent verplicht die op te nemen.'

'O.'

'Laat me dus zo gauw mogelijk weten wanneer, goed? Ik moet ervoor zorgen dat we dan voldoende personeel hebben.'

Bree knikte. Ze had nog helemaal niet nagedacht over vakantie en ze veronderstelde dat ze wel een weekje weg zou kunnen, ook al zat ze een beetje krap in haar geld. Maar misschien was het wel goed voor haar om ergens naartoe te gaan. Of ze kon die week ook gebruiken om meer inlichtingen te krijgen over de Verenigde Staten. Ze dacht dat ze daar wel vrij gemakkelijk werk zou kunnen vinden, maar ze wist niet zeker of ze een groene kaart zou krijgen. Ze krabde met haar balpen over haar hoofd. Misschien was een weekje vakantie toch een beter idee. Dan kon ze de batterijen weer een beetje opladen, want ondanks haar gedwongen verlof voelde ze zich steeds moe, en dat was niets voor haar. Bovendien had ze moeite zich te concentreren. Maar dat zou wel door Declan Morrissey komen. Ze ondertekende haar werkblad en liep naar de volgende auto.

Af en toe had ze het gevoel dat ze zich alleen maar had verbeeld dat hij naar haar toe was gekomen en haar stamelend had verteld dat hij... ja wat eigenlijk? Belangstelling voor haar had? En af en toe, als ze haar ogen dichtdeed en eraan terugdacht, leek het net alsof hij naast haar stond. Als Michaels vader had ze hem echt ontzettend aardig gevonden. En als hij niet toevallig Michaels vader was geweest, had het misschien best anders kunnen lopen. Of als hij niet twintig jaar ouder was geweest dan zij. En dan moest ze die dochters niet vergeten. Bree had al het gevoel dat Marta niet echt kapot van haar was geweest... en toen was ze alleen nog maar het vriendinnetje van Michael. Waarschijnlijk zou ze moord en brand schreeuwen bij het idee dat haar vader iets met Bree zou beginnen. Maar goed, daar was ook geen sprake van. Hij was een weduwnaar met een stel kinderen, dus ze piekerde er niet over een serieuze relatie met hem te beginnen. Dat zou heel onverstandig zijn. En hij was echt veel te oud voor haar. Goeie genade, hij was nog ouder dan Adam Riley!

Het zou misschien wel helpen om een tijdje uit Ierland weg te gaan. Dan hoefde ze zich ook geen zorgen meer te maken over Declan en Michael. Of over Cate. Als ze wegging, hoefde ze Nessa ook niet te vertellen dat Adam nog een scharreltje had. Maar als ze wegging, zou ze Cate ook niet bij kunnen staan tijdens haar eenzame zwangerschap. En dan kon ze ook niet als buffer fungeren tussen Cate en Nessa, die zich waarschijnlijk overal mee zou willen bemoeien en die arme Cate stapelgek zou maken. En dan kon ze Nessa ook niet steunen als die er uiteindelijk achter kwam dat Adam Riley een leugenachtige schuinsmarcheerder was. Want op een dag zou dat heus wel tot Nessa doordringen. Dat was alleen maar een kwestie van tijd.

Ze kon natuurlijk ook gewoon een week op vakantie gaan en pas daarna ontslag nemen als ze daar zin in had, hoewel ze dat eigenlijk niet aardig vond tegenover haar werkgever.

Misschien vond Nessa het wel leuk om met haar mee te gaan, dacht Bree plotseling. Misschien konden ze samen een week op vakantie. Dan zou Nessa tijd hebben om te bedenken hoe het verder moest met Adam (en misschien kreeg Bree dan wel een kans om haar te vertellen dat hij toch een vuile leugenaar was) en zij zou tijd hebben om te bedenken wat ze moest doen. En als Cate nou ook eens mee zou gaan? Met hun drieën zouden ze een leuke vakantiebestemming kunnen zoeken, waar ze lekker konden ontspannen. Dat hadden ze nog nooit gedaan. Toegegeven, ze had ook nooit het idee gehad dat ze dat leuk zou vinden, maar waarom niet? Ze hadden de laatste paar maanden veel meegemaakt en misschien knapten ze wel op van een tijdje in een vreemde omgeving. Ze konden een goedkope vlucht naar Spanje of Portugal boeken en lekker een weekje aan het strand gaan liggen. Dat zou hun alle drie goeddoen. Ze glimlachte toen haar ineens een huis in Spanje te binnen schoot, wat ze misschien wel zou kunnen huren.

Het idee beviel haar. Ze vroeg zich af of haar zussen er ook zo over zouden denken.

30

Ram: vuur. Kreeft: water. Boogschutter: vuur

Drie weken later kwamen Nessa, Cate en Bree aan op het vliegveld van Alicante. Zodra ze hun bagage hadden opgehaald gingen ze naar de balie van het autoverhuurbedrijf voor de wagen die Bree al geregeld had. Nessa keek op haar horloge en vroeg zich bezorgd af of Adam Jill wel op tijd naar school zou brengen, of alles tussen de middag goed zou gaan (hoewel ze wist dat ze kon vertrouwen op Jean Slater die had aangeboden om haar af te halen) en of Adam en Jill wel goed zouden eten als zij er niet was.

Het was een hele schok voor Adam geweest toen ze hem vertelde dat ze op vakantie ging.

'Jij en je zussen?' Hij kon niet voorkomen dat zijn stem droop van ongeloof. 'Samen op vakantie? Een hele week?'

'Bree kwam op het idee,' verklaarde Nessa. 'Zij wilde er even tussenuit en natuurlijk kon Cate wel een verzetje gebruiken. En...' voegde ze er een beetje aarzelend aan toe, 'ik eigenlijk ook wel.'

Adam gaf geen commentaar op Nessa's behoefte aan een verzetje, maar hij vroeg wel wie er dan op Jill moest letten.

'Ik vind dat jij dat wel kunt doen,' zei ze. 'Jij bent haar vader.'

'Je moet wel realistisch blijven, Nessa. Ik kan niet zomaar een hele week vrij nemen,' zei Adam stug.

'Waarom niet?' vroeg Nessa. 'We zijn dit jaar ook niet op vakantie geweest. Volgens mij heb je nog meer dan genoeg vakantiedagen over.'

'We hebben het heel druk,' zei Adam geduldig.

'Als ik iemand kan vinden die haar van school haalt en op haar past tot jij thuiskomt, is dat toch geen probleem?' Nessa was verbaasd dat ze zo hardnekkig volhield.

'Waarschijnlijk niet,' gaf Adam toe. 'En als ik 's avonds plotseling weg moet, kan ik altijd Ruth vragen om te babysitten.'

'Maar je hoeft 's avonds niet plotseling weg,' zei Nessa vastberaden. 'Toe nou, Adam. Het is maar één week.'

Hij zuchtte. 'Ach, ik zal me wel redden.'

'Vast wel,' zei Nessa.

Het was Adam die hen naar het vliegveld had gebracht. Nessa had zich verschrikkelijk schuldig gevoeld toen ze naar haar man en haar dochter had gezwaaid. Jill had Adams hand vastgehouden en haar nageroepen dat ze een leuk cadeautje mee moest brengen. Het was niet eerlijk dat zij wegging en hen achterliet, had ze gedacht terwijl ze achter Cate en Bree aan naar de gate liep. Ze konden eigenlijk helemaal niet voor zichzelf zorgen en misschien was het ook niet zo'n goed idee geweest om Adam alleen te laten. Hij had de laatste paar weken geen kans gehad om met vreemde vrouwen op stap te gaan en zijn tong in hun strot te duwen, maar dat zou weleens kunnen veranderen nu ze weg was. En toch had ze verschrikkelijk graag mee gewild. Ze wilde een tijdje weer zichzelf zijn, niet alleen maar Adams vrouw en niet alleen Jills moeder. Dus slikte ze haar angst en haar schuldgevoelens in en zei tegen Bree dat ze ook van de partij zou zijn.

Ook tijdens de vlucht had ze zich weer schuldig gevoeld, hoewel haar horoscoop in een van de stapel tijdschriften die ze op het vliegveld had gekocht haar had aangemoedigd om 'haar blik te verruimen' en 'persoonlijke belangen te laten prevaleren boven andere verplichtingen'. Ze had een beetje wrang geglimlacht toen ze dat las voordat ze zich herinnerde dat ze had besloten om er geen aandacht meer aan te schenken. Maar onwillekeurig had ze toch haar eigen horoscoop en die van Bree en Cate doorgelezen. Het was allemaal rozengeur en maneschijn en zelfs die van Adam zag er zonnig uit, zag ze. Er stond in dat hij nu tijd zou hebben om plezier en zijn huiselijke plichten te combineren. Maar niet deze week, dacht ze, toen ze het tijdschrift weer in haar tas stopte. Deze week had Adam Riley alleen maar huiselijke plichten!

'Oké, meiden,' zei Bree terwijl ze de balie de rug toekeerde met de autosleuteltjes in de hand. 'We gaan.'

Ze waren vroeg in de ochtend aangekomen en de lucht was bijna wit, een tikje heiig met hier en daar wat grijze wolkjes die snel naar het oosten dreven. Tijdens de vlucht had de gezagvoerder de passagiers al gewaarschuwd dat er een depressie over Spanje trok, maar de zussen hoopten dat ze daar niets van zouden merken en dat ze een week tegemoet konden zien onder een helderblauwe lucht met niets anders te doen dan op het strand liggen en het plaatselijke aanbod lekkere kerels voorbij zien komen.

'Waar staat die auto?' vroeg Cate terwijl ze hun koffers meesleepten naar de parkeergarage.

'Helemaal bovenop,' zei Bree met een blik op de plattegrond in haar hand.

'Weet je zeker dat het hier is?' vroeg Nessa toen ze op de plek aankwamen waar de auto volgens Bree moest staan. De parkeerplaats was leeg.

'Ja, natuurlijk,' zei ze geïrriteerd. 'Hier staat toch dat hij... o, wacht even! Ik had het verkeerde nummer te pakken. Daar staat hij.'

Ze liepen naar de donkergroene Mondeo. Bree maakte de kofferbak open en ze hesen hun koffers erin.

'Wie rijdt er?' vroeg Cate.

'Ik rijd,' zei Bree vastbesloten. 'Jij mag morgen rijden, Nessa. En jij overmorgen, Cate.'

Cate giechelde. 'Je lijkt wel een schooljuffrouw.'

'Zo voel ik me ook.' Maar Bree schoot toch in de lach. 'Stap nou maar gauw in.'

'Waarom rij je nou in de richting van Alicante?' wilde Cate weten toen ze op weg waren naar de snelweg. 'Ik dacht dat het huis ten zuiden van de stad lag.'

'Dat klopt. Maak je niet ongerust, we komen er heus wel.'

'Ik vond het een leuk idee om zelf een huis te huren, zodat je geen rekening met een heel gezelschap hoeft te houden,' zei Cate. 'Is die eigenares een goede vriendin van je, Bree?'

'Nee hoor.' Bree schudde haar hoofd. 'Ik ken haar uit de tijd dat ik hier werkte. Maar toen ik opbelde en vroeg of we het vakantiehuis konden huren, was het meteen goed. Ik ben er nog nooit geweest, maar het klinkt geweldig. Het is een gerenoveerde boerderij, met alles wat we nodig hebben.'

'Maar het is wel een heel eind van het strand,' mopperde Nessa. 'Ik vind nog steeds dat we beter een groepsreis hadden kunnen boeken, dan hadden we een appartement aan de kust gehad.'

'Luilak,' zei Bree. 'Op deze manier zie je tenminste nog iets van het land.'

'Bovendien ligt het maar een paar kilometer van de kust,' zei Cate. 'We kunnen gemakkelijk naar het strand rijden.'

Bree zette de ruitenwissers aan toen er een paar spatjes op de voorruit verschenen. Cate keek bezorgd naar de lucht. 'Er komt een schip met zure appelen aan,' zei ze tegen Bree. 'Dat zal die depressie wel zijn waar ze het over hadden. Ik hoop dat het overwaait.'

Bree deed haar koplampen aan. 'Ik heb dit ook een paar keer meegemaakt toen ik hier woonde,' zei ze. De regen gutste inmiddels naar beneden. 'Het is net alsof je in de tropen zit. Het blijft een halfuur plenzen en dan komt de zon weer te voorschijn.'

Maar het was niet prettig om in dit weer te rijden en ze was bang dat ze de afslag zou missen. Ze ging even verzitten en keek naar de kilometerteller. 'Er moet zo een klein kerkje komen,' zei ze tegen Nessa en Cate. 'Daar moeten we afslaan.'

Een minuut later zagen ze het allebei en Bree verliet de snelweg en reed landinwaarts. 'Het is drie kilometer verderop aan deze weg,' zei ze. 'Als we een vreemd gevormde boom zien, staat het huis er rechts van. Er staat ook een bordje met de naam, Villa Naranja. Waarschijnlijk omdat er zoveel citrusbomen staan,' voegde ze eraantoe en knikte naar de sinaasappel- en citroenbomen langs de weg.

Ze schrokken alle drie van een enorme donderslag.

'Verdorie,' zei Nessa. 'We schijnen midden in die tropische bui van jou te zitten.'

'Het klinkt alsof het dichterbij komt,' was Cate het met haar eens.

'Letten jullie nou maar op of je dat huis ziet,' zei Bree. 'We moeten er bijna zijn.'

Na zes kilometer stopte ze.

'Wat doe je nu?' vroeg Nessa.

'Het heeft geen zin om door te rijden. Dan komen we midden in die verdomde bergen terecht.'

'Oké,' zei Nessa. 'Dan gaan we terug. We zullen nu extra goed opletten of we een boerderij zien.'

'Het is maar een klein boerderijtje,' zei Bree. 'Misschien ziet het er anders uit dan je verwacht.'

'Je hebt ons anders verteld dat het gerenoveerd was,' zei Nessa. 'Drie slaapkamers, een woonkamer, een badkamer, een keuken en een veranda. Dus zo klein kan het ook weer niet zijn.'

Bree reed langzaam terug.

'Het is toch niet die bouwval daarginds, hè?' vroeg Nessa bezorgd terwijl ze naar een oud wit huis wees, dat een eindje van de weg af stond. Een deel van de dakpannen lag in de tuin.

'Dat lijkt me niet,' zei Bree. 'Het is van haar familie en ze gebruiken het zelf als een vakantiehuis. Dat zouden ze niet doen als het op instorten stond.'

'Ik heb wel een paar zijweggetjes gezien die misschien naar een huis leiden,' zei Cate. 'Zou het daar misschien aan staan?'

'Dat zou best kunnen.' Bree wreef over haar nek. Ze was moe van de vlucht, moe van het rijden en een beetje bang dat ze misschien verdwaald waren.

'Kijk! Daar is het!' riep Nessa plotseling.

Bree remde en de auto glibberde naar de kant van de weg.

'Kijk alsjeblieft uit!' riep Cate. 'Zo meteen belanden we in die greppel!'

'Sorry.' Bree wreef even over haar enkel die nog steeds pijn deed als ze zo hard op de rem trapte. 'Wat heb je gezien, Nessa?'

'Ga maar een stukje achteruit,' zei Nessa. 'Kijk. Daar staat het bordje. Villa Naranja. Twee kilometer.'

'Twee kilometer!' riep Cate. 'Het staat midden in de rimboe!'

'Ik zei toch dat we een groepsreis hadden moeten boeken,' zei Nessa. 'Schiet maar op, Bree.'

De weg waarover ze reden, was in de zomer waarschijnlijk een zandpad. Maar nu het zo hard regende, was de grond zacht en soppig geworden. Bree voelde de auto een paar keer slippen en hoopte dat haar zussen dat niet hadden gemerkt. Plotseling kwam er een eind aan het kronkelweggetje en ze zagen een huisje met gewitte muren opdoemen, met terracotta dakpannen en een betegelde veranda aan de voorkant. Op een stenen bordje aan de muur stond La Villa Naranja.

'Het ziet er leuk uit,' zei Cate opgelucht. 'Wat een mooie bloemen.'

Langs de rand van de veranda stonden potten met kleurige bloeiende planten, die zo dicht op elkaar stonden dat ze om ruimte leken te vechten.

'Gelukkig.' Bree slaakte een zucht van opluchting.

'Misschien moeten we maar gauw naar binnen hollen en later, als het ophoudt met regenen, onze koffers gaan halen,' zei Cate.

'Bedoel je morgen?' vroeg Nessa bits.

'Het houdt vanzelf op,' zei Bree vol vertrouwen.

'Bah!' riep Nessa uit toen ze achter Bree aan liep en uitgleed in de modder. 'Mijn schoenen zijn vast geruïneerd. En ze zitten net zo lekker.'

'Maak je daar nou maar niet druk over,' zei Bree. 'Kom, dan gaan we naar binnen.'

Ze smeet het portier dicht en liep haastig naar de boerderij met Nessa op haar hielen.

'Wacht even!' Cate die om de auto heen was gelopen, voelde dat ze plotseling in de modder wegzakte. 'Ik val bijna!' riep ze uit.

Bree en Nessa die al bij de veranda waren, draaiden zich om. Bree sloeg haar hand voor haar mond, terwijl Nessa op haar onderlip beet om niet in lachen uit te barsten. Cate stond tot haar enkels in de modder, van haar dure witte sportschoenen was niets meer te zien. Haar lichte lila broek zat onder de modderspatten en haar haar plakte aan haar hoofd.

'O shit.' Bree schudde van het lachen.

'Ze is zwanger,' zei Nessa bezorgd, hoewel ze zelf ook haar lachen nauwelijks in kon houden. 'Als ze valt, bezeert ze zichzelf of de baby misschien.'

'Verdomme,' zei Bree. 'Kom op, laten we haar maar gaan redden.'

Toen ze haar uit de modder trokken, maakten haar voeten een soppend geluid dat Bree en Nessa opnieuw in lachen deed uitbarsten.

'Het is helemaal niet grappig!' riep Cate uit.

'Dat weet ik wel,' zei Bree terwijl ze probeerde haar gezicht strak te houden. 'Maar je zag er zo... on-Cate-achtig uit.'

'Je zou er zelf ook niet uitzien als je in de modder vastzat,' zei Cate boos. 'En mijn nieuwe sportschoenen zijn helemaal naar de haaien!'

'Kom nou maar, Cate. Je zult ze toch wel voor niks hebben gekregen,' zei Bree grinnikend.

'Niet waar!' snauwde haar zus. 'En we kunnen zo niet naar binnen, met die smerige voeten.'

Nessa had een pakje papieren zakdoekjes in haar tas, waarmee ze hun voeten schoonmaakten. Daarna keken ze om zich heen in de boerderij en slaakten in koor een zucht van opluchting. Ze waren allemaal bang geweest dat het huis niet aan de verwachtingen zou voldoen, maar het zag er heel gezellig uit. Het was gemeubileerd in de traditionele Spaanse stijl en aan de muren hingen een paar moderne reproducties. Hetzelfde gold voor de slaapkamers, die allemaal in een verschillende kleur waren ingericht. De enorme badkamer was van onder tot boven betegeld en in de keuken stond alles wat ze nodig hadden.

'Goddank,' zei Nessa, toen ze op de bank neerviel. 'Ik was echt bang dat we een kat in de zak hadden gehuurd.'

'Zo is Dolores niet,' zei Bree tegen haar. 'Ik zei toch dat het in orde was.'

'Ja hoor,' zei Nessa. 'Het is een enig huisje, Bree. Echt waar. En het zal nog leuker zijn als het ophoudt met regenen.'

'Misschien moeten we maar eerst de boiler aanzetten, zodat we allemaal kunnen gaan douchen,' stelde Cate voor. 'Dan voelen we ons meteen beter. Ondertussen ga ik even koffie zetten.'

'Dat is een goed idee,' zei Nessa. 'Waar zit die boiler, Bree?'

Bree haalde haar schouders op. 'Ergens in een kast, denk ik.'

Ze ontdekten het apparaat in een bijkeukentje en Nessa draaide de schakelaar om.

'Moet dat lichtje nou niet aangaan?' vroeg ze aan Bree.

'Dat lijkt me wel.' Bree keek over haar schouder.

'Bree, kun je even de hoofdschakelaar omdraaien?' riep Cate. 'Ik heb de waterkoker aangezet, maar er is geen stroom.'

Bree liep naar de hal en ging op zoek naar de meterkast. Ze had inmiddels koude voeten gekregen van de modder buiten en de kille tegels binnen. Toen ze de meterkast had gevonden, keek ze naar de hoofdschakelaar.

'De stroom is wel ingeschakeld,' zei ze tegen Cate. 'Weet je zeker dat je geen stroom hebt?'

Cate drukte op een lichtknopje. *'Nada,'* zei ze.

Bree controleerde de stoppen, maar die waren allemaal heel. Ze draaide de hoofdschakelaar uit en weer aan. 'Probeer het nog eens,' riep ze.

'Nog steeds niks,' zei Cate.

'Verdorie nog aan toe,' zei Nessa. 'Vertel me nou niet dat we afgesloten zijn.'

'Misschien heeft de regen een stroomstoring veroorzaakt,' zei Bree. 'Dat gebeurt wel vaker.'

Ze stonden in de keuken en keken naar buiten. Inmiddels regende het zo hard dat de auto nauwelijks te zien was.

'Je zou best gelijk kunnen hebben,' zei Cate en slaakte een kreet van schrik toen er plotseling een bliksemschicht langs de hemel flitste.

'O, mijn god, wat was dat dichtbij!' riep Nessa.

'Dat betekent dat het zo over is,' zei Bree troostend. 'Dan hebben we waarschijnlijk ook weer elektriciteit en dan is alles zo weer droog.'

'Je klinkt wel erg optimistisch,' zei Cate.

'Je hoeft je echt geen zorgen te maken,' zei Bree. 'Het komt allemaal weer in orde.'

'Ik zou toch wel graag een kop koffie willen hebben,' zei Cate klagend. 'Ik heb behalve die prut in het vliegtuig nog geen koffie gehad.'

'Dat is maar goed ook,' zei Nessa. 'Nu je in verwachting bent, zul je toch minder koffie moeten gaan drinken.'

'Ik hoop dat je niet de hele week tegen me gaat zeuren over wat ik wel of niet mag doen omdat ik zwanger ben,' zei Cate.

'Nee.' Nessa schudde haar hoofd. 'Ik zeg alleen maar dat je beter een kopje kruidenthee kunt nemen of zo.'

'Ik drink heel vaak kruidenthee,' zei Cate. 'Maar op dit moment zou ik dolgraag een kop koffie willen hebben. Zwart en sterk.'

'Er zijn een heleboel cafés in de buurt van het strand,' zei Bree. 'Daar kun je overal koffie drinken.'

'Als jij denkt dat ik ook nog maar één voet buiten de deur zet...'

Opnieuw werd de hele kamer verlicht door de bliksem, die onmiddellijk werd gevolgd door een donderslag waarvan de kopjes in de kast stonden te rinkelen.

'Jezus,' zei Nessa ademloos. 'Dat was écht vlakbij.'

'We kunnen net zo goed een poosje in bed gaan liggen,' stelde Bree voor. 'Om uit te rusten en te wachten tot het ophoudt met regenen. En als we dan nog geen elektriciteit hebben, kunnen we ook buiten de deur iets gaan eten en drinken.'

'Ik rammel nu al van de honger,' zei Cate. 'En ik doe toch geen oog dicht als het zo onweert.'

'Ik heb wel een Marsreep voor je als je zo'n honger hebt.' Nessa pakte de reep uit haar tas.

'Bah, Nessa, die zitten echt propvol calorieën,' zei Cate.

'Dan moet je het verdorie zelf maar weten,' riep Nessa uit. 'Als je honger hebt, eet die reep dan op. Als jij hem niet hoeft, neem ik hem zelf.'

'Is dat het enige wat we te eten hebben?' vroeg Bree bezorgd.

'Ik heb er nog twee,' zei Nessa. 'En drie appels.'

'Ik heb helemaal niets meegebracht,' zei Bree. 'Ik dacht dat we wel boodschappen konden doen nadat we hier aangekomen waren.'

'Ik heb alleen een pot oploskoffie,' zei Cate. 'Anders niets.'

Ze keken elkaar aan.

'Geef me toch die reep maar,' zei Cate ten slotte. 'En ik volg Brees raad op en ga naar bed. Het zal vast niet de hele dag regenen en ik ben moe. Misschien val ik toch even in slaap.'

'Goed,' zei Bree. 'Dan zien we elkaar straks.'

Ze liepen naar hun slaapkamers en kropen in bed. De regen bleef op het dak kletteren en het bleef onweren.

Het was minstens een uur later toen Nessa opstond en naar de woonkamer liep. Ze keek uit het raam naar de modderpoel rond het huis die steeds groter werd. Zo langzamerhand leek het wel een moeras. Maar het regende niet zo hard meer. Ze hoopte dat ze daaruit kon opmaken dat de bui bijna voorbij was.

Ze probeerde het licht, maar er was nog steeds geen stroom. Als die maar voor het eind van de dag weer aangesloten werd, want ze hunkerde naar een douche en ze snakte naar iets warms te drinken.

Het is echt iets voor mij om op vakantie te gaan en dan in een ijskoud, gerenoveerd boerderijtje te zitten zonder iets te eten of te drinken, dacht ze. Adam zou zich slap lachen als ze hem dit vertelde. Als ze samen op vakantie gingen, was hij altijd degene die overal voor zorgde. En dat deed hij zo goed, dat ze eigenlijk nog nooit een ramp had beleefd als ze met Adam op vakantie was. Hij was altijd overal op voorbereid. Toen ze vorig jaar op vakantie waren in Schotland had het voortdurend geregend, maar hij had ervoor gezorgd dat ze hun regenjassen en -laarzen bij zich hadden. Dit jaar waren ze niet op vakantie gegaan, maar waren in plaats daarvan met Pasen een lang weekend naar Frankrijk geweest. Het was heerlijk weer geweest en ze hadden een leuke tijd gehad, dacht ze toen ze met opgetrokken benen op de bank ging zitten en de kussens om zich heen verzamelde. Ze had van elke minuut genoten.

Daarna begon ze weer over Adam na te denken en zijn cliënt die zo handtastelijk was, Annika van de drie kruisjes. Als hij per se vreemd wilde gaan, zou dat gemakkelijker kunnen als zij een paar duizend kilometer ver weg zat. Maar daar wilde ze eigenlijk helemaal niet aan denken. Deze vakantie was een soort afsluiting voor haar. Ze had ervoor gekozen om haar huwelijk in stand te houden en opnieuw te beginnen. Dus dit soort gedachten moest ze uit haar hoofd bannen.

'Hoi.' Cate kwam de zitkamer in lopen. 'Is er iets?'

'Ik kon gewoon niet slapen,' zei Nessa. 'De donderklappen waren zo hard en het regende zo ontzettend dat ik bang werd dat het dak zou instorten. En toen het eindelijk stil werd, vond ik dat ook niets!'

Cate lachte. 'Ik heb wel een tijdje geslapen, maar toen ik wakker schrok, wist ik even niet meer waar ik was. Wat is het hier koud, hè?'

Ze ging naast Nessa op de bank zitten en stopte haar voeten onder een kussen.

'Ik heb sokken in mijn koffer,' zei Nessa. 'Ik vroeg me af of ik ze zou gaan halen, maar het is daar buiten nog één grote modderpoel.'

'Is het al droog?' Cate tuurde naar buiten.

Nessa schudde haar hoofd. 'Het is alleen zachter gaan regenen.'

'Hoe komen we nou aan eten? Ik rammel echt van de honger.'

'Ik heb geen flauw idee,' zei Nessa. 'Ik neem aan dat er wel ergens een supermarkt in de buurt is.'

'Er is hier niets in de buurt,' zei Cate zuur. 'We zitten midden in een sinaasappelveld.'

Nessa giechelde. 'Een sinaasappelplantage.'

'Dat klinkt warm en romantisch,' zei Cate. 'Maar daar merk ik niets van.'

'Hallo.' Bree kwam met verwarde haren de kamer in lopen. Ze zag er nog steeds slaperig uit. 'Ik hoorde jullie kletsen. Wat is er aan de hand?'

'Het regent niet zo hard meer, buiten staat alles blank en we sterven van de honger,' zei Nessa. 'En we hebben nog steeds geen stroom.'

'O god,' zei Bree. 'Wat moet ik dan doen?'

'Geen idee,' zei Nessa. 'Jij hebt hier gewoond, ik niet.'
'Niet hier,' zei Bree. 'Vijfenzeventig kilometer verder aan de kust.'
'Dus je hebt geen idee wat hier allemaal in de buurt is?'
'Ik heb een vaag idee,' zei Bree. 'Toen ik hier woonde, heb ik Dolores op het strand leren kennen.'
'Waarom bel je haar niet?' vroeg Cate plotseling. 'Misschien kan zij ons vertellen waar de winkels zijn en wat we met die elektriciteit aan moeten.'
Bree grinnikte opgelucht en pakte haar telefoon. Maar ze begon meteen te kreunen.
'Geen signaal,' zei ze tegen hen.
'We moeten toch een winkel zien te vinden,' zei Cate. 'Als ik niet snel iets te eten krijg, zak ik in elkaar.'
'Dat is helemaal niets voor jou, Catey,' zei Bree. 'Ik dacht dat je juist blij zou zijn als je gedwongen werd om te lijnen.'
'Normaal gesproken wel,' zei Cate zuchtend. 'Maar de laatste twee weken heb ik gegeten als een paard. Het zou best goed voor me zijn om even iets rustiger aan te doen, maar als ik niet eet, word ik chagrijnig en zweverig.'
'Volgens mij is er verderop langs de weg zo'n giga-supermarkt,' zei Bree. 'Daar kunnen we wel naartoe gaan.'
'Maar we moeten iets te eten hebben,' zei Nessa. 'Wat heeft het nou voor zin om eten in te slaan als we niet kunnen koken?'
'Er zit ongetwijfeld een cafetaria bij,' zei Bree. 'Dat is bijna altijd het geval.'
'Laten we dan maar meteen gaan!' riep Cate uit.
'Dit keer rijd ik,' zei Nessa. 'Jij zult wel bekaf zijn, Bree.'
'O, laat haar alsjeblieft rijden,' zei Cate. 'Ze trappelt van verlangen om het te proberen.'
'Helemaal niet,' zei Nessa. 'Ik heb een hekel aan rijden in de regen. Maar ik kan jullie tot mijn blijdschap mededelen dat het inmiddels droog is en dat er zelfs een streepje blauw boven aan het raam te zien is.'
Ze stapten haastig weer in de auto en Nessa begon voorzichtig te keren.
'Rij maar eerst een stukje achteruit,' raadde Bree haar aan.
Nessa wierp haar een boze blik toe en zette de auto in de achteruit.

In ieder geval regent het nu niet meer, dacht ze, en reed een stukje achteruit. Daarna schakelde ze terug naar de eerste versnelling. De banden draaiden, maar de auto bleef staan.

'O shit!' Ze gaf wat extra gas.

'Niet doen! Niet doen!' schreeuwde Bree. 'Zo graaf je je alleen maar dieper in!'

Ze stapten uit. De banden waren diep weggezonken in de zachte blubber en de drie zussen wisten dat het nog wel even zou duren voordat ze hier weg waren.

'O, mijn god, Nessa,' zei Cate langzaam. 'Je hebt die wagen bijna begraven.'

'Dat was mijn schuld niet,' zei Nessa snel. 'Bree zei dat ik achteruit moest rijden.'

'Een stukje achteruit zei ik. Niet met een rotgang dat moeras in!'

'Dat deed ik helemaal niet. En dat weet je best.'

'Ik had jou nooit moeten laten rijden.'

'O, dus jij had het beter gedaan?'

'In ieder geval niet slechter.'

'Hou nou allebei je mond,' snauwde Cate. 'Het heeft geen zin om er ruzie over te maken. We moeten die auto uit die verdomde modder zien te krijgen voordat hij er nog verder in wegzakt.'

Bree ging op haar hurken zitten en keek naar de banden. 'Hij zit echt vast,' zei ze. 'Die krijgen wij er nooit uit.'

'We moeten iets onder de banden leggen,' zei Cate. 'Zodat die meer houvast krijgen. Karton zou het best zijn.'

'Natuurlijk.' Nessa knikte. 'Ik pak die kartonnen doos wel even die ik heb meegebracht. Karton! Waar moeten we dat verdomme vandaan halen?' Ze gilde bijna. 'We hebben geen karton, idioot.'

'Je hoeft mij geen idioot te noemen,' riep Cate uit. 'Ik heb die auto niet in die prut vast laten lopen.'

Heel even hing er een gespannen stilte. Toen begon Nessa's mond te trillen. Plotseling barstte ze in lachen uit. Het klonk zo aanstekelijk dat Bree en Cate onwillekeurig mee gingen lachen.

'Dit hou je toch niet voor mogelijk.' Nessa wreef de tranen uit haar ogen. 'Midden in de rimboe, zonder stroom, zonder een hap te eten en met een auto die bijna half weggezakt is in de modder. En wij dachten dat we naar een warm en zonnig oord gingen waar we alle sores van ons af konden zetten.' Ze schoot opnieuw in de lach. 'Het was nog niet tot me doorgedrongen dat we die gewoon meegebracht hebben.'

'De persoonlijke donkere wolken van de familie Driscoll?' vroeg Cate glimlachend.

'Maar er is geen wolkje aan de lucht,' zei Bree. 'De zon is alweer behoorlijk warm. Misschien liggen achter het huis wel planken of lege dozen die we kunnen gebruiken.'

'Laten we maar even gaan kijken.' Cate liep voor hen uit. De grond begon alweer wat droger te worden en van een doek die over de waslijn hing, sloeg letterlijk de damp af.

Uiteindelijk slaakte Nessa een kreet van triomf en kwam uit het schuurtje met een grote bruine doos. 'Precies wat we nodig hebben!' riep ze uit.

'Keurig,' zei Bree.

Ze liepen terug naar de auto waar ze de doos in vier stukken scheurden die ze onder de wielen van de auto duwden.

'Laat Cate maar achter het stuur gaan zitten,' zei Bree. 'Dan kunnen wij duwen, Nessa.'

Cate en Nessa knikten. Cate schoof achter het stuur en trok een gezicht toen er weer een stuk opgedroogde modder van haar schoenen op de vloer viel.

'Ben je zover?' riep Bree.

'Ja, hoor.' Cate startte de auto en liet de motor even warmlopen. Bree en Nessa gingen erachter staan om te duwen.

'Nu!' schreeuwde Bree toen ze voelde dat de auto in beweging kwam.

Cate gaf een dot gas en de Mondeo sprong vooruit. Ze reed door en stopte een paar meter verder op de oprit, waar de grond vast was. Daarna keek ze om naar Bree en Nessa.

'Het is gewoon onze dag niet,' zei ze, toen ze uitstapte. Haar beide zussen zaten op handen en voeten in de modder, omdat ze hun evenwicht hadden verloren toen de auto wegspoot.

'Is alles goed met jullie?' vroeg ze.

Ze keken naar haar op. Hun gezicht zat onder de modderspatten en van hun kleren was niets over.

'Het kan niet beter,' zei Nessa voordat ze weer in lachen uitbarstte.

31

Maagd 24 augustus – 22 september

Verlegen, vol zelfkritiek, snel gekwetst.

Af en toe schoot Nessa zomaar weer in de lach. En iedere keer moesten Cate en Bree onwillekeurig ook lachen. Ze kregen een lachbui bij de kassa van de supermarkt (waar de caissière verbaasd naar hun modderige kleren en slonzige haren keek), ze lagen dubbel toen ze weer terug waren in de villa (waar de stroom weer aangesloten bleek en Nessa tot de ontdekking kwam dat ze op gas moesten koken, zodat ze gemakkelijk water in een steelpannetje warm hadden kunnen maken, als ze een beetje bij de les waren geweest) en ze schaterden het opnieuw uit toen ze die avond in een restaurantje aan het strand zaten en een kop koffie dronken, nadat ze zich helemaal volgepropt hadden.

Op de derde dag van hun vakantie begon Nessa weer te grinniken toen ze languit op haar strandlaken ging liggen. Cate keek haar vragend aan.

'Ik zag ineens je gezicht weer voor me toen je naar ons keek,' zei Nessa. 'Verstijfd van schrik.'

'Jullie zagen er ook onbeschrijflijk uit,' zei Cate.

'Net als jij, toen je in de modder vastzat,' hielp Bree haar herinneren.

'Dat is iets wat ik van mijn leven niet meer zal vergeten,' zei Cate. 'Deze vakantie is nu al legendarisch.'

'Maar we hebben wel plezier gehad,' zei Nessa. 'Ik heb in tijden niet meer zo gelachen.'

'Ik ook niet,' gaf Cate toe. Ze smeerde haar benen in en schroefde het dopje weer op haar tube zonnebrandcrème. Ze had inmiddels een goudbruin tintje gekregen en ze voelde zich voor het eerst in weken weer echt goed. Ze ging achterover liggen en keek naar de welving van haar buik onder haar lycra badpak. Ze vond zelf dat je in dat zwempak duidelijk kon zien dat ze zwanger was, hoewel Nessa en Bree volhielden dat ze er heel gewoon uitzag. Maar zij wist wel beter.

Voordat ze in verwachting raakte, liep ze altijd vol zelfvertrouwen naar het zwembad van de fitness, in de wetenschap dat er zelfs in haar strakke badpak niets op haar figuur aan te merken was. Dan had ze naar de andere mensen gekeken die bij het bad rondhingen en zichzelf gefeliciteerd dat zij niet van die dikke bobbels had op plekken waar geen bobbels hoorden te zitten. Maar dat kon ze nu niet meer doen. Het zou niet lang meer duren tot haar buik echt begon uit te puilen en ze wist niet of ze die weer plat zou krijgen, ook al was ze nog zo vast van plan om op dieet te gaan en zich strikt aan haar oefenschema te houden. Ze vroeg zich af of de mensen die in de toekomst naar haar zouden kijken weer dat perfecte lichaam zouden zien dat ze zich met zoveel pijn en moeite had verworven. Of dat ze een uitgezakte buik en hangtieten voorgeschoteld zouden krijgen.

In tegenstelling tot het meisje dat een paar meter verderop lag, met een strakke platte buik en haar lange benen elegant voor zich uitgestrekt. Zij was echt iemand die er niet over piekerde om haar figuur te bederven door zo'n traumatische gebeurtenis als de geboorte van een kind. Het was het figuur van iemand die werkelijk haar uiterste best deed om er zo goed mogelijk uit te zien. Maar het was ook het figuur van iemand die niet tegen een chirurgische ingreep opzag. Een paar trots geëtaleerde ronde borsten waren een compliment voor de medische wetenschap. Eigenlijk hadden zulke grote borsten (kinderen of geen kinderen) opzij moeten zakken als ze achterover lag, maar deze stonden stijf overeind. Waarschijnlijk zouden ze er fantastisch uitzien in een T-shirtje, peinsde Cate, maar nu zagen ze er belachelijk uit, alsof ze op haar lichaam vastgeplakt zaten. In plaats van haar lichaam volmaakt te maken, deden ze het onrecht. Misschien bestond het van nature volmaakte lichaam niet eens.

Ze liet haar blik van het operatief verbeterde lichaam over het strand glijden, tot ze een gezinnetje zag dat bezig was zich te installeren. Ze waren met hun vieren: een goed uitziende vader (hij zag er echt héél goed uit, besloot ze toen hij zijn T-shirt uittrok), een knappe, wat mollige moeder, een klein kind en een baby. De ouders stonden gezellig te kissebissen over de plek waar de parasol moest staan, terwijl de moeder ervoor zorgde dat het oudste kind haar zonnehoedje ophield. De baby – een meisje, dacht Cate, omdat ze een roze truitje droeg – zat op een strandlaken met een knalgeel plastic schepje te zwaaien. Cate vroeg zich af hoe oud ze was. Een jaar? Twee jaar? Ze had geen flauw idee.

Ze werd vast een hopeloze moeder. Ze zou haar kind nooit zo vol vertrouwen op durven te pakken als die Spaanse moeder deed. Ze zou nooit in staat zijn om haar kind in de ene arm te houden, terwijl ze met haar andere hand iets anders deed. Ze zou in paniek raken als het begon te worstelen zoals dit kleine meisje worstelde. De vader zei iets tegen de moeder en ze lachte. Toen gaf hij haar een kus.

Cate beet op haar lip. Zo hoorde het te zijn. Een gelukkig gezin. Precies zoals zij, Nessa en Bree waren opgegroeid. Miriam had alles goed gedaan. Waarom liep het dan mis voor haar dochters?

Cate had zich aan haar belofte gehouden en was het weekend daarvoor naar Galway gegaan. Miriam had haar stijf omhelsd en tegen haar gezegd dat ze ontzettend veel van haar hield. En daarna had ze geprobeerd haar een hart onder de riem te steken door haar zoveel mogelijk eten voor te zetten. En Cate had alles opgegeten, omdat ze tegenwoordig constant honger had. Louis had een beetje knorrig tegen haar gezegd dat hij wenste dat het allemaal anders was verlopen, maar dat hij wist dat Cate een schat van een dochter was en dat ze ook een schat van een moeder zou worden. Cate was blij dat haar ouders haar niet veroordeelden en dankbaar dat Miriam haar niet het hemd van het lijf vroeg over de reden waarom ze bij Finn was weggegaan. Ze wist dat haar moeder het wel heel graag wilde weten en ze wist dat ze het haar over een tijdje ook wel zou vertellen. Alleen nu nog niet.

Ze vroeg zich af wat Finn nu zou doen. Waarschijnlijk was hij bezig met de voorbereiding van zijn spitsuurprogramma op de radio, dacht ze. Hij zou de kranten doorkijken en beslissen op welke onderwerpen hij zich zou concentreren. En met zijn researchstaf en zijn producer praten over het werk dat hij altijd had willen doen.

Ze liet haar hand voorzichtig over haar buik glijden. En zij deed iets waarvan ze nooit had verwacht dat ze het zou gaan doen. Ze moest iets wegslikken. Een traan rolde uit haar gesloten ogen en drupte op de handdoek.

Ik had het hem moeten vertellen, dacht ze. Ik had hem moeten vragen wat hij wilde dat ik zou doen. We hadden dat samen moeten beslissen. Ik had dat besluit niet in mijn eentje mogen nemen, niet zonder er met hem over te praten. Ik had misschien geldige redenen, maar ik had het hem moeten vertellen.

Toch was zijn reactie ook niet goed te praten. Hij had naar haar moeten luisteren en haar de kans moeten geven alles uit te leggen. Hij had wel wat meer begrip mogen tonen. Verdorie, hij was nota bene de presentator van een talkshow! Er werd van hem verwacht dat hij gevoelig en begripvol was. Waarom kon hij dat wel voor andere mensen opbrengen en niet voor haar? Waarom was het gemakkelijker om begrip te tonen voor vreemden dan voor mensen van wie je verondersteld werd te houden?

Bree had ook naar het gezinnetje zitten kijken. Ze had binnensmonds gefloten toen de vader zijn witte T-shirt uittrok en zijn goed gebouwde lijf toonde en ze had hem een acht gegeven, twee punten aftrek omdat hij getrouwd was. Maar voor de rest, dacht ze terwijl ze toekeek hoe hij zijn vrouw kuste, was hij het soort kerel waar ze altijd op was gevallen... donker, krachtig en ontzettend aantrekkelijk. In zekere zin net als Michael, alleen veel mannelijker. Het was een leuk gezinnetje. Ze schatte dat hij achter in de twintig, begin dertig was en voor zijn vrouw gold hetzelfde. Ze waren samen opgegroeid met dezelfde muziek, dezelfde boeken en dezelfde films. Hij zou haar nooit aankijken als er weer een of ander herdenkingsprogramma op tv was, met de opmerking: 'Goh, ik kan me nog als de dag van gisteren herinneren dat dat nummer in de hitparade stond', of mompelen dat hij al een hekel had gehad aan schoenen met plateauzolen toen die voor het eerst mode waren, of haar het gevoel geven dat ze nog maar een kind was, omdat hij al van school af was voordat zij zelfs maar geboren was. Maar zo zou het wel gaan met Declan Morrissey.

Ze wou maar dat ze niet steeds aan hem dacht. Ze begreep niet waarom ze hem niet uit haar hoofd kon zetten. Maar die avond in haar flat leek in haar hersens gegrift te staan. Ze had er met niemand over gepraat en ze had ook niet geprobeerd weer contact met hem op te nemen. Ze wilde maar dat hij haar niet plotseling op het idee had gebracht dat hij ook een man was met wie ze misschien wel een relatie zou kunnen hebben. Dat ze zo goed met hem had kunnen opschieten, lag gedeeltelijk aan het feit dat ze daar geen moment aan had gedacht. Ze was niet extra aardig tegen hem geweest, of extra flirterig, of extra iets anders waarvan ze profijt dacht te hebben bij mannen die ze als potentiële vriendjes beschouwde. Ze had zich geen moment voorgesteld dat ze iets met hem zou kunnen beginnen. Echt niet. Het zou misschien voor een tijdje best leuk kunnen zijn, maar het zou nooit iets

worden. En ze wilde geen verhouding die toch op niets zou uitlopen.
Maar terwijl ze zat te plukken aan de hemelsblauwe nagellak die Cate de avond ervoor met alle geweld op haar teennagels had willen doen, vroeg ze zich af waarom eigenlijk niet. Ze had in het verleden immers ook vaak genoeg verkering gehad terwijl ze wist dat ze er niets mee opschoot? Alleen maar om plezier te maken. Dus waarom zou ze niet gewoon een beetje plezier maken met Declan als ze dat graag zou willen? Maar het antwoord op die vraag kende ze allang. Omdat hij verdomme veel te oud was en de vader van haar ex-vriendje. Ze krabde nog een stukje nagellak weg. Ze begon toch echt te malen als ze zelfs maar overwoog om het aan te leggen met de vader van haar ex-vriendje. Om nog maar te zwijgen van de complicaties die zijn twee bezitterige dochters op zouden leveren.

Ze keek om zich heen. Cate lag met haar ogen dicht languit op haar badlaken. Nessa liep langs de rand van het water te pootjebaden. Ach verdorie, dacht Bree, terwijl ze ook ging liggen. Ik wil er gewoon niet meer aan denken. Ik word er moe van.

Nessa liep terug over het strand naar de plek waar Cate en Bree nu allebei met hun ogen dicht lagen te zonnen. Ze ging op haar rood-wit gestreepte handdoek zitten en duwde haar tenen in het warme zand. De moeder van die twee Spaanse kinderen had een ijsje voor hen gekocht. Het oudste meisje (Nessa schatte dat ze een jaar of drie was) likte er voorzichtig aan, waarbij ze het hoorntje voortdurend ronddraaide om alle gekleurde spikkeltjes op te kunnen eten. De baby (ongeveer anderhalf, dacht ze) had haar ijsje in haar mond gepropt, zodat haar hele gezicht bedekt was met ijs en spikkeltjes. Nessa beet op haar lip. Het was een schattige baby, met haar bijna zwarte kuifje, haar intens donkere ogen en haar kleine gouden armbandje (dat nu onder het ijs zat). Nessa's hart kromp ineen. Zou het anders zijn gelopen, vroeg ze zich af, als er nog een kind bij was gekomen? Zou Adam ook nog zijn tong in de strot van andere vrouwen hebben geduwd als hij thuis een heel stel kinderen had gehad?

Ze zuchtte en legde haar hoofd op haar knieën. Ze wenste dat ze wist wat ze nu precies van het leven verwachtte. Wat ze van Adam verwachtte. Hoe de toekomst er voor hen uit zou zien. Ze wilde dat er een manier was om daarachter te komen, want ze vond het vreselijk dat ze het niet wist. Echt waar.

Ze kwamen om halfzeven van het strand en reden terug naar de villa. De grote plas voor het huis was allang opgedroogd en ze pakten hun spullen uit de auto en gingen naar binnen.

Ze zouden die avond thuisblijven en hadden bij de supermarkt vlees, groente en Spaanse tortilla's ingeslagen, plus een paar flessen wijn. Nessa zat op de veranda met een glas Faustino terwijl Bree onder de douche stond en Cate in de villa rondscharrelde. Nessa pakte haar mobiel uit haar tas en ging midden in de tuin staan, waar ze een behoorlijk signaal kreeg. Ze had iedere avond rond deze tijd naar huis gebeld en Adam had iedere keer opgenomen, gevraagd of ze zich amuseerde en verteld dat bij hen alles goed ging. Daarna praatte ze even met Jill die babbelde over wat er die dag allemaal op school was gebeurd, vertelde dat ze ruzie had gemaakt met Dorothy en vroeg of ze veel plezier had met Cate en Bree voordat ze zei dat ze haar echt miste.

Nessa miste Jill ook. Toch was het best fijn om eens wat tijd voor jezelf te hebben.

'Hallo, dit is het huis van de familie Riley. We kunnen de telefoon nu niet opnemen, maar als u uw naam en nummer achterlaat, zullen we u terugbellen.'

Jill had de boodschap aan het begin van de zomer ingesproken (omdat ze dat per se wilde). Nessa fronste en vroeg zich af waar ze uithingen.

'Ik ben het,' zei ze tegen het antwoordapparaat. 'Ik bel weer even om te horen hoe het gaat. Zijn jullie thuis?' Maar niemand pakte de telefoon op. Ze voelde dat haar hart een beetje sneller begon te kloppen toen ze zich afvroeg waar ze konden zijn. Ze wisten dat ze iedere avond belde. Dan zouden ze toch niet weggaan? Ze bleef nog even wachten terwijl ze bedacht dat het best mogelijk was dat Adam wat later thuis zou zijn omdat hij op kantoor was opgehouden en nu vloekend en tierend in de file zat.

Ze verbrak de verbinding en belde Adams mobiele nummer. Maar daar kreeg ze ook alleen de voicemail.

'Hoi,' zei ze ontspannen. 'Waar zit je? Ik heb naar huis gebeld en kreeg alleen het antwoordapparaat. Bel me even terug.'

Er zou vast niets vreselijks zijn gebeurd, sprak ze zichzelf moed in toen ze de telefoon voor zich op tafel legde. Misschien hadden ze gewoon vergeten om het antwoordapparaat uit te schakelen en hadden ze de telefoon niet gehoord omdat ze tv zaten te kijken. Ze moest niet altijd meteen het ergste denken.

Maar Adam had nog steeds niet teruggebeld toen Cate en Bree gedoucht hadden en bij haar op de veranda kwamen zitten.

'Stel je niet aan,' zei Cate toen Nessa haar vertelde dat er niemand thuis was. 'Misschien heeft Adam haar wel meegenomen naar de bioscoop of heeft hij iets anders bedacht om haar een plezier te doen. Hij heeft nog nooit een hele week in zijn eentje voor haar hoeven zorgen. Waarschijnlijk weet hij niet meer wat hij tegen haar moet zeggen!'

Daar was Nessa nog niet op gekomen. Ze gaf toe dat Cate best gelijk kon hebben en liep naar de badkamer om ook te gaan douchen.

Bree schonk een glas wijn in en keek Cate vragend aan.

'Ja, alsjeblieft,' zei Cate. 'Het zorgzame moedertje ziet het nu toch niet. Ik kan echt niet van een glas wijn genieten als ze mij afkeurend zit aan te kijken en ik snak naar iets anders dan bronwater.'

Bree grinnikte en schonk een glas wijn voor Cate in.

'Ik weet best dat ik geen alcohol moet drinken.' Cate nam goedkeurend een slokje wijn en zette haar glas weer op tafel. 'Maar af en toe een glaasje wijn kan geen kwaad.'

'Als het een kalmerende uitwerking heeft, is het waarschijnlijk zelfs goed voor je,' zei Bree. 'Hoewel het best handig is dat jij het 's avonds droog moet houden. Dan hoeven we tenminste niet te vechten over wie er terug moet rijden.'

Cate snoof. 'Het is niet eerlijk! Ga ik voor het eerst in jaren met een stel meiden op vakantie en dan word ik constant achter het stuur gezet.'

'Maar het is tot nog toe hartstikke leuk geweest, hè?' vroeg Bree. 'Ik was bang dat we constant ruzie zouden hebben, maar dat is niet zo.'

'Toen we de eerste dag doorkwamen zonder elkaar naar de keel te vliegen, hadden we al ons kruit verschoten,' zei Cate.

Bree lachte. Daarna zaten ze gezellig zwijgend naast elkaar, met hun voeten op de witgeverfde balustrade, en keken hoe de zon langzaam achter de purperen toppen van het gebergte zakte.

'Heeft hij nog niet teruggebeld?' vroeg Nessa, die in een badlaken gewikkeld de veranda op kwam.

'Nee,' zei Bree. 'Maar dat is echt geen reden om je ongerust te maken, Nessa.'

'Het begint al laat te worden,' zei Nessa. 'Het is acht uur.'

'Maar bij ons is het pas zeven uur,' wees Cate haar terecht. 'Waar zit je nou zo over in, Nessa?'

'Ik maak me zorgen over hen.'

'Ik durf te wedden dat hij zo meteen belt,' zei Bree.

'O. Nou goed dan.' Nessa liep weer naar binnen om zich aan te kleden. Bree en Cate keken elkaar aan.

'Waar hangt hij volgens jou uit?' vroeg Cate.

'Het lijkt me duidelijk dat hij op stap is en Jill bij iemand heeft achtergelaten,' antwoordde Bree.

'Op stap met een van zijn scharreltjes?'

Bree giechelde, maar werd meteen weer ernstig. 'Waarschijnlijk wel.'

'O, Bree... we moeten het haar echt vertellen,' zei Cate. 'We kunnen het niet geheimhouden.'

'Dat weet ik ook wel,' zei Bree. 'Maar ze heeft het zo naar haar zin. En ze zegt dat ze gelooft dat hij de waarheid heeft gesproken met betrekking tot die Annika.'

'Omdat ze niets van die ander af weet.'

'Dat weet ik,' zei Bree opnieuw. 'Maar ik krijg het al Spaans benauwd bij het idee dat ik het haar moet vertellen.'

'En als we dat niet doen?'

Bree zuchtte. 'Ik wou dat ik wist wat het best was. Echt waar.'

Nessa kwam een ogenblik later weer opdagen, in spijkerbroek en een T-shirtje. 'Ik ga het eten klaarmaken,' zei ze. 'Roep me maar als hij belt.'

Cate en Bree knikten.

'Als hij niet gauw belt, krijgt ze een hartaanval,' zei Cate.

'Als hij niet gauw belt, krijg *ík* een hartaanval,' mompelde Bree.

Maar pas twintig minuten later ging Nessa's mobiele telefoon. Ze kwam de veranda op en stond al in de tuin voordat Cate of Bree haar konden roepen.

'Hallo,' zei ze.

'Hoi, mam!' Jills stem klonk duidelijk en vrolijk. 'Is het nog steeds leuk daar?'

'Ja, natuurlijk,' zei Nessa. 'Hoe gaat het met jou? Waar zat je toen ik straks belde?'

'Ik was bij Nicolette,' zei Jill. 'En toen ik thuiskwam, konden Ruth en ik je nummer niet vinden.'

'Waar is papa dan?' vroeg Nessa.

'Die moest werken,' zei Jill. 'Hij zei dat ik je moest vertellen dat hij een directievergadering had.'
'O,' zei Nessa.
'Maar Ruth blijft hier tot hij thuis is,' vertelde Jill haar.
'Mag ik Ruth even spreken?' vroeg Nessa.
'Tuurlijk.'
'Hallo, mevrouw Riley,' zei Ruth. 'Hebt u een leuke vakantie?'
'Ja, dank je wel, Ruth,' zei Nessa. 'Waar is Adam vanavond?'
'Dat weet ik niet,' zei Ruth. 'Hij belde me gisteravond op en vroeg of ik kon babysitten. Hij zei dat hij moest overwerken.'
'O,' zei Nessa.
'Dus ik heb haar bij mevrouw Slater opgehaald.'
'Fijn,' zei Nessa. 'Hartelijk bedankt.'
'Graag gedaan, hoor,' zei Ruth tegen haar. 'Ik spaar voor een nieuwe leren broek. Meneer Riley betaalt me vanavond dubbel. Omdat ik Jill moest ophalen en haar naar huis moest brengen en zo.'
'Juist,' zei Nessa. 'Heb je al een broek gezien?'
Ruth lachte. 'Ja, in het Omni-winkelcentrum in Santry. Hij is echt fantastisch.'
'Mag ik nu Jill nog even?'
Ze hoorde dat de telefoon weer werd overgegeven.
'Je moet goed naar Ruth luisteren,' zei ze. 'En je gaat op tijd naar bed, want je moet morgen weer naar school.'
'Dat weet ik best,' zei Jill. 'Pap is echt heel chagrijnig dat hij 's morgens alles moet doen! Maar hij zet de ontbijtspullen 's avonds al klaar.'
'O ja?'
'Ja,' zei Jill. 'Volgens hem is het enige voordeel dat jij weg bent dat hij 's morgens ruim de tijd heeft om te ontbijten. Hij zegt dat het gezond voor hem is.'
'Daar heeft hij gelijk in,' zei Nessa.
'Ik hou van je,' zei Jill.
'Ik hou ook van jou. Ik kom al gauw weer terug. Pas goed op jezelf.'
'Welterusten,' zei Jill en verbrak de verbinding.
Nessa liep langzaam terug naar de veranda en legde de telefoon op tafel.
'Is alles in orde?' vroeg Cate.
'Ja, hoor. Prima.'

'Weet je dat zeker?' vroeg Bree.

'Adam moest overwerken,' zei Nessa. 'Hij heeft geregeld dat onze babysit Jill bij haar vriendinnetje ophaalde en mee naar huis nam.'

'Dan heeft hij in ieder geval een keer iets geregeld,' zei Cate.

'Jill zei dat hij een directievergadering had.'

'Ik heb een hekel aan vergaderingen,' zei Cate uit het diepst van haar hart. 'Zeker na werktijd.'

Nessa keek haar beide zussen aan. 'Denken jullie dat hij echt een vergadering heeft?' vroeg ze. 'Of denken jullie dat hij... nou ja, je weet wel.'

'Misschien kun je dat beter niet aan ons vragen,' zei Bree onbehaaglijk.

'Waarom niet?' vroeg Nessa. 'Jij hebt hem zelf voor mij geschaduwd, Bree. En ik weet zeker dat jullie het erover hebben gehad. Dus wat denk je echt?'

'Wil je een glaasje wijn?' Cate hield de fles omhoog.

'Denk je dat ik dat nodig zal hebben?'

'Om eerlijk te zijn misschien wel.' Cate schonk Nessa's glas vol en keek even naar Bree.

'Ik weet dat je tegen me hebt gezegd dat ik dat niet moest doen,' begon Bree voorzichtig. 'Maar ik heb Adam nog een keer geschaduwd.'

32

Mercurius in het teken van de Boogschutter

Af en toe onrealistisch, maar ziet snel
hoe de vork in de steel zit.

Zodra Bree haar het verhaal verteld had over Adam en de vrouw in het appartement stond Nessa op en liep zonder iets te zeggen naar haar kamer. Ze trok de deur achter zich dicht. Bree stond op om achter haar aan te lopen, maar Cate hield haar tegen.

'Laat haar maar,' zei ze.
'Maar je ziet toch hoe ze eraan toe is,' protesteerde Bree. 'Ze heeft iemand nodig.'
'Wat denk je dan dat ze zal gaan doen?' vroeg Cate.
Bree haalde haar schouders op. 'Niets, denk ik. Alleen... o, Cate, ik wou dat ik hem niet had gevolgd. Ik wou dat ik naar haar had geluisterd.'
'Dat zou de toestand er niet beter op hebben gemaakt,' zei Cate. 'Dan zou hij nog steeds vreemdgaan.'
'Maar dan zou ze het niet hebben geweten!' riep Bree uit. 'Dan zou ze het wel weer rechtgepraat hebben, zoals ze altijd doet.'
'Uiteindelijk zou ze er toch achter zijn gekomen,' verzekerde Cate haar. 'Het is jouw schuld niet, Bree.'
'Dat weet ik wel,' zei Bree verdrietig. 'Maar dat gevoel heb ik wel.'
Pas vijf minuten later schoot Cate ineens te binnen dat Nessa bezig was geweest met koken en ze holde naar de keuken om de grill uit te zetten. De pepersteaks waren al verbrand.
'Ik eet ze wel op,' zei Bree die haar hoofd om de deur stak. 'Maar echt lekker is anders.'
'Het lijkt me beter dat ik wat van die popcorn in de magnetron leg,' zei Cate.
'Dat is een goed idee,' zei Bree. 'En dan nemen we die tortillachips erbij. We hebben toch ook salsasaus gekocht?'
Cate knikte en wees naar de biefstukken. 'Wat moet ik daarmee?'
'Leg ze maar in de koelkast,' zei Bree. 'Misschien kan Nessa er nog iets eetbaars van maken, al zou ik niet weten hoe.' Ze trok de deur van de koelkast open en pakte een flesje bier. 'Jij ook?'
'Ik wou dat ik ja kon zeggen,' zuchtte Cate. 'Maar het lijkt me niet verstandig om in mijn conditie bier op wijn te drinken.'
'Arme Catey.' Bree sloeg een arm om haar zus. 'Het geeft niks hoor, als dat kind eenmaal geboren is, kun je je lekker gaan bezatten.'
'Als het zover is, word ik waarschijnlijk dronken van één biertje,' zei Cate somber en legde de popcorn in de magnetron. Daarna deed ze de tortillachips in een grote schaal die ze alvast naar de veranda bracht. Toen ze terugkwam, was de popcorn ook klaar. Bree deed het net in een van de andere schalen.
'Zal ik nu naar haar toe gaan?' vroeg Bree.

Cate schudde haar hoofd. 'Je moet haar wat meer tijd geven.'
'Was het beter geweest als ik haar het eerder had verteld?' vroeg Bree. 'Er zijn genoeg zussen die dat nooit voor zich hadden kunnen houden, Cate.'
'Wij zijn niet zo'n familie die elkaar alles doorbrieft,' zei Cate schouderophalend. 'Wij zijn anders. Wij bemoeien ons alleen met onze eigen zaken.'
'Ik weet het.' Bree zuchtte. 'De laatste paar maanden kregen we allemaal te maken met elkaars problemen en dat was eigenlijk heel raar.'
'Zit je er daarom over te denken weer naar de Verenigde Staten te gaan?' vroeg Cate, terwijl ze een fles mineraalwater uit de koelkast pakte en achter Bree aan naar de veranda liep.
'Nee, hoor.' Bree ging zitten, legde haar voeten op Nessa's lege stoel en krabde afwezig aan een muggenbeet op haar kuit. 'Ik houd het gewoon niet lang uit op één plek.'
'Waarom niet?' vroeg Cate.
Bree haalde haar schouders op. 'Het klinkt zo... zo belegen als je zegt dat je ergens voorgoed wilt blijven.'
'Soms is het toch wel een prettig gevoel om een huis te hebben waarvan je weet dat het altijd van jou zal zijn,' zei Cate.
'Dacht je ook zo over je huis in Clontarf?'
'Finns huis in Clontarf,' verbeterde Cate. 'Ja, dat klopt. Daar voelde ik me echt behaaglijk.'
'En nu moet je weer van voren af aan beginnen,' zei Bree.
'Als we uit elkaar waren gegaan en er was geen baby op komst...' Cate zuchtte. 'Dan had ik het ook anders aan kunnen pakken. Misschien was ik dan ook wel naar de Verenigde Staten gegaan. Maar nu moet ik wel voor een vaste woonplaats kiezen, Bree.'
'Waarom ben je van gedachten veranderd over de baby?' vroeg Bree. 'Je wist zo zeker dat je het niet wilde laten komen.'
Cate brak een tortillachip doormidden. 'Dat weet ik niet,' zei ze. 'Maar toen ik op het vliegveld zat te wachten, had ik plotseling het gevoel dat ik deze kans moest aangrijpen om een kind te krijgen. Het was toch gebeurd. En ik had ineens het idee dat het verkeerd zou zijn om het weg te laten halen, ook al wist ik dat het op een ramp zou uitlopen. Maar ik had nooit verwacht dat het zo'n grote ramp zou worden,' voegde ze er wrang aan toe terwijl ze een van haar chips in de

salsasaus dipte. 'En wat het extra moeilijk maakt, is dat ik echt geloof dat een vrouw het recht heeft om zelf te beslissen. Maar toen puntje bij paaltje kwam, werd ik slap en sentimenteel en kon het niet doorzetten.'

'O, Cate!' Bree trok een gezicht. 'Jij gelooft dat een vrouw het recht heeft om zelf te beslissen en dat heb je dan ook gedaan. Je hebt een ander besluit genomen dan je aanvankelijk van plan was, maar het blijft je eigen keus.'

'Ja, dat zal wel,' zei Cate. 'Alleen... nou ja, ik heb echt te doen met al die meisjes die anders hebben besloten. Want het is echt een moeilijke beslissing, hoor. Lichamelijk ben je een wrak, je hoofd loopt om en iedereen staat met een oordeel klaar.'

'Ik geloof toch dat je de juiste beslissing hebt genomen,' zei Bree.

'Bedankt,' zei Cate. 'Maar daardoor ben ik Finn wel kwijtgeraakt.'

'Ach, laat Finn het heen en weer krijgen!' riep Bree. 'Als hij hier geen begrip voor kan opbrengen, dan is hij geen knip voor de neus waard.'

'Ik wou dat ik er ook zo over kon denken.' Cate zuchtte. 'Maar dat is me tot nog toe niet gelukt.'

'Dat komt nog wel,' zei Bree ronduit. 'En dat geldt ook voor Nessa. Jullie komen er vanzelf achter dat geen enkele man het waard is om over te kniezen.'

'Misschien heb je uiteindelijk toch iets van Nessa en mij opgestoken,' zei Cate tegen haar. 'In ieder geval heb jij er geen gebroken hart aan overgehouden toen Michael het uitmaakte. Maar er komt heus wel een dag dat jij alles ook naar de kloten helpt. Dan kom je iemand tegen die je hart weet te beroeren en ook al wil je dan nog zo verstandig zijn, als puntje bij paaltje komt, zul je ook zoiets stoms doen als bij hem in te trekken in plaats van met hem te trouwen.'

'Wees niet zo mal,' zei Bree vriendelijk. 'Nessa is er ook niets mee opgeschoten dat ze met Adam is getrouwd.'

'Een vrouw schiet er sowieso niets mee op als ze trouwt.' Cate schonk nog een glaasje water in.

'Nu zijn we erg cynisch bezig,' zei Bree. 'Misschien zijn er best mannen die als echtgenoot een goed figuur zouden slaan.'

'Finn zou mijn man worden.' Er biggelde een traantje over Cates wang. 'Ik hield van Finn. Ik houd nog steeds van Finn.'

'O, Cate.'

Bree wist niet wat ze moest zeggen toen ze zag dat de tranen tussen de vingers door drupten die Cate tegen haar ogen had gedrukt. Waarom maken mannen het ons toch altijd zo verrekt moeilijk, vroeg ze zich af. En waarom is alles wat ze doen zo belangrijk voor ons?

Ze dacht aan Michael, hoewel ze eigenlijk een beetje bang was dat ze dan ook in tranen uit zou barsten. Maar dat gebeurde niet. Eigenlijk was ze alleen verliefd op hem geworden omdat hij zo knap was. Ze werd altijd verliefd op knappe, aantrekkelijke mannen. Maar ze miste hem lang niet zo erg als ze had verwacht. Ze miste Declan veel meer.

Ze huiverde toen ze opnieuw aan Declan dacht. Ze miste hem helemaal niet. Ze miste alleen die muffins.

Het geluid van een autoportier dat dichtsloeg, bracht haar terug in de werkelijkheid. Toen hoorde ze een motor starten. Ze fronste, stond op en liep net langs de veranda toen de groene auto voorbijschoot.

'Jezus!' Ze sprong geschrokken achteruit.

'Wat gebeurt daar?' riep Cate.

'Dat was Nessa.' Bree keek in het donker de auto na. 'Ik dacht heel even dat iemand de auto probeerde leeg te halen, maar ik weet zeker dat Nessa achter het stuur zat.'

'Wat haalt ze zich nu weer in haar hoofd?' wilde Cate weten. 'Waar gaat ze naartoe?'

'Hoe moet ik dat weten?' snauwde Bree. 'Misschien heb ik me alleen maar verbeeld dat zij het was. Ik ga wel even kijken.'

Ze liep haastig het huis in en klopte op de deur van Nessa's kamer. Ze kreeg geen antwoord, dus deed ze de deur open en keek naar binnen. Alles zag er precies zo uit als anders, maar Nessa was zo netjes dat er eigenlijk nooit rommel in haar kamer lag. Ze deed de kast open en fronste. Nessa's kleren hingen er nog steeds.

'En?' vroeg Cate vanaf de drempel.

'Al haar spullen zijn er nog, dus ze is niet van plan om ver weg te gaan.' Ze keek onder het bed waar Nessa's groene koffer stond.

'Als ze alles achter heeft gelaten, komt ze ook weer terug,' zei Cate. 'Waarschijnlijk wil ze gewoon een tijdje alleen zijn, Bree.'

'Dan had ze dat moeten zeggen,' zei Bree nijdig. 'Je loopt niet zomaar de deur uit.'

'Ze is overstuur.'

'Dat weet ik ook wel, maar toch had ze haar mond best open kunnen doen,' mopperde Bree. 'Bovendien heeft ze gedronken. Ze hoort niet achter het stuur.'

'Ze heeft alleen een flesje bier gehad,' zei Cate. 'Daar zal ze geen last van hebben.'

'Maar als ze als een kip zonder kop de deur uit rent... Nou ja, je weet best wat ik bedoel. Dan kan ze ook onbedoeld brokken maken. Straks vergeet ze nog dat ze aan de andere kant moet rijden of neemt ze een rotonde in de verkeerde richting.'

'Bree, ze is een volwassen en verstandige vrouw.' Cate dreef haar zus terug naar de veranda. 'Ze heeft alleen even tijd nodig. Dat is logisch. Ze heeft een schok gehad.'

'Dat weet ik wel,' zei Bree. 'Ik zal wel een beetje overdreven reageren omdat ik Adam toch ben gevolgd, terwijl zij tegen me had gezegd dat ik dat niet moest doen. Ik voel me schuldig.'

Cate schudde haar hoofd. 'Daar kun jij niets aan doen, Bree. Ze was er vroeg of laat toch achter gekomen. En zij is degene die verantwoordelijk is voor wat ze doet, niet jij.'

'Ja, maar ze gedraagt zich niet bepaald verantwoordelijk door er als een haas vandoor te gaan,' zei Bree koppig.

Cate ging aan de buitentafel zitten. 'We kunnen toch niets doen tot ze weer terugkomt,' zei ze tegen Bree. 'Je moet haar straks maar op haar duvel geven. Neem nou nog maar een biertje.'

'Nou, goed dan.' Bree pakte het flesje met een zucht aan. 'Maar ik houd er niet van als mensen iets doen dat tegen hun aard indruist. En het is helemaal niets voor Nessa om in haar eentje de benen te nemen.'

'We hebben haar net verteld dat haar man met op z'n minst twee andere vrouwen tussen de lakens kruipt,' zei Cate. 'Volgens mij is dat wel een redelijk excuus.'

'Je zult wel gelijk hebben.' Bree plukte aan het label op het flesje. 'Maar toch bevalt het me niks.'

33

Pluto in het teken van de Kreeft

Doorgaans emotioneel sterk en intuïtief.

Het was druk op de N332. Nessa knipperde met haar ogen toen ze verblind raakte door de lichten van de tegemoetkomende auto's en ze wreef de tranen van haar wangen.

Hoe kan hij me dit aandoen, fluisterde ze. Waarom heeft hij dat gedaan? Ze trapte onwillekeurig het gaspedaal dieper in toen ze aan Adam dacht. Me met twee vrouwen bedriegen. Of nog meer. Dat Bree er maar twee had ontdekt, wilde nog niet zeggen dat er niet meer waren. Honderden! Duizenden! Misschien was hij wel net als die popsterren die iedere nacht met een andere vrouw naar bed gingen. Misschien kwam Adam op die manier aan zijn trekken. Ze wist het niet. Hoe moest ze dat weten? Ze kende hem helemaal niet.

Ze deed haar richtingaanwijzer aan en haalde een Seat Toledo in die de weg voor haar in beslag nam. De chauffeur toeterde woedend, maar daar trok Nessa zich niets van aan. Ze haalde nog een auto in en daarna nog een. De weg kronkelde langs de kust, door zilte moerasgebieden en langs de kleine kustplaatsjes tot hij weer breder werd en ze de eerste borden voor het vliegveld zag.

Ze kon nu ook naar huis gaan, dacht ze. Als ze nu een vlucht boekte, kon ze over een paar uur in Malahide zijn en met haar sleutel naar binnen gaan om hem alles voor de voeten te gooien. Ze slikte. Misschien betrapte ze hem wel met een andere vrouw. Voor zover zij wist, haalde hij nu zij weg was zijn andere vrouwen in huis. Stiekem als Jill sliep. Of misschien zou hij vannacht helemaal niet thuiskomen en bleef hij slapen bij xxx-Annika of bij die vrouw uit Monkstown. Of bij een van de anderen.

Verdomde sletten, dacht ze, terwijl ze door de tunnel naar de snelweg reed. Wisten ze dan niet dat hij een gelukkig getrouwd man was, met een schat van een dochtertje? Trokken ze zich daar dan niets van aan? Die vrouwen hielpen mee hun leven te vernielen en het betekende niets voor hen. Maar waar zouden ze zich druk over maken? Ze veegde opnieuw haar tranen weg. Misschien wisten ze wel van niets. Want wat zou Adam hun eigenlijk vertellen?

Ze miste de afslag naar het vliegveld, maar dat gaf niet. Ze wilde toch niet onverwachts thuiskomen. En ze zou waarschijnlijk toch geen vlucht hebben gekregen. Ze wilde niet naar huis. Ze wilde hem niet zien. Nog niet. Eigenlijk nooit meer. Ze wilde hem niet aankijken in de wetenschap dat hij haar kennelijk onaantrekkelijk vond. Of van mening was dat ze tekortschoot.

Wat had ze fout gedaan? Waarom was hij op zoek gegaan naar andere vrouwen? Wat was er veranderd? Hij had van haar gehouden toen ze trouwden. Dat wist ze zeker. Hij had het voor haar met zijn oude vriendinnetje uitgemaakt en hij had haar verteld dat hij daar helemaal geen moeite mee had gehad. Omdat hij van haar hield en voor altijd bij haar wilde blijven.

De vuile leugenaar! Ze trapte het gaspedaal weer in en haalde een bus, twee motorrijders en een Mercedes in. De verdomde, kloterige, vuile leugenaar! Ze wreef opnieuw over haar wangen. Ze deden pijn van het zout in haar tranen. Dus als mensen zeiden dat iemand hen pijn had gedaan meenden ze dat letterlijk, dacht ze. Vanbinnen deed alles al pijn, zo'n scherpe pijn als ze nog nooit had gevoeld, en nu had ze aan de buitenkant ook pijn. En dat kwam door hem, die pijn kwam door hem. De man van wie ze hield, de man voor wie ze alles overhad, de man op wie haar hele leven was gebaseerd.

Ze blijft bij hem vanwege het geld en het huis. Die uitspraak van Portia, die haar keer op keer door het hoofd schoot, zorgde dat ze onwillekeurig een ruk aan het stuur gaf. De Mondeo zwenkte naar links en de chauffeur van de Mercedes, die ze had ingehaald en die vanaf dat moment krampachtig had geprobeerd om weer langs haar te komen, knipperde boos met zijn lichten. 'Ach val toch dood!' riep ze door het open raampje. Je zult toch wel een verdomde kerel zijn. Dus rot maar op, smerige schuinsmarcheerder!

Uiteindelijk liet ze de Mercedes passeren en knipperde op haar beurt boos met haar lichten. Kende Portia haar beter dan zij zichzelf kende? 'Nee,' zei ze hardop. Ze was al eerder tot de conclusie gekomen dat Portia het bij het verkeerde eind had. Ze was niet bij Adam gebleven vanwege het huis. Ze was niet bij Adam gebleven vanwege het geld. Ze was bij Adam gebleven omdat ze van hem hield. En omdat ze dacht dat hij van haar hield.

Maar als dat niet zo was... Ze moest iets wegslikken. Als hij niet van haar hield, maar in plaats daarvan van zijn mevrouw van de drie kruisjes en van dat andere mens, waarom zou ze dan bij hem blijven? Toch vanwege het huis en het geld? Vanwege hun zogenaamde luxueuze levensstijl? Ging het daar werkelijk om? Ze kreeg een brok in haar keel. Hij hield niet van die andere vrouwen. Dat was gewoon onmogelijk. Hij hield van haar en van Jill, dat stond vast. Al het andere... al het andere was gewoon een vergissing. Dat kon niet anders. Het was onmogelijk dat haar hele leven op een leugen was gebaseerd.

Toen ze een rij lichtjes dwars over de weg zag, moest ze plotseling remmen. Ze was bij een tolpoort aanbeland. Ze pakte een kaartje waarop ze kon zien waar ze de snelweg op was gekomen en welke afritten er voor haar lagen. Maar die afritten waren niet belangrijk. Niets was belangrijk.

Ze trapte het gaspedaal weer in en de auto schoot vooruit, richting Valencia. In tegenstelling tot de Ierse wegen was hier geen file te bekennen. De brede weg was helemaal leeg en het was een genot om erover te rijden. Terwijl de kilometers voorbijvlogen, raakte ze bijna ongemerkt in een soort trance. Ze dacht niet meer na. Ze voelde niets meer. Ze bestond alleen nog maar.

De weg sneed door de bergen, kronkelde om diepe dalen en liep omhoog langs de contouren van het omringende landschap. Nessa reed bijna met plankgas, zonder zich druk te maken over haar snelheid omdat ze zich geen zorgen hoefde te maken over tegemoetkomend verkeer. Ze vroeg zich af wat ze zou gaan doen als ze in Valencia was. Misschien ging ze wel op zoek naar een kroeg die de hele nacht openbleef. Het zou prettig zijn om stomdronken te worden. Nessa dronk af en toe genoeg om er een stevige kater aan over te houden, maar ze dronk nooit zoveel dat ze niet meer op haar benen kon staan. Niet meer tenminste. Vroeger was haar dat weleens overkomen. Niet vaak, maar af en toe. En toen deed ze ook nog malle dingen, zoals op tafels dansen en opstandige liedjes zingen of dikke sigaren roken, gewoon omdat ze daar zin in had. Vroeger deed ze vaak mal. Maar nu niet meer. Misschien hield Adam daarom niet meer van haar. Omdat hij iemand wilde die af en toe mal deed. Misschien maakten ze hem aan het lachen. Maar hij lachte thuis toch ook vaak? Ze hoefde echt niet mal te doen om hem thuis aan het lachen te krijgen.

Plotseling klonk er een snerpend geluid in de auto en Nessa trapte van schrik op de rem. De Mondeo slingerde over de weg en ze moest vechten om de auto in bedwang te houden. God, dacht ze toen ze op de vluchtstrook stopte, dat had mijn dood kunnen zijn. En het beangstigde haar dat ze dat op dit moment eigenlijk helemaal niet erg zou hebben gevonden. Het snerpende geluid was van de mobiele telefoon in haar tas, die ze op de achterbank had gegooid. Ze knipte het plafondlampje aan en trok de tas naar zich toe. Misschien was het Adam. Misschien was hij thuisgekomen en had hij, nadat hij Jill had gesproken, besloten haar toch nog even te bellen om haar te vertellen dat hij inderdaad overgewerkt had en helemaal kapot was. En dan zou ze hem kunnen vragen hoe het zat met die andere vrouwen en als hij haar vertelde dat het allemaal waar was, dat ze echt bestonden en dat hij van hen hield... als hij dat tegen haar zou zeggen, kon ze de auto net zo goed regelrecht het ravijn in rijden, want ze had eerlijk gezegd het gevoel dat ze dan de kracht niet meer kon opbrengen om verder te gaan.

De telefoon zweeg. Ze wist niet wie haar gebeld had, want haar nummerweergave werkte niet op het Spaanse netwerk. Dus misschien was het Adam geweest. En misschien ook niet. Waarschijnlijk niet. Adam gaf toch geen steek om haar. Hij had het veel te druk met zijn andere vrouwen.

Ze deed het portier open. Ze wist dat het onverstandig was om op een snelweg het portier open te doen, maar dat kon haar niets schelen. Het was immers hoog tijd dat ze eens iets doms deed? Ze stond naast de Mondeo en vroeg zich af waarom alles verkeerd was gegaan. Waarom ze nu zo onzeker was, terwijl ze altijd zo zelfverzekerd was geweest. Waarom alles niet was gegaan zoals ze altijd had verwacht dat het zou gaan. Ze keek naar de telefoon en wenste uit alle macht dat het toestel weer over zou gaan en dat het Adam zou zijn. Maar het apparaat bleef hardnekkig zwijgen.

'Ach, val toch dood,' riep ze hardop uit. 'Ik haat je! Ik haat je uit het diepst van mijn hart!' Ze hief haar arm op en gooide de telefoon zo hard als ze kon over de snelweg in de richting van het ravijn. In de paar seconden dat het toestel door de lucht vloog, ging het weer over. Daarna kwam het met een klap op het zwarte asfalt terecht en zweeg.

Nessa bleef er even naar staren, maar op het moment dat ze de weg op wilde lopen om het op te rapen, kwam er een grote witte truck met oplegger de bocht om denderen en reed eroverheen, waardoor het volkomen verbrijzeld werd.

Nessa stapte weer in de Mondeo en ging achter het stuur zitten. Haar handen trilden en de tranen rolden weer over haar wangen. Ze legde haar hoofd op het stuur en wenste dat de vrachtwagen haar had overreden.

Bree keek Cate aan en schudde haar hoofd.

'Ze neemt niet op,' zei ze. 'O, Cate, ik vind het zo'n naar idee dat ze helemaal in haar eentje, volkomen overstuur, door een vreemd land rijdt.'

'Wat grappig dat jij dat zegt,' merkte Cate op.

'Hoezo?'

'Jij bent altijd degene die wegloopt als je in moeilijkheden zit. Nu doe je het bijna in je broek omdat Nessa precies zo reageert.'

'Ik loop nooit weg!' riep Bree uit.

'Wel waar,' zei Cate. 'Naar Frankrijk, naar Spanje, naar Engeland...'

'Ik zit echt niet altijd in moeilijkheden als ik weer op reis ga,' snauwde Bree. 'Ik doe het alleen voor de opwinding.'

'Of omdat het net uit is met iemand en je hem niet meer tegen het lijf wilt lopen,' zei Cate. 'Je kunt gewoon het idee niet verdragen dat het uit is.'

'Ach, hou toch je mond.' Bree keek haar minachtend aan. 'Je weet niet eens waar je het over hebt. Ik maak het alleen uit met een kerel als ik erachter kom dat hij een rare snuiter is. Maar jij wilde naar Engeland omdat je het lef niet had om je vriend te vertellen dat hij je met kind had geschopt.'

'Bedankt voor die vriendelijke, hatelijke opmerking,' zei Cate snibbig.

'Hoor eens, Cate, je hebt wel gezegd dat je van hem hield, maar als dat echt waar was, had je het hem wel verteld.'

'Ik heb het toch uitgelegd,' zei Cate gesmoord. 'Ik heb je verteld waarom ik niets kon zeggen.'

'Gelul,' zei Bree. 'Je durfde niet onder ogen te zien dat je zwanger was, je durfde het niet aan hem te vertellen en toen puntje bij paaltje kwam, durfde je ook geen abortus te laten plegen!'

'Hoe kun je dat nou zeggen? Ik dacht dat je het begreep... je hebt gezegd dat je het begreep...' Ze drukte haar hand tegen haar hoofd. 'Je begrijpt er niets van, hè? Je hebt nog nooit van iemand gehouden, omdat je nooit verkering krijgt met een vent op wie je verliefd zou kunnen worden. Uit angst dat ze iets meer van je willen dan je bereid bent te geven. Daarom kies je altijd die rare snuiters uit. En je weet niet hoe het is om iemand te verliezen van wie je houdt.'

'Natuurlijk wel,' zei Bree effen. 'Ik ben Michael toch kwijtgeraakt?'

Ze bleven zwijgend naast elkaar op de veranda zitten. Cate smeet stukjes popcorn in de tuin en Bree knaagde op de nagel van haar pink.

'Het spijt me,' zei ze ten slotte tegen Cate.

'Laat maar zitten.'

'Waarom zeggen we toch altijd van die vervelende dingen tegen elkaar?' vroeg Bree zich af.

'Ik heb nog nooit opzettelijk iets gezegd om jou of Nessa te kwetsen,' zei Cate.

'Je hebt een keer gezegd dat Michael een toyboy was.'

'Lieve hemel.' Cate keek haar nijdig aan. 'Zo heb je hem zelf tegenover mij beschreven. Jij bent degene die zei dat hij erg jong was, maar heel sexy.'

'Hij is maar vier jaar jonger dan ik,' zei Bree. 'Dus hij is niet echt een toyboy.'

'Kennelijk was hij geestelijk nog veel jonger,' zei Cate. 'Als je nagaat dat hij probeerde indruk op je te maken en er bijna in was geslaagd om je van het leven te beroven. En ons een doodschrik op het lijf te jagen.'

Bree zuchtte diep. 'Hoe wist jij dat je verliefd was op Finn?' vroeg ze.

'Dat gebeurde gewoon.' Cate stond op en leunde tegen de balustrade terwijl ze met niets ziende ogen naar de potplanten staarde. 'We hebben elkaar ontmoet, ik ging mee naar zijn appartement, we zijn met elkaar naar bed gegaan en alles leek volmaakt.' Ze keek Bree aan en glimlachte flauw. 'Ik was niet zo stom als het lijkt. Per slot van rekening kende ik hem nauwelijks. En ik was al eerder "verliefd" geweest. Maar toen trok ik bij hem in en... o, Bree, het was gewoon heel anders. We hoefden niet iedere avond uit te gaan. We hoefden niet voortdurend met elkaar in bed te liggen. We konden zelfs goed met elkaar opschieten als we ons niet als een verliefd paartje gedroegen.'

'Ik ben nooit echt bevriend geweest met mijn vriendjes,' zei Bree. 'Ik ga met ze om vanwege de opwinding, niet omdat ik zo goed met hen kan opschieten.'

'Maar je kent massa's kerels,' zei Cate. 'Je werkt toch in een garage? Dat is het ideale jachtterrein.'

'Nee, dat is iets heel anders,' zei Bree afwerend. 'Ik beschouw mijn collega's niet als potentiële vriendjes. Zelfs Dave niet, ook al is hij nog zo aardig en heeft hij weleens gevraagd of ik met hem uit wilde...' Ze schudde haar hoofd. 'Het moet toch heel anders zijn? Om van iemand te houden en hem aardig te vinden.'

'Ik denk dat je iemand eerst aardig moet vinden voordat je van hem kunt houden,' zei Cate. 'Ik vond Finn meteen aardig toen ik hem leerde kennen. Toen viel ik op hem. En daarna ging ik van hem houden.'

'Ik vind Michaels vader aardig,' zei Bree abrupt.

'Wat?' Cate keek haar vragend aan.

'Michaels vader,' zei Bree. 'Hij heet Declan. Ik vind hem aardig.'

'Nou ja, je hoeft ook niet meteen verkering te krijgen met elke man die je aardig vindt,' zei Cate nonchalant.

'Hij vindt mij ook leuk.'

'Nou en?'

'Hij is een paar keer bij me op bezoek geweest toen ik nog niet kon lopen,' zei Bree. 'Om me koekjes en muffins te brengen.'

'Dat weet ik.' Cate knikte. 'Je zei dat hij je probeerde te lijmen, om te voorkomen dat je een aanklacht tegen Michael zou indienen.'

'Hij kwam ook op bezoek toen jij het huurcontract voor je nieuwe flat tekende,' zei Bree. 'Dat heb ik je niet verteld.'

'En?'

'En toen... toen zei hij dat hij me leuk vond.'

'Dat hij je leuk vond?' Cate keek haar met opgetrokken wenkbrauwen aan.

'Hij wilde met me uit.'

'Bree, hou op!' Cate keek haar met grote ogen aan. 'Hij is een getrouwde man met drie kinderen! En hij moet minstens vijftig zijn!'

'Hij is vijfenveertig,' zei Bree. 'En weduwnaar. Zijn vrouw is aan kanker overleden.'

Cate slikte. 'Nou ja, dat is natuurlijk vervelend voor hem... dat moet een afschuwelijke ervaring zijn,' zei ze. 'Maar je kunt toch niet serieus overwegen om iets met hem te beginnen. Dat is gewoon morbide.'

'Waarom?'

'Omdat... omdat... gewoon omdat het zo is! Die man is kennelijk ziek. Een normaal mens komt toch niet op het idee om het aan te leggen met het vriendinnetje van zijn zoon? Bah, Bree, vertel me nou niet dat hij al op je viel toen je nog met Michael ging. Dat zou echt walgelijk zijn!'

'Dat dacht ik eerst ook,' zei Bree. 'Dat heb ik ook min of meer tegen hem gezegd. En toen heb ik gezegd dat hij weg moest gaan.' Ze begon weer aan haar afgekloven nagel te knagen. 'Maar ik moet steeds aan hem denken.'

'Waarschijnlijk vol afschuw,' zei Cate.

Bree schudde haar hoofd. 'Nee, Catey, ik vind hem echt ontzettend aardig. En aantrekkelijk, hoewel ik daar eigenlijk nooit bij stilstond toen ik nog met Michael ging. Maar Declan ziet er heel goed uit. En als ik met hem praat, lijkt het net alsof hij een oude vriend is.'

'Ik wou dat ik niet over vriendschap was begonnen,' mompelde Cate. 'Kennelijk heb ik je op verkeerde gedachten gebracht.'

'Dat denk ik niet,' zei Bree. 'Ik heb de laatste dagen voortdurend lopen piekeren of ik er iets aan moest doen.'

'O, Bree.' Cate zuchtte. 'Ik weet niet wat je moet doen, maar aangezien je al zoveel problemen hebt gehad met jonge jongens en allerlei vreemde snuiters die je het land uit joegen, zul je toch nog veel meer moeilijkheden krijgen met een weduwnaar van vijfenveertig die toevallig ook nog eens de vader is van een knul met wie je verkering hebt gehad? Kun je niet beter wachten op de ware Jakob?'

'De ware Jakob?' vroeg Bree spottend.

'Iemand van je eigen leeftijd, die belangstelling heeft voor dezelfde dingen als jij... je weet best wat ik bedoel!' riep Cate.

'Ja, ik weet wat je bedoelt,' zei Bree. 'Maar ik ben er eerlijk gezegd niet van overtuigd dat dat de ware Jakob voor mij is.'

'Het zou me verbazen als Declan dat wel was,' zei Cate.

'Mij ook,' beaamde Bree. 'Maar dat gold tot nu toe voor iedereen.'

Nessa zat nog steeds te trillen toen ze de volgende afrit nam, omdat ze te bang was om door te rijden op de snelweg. Ze rommelde in haar tas op zoek naar haar tolkaartje en gaf het aan het meisje in het hokje. Ze wist dat haar ogen rood en opgezwollen waren en dat hetzelfde waarschijnlijk voor haar wangen gold. Maar het meisje pakte gewoon het geld aan en wenkte dat ze door mocht rijden. Nessa lette totaal niet op waar ze heen ging. Ze reed doelloos verder en belandde plotseling in de buitenwijken van een stad. Ze zag borden die naar het centrum van de stad verwezen en naar het strand. Ze nam de richting naar het strand.

Vijf minuten later stopte ze voor een baai die rechtstreeks afkomstig leek van een ansichtkaart. Ondanks de duisternis kon ze de contouren zien van hoge rotsen rond een sikkelvormig strand dat omlijst was door gekleurde lichtjes en een rij kroegen en restaurants. De meeste restaurants waren gesloten en in de kroegen zaten wel een paar mensen, maar toch leek alles erg rustig. Ze stapte uit en huiverde toen een koele bries vanuit zee opstak. Ze trok haar dunne T-shirt strak om zich heen.

Ze liep naar de waterkant en trok haar schoenen uit. Het water was lekker fris, hoewel het vrij koud was. Ze ging op het vochtige zand zitten en liet het over haar voeten kabbelen. Vanuit de kroegen hoorde ze af en toe gelach. Het was vreemd om mensen te horen lachen. Het was nauwelijks te geloven dat andere mensen gelukkig waren. Zo wil ik niet leven, dacht ze verdrietig. Ik wil geen leven vol leugens met hem. Ze legde haar hoofd op haar knieën toen ze besefte dat haar leven nu ook op leugens was gebaseerd. En dat ze daarmee door zou moeten gaan als ze haar gezin in stand wilde houden.

'Het is al één uur,' zei Bree. 'Waar hangt ze in vredesnaam uit?'

'Misschien zit ze ergens in de stad in een kroeg,' opperde Cate. 'Misschien is ze een eindje gaan wandelen en vervolgens iets gaan eten. Wij waren eerst ook te overstuur om iets te eten, maar ondertussen hebben we wel die crackers met kaas op. Zij kan ook ineens honger hebben gekregen.'

'Nessa is niet alleen overstuur, ze is volkomen kapot,' zei Bree. 'Daar kom je niet zomaar overheen door een eindje te gaan rijden. Ik wist dat we haar niet alleen hadden moeten laten.'

Cate zuchtte. 'Nou goed, ik begin ook wel een beetje ongerust te worden. Maar we kunnen helemaal niets doen.'

'We kunnen haar gaan zoeken.'

'Hoe dan?' vroeg Cate. 'Zij heeft de auto meegenomen, verdomme!'

Bree belde opnieuw Nessa's nummer en kreeg weer haar voicemail. 'Ik wou dat ze dat verdomde toestel aanzette.'

'Misschien heeft ze geen zin om met iemand te praten,' zei Cate.

'Prima,' zei Bree. 'Maar ze had ons toch wel mogen vertellen dat ze in conclaaf ging met de natuur. Ze moet toch geweten hebben dat we ongerust zouden zijn.'

'Er is heus niets met haar gebeurd,' zei Cate. 'Ze is echt niet stom, Bree.'

'Dat vraag ik me af,' weerlegde Bree. 'Ik heb toch het idee dat ik de eerste was die zou weten dat mijn man met een heel stel andere vrouwen tussen de lakens kroop.'

'Ze is niet dom, maar bepaalde dingen wil ze gewoon niet weten,' zei Cate. 'Je weet toch nog wel dat ze, toen we jong waren, nooit naar films wilde kijken die niet goed afliepen?'

'Dan zal ze nu toch ineens gedwongen zijn om de waarheid onder ogen te zien,' zei Bree.

'En daarom wil ze nu even alleen zijn,' zei Cate. 'Als ze nu terug zou komen, zouden we haar meteen vragen of alles in orde was en haar gaan betuttelen. Daar heeft ze waarschijnlijk nog geen zin in.'

'Als ze nu terug zou komen, zou ik haar een klap voor haar kanus geven.' Bree wreef over haar voorhoofd. 'O, Cate, als haar iets is overkomen...'

'Er is haar niets overkomen,' zei Cate vastberaden. Ze sloeg haar armen om haar zus en trok haar stijf tegen zich aan. 'Ze is gezond en wel en ze komt straks gewoon thuis. En als je wilt, mag je haar dan een klap voor haar kanus geven.'

'Bedankt.' Brees stem klonk gesmoord. 'Ik zal tegen haar zeggen dat jij het goed vond.'

'Mij best,' zei Cate. 'En daarna kan ze van mij ook een dreun krijgen.'

De zee was diepzwart en warmer dan ze had verwacht toen ze er eenmaal door was. Ze bleef wezenloos drijven en keek omhoog naar de lucht die bezaaid was met duizenden sterren. Thuis zag je eigenlijk nooit meer sterren, dacht ze spijtig. Door de stadsverlichting waren alleen nog de allerhelderste te zien. Ze had zich altijd tot sterren aangetrokken gevoeld, vandaar ook dat horoscopen zo'n grote invloed op haar leven hadden gehad. Maar uiteindelijk kon je er toch alleen maar uit opmaken dat de meeste dingen niet te verklaren waren en ze hadden haar zelfs nooit een hint gegeven dat Adam haar bedroog. Ze sloot haar ogen om de sterren niet meer te zien.

Het was hier heel rustig. Ze voelde zich bijna tevreden zoals ze daar op en neer lag te deinen op de golven en luisterde hoe ze op de kust sloegen. Ze kon hier voorgoed blijven ronddobberen. Niemand zou haar missen als ze niet terugkwam. Wie zou zich daarom bekommeren? Adam in ieder geval niet. Hij had genoeg ander vlees in de kuip. Jill zou haar natuurlijk wel missen. In het begin zelfs heel erg. Maar dat zou niet lang duren. Jill was al heel zelfstandig. Ze zou opgroeien en leren voor zichzelf te beslissen en haar eigen leven te leiden. Uiteindelijk moest iedereen toch voor zichzelf beslissen. Iedereen stond er alleen voor. Net zoals zij nu. Ze kon hier gewoon blijven drijven en zich door het water mee laten voeren naar de zee en wat zou dat uiteindelijk voor verschil maken? Dan hoefde ze ook niet de vernedering te ondergaan om naar huis te gaan en Adam het verhaal over zijn vriendinnetjes voor de voeten te gooien. Ze wilde slapen. Anders niet. Gewoon slapen.

'Ik houd dit niet langer uit.' Bree liep ongerust heen en weer over de veranda en tuurde naar de weg. 'Ze zou nooit zo lang wegblijven zonder ons te bellen. Haar telefoon staat uit. Er is iets gebeurd.'

Cate dacht ook dat er iets aan de hand was, maar ze wilde Bree niet nog ongeruster maken. Het was nooit tot haar doorgedrongen dat Bree zo snel overstuur raakte.

'We kunnen toch niets doen, ook al is er iets gebeurd,' zei ze ten slotte.

'Jezus, Cate, hoe kan je dat nu zeggen?' Bree staarde haar met grote ogen aan. 'Misschien is ze niet verder gekomen dan het eind van de weg en is ze daar tegen die grote palm aangereden. Misschien ligt ze wel ergens op tien minuten lopen met een hersenschudding! Ze kan best dood liggen te bloeden... en dan hadden we haar kunnen redden als we gewoon naar haar op zoek waren gegaan!'

'Doe niet zo hysterisch,' zei Cate. 'Maar we kunnen best even de weg aflopen.'

'Dan doen we tenminste iets.' Bree hing haar tas over haar schouder.

De smalle weg was donker en verlaten.

'Ik heb niet het gevoel dat hier ergens een ongeluk is gebeurd,' zei Cate.

'Hoe kun je dat nou weten?'

Cate haalde haar schouders op. 'Ik dacht dat we dan wel benzine zouden ruiken of zo.'

'Wat een onzin,' zei Bree.

Cate draaide zich om en struikelde over een steen die midden op de weg lag. Ze slaakte een kreet van schrik.

'Kijk nou uit waar je loopt,' zei Bree. 'Ik heb geen zin om je terug te dragen naar de villa met een gebroken enkel of zo.'

Ze liepen zwijgend door, het enige wat ze hoorden, waren de krekels.

'Het is hier eigenlijk best mooi, hè?' zei Cate ten slotte. 'Volkomen afgelegen, volmaakt vredig en een hemel vol sterren.'

'Maar goed ook,' zei Bree. 'Daardoor zien we tenminste nog iets. Anders zouden we hier stapelgek van worden. Maar we kunnen beter teruggaan.' Ze keek de weg af. 'Nessa is in geen velden of wegen te zien. Ze zal wel naar de stad zijn gegaan, precies zoals jij zei. Misschien heeft ze wat gedronken en durft ze nu niet terug te rijden.'

'Dat kan best,' zei Cate. 'Misschien heeft ze wel een kamer in een hotel aan het strand genomen.'

'Denk je dat echt?' vroeg Bree.

'Er is heus niets met Nessa aan de hand,' hield Cate vol. 'Maar als ze morgenochtend nog niet terug is, bellen we de politie.'

'Goed,' zei Bree.

'Ze komt heus wel terug,' zei Cate vol vertrouwen, hoewel ze zich niet zo voelde. 'Zodra ze de schok verwerkt heeft, komt ze wel weer opdagen.'

Ze dacht aan vroeger. Aan die fijne tijd toen Adam nog steeds van haar hield. Toen ze zich in zijn armen veilig had gevoeld. Toen ze nog niet aan hem had getwijfeld en ook nog precies wist waarom ze bij hem bleef. Het was prettig om terug te denken aan die tijd, maar ze vroeg zich toch af of ze zich alles misschien verbeeld had. Misschien was hij toen al wel vreemdgegaan. Vreemdgaan! Het was zo'n ondeugende uitdrukking voor wat hij werkelijk deed. Neuken met andere vrouwen. Want daar kwam het per slot van rekening op neer. Maar daar wilde ze niet meer aan denken, ze wilde dat soort gedachten uit haar hoofd bannen.

'Hola!' Het klonk dringend. Ze wist eigenlijk best dat iemand haar aanriep, maar ze had geen zin om te reageren. Vastbesloten kneep ze haar ogen dicht.

'Hola! *Señora!*' Ze hoorde iemand door het water plenzen en zuchtte. Kennelijk dacht hij dat ze in moeilijkheden was, maar dat was helemaal niet waar. Ze was alleen moe. Ze wenste dat hij haar met rust zou laten.

Het gespetter werd luider en ze hoorde een stroom Spaanse woorden. Ze deed haar ogen open en een golf sloeg over haar heen. Ze sputterde en kwam overeind. Ze schudde het water van haar gezicht en zette grote ogen op. Ze was verder van de kust dan ze had verwacht. Veel verder. De lichten van de kroegen en de restaurants vloeiden in elkaar over. Ze haalde diep adem en kreeg water binnen. Ze begon te hoesten.

De man was inmiddels bij haar en pakte haar vast. Hij zei opnieuw iets in het Spaans en toen ze geen antwoord gaf, vroeg hij in het Engels: 'Is alles in orde met u? Ik zal u terugbrengen. Ontspan u maar.'

Ze voelde zijn arm om haar heen en worstelde om los te komen. Ze kwam onder water terecht en hij pakte haar weer vast en gaf haar een klap in haar gezicht. Ze was zich er vaag van bewust dat je dat moest doen als je probeerde hysterische mensen van de verdrinkingsdood te redden, maar zij was niet hysterisch en ze was ook niet bezig te verdrinken. Ze begon weer te worstelen en hij gaf haar opnieuw een klap. Daarna trok hij haar mee naar de kust.

Er stond een groepje mensen op het strand naast haar kleren die op een hoopje lagen. Zodra ze het water uit strompelde, ondersteund door de Spaanse man, begonnen ze allemaal te praten. Een vrouw gaf haar een roze wollen sjaal die Nessa, zich plotseling bewust van het feit dat ze naakt was, om zich heen wikkelde.'

'Er is niets aan de hand,' zei ze in het Engels. 'Ik stond niet op het punt te verdrinken. Ik had mezelf best kunnen redden.'

'U was veel te ver uit de kust.' De man die haar had gered, keek haar beschuldigend aan. 'Het is niet veilig om 's nachts in je eentje te gaan zwemmen.'

'Er was me vast niets overkomen.' Nessa begon te klappertanden toen het ineens tot haar doordrong dat haar wel iets had kunnen overkomen.

'Waarom hebt u dat gedaan?' vroeg hij. 'Het was heel onverstandig van u.'

'Omdat ik er zin in had,' antwoordde Nessa. 'Ik had zin om iets onverstandigs te doen.'

'Waar logeert u?' Een donkerharige vrouw van haar eigen leeftijd viel haar in de rede.

'Waar ik logeer?' Nessa keek haar beduusd aan.

'In de stad? Logeert u in een appartement of in een hotel?'

'Ik logeer hier niet,' zei Nessa. 'Ik ben hiernaartoe gereden vanuit een plaatsje in de buurt van Alicante.'

De vrouw keek de man aan en zei iets in rad Spaans.

'Misschien kunt u vannacht maar beter in een hotel blijven,' opperde hij. 'Het is al laat en het lijkt me niet verstandig als u nu achter het stuur kruipt.'

Nessa lachte. 'U denkt dat ik niet goed wijs ben, hè? U denkt dat ik probeerde mezelf in zee te verzuipen en u denkt ook dat ik gedronken heb.'

Hij fronste. 'Ik begrijp niet precies wat u bedoelt. Maar ik denk dat het verstandig zou zijn om eerst weer warm te worden en even uit te rusten voordat u verder gaat.' Hij sloeg zijn arm om haar heen. 'U denkt misschien dat u niets was overkomen, maar wat u hebt gedaan was toch heel gevaarlijk.'

De donkere vrouw zei opnieuw iets tegen hem. Hij knikte een paar keer en keek toen Nessa weer aan.

'Mijn vrouw vindt dat u het best een kamer in ons hotel kunt nemen,' zei hij. 'We nemen u wel mee. Het is niet ver. U moet echt rusten.'

Zijn vrouw pakte Nessa's kleren op en gaf ze aan haar. Nessa glipte snel in haar broek en haar katoenen T-shirtje en gaf de vrouw haar sjaal terug. Daarna liepen ze samen met de andere mensen over het strand naar de weg en vervolgens naar een halfrond gebouw dat Nessa al eerder was opgevallen.

Nadat Nessa haar paspoort bij de receptie had achtergelaten en in ruil daarvoor een sleutel had gekregen, liepen de man en zijn vrouw samen met Nessa de witte marmeren trap op en brachten haar door een gang met blauwe vloerbedekking naar een kamer op de derde verdieping. Hij maakte de deur voor haar open.

'Denkt u dat u zich verder kunt redden?' vroeg de man.
'Ja hoor,' zei ze. 'Er is eigenlijk niets met me aan de hand.'
Hij glimlachte even. 'Maar je kunt toch maar beter zeker van je zaak zijn, hè?'
'Inderdaad. Dank u wel.'
'Graag gedaan,' zei hij.
'Welterusten,' zei zijn vrouw.
'Welterusten.' Nessa deed de deur dicht en liep de kamer in. Ze deed de deur naar het balkon open en stapte naar buiten. Opnieuw keek ze uit over het sikkelvormige strand en de zee die zacht tegen de kust kabbelde. Een schitterend plekje, dacht ze. Geen slechte plaats om aan je eind te komen. Ze streek haar vochtige haar uit haar gezicht. Ze zou daarginds niet aan haar eind zijn gekomen. Ze had best zelf terug kunnen zwemmen. Die andere mensen hadden het helemaal bij het verkeerde eind gehad.

Maar nu was ze weer alleen en hier had ze ook rust. Vanaf het moment dat Bree en Cate naast haar waren gaan zitten en haar alles over Adam hadden verteld, had ze alleen willen zijn. Ze hadden haar met die bezorgde blik in hun ogen aangekeken en dat was haar te veel geworden. Ze wilde niet dat ze medelijden met haar zouden hebben. Zij was de oudste. Zij was degene die altijd de juiste dingen deed. Alleen was dat niet waar. Ze had alles verkeerd gedaan. Volkomen.

34

♥

Maan/Pluto-aspecten

Wisselvallig, met een neiging tot emotionele uitbarstingen.

Het was al bijna tien uur toen ze de volgende ochtend wakker werd. Een warme bries waaide door de openstaande balkondeur naar binnen. Ze schoot overeind toen ze zich plotseling herinnerde wat er was gebeurd. Maar het duurde even tot ze alles weer op een rijtje had gezet.

Ze wreef in haar ogen en masseerde haar nek. Ze had het gevoel alsof ze een enorme kater had. Ze had wel een paracetamol genomen voordat ze in bed was gekropen, maar ze had nog steeds een barstende hoofdpijn. Ze draaide haar nek op de manier die ze had geleerd tijdens een cursus stressbeheersing die dokter Hogan gaf. Daarna stond ze op en liep naar de badkamer. Voordat ze ging douchen, nam ze opnieuw twee pilletjes. Daarna liet ze met gesloten ogen het warme water door haar haar en over haar lichaam lopen, voordat ze voor het eerst van haar leven de shampoo en de zeep van het hotel gebruikte. Toen ze ten slotte uit de douche stapte en een groot wit badlaken om zich heen wikkelde, was haar hoofdpijn over en voelde ze zich een stuk beter.

Pas op dat moment dacht ze ineens aan Bree en Cate en aan het feit dat ze geen woord tegen hen had gezegd toen ze in een opwelling de villa was uit gerend. Hoewel ze zeker wist dat ze zouden begrijpen dat ze alleen wilde zijn, was ze er ook van overtuigd dat ze zaten te wachten tot ze iets van zich liet horen. Ze liep de slaapkamer weer in en pakte haar tas. Toen herinnerde ze zich ineens dat haar mobiele telefoon in stukken op de snelweg lag en ze had geen flauw idee wat Brees nummer was.

Ze ging met haar hoofd in haar handen op de rand van het bed zitten. Ze had nooit de moeite genomen om mobiele nummers te onthouden. Waarom zou ze die moeite doen als ze toch in het telefoonboek van haar telefoon stonden? Maar nu besefte ze hoe dom dat eigenlijk was. Natuurlijk kon ze Adam bellen. Omdat ze niet helemaal achterlijk was, had ze de nummers ook in het adresboekje gezet dat op de plank boven hun bed lag. Als Adam haar het nummer gaf, kon ze Bree bellen om zich te verontschuldigen en te zeggen dat ze gauw weer terug zou komen. Met de auto. Want ineens drong het tot haar door dat ze hen gisteravond alleen had laten zitten op minstens vijf kilometer van de dichtstbijzijnde winkels. En Cate was zwanger. Nessa zuchtte diep en kwam tot de conclusie dat ze eigenlijk een ontzettend domme, ontzettend egoïstische en ontzettend vervelende vrouw was. Kon ze dan niets goed meer doen?

Ze kon Adam niet bellen. Dat kon ze gewoon niet. Ze kon niet met hem praten alsof haar hart niet in evenveel stukken lag als haar mobiele telefoon en net doen alsof ze niets van zijn andere vrouwen af wist. Ze wist zelfs zeker dat ze onbedaarlijk zou gaan huilen als ze zijn stem hoorde. Pas toen ze bijna wanhopig was, herinnerde ze zich ineens dat haar moeder hun telefoonnummers ook moest hebben. En het nummer van Miriam kende ze wel uit haar hoofd.

'Hallo?' Miriam klonk alsof ze buiten adem was.

'Hallo, mam,' zei Nessa.

'Hallo, schat, heb je een fijne vakantie?' vroeg Miriam. 'Het is hier trouwens ook heerlijk weer, hoor. Ik zat net in de tuin te ontbijten.'

'We hebben het hier ontzettend leuk,' jokte Nessa. 'Maar ik vroeg me af of je mij het mobiele nummer van Bree zou kunnen geven.'

'Brees nummer?' vroeg Miriam. 'Waar heb je dat voor nodig? Vertel me nou niet dat jullie ruzie hebben gemaakt, Nessa, en dat ze met een dolle kop de deur is uit gelopen.'

'Nee,' zei Nessa. 'Ik ben een dagje alleen op stap, maar ik ben mijn telefoon verloren en ik moet haar bellen.'

'Jij?' Miriam klonk verbijsterd. 'Alleen op stap?'

'Ja.'

'Is alles goed met je, Nessa?' vroeg Miriam. 'Want jij bent niet degene die doorgaans in haar eentje de benen neemt. Van Bree kan ik me dat voorstellen en zelfs van Cate, hoewel misschien niet in haar huidige toestand. Maar niet van jou.'

'Waarom niet?' wilde Nessa weten.

'Omdat jij graag mensen om je heen hebt,' zei Miriam. 'Jij voelt je prettig met je vrienden en je familie om je heen en je bent geen type om alleen te zijn.'

'Nou, vandaag had ik daar zin in,' zei Nessa kortaf.

'Weet je zeker dat jullie geen ruzie hebben gehad?'

'Dat heb ik al gezegd,' zei Nessa. 'Alsjeblieft, mam.' Haar broze kalmte begon alweer af te brokkelen. 'Mag ik nu dat nummer van je?'

Ze wachtte tot haar moeder het had opgezocht en het voorlas.

'Bedankt,' zei ze, toen ze het opgeschreven had.

'Nessa?'

'Ja?'

'Kop op.'

'Wat?'

'Je klinkt een beetje down,' zei Miriam. 'Wat er ook aan de hand is, of jullie nu ruzie hebben gehad of dat er iets anders is gebeurd, het leven is te kort om in de put te zitten.'

'Ik zit niet in de put.' Jokte ze altijd zo vaak tegen haar moeder?

'Nou, zo klink je wel,' zei Miriam. 'En ik vraag je om eens goed na te denken over wat er aan de hand is en te overwegen wat je kunt doen om de toestand te verbeteren.'

'Misschien kan ik daar wel niets aan doen,' zei Nessa. 'Misschien ben ik gewoon onder een ongelukkig gesternte geboren.'

'Je kunt er altijd iets aan doen,' zei Miriam tegen haar. 'Als het leven je een dreun verkoopt, kun je daar niets aan doen, maar je kunt zelf beslissen of je gelukkig of verdrietig bent.'

Nessa zei niets.

'Ben je er nog?' vroeg Miriam.

'Ik vond dat ik maar beter even mijn mond kon houden,' zei Nessa ferm.

Miriam lachte. 'Kijk eens aan! Dat klinkt weer alsof je de oude bent.' En met een lieve stem voegde ze eraan toe: 'Pas goed op jezelf, Nessa. Ik hoop dat je verder een fijne vakantie hebt.'

'Dat komt in orde,' zei Nessa.

Ze legde de telefoon neer en keek naar het nummer dat ze opgeschreven had. Het kwam haar niet eens bekend voor. Het eerste wat ze ging doen was alle mobiele telefoonnummers uit haar hoofd leren, om niet helemaal afhankelijk te zijn van de moderne techniek. In feite, dacht ze toen ze het nummer intoetste, wilde ze in de toekomst van niets en niemand meer afhankelijk zijn.

Bree en Cate zaten in de woonkamer. Ze hadden besloten om tot elf uur te wachten en als ze dan nog niets van Nessa hadden gehoord, zouden ze de politie bellen. Bree bleef maar op haar horloge kijken en vroeg zich af waarom de tijd zo langzaam voorbijkroop. Cate zat te luisteren of ze een auto hoorde aankomen.

Toen de telefoon eindelijk overging, maakten ze een sprongetje van schrik. Bree greep het toestel en drukte op het groene knopje.

'Hallo,' zei Nessa. 'Ik ben het.'

'Nou, leuk dat je iets van je laat horen, Nessa. Verdomme nog aan toe.' Bree voelde een golf van opluchting door zich heen slaan, maar meteen daarna werd ze kwaad en daardoor ging ze ook steeds harder praten. 'We hebben ontzettend over jou in de rats gezeten. Waar zit je? Hoe haalde je het verdomme in je hoofd om zomaar te verdwijnen zonder iets tegen ons te zeggen? Besef je wel wat er met Cate had kunnen gebeuren?'

'Het spijt me,' zei Nessa. 'Echt waar. Maar ik wilde even alleen zijn.'

'Dat willen we allemaal,' snauwde Bree. 'Maar de meeste mensen tonen toch wat meer consideratie. Cate en ik hebben vannacht geen oog dichtgedaan!'

'Het was niet mijn bedoeling om jullie ongerust te maken,' zei Nessa.

'O nee?' merkte Bree op. 'Wat had je dan verwacht? Dat we een gat in de lucht zouden springen?'

'Ik was overstuur,' zei Nessa.

'Dat weet ik wel,' zei Bree. 'Maar nu zijn we allemaal over onze toeren.'

'Het spijt me echt, Bree,' zei Nessa opnieuw. 'Echt waar. Het werd me gewoon allemaal even te veel... als je snapt wat ik bedoel. Het idee dat hij... ik kon daar gewoon niet blijven. Ik moest weg.'

'En waar zit je nu?'

'Ergens aan de kust,' vertelde Nessa haar. 'Ik weet niet precies waar.'

'Geweldig,' zei Bree. 'En wat ben je nu van plan?'

'Dat weet ik nog niet,' zei Nessa.

Cate pakte de telefoon van Bree over.

'Hoi,' zei ze. 'Is alles in orde?'

'Ja,' antwoordde Nessa.

'Je hebt ons bang gemaakt,' zei Cate.

'Dat weet ik. Dat was niet de bedoeling.'

'Je hebt nog nooit eerder zoiets gedaan,' zei Cate. 'Als het Bree was geweest, zouden we niet zo in paniek zijn geraakt.'

'Ben ik dan zo verdomd voorspelbaar dat iedereen in paniek raakt als ik iets onverwachts doe?' vroeg Nessa bitter.

'Natuurlijk niet,' zei Cate. 'Maar je moet toegeven dat mensen vrij snel in paniek raken als iemand zonder een woord te zeggen verdwijnt.'

'Dat was niet mijn bedoeling,' zei Nessa opnieuw. Ze begon een beetje moe te worden. 'Ik wilde gewoon nadenken.'

'En heb je dat gedaan?' vroeg Cate.

'Ja, maar er is niets zinnigs uit gekomen,' antwoordde Nessa. 'Het is net alsof ik in een modderpoel zit. Alsof ik niet voor- of achteruit kan.'

'Neem gerust de tijd,' zei Cate vriendelijk. 'Je hoeft niet halsoverkop terug te komen. Blijf maar waar je bent als je daar behoefte aan hebt.'

'Ik moet wel terugkomen,' zei Nessa. 'Ik heb de auto meegenomen, terwijl jij zwanger bent en midden in de rimboe zit.'

'Dat geeft niet,' zei Cate tegen haar. 'We redden ons wel.'

'O, Cate.' Nessa's stem brak. 'Ik had het nog kunnen verwerken als hij gewoon een relatie had. Dat is tegenwoordig bijna normaal, hè? Maar dat hij zich op die manier gedraagt... Dat geeft mij het gevoel dat ik echt... echt ontzettend onbelangrijk ben.'

'Je bent niet onbelangrijk,' zei Cate. 'Je bent een fatsoenlijke vrouw en een goede moeder. En heb niet het lef om iets anders te denken.'

'Dank je wel,' zei Nessa wrang.

'Doe vandaag nou maar gewoon waar je behoefte aan hebt,' zei Cate. 'We zien je vanzelf wel terugkomen.'

'Oké,' zei Nessa. 'Bedankt, Cate.'

'Graag gedaan,' zei Cate en verbrak de verbinding.

Bree keek haar met grote ogen aan. 'Je hebt haar niet bepaald hard aangepakt,' zei ze beschuldigend. 'Na alles wat ze ons heeft aangedaan.'

'Toe nou, Bree,' zei Cate. 'Ze heeft het al moeilijk genoeg. En ze voelt zich schuldig omdat ze halsoverkop de deur is uit gelopen zonder iets te zeggen. Het heeft toch geen zin om haar nog meer dwars te zitten?'

Bree zuchtte. 'Je zult wel gelijk hebben,' zei ze. 'Maar het was nooit tot me doorgedrongen dat je eigenlijk zo lief bent, Catey.'

'Nou, bedankt!' Cate grinnikte. 'Het is altijd fijn als je gewaardeerd wordt. En laat nu maar zien dat je het meent door wat fruit voor me te pellen. Ik heb sinds die verdomde tortillachips van gisteravond niets meer gehad en mijn baby en ik rammelen van de honger!'

Nessa rammelde ook van de honger. Ze besefte dat het eeuwen geleden was dat ze iets had gegeten en ze snakte naar een ontbijtje.

Toen ze haar gekreukelde T-shirt en broek aantrok, vroeg ze zich af hoeveel deze nacht in een hotel haar zou gaan kosten. Ze betwijfelde eerlijk gezegd of het ontbijt bij de prijs inbegrepen was. Daarna lachte ze wrang, want waar maakte ze zich druk over? Adam betaalde alles wat er van hun creditcard werd afgeschreven. Ze streek haar haar uit haar gezicht en liep naar beneden.

De eetzaal was vrolijk en licht, met glazen deuren die toegang gaven tot een overkapt terras met daarachter een schitterend onderhouden tuin. Voorbij de tuin danste de zon op het azuurblauwe water van de zee. Nessa had nog nooit in zo'n chique omgeving ontbeten.

Ze ging aan een tafeltje zitten en bestelde koffie. De serveerster gebaarde naar het overladen buffet aan de andere kant van het vertrek, waar ze kon nemen wat ze wilde. Binnen de kortste keren stapelde Nessa haar dienblad vol met ham, kaas, tomaten, koude tortilla's en versgebakken brood. Ze pakte ook nog wat fruit en yoghurt. Toen ze weer aan haar tafeltje ging zitten, kwam de man die haar uit zee had gevist samen met zijn vrouw en twee schattige tweelingzoontjes de eetzaal binnenlopen. Ze wist pas zeker dat hij het was, toen hij tegen haar glimlachte en naar haar toe liep.

'Hoe voelt u zich nu?' vroeg hij.

'Mijn gezicht doet nog pijn van de klappen die u me hebt gegeven,' zei ze.

'Dat spijt me, maar ik was bang dat we door uw schuld allebei zouden verdrinken.'

'Het spijt mij ook,' zei ze. 'Het was helemaal niet de bedoeling dat ik zo ver het water in zou gaan en ook niet dat ik bijna zou verdrinken.'

'En is nu alles weer in orde?' vroeg hij. 'Wat u zo overstuur heeft gemaakt?'

Ze glimlachte tegen hem. 'Dat komt wel weer goed. Dank u wel.'

Hij glimlachte terug. 'Mijn vrouw was ongerust over u en wilde gaan kijken of alles in orde was. Maar ik zei dat u waarschijnlijk nog lag te slapen.'

'Ik heb heerlijk geslapen,' zei ze, hoewel ze pas in slaap was gevallen toen het licht begon te worden. 'Maar het was lief van uw vrouw om zich zorgen te maken.' Ze keek naar de vrouw en glimlachte ook tegen haar. 'U hebt een mooi stel kinderen.'

'Ja,' zei hij. 'Ons hele leven draait om die kinderen. Als je eenmaal kinderen hebt telt volgens mij niets anders meer.'

'Ja,' zei ze.

'Hebt u ook kinderen?'

'Een dochter,' zei ze tegen hem. 'En u hebt gelijk. Mijn hele leven draait ook om haar.'

Hij glimlachte opnieuw en zei dat hij hoopte dat het ontbijt haar zou smaken. Daarna liep hij terug naar zijn gezin.

Toen ze naar de receptie liep om de rekening te betalen zag ze op het bonnetje van de creditcard dat haar enige nacht logies heerlijk duur was geweest en dat de kosten van het ontbijt er nog bij kwamen. Daarna liep ze het hotel uit, op weg naar haar auto. Maar ze ging eerst even naar het strand en bleef daar naar de zee staan kijken terwijl ze zich afvroeg of ze echt verdronken zou zijn. Ze schudde haar hoofd. Vast niet. Ze was een volhouder. Zo gemakkelijk liet ze zich niet kisten.

Ze liep naar de boulevard en ging een winkel binnen waar ze met haar creditcard een setje ragfijn ondergoed kocht, plus een veelkleurige sarong, een knalroze zwempak en een badlaken. Daarna nam ze wat contant geld op en schafte zich ook zonnebrandcrème, een goedkope zonnebril en een stuk of zes Engelse tijdschriften aan. Daarna ging ze terug naar het strand en legde haar badlaken op het zand. Toen trok ze haar zwempak aan, smeerde zichzelf in en sloeg de horoscopen op.

Ze las ze allemaal door. Ze wilde dat iemand haar zou vertellen wat ze moest doen en ze hoopte een duidelijk antwoord in de horoscopen te vinden. Maar ze wist dat het vergeefse hoop was. Horoscopen waren nooit duidelijk. Behalve die ene, die haar aanraadde om niet in een juridische strijd verwikkeld te raken. Zou dat betekenen dat ze bij Adam moest blijven? Want als zij een eind aan hun huwelijk maakte, zou dat zeker een juridische kwestie worden. Misschien wel meer dan één. En toch vertelden ze haar dat ze in zichzelf moest geloven, dat veranderingen positief konden uitvallen en dat zich kansen zouden voordoen. Als ze bij Adam bleef en op dezelfde manier zou leven als ze de afgelopen tien jaar had gedaan, zou ze het dan wel doorhebben als haar een kans werd geboden?

Vroeger had ze bij moeilijke beslissingen altijd een lijstje gemaakt van argumenten voor en tegen. In gedachten deed ze dat nu ook. Bij voor zette ze het feit dat ze een goed huwelijk had. (Want dat was toch zo? Als zij het niet op de klippen liet lopen, was het toch goed?) Ze had een mooi huis. (Portia zou blij zijn dat ze dat inderdaad belangrijk vond.) Ze had nergens gebrek aan. (Niet in materiële zin, tenminste.) En Jill was gelukkig. Dat was echt ontzettend belangrijk. Daarentegen bestond het feit dat haar man haar met minstens twee vrouwen bedroog. Dat ze hem nooit meer zou kunnen vertrouwen. Dat ze niet wist of ze nog wel met hem naar bed zou willen. Dat ze niet meer van hem hield.

Ze hield op met het maken van een lijst toen tot haar doordrong dat ze niet meer van Adam hield. Toen ze nog even over hem nadacht, voelde ze weer een golf van woede en verdriet opkomen. Maar van liefde geen spoor. Ze wist dat de liefde tussen hen verdwenen was. Voorgoed.

Bree en Cate zaten op de veranda toen ze 's avonds terugkwam bij de villa. Ze stapte uit en keek hen schaapachtig aan.

'Hoi,' zei ze.

'Hallo, Nessa.' Bree wierp haar een boze blik toe, maar meteen daarna holde ze naar haar toe en omhelsde haar. 'Denk erom dat je me dat nooit meer flikt!' riep ze uit. 'Je hebt me de doodschrik op het lijf gejaagd.'

'Het spijt me echt.' Nessa keek over haar hoofd naar Cate.

'Het geeft niks, hoor,' zei Cate. 'We hebben hier heerlijk ontspannen in het zonnetje naar Brees collectie rock-cd's zitten luisteren.'

'Ik ben blij dat ik daar niet bij was,' zei Nessa een beetje bibberig.

'Is alles goed met je?' Bree liet haar los. 'Wat heb je gisteravond gedaan? Wat is er gebeurd?'

Nessa had al besloten dat ze hun niets zou vertellen over haar nachtelijke zwempartij en haar redding. Ze was bang dat Cate en Bree het verkeerd zouden begrijpen. Dus zei ze gewoon dat ze een paar uur had rondgereden en uiteindelijk een kamer in een hotel had genomen.

'Ik dacht eigenlijk dat je met een kerel op stap was,' zei Cate. 'Uit wraak.'

'Doe me een lol, zeg.' Nessa's lach klonk al wat zekerder. 'De hele kust zit vol slanke, langbenige seksbommen. Ik geloof niet dat iemand mij uit zou kiezen om een nachtje plezier te maken.'

'Dus je bent gewoon de hele nacht alleen geweest?' vroeg Bree.

Nessa knikte. 'Ik had tijd nodig om na te denken.'

'En?' Cate keek haar afwachtend aan.

'Heb je al een besluit genomen over Adam?' vroeg Bree.

'Dat weet ik niet zeker,' zei Nessa.

'Je hoeft ook nog geen besluit te nemen,' zei Cate. 'In ieder geval niet nu. Wacht maar tot je thuis bent. Praat met hem.'

'Met hem praten?' Nessa wierp haar een bittere blik toe. 'Ik wil niet met hem praten, Cate. Hij liegt toch weer tegen me.'

'Maar wil je er dan nu wel met ons over praten?' vroeg Cate. 'Of wil je hem liever voor de rest van de vakantie uit je hoofd zetten?'

Nessa trok een stoel bij en schonk een glas water in uit de fles die op tafel stond.

'Ik weet dat ik het onder ogen zal moeten zien,' zei ze. 'Maar de gedachten tollen door mijn hoofd. Als ik bij hem wegga – of hem de deur uit zet – dan zullen we in beide gevallen waarschijnlijk het huis moeten verkopen en dan moeten Jill en ik alleen verder. En wat de mensen ook zeggen, een alleenstaande moeder heeft het niet gemakkelijk. Dan ga ik er uiteraard van uit dat hij de voogdij over Jill niet aanvecht.'

Bree keek haar sceptisch aan. 'Hij? Zou hij de voogdij over Jill willen hebben? Dat betwijfel ik.'

'Je kent hem niet,' zei Nessa. 'Hij houdt echt van haar.'

'Maar niet genoeg om iedere avond bij haar te blijven als jij weg bent,' zei Cate.

'Dat weet ik heus wel!' riep Nessa uit. 'En het was ook echt geen steek onder water toen ik het over alleenstaande moeders had, Cate. Maar dat hoef ik niet te worden. Ik kan ook bij Adam blijven tot Jill wat ouder is. Ik kan net doen alsof er niets gebeurd is.'

'Dat meen je toch niet?' Cate keek haar ontzet aan.

'Ik weet dat het jou vreemd in de oren klinkt,' zei Nessa. 'Maar ik zou niet de eerste vrouw zijn die dat deed! Je maakt gewoon een optelsom van alle voor's en tegen's. Portia zei tegen die vriendin van haar dat ik alleen bij hem bleef vanwege onze luxueuze levensstijl. Ik was ontzettend boos toen ik dat hoorde, want ik was ervan overtuigd dat ik bij hem bleef omdat ik van hem hield. Maar het alternatief is zo moeilijk. Vooral voor Jill. Als ik haar vertel dat ik niet meer van haar vader houd, zal ze dan niet denken dat ik op een dag misschien ook niet meer van haar zal houden?'

'Welnee, Nessa, dat denkt ze helemaal niet,' riep Bree uit. 'Ze weet toch hoeveel je van haar houdt!'

'Ik weet alleen maar dat ik niet meer van hem houdt,' zei Nessa. 'Het is raar, maar ik zat op het strand aan hem te denken en ineens wist ik dat hij me niet meer zal kunnen kwetsen, wat hij ook doet, omdat ik niet meer om hem geef. Als ik bij hem blijf, dan is het op mijn voorwaarden.'

'Dat zal nog steeds een hele opgave zijn,' zei Cate.

Nessa haalde haar schouders op. 'Ik heb ook een heleboel te verliezen. Het is zo'n grote stap. Als je erover leest of het in een film ziet, lijkt alles zo simpel. Je ontdekt dat je man vreemdgaat en je wordt des duivels. Het ene moment ben je getrouwd en een moment later ben je gescheiden. Dan vind je eigenaardig genoeg ineens de innerlijke kracht om zeven pond af te vallen, een eigen zaak te beginnen en rijker te worden dan je ooit had durven dromen. Maar zo gaat het niet in het echte leven, hè?'

'Dat zou wel fijn zijn.' Cate zuchtte. 'Maar in mijn geval heeft de man van wie ik houd me de deur uit gezet en met zijn leven gaat alles crescendo, terwijl ik bij mijn zus moest intrekken en haar een week lang 's morgens voor dag en dauw wakker heb gemaakt omdat ik moest overgeven.'

'In ieder geval is jouw leven een stuk simpeler, Bree,' zei Nessa. 'Oké, je vriendje heeft je min of meer de bons gegeven, maar jij hebt er niet echt een gebroken hart aan overgehouden, alleen een stel kneuzingen en blauwe plekken.'

'Het is nooit simpel als er een vent in het geding is,' zei Bree bitter.

'Het hangt er maar van af welke maatstaven je hanteert,' zei Nessa.

Bree en Cate keken elkaar even aan.

'Wat is er?' vroeg Nessa. 'Heb ik iets gemist?'

'Dat jij nu toevallig in je eentje een crisis probeerde te verwerken, wil nog niet zeggen dat wij hier niet over andere dingen hebben zitten praten.'

'Wat is er dan?' vroeg Nessa opnieuw. 'O, god, Bree, je bent toch niet ook zwanger?'

'Nee!' Bree keek haar vol afschuw aan. 'Ik ben niet eens met Michael naar bed geweest.'

'Dat is maar goed ook,' zei Cate. 'Als je nagaat, waar je aan loopt te denken.'

'Waarom zitten jullie elkaar dan zo veelbetekenend aan te kijken?'

'Omdat ons kleine zusje overweegt om een relatie te beginnen met de vader van Michael,' zei Cate.

Bree werd rood toen Nessa haar met grote ogen aankeek. 'Dat meen je niet,' zei ze. 'Die advocaat? Declan? De man die jou voor de rechter wilde slepen?'

'Dat wilde hij helemaal niet,' zei Bree ongeduldig. 'En ik overweeg helemaal niet om een relatie met hem te beginnen.'

'Wat zitten jullie dan te zeuren?' wilde Nessa weten.

'Hij zei... ik zat een tijdje geleden met hem te praten en toen...'

'Toen vroeg hij of ze verkering met hem wilde hebben,' vulde Cate aan.

'Nee!'

'Dat heeft hij helemaal niet gevraagd,' zei Bree. 'Hij heeft me alleen verteld dat hij... eh... belangstelling voor me had, snap je. Maar dat hij daar vanwege Michael nooit over was begonnen.'

Nessa's grijze ogen werden groot van verbazing. 'En denk jij daar serieus over na?' vroeg ze. 'Die man is oud genoeg om je vader te zijn. Ben je nou helemaal gek geworden?'

'Ik vind hem aardig,' zei Bree uitdagend.

'Ik vind het ronduit morbide,' zei Cate. 'En dat heb ik ook tegen haar gezegd. Maar ze schijnt het toch door te willen zetten.'

'Maar Bree, je zei toch dat hij drie kinderen had?' vroeg Nessa. 'En hoe kan je nou verkering met hem hebben als je met zijn zoon hebt gevrijd? Dat is ronduit ongezond.'

'Ik heb nooit met zijn zoon gevrijd,' zei Bree effen. 'Daar is het nooit van gekomen.'

'Wat?' Cate keek haar verbijsterd aan. 'Ik wil best geloven dat je nooit met hem naar bed bent geweest, maar vertel me nou niet dat je tientallen keren met hem op stap bent geweest zonder hem zelfs maar te kussen?'

'Zo vaak ben ik niet met hem op stap geweest,' zei Bree. 'Helemaal niet vaak, eerlijk gezegd. En nee, ik heb hem nooit gekust.'

'En denk je dat je daar iets mee opschiet?' vroeg Nessa.

'Hoe moet ik dat nou weten, verdomme!' snauwde Bree. 'Ik heb nog geen beslissing genomen.'

'We zijn wel een mooi stel, hè?' zei Nessa toen ze haar beide zussen aankeek. 'Ik balanceer op het randje van een scheiding. Cate is zwanger en in de steek gelaten. En Bree overweegt om tussen de lakens te kruipen met een bejaarde Romeo.'

'Hij is geen bejaarde Romeo,' zei Bree woedend. 'Ik wou maar dat ik mijn mond had gehouden.'

'Het spijt me,' zei Nessa. 'Het was als grapje bedoeld.'
'Daar zit ik niet op te wachten,' zei Bree.
Het bleef een tijdje stil.
Toen begon Nessa plotseling te lachen. Bree en Cate keken haar verbaasd aan.
'Ik moest ineens aan dat gezicht van Cate denken toen ze in de modder vastzat,' zei ze. 'En aan hoe wij op onze bek gingen nadat we de auto hadden aangeduwd.'
Bree en Cate begonnen ook te lachen.
'Ik weet wel dat deze vakantie niet precies zo verloopt als we hadden verwacht,' vervolgde Nessa. 'En ik vind het echt vervelend dat ik jullie zo aan het schrikken heb gemaakt, maar het was toch fijn dat jullie erbij waren.'
'We zijn familie,' zei Cate. 'We moeten elkaar de helpende hand reiken.'
'Zelfs in de modder,' voegde Bree eraan toe.
'Ja, vooral als je diep in de prut zit,' beaamde Nessa.

35

Saturnus in het teken van de Leeuw

Vastberaden, georganiseerd, vaak arrogant.

Adam was op het vliegveld om hen op te halen. Nessa zag hem meteen. Hij zag er nonchalant aantrekkelijk uit, terwijl Jill aan zijn hand stond te trekken. Nessa rende naar haar toe en tilde haar op. Ze drukte haar stijf tegen zich aan, snoof haar vertrouwde geur op en besefte hoe ontzettend ze haar had gemist.
'Kom ik ook nog aan de beurt?' vroeg Adam.
Nessa zette Jill neer en kuste hem op zijn wang.
'Hebben jullie het leuk gehad?' vroeg hij aan de zussen.
'Zeker weten,' zei Cate.

'Ik zal je koffer wel dragen.' Adam maakte aanstalten om haar koffer op te pakken.

'Laat maar, Adam,' zei Bree haastig. 'Cate en ik nemen een taxi. Ze gaat toch even met mij mee naar de flat voordat ze naar haar eigen appartement gaat.'

'Ik wil jullie daar best afzetten,' zei Adam.

'Dan zitten we zo opgepropt,' zei Bree. 'En we zijn er veel sneller met een taxi.'

'Weet je het zeker?'

'Ja, hoor,' zei Cate. 'In ieder geval bedankt, Adam.' Ze draaide zich om naar Nessa en omhelsde haar. 'Doe rustig aan. Bel me vanavond maar even.'

'Dat zal ik doen.' Nessa omhelsde haar ook.

'Pas goed op jezelf,' zei Bree. 'Bel als je iets nodig hebt.'

'Bedankt,' zei Nessa. 'Ik zie jullie gauw.'

Ze liepen samen het stationsgebouw uit en daarna stapten Cate en Bree in een taxi, terwijl Adam, Nessa en Jill naar de parkeergarage liepen.

'Ik heb je gemist,' zei Jill tegen Nessa. 'Heb je een cadeautje voor me meegebracht?'

'Hoe komt het dat mijn dochter zo materialistisch is?' wilde Nessa weten. 'Is een cadeautje dan het enige dat telt?'

Jill lachte.

'Als we thuis zijn,' beloofde Nessa.

'We hebben een rustig weekje gehad toen jij weg was,' zei Adam. 'Ik heb het natuurlijk wel druk gehad, maar dat is niets nieuws. Je moeder hing vanmorgen al aan de telefoon en vroeg of je haar meteen wilde bellen zodra je thuis was. Ze wil precies horen hoe jullie vakantie is verlopen... Ze zei dat je veel had zitten denken. Dat heb ik haar uit haar hoofd gepraat. Ik zei dat je veel had zitten drinken!' Hij lachte.

'Niet genoeg,' zei Nessa tegen hem. 'Maar ik heb het leuk gehad met Cate en Bree. We zitten erover te denken om het nog eens over te doen.'

'Dan zal het toch een beetje anders zijn,' zei Adam. 'Als Cate die overbodige bagage bij zich heeft.'

'Adam!' Nessa klonk woedend. 'Een kind is geen overbodige bagage!'

'Cate heeft geen kind,' zei Jill.
Nessa gaf geen antwoord.
'Krijgt ze een baby?' vroeg Jill.
'Ja,' zei Nessa na een moment.
'Fantastisch! Maar het duurt wel heel lang, hè? Mevrouw Slater zegt dat het maanden van ellende kost.'
'O ja?' Nessa draaide zich om en keek haar dochter aan.
Jill knikte. 'Volgens meneer Slater is een kind het loon van de zonde.'
Nessa lachte. Adam grinnikte. En Jill was tevreden.

Er stonden verse bloemen in de kristallen Waterford-vaas. Nessa keek Adam aan.
'Waar komen die vandaan?'
Hij keek gekwetst. 'Die heb ik vandaag gekocht. Ter ere van je thuiskomst.'
'Waarom?'
'We hebben je gemist. Hè, Jill?'
'We hebben steeds afhaalmaaltijden gegeten,' zei Jill tegen haar. 'Omdat pap hopeloos is in de keuken.'
'Is dat zo?' vroeg Nessa.
'Och, ik zou me wel kunnen redden, als het absoluut moet,' antwoordde hij. 'Maar we waren heel tevreden met de Burger King en de pizza's die thuis afgeleverd worden.'
'O god, Adam, je hebt haar toch niet alleen junkvoer te eten gegeven?'
'Niet alleen,' zei Adam. 'Ik heb ook een paar keer een kant-en-klaarmaaltijd bij de supermarkt gehaald.'
'Maar ik ben toch blij dat jij weer terug bent,' bekende Jill. 'Ik lust best een Burger King, maar niet de hele tijd.'
'Het is een fijn gevoel dat jullie me gemist hebben,' zei Nessa.
'Nou, dat was absoluut het geval,' verzekerde Adam haar. 'We hebben je zelfs heel erg gemist.'

Ze zat met opgetrokken benen op de bank en zette de tv aan. Jill sliep al, dolblij met haar nieuwe spijkerbroek en de plastic tas met de Lara Croft-opdruk die Nessa voor haar had gekocht.
Adam kwam de kamer binnen en ging naast haar zitten.

‘En hoe ging het?’ vroeg hij.
‘Wat bedoel je?’
‘Met jou en je zussen. Hebben jullie constant ruzie gehad?’
‘Waarom denk je dat?’ wilde Nessa weten.
‘Omdat het net is alsof twee van jullie altijd samenspannen tegen de derde,’ zei Adam. ‘Je weet wel, jij en Cate die zich druk maken over Bree, Bree en jij die pissig zijn op Cate en Finn vanwege hun extravagante manier van leven... dat soort dingen.’
‘Bree en Cate hebben medelijden met mij omdat ik de oudste, getrouwde zus ben,’ zei Nessa. ‘Met een man die scharrelt met een paar andere vrouwen.’
‘Pardon?’ Adam keek haar aan.
‘Je hebt me best verstaan. En je hebt tegen me gelogen.’ Diep vanbinnen had ze er nu eigenlijk niet over willen beginnen. Diep vanbinnen wilde ze het onderwerp helemaal nooit aansnijden. Maar ze moesten erover praten. En zij kon de schijn niet langer ophouden.
‘Wat?’ Adam voelde zich kennelijk niet op zijn gemak.
‘Je hebt gezegd dat die Annika zo’n handtastelijk type vrouw was, dat ze een cliënt van je was en dat je niet de gewoonte had om je tong in de strot van andere vrouwen te duwen,’ zei ze rustig. ‘Maar je loog.’
‘Helemaal niet,’ zei Adam. ‘Zo’n type vrouw is ze echt.’
‘En hoe zit het dan met die andere vrouw?’ wilde Nessa weten.
‘Welke andere vrouw?’
‘Hou nou op met dat gehuichel, Adam. De vrouw met het appartement in de buurt van Monkstown.’
Adam keek haar strak aan, zonder iets te zeggen. Ze retourneerde zijn blik, met heldere, rustige grijze ogen.
‘Wat heeft dit verdomme allemaal te betekenen?’ vroeg hij uiteindelijk. ‘Wat probeer je te suggereren, Nessa?’
‘Hoeveel vrouwen zijn er?’ vroeg ze. ‘Hoeveel handtastelijke types die jou kussen, maar die je niet terugkust?’
‘Er zijn niet zoveel handtastelijke vrouwen,’ zei hij.
‘En al die anderen kus je wel?’
‘Nessa...’
‘Ik wil het weten,’ zei ze. ‘Ik wil precies weten hoe het zit met die Annika en die vrouw in Monkstown. En ik wil weten of er nog meer zijn.’

'Er zijn er niet meer,' zei hij.
'Dus alleen die Annika en dat mens in Monkstown.'
'Regan,' zei hij na een poosje.
'Wat?'
'Regan,' zei Adam opnieuw. 'Zo heet ze.'
Nessa voelde haar maag samenkrimpen. Als ze al een sprankje hoop had gekoesterd dat het allemaal een afschuwelijk misverstand was geweest, dan was dat nu de bodem ingeslagen.
'Dus het gaat alleen om Annika en Regan en niemand anders.' Haar stem trilde.
Adam beet zijn tanden op elkaar. 'Dat klopt.'
'En wat voor relatie heb jij met hen?'
'Nessa, je moet goed begrijpen dat ik van jou houd,' zei Adam op gespannen toon. 'Ik heb altijd van je gehouden en ik zal altijd van je blijven houden. En van Jill. Zonder Jill en jou zou ik doodgaan. Jullie zijn de belangrijkste mensen in mijn leven. Alleen...' Hij zuchtte. 'Ik hou van vrouwen. Dat weet je. Ik kan beter met vrouwen opschieten dan met mannen. Ik vind vrouwen prettig gezelschap. Ik kan met ze praten. Heel andere gesprekken dan op het werk of thuis, over dingen waarvan je chagrijnig wordt. Daar heb ik af en toe echt genoeg van.'
'Dus als je genoeg krijgt van mij en Jill ga je naar Annika en Regan toe.'
'Het gaat alleen maar om seks,' zei Adam. 'Het heeft niets met liefde te maken.'
Ze snakte bijna naar adem. Vanaf het moment dat Cate en Bree haar hadden verteld dat er nog een tweede vrouw in het spel was, had ze vaak aan dit gesprek gedacht, maar ze had zich absoluut niet kunnen voorstellen hoe ze zich zou voelen als hij haar vertelde dat het waar was. En nu had hij net toegegeven dat hij met andere vrouwen neukte omdat hij dat leuk vond. Hij had niet eens geprobeerd het te ontkennen. Hij keek haar uitdagend aan, wachtend tot ze met hem in discussie zou gaan. Maar ze kon geen woord uitbrengen. Ze wist niet wat ze moest zeggen. Hij was een volkomen vreemde voor haar. De man met wie ze was getrouwd, de Adam van wie ze hield en die ze zelf met zoveel plezier en genoegen had geneukt, was veranderd in een vent die het heel normaal vond om met een paar vrouwen vreemd te gaan. Ze

had het gevoel alsof ze per ongeluk in de *Jerry Springer Show* verzeild was geraakt.

Ze vroeg zich af hoe dit in vredesnaam had kunnen gebeuren.

'Je weet best dat ik voor jou al een heleboel vriendinnetjes had gehad,' zei Adam. 'Maar toen ik jou leerde kennen, wist ik dat jij voor mij de ware was. Er is niemand anders met wie ik getrouwd zou willen zijn, Nessa. Ik hou van jou.'

'Maar je pakt wel vreemde vrouwen.' Ze kreeg de woorden nauwelijks uit haar mond. Ze had gedacht dat hij een relatie zou hebben met die andere vrouwen, maar om de een of andere reden leek dit nog veel erger. Ze probeerde te verwerken dat hij kennelijk vond dat hij volkomen redelijk was. En dat, als hij die mening werkelijk was toegedaan, er een deel van hem was, dat ze totaal niet begreep. Aan relaties kwamen tenminste nog emoties te pas. Hij had het alleen maar over seks.

'Er zijn geen verplichtingen aan verbonden,' zei Adam. 'En het heeft niets te maken met wat ik voor jou voel.'

'Maar het heeft verdomd veel te maken met wat ik voor jou voel!' Ze werd ineens boos.

'Ik begrijp best hoe je je voelt,' zei Adam. 'Ik had er alles voor overgehad als je er niet achter was gekomen, Nessa. Ik weet best dat je me op dit moment haat. Maar ik hou van je. Ik hou van ons huwelijk. Ik hou van onze dochter. Ik wil niet alles tussen ons verpesten.'

'En wat is er dan precies tussen ons?' wilde Nessa weten.

'We hebben een prima huwelijk,' zei Adam. 'We kunnen goed met elkaar opschieten. We zijn graag bij elkaar. We houden van onze dochter. We hebben een leuk huis in een leuke buurt en alles wat ons hartje begeert. Jij zorgt voor mij. Ik zorg voor jou. We zijn partners, Nessa, en dat is veel belangrijker dan al die andere dingen.'

Ze keek hem met grote ogen aan. Hij zei precies wat ze zichzelf steeds had voorgehouden als ze over zijn vreemdgaan had gepiekerd. En toen ze zichzelf dat inprentte, had het heel redelijk geklonken. Maar nu ze hem dat hoorde zeggen, klonk het alleen maar triest.

'Waar denk je eigenlijk aan als je met mij vrijt?' vroeg Nessa.

'Pardon?'

'Denk je dan dat je liever bij een van je seksvriendinnetjes zou willen zijn?' vroeg ze. 'Zijn zij beter in bed dan ik?'

'Nee.'
'Waarom vrij je dan niet vaker met me?'
'Nessa, jij hebt niet altijd zin om te vrijen als we naar bed gaan. Af en toe val je al in slaap als je hoofd het kussen raakt.'
'Dat geldt ook voor jou,' zei ze.
'Dat is iets anders.'
'Dat is allemaal gelul,' zei ze. 'Je vindt het opwindend om bij hen te zijn, hè? Je houdt van de afwisseling.'
'Dat zal ik niet ontkennen,' zei Adam. 'Je moet goed begrijpen, Nessa, dat seks en liefde twee totaal verschillende dingen zijn.'
'Ik weet dat ze dat kunnen zijn,' zei ze. 'Maar ik weet ook dat ze samen kunnen gaan.'
'Als ik met jou vrij, komt er liefde aan te pas. Bij hen is het alleen seks.'
'Je vrijt met ons allemaal,' zei ze. 'Je kunt allerlei enge ziektes oplopen.'
Hij schudde zijn hoofd. 'Nee. Ik pas goed op.'
Ze had het gevoel alsof ze moest overgeven.
'Ik weet dat jij het iets verschrikkelijks vindt, Nessa, dat snap ik best. Ik voel me nu ook verschrikkelijk. Maar je moet echt goed begrijpen dat er met Annika en Regan geen enkele emotie aan te pas komt. Dat weten zij en dat weet ik. Het is puur voor de lol.'
'Voor de lol?' Ze keek hem met grote ogen aan. 'Heb jij alleen voor de lol mijn leven geruïneerd?'
'Nessa, denk nou eens goed na. Je weet best dat mannen niet monogaam zijn... Kijk alleen maar naar al die tijdschriften die je leest en waarin staat dat we niet te vertrouwen zijn. Er zijn massa's mannen die minnaressen hebben. Denk maar eens aan politici. Aan mensen van koninklijken bloede. Denk aan wie je wilt! Het betekent echt niet dat ze niet van hun vrouw houden.'
'Wat een gelul,' zei Nessa.
'President Mitterrand,' zei Adam triomfantelijk. 'Zijn vrouw en zijn minnares waren allebei aanwezig bij zijn begrafenis. Er is ruimte voor allebei.'
'Wou je me nu vertellen dat je met mij getrouwd wilt blijven en ook die andere vrouwen wilt blijven zien? Je bent echt niet goed wijs, Adam.'

'Het klinkt wel erg steriel als je het zo formuleert.'

'Adam, ik herken je niet meer.' De argumenten die hij nu gebruikte, leken in de verste verte niet op de argumenten die ze vooraf had verwacht.

'Ik ben nog dezelfde man met wie je getrouwd bent,' zei Adam. 'En als je dat per se wilt, zal ik een einde maken aan mijn omgang met Annika en Regan.'

'Dan zullen er weer anderen zijn.'

'Nee,' zei Adam. Hij sloeg zijn arm om haar heen en ze kromp in elkaar. 'Als je daar zo overstuur van raakt, zullen er geen anderen zijn. Ik hou te veel van je om alles zomaar weg te gooien. Echt waar.'

'En je verwacht dat ik dat geloof?'

'Ik beloof het je,' zei hij vast. 'Eerlijk, Nessa. Mijn huwelijk is het allerbelangrijkste in mijn leven. De rest... Goed, ik geef toe dat het opwindend is, maar het betekent echt niet alles voor me.'

'Hoeveel zijn er geweest?' vroeg ze. 'Sinds we getrouwd zijn?'

'Dat weet ik niet.' Hij trok een gezicht. 'Niet zo heel veel, eerlijk gezegd. Ik heb de tel niet bijgehouden. Maar jij wist er niets van en dus maakte je je er ook niet druk over. Als je er niet achter was gekomen...' Hij keek haar vragend aan. 'Hoe ben je erachter gekomen?'

'Bij toeval.'

'Beide keren?'

Ze schudde haar hoofd. 'Bree is je naar Monkstown gevolgd.'

'Dat kleine kreng.'

'Ik heb het haar zelf gevraagd.'

'Waarom?'

'Omdat ik het wist. En toen ik je vroeg hoe dat met Annika zat, wist ik ook dat je loog.'

Hij zuchtte. 'Ik had het bijna toegegeven. Maar ik kon het niet.'

'Omdat je wist dat ik je dan zou haten.'

Hij schudde zijn hoofd. 'Ik wilde je geen verdriet doen. Ik hou van je. En ik wil niet dat je me haat.'

'Waarom?' vroeg ze.

'Hoezo waarom?'

'Waarom hou je van me?'

'Omdat je aantrekkelijk bent. En een goede moeder. Een goede vrouw. Ik vind het prettig om mijn leven met jou te delen.'

'Dat lijkt me niet veel.'

'Het is wel veel,' zei Adam. 'Een van de kerels op kantoor is bij zijn vrouw weggegaan om met een ander meisje samen te gaan wonen. Maar het liep op niets uit. Om iets met elkaar te hebben is iets heel anders dan met elkaar getrouwd te zijn.'

'Maar ze was goed in bed.'

'Dat is maar tijdelijk,' zei Adam. 'Die andere dingen zijn op de lange duur veel belangrijker.'

'Jij was anders volkomen bereid om ons huwelijk in de waagschaal te stellen voor seks.'

'Ik had niet het idee dat ik het in de waagschaal stelde,' zei hij. 'Ik was heel voorzichtig. En het is ook niet zo dat ik je thuis niet goed behandeld heb. Ik ben altijd goed voor je geweest.'

Ze dacht terug aan hoe goed hij voor haar was geweest. Zoals toen Bree dat ongeluk had gehad. Toen had hij thee voor haar gezet, hij had zijn golf afgezegd en hij had niet lopen zeuren omdat hij wist hoe overstuur ze was. Hij was een goede man. Hij was een goede minnaar.

En hij was een verdomde leugenaar.

'Ik kan niet meer met je samenleven, Adam,' zei ze.

'Doe niet zo stom,' zei hij tegen haar. 'Hoor eens, ik snap best dat dit niet gemakkelijk is. Het spijt me echt. Het was niet de bedoeling dat je erachter zou komen. Maar er zijn ergere dingen in de wereld. We komen er wel weer overheen. We passen perfect bij elkaar.'

'Wat ben ik toch een idioot geweest,' riep ze uit. 'Ik geloofde daar heilig in! Ik heb mijn hele leven geprobeerd alles perfect te maken. Maar het was een leugen, Adam. Het was nooit echt.'

'Voor mij wel,' zei hij.

'Hoe kan dat nou?' zei ze. 'Je had toch anderen nodig?'

'Het spijt me,' zei hij opnieuw. 'Maar je weet toch dat ik van je hou, Nessa. Dat weet je best.'

'Maar ik hou niet van jou,' zei ze. 'Ik heb wel van je gehouden, maar nu niet meer.'

'Die krengen zullen je wel opgestookt hebben,' zei hij nijdig.

'Hè?'

'Die zussen van je. Met dat idee voor die "meisjes-onder-elkaar"-vakantie. Jullie zullen wel de hele tijd hebben zitten dubben hoe jij van mij af kon komen.'

Nessa schudde haar hoofd. 'Ze hebben het pas halverwege de vakantie tegen me gezegd. Op de avond dat jij het aan de babysit overliet om Jill op te halen, omdat jij een directievergadering had.'

Hij zei niets.

'Wie van de twee?' vroeg Nessa.

Hij trok zijn wenkbrauwen op.

'Wie?' vroeg ze nog feller.

'Annika,' zei hij tegen haar.

'Wat ben je toch een klootzak.'

'Hoor eens, Nessa...'

'Het is voorbij, Adam.' Ze stond op.

'Waar ga je dan naartoe?' vroeg hij.

'Ik ga nergens heen.' Ze keek hem aan op dezelfde manier waarop ze Jill aankeek als haar geduld op was. 'Waarom zou ik? Ik heb niets verkeerds gedaan. Jij bent degene die weggaat, Adam. Mijn besluit staat vast. Ik schop je de deur uit.'

36

Mars in het teken van de Kreeft

Een emotionele vastberadenheid om door te zetten.

In films ging het absoluut veel gemakkelijker, dacht Nessa terwijl ze op de rand van het bed ging zitten. In films zei je gewoon tegen een vent dat hij op moest rotten en dan ging hij. Maar Adam had haar aangekeken en gewoon gezegd dat hij niet van plan was om hun gezamenlijke huis te verlaten zonder een of andere vorm van gerechtelijk bevel. Hij zei dat hij van haar en van zijn dochter hield en dat iedereen dat wist. Ze had tandenknarsend geantwoord dat hij het nauwelijks een gezamenlijk huis kon noemen, aangezien hij het merendeel van zijn tijd bij andere vrouwen doorbracht. En hij kon wel zeggen dat hij van haar hield, maar dat was onmogelijk als hij relaties met andere vrouwen had. Waarop hij had geantwoord dat het geen relaties waren en dat hij zich daar al voor verontschuldigd had. En als hij bereid was om te veranderen, waarom was zij dat dan niet?

Ze hadden in het verleden nooit tegen elkaar geschreeuwd. Ze hadden vaak meningsverschillen gehad, maar tot schreeuwen was het nooit gekomen. Maar dit keer schreeuwde ze tegen hem dat hij een morbide klootzak was en dat ze niet goed wijs was geweest om met hem te trouwen.

Uiteindelijk was hij de logeerkamer in gestormd en had de deur achter zich dichtgeslagen. En zij bleef alleen achter op de rand van het bed in de slaapkamer die ze zo lang hadden gedeeld en vroeg zich af hoe het kon dat aan andere huwelijken zo gemakkelijk een eind kwam, terwijl het bij haar zo moeilijk ging.

John Trefall was onmiddellijk het huis uit gegaan toen Paula hem het bandje had laten horen met de boodschap van zijn vriendinnetje. Misschien had hij aanvankelijk wel geprobeerd te ontkennen dat hij een relatie met haar had, maar hij was toch door de knieën gegaan en verhuisd naar een appartement een paar kilometer verderop. Maar Adam scheen niet van plan te zijn om zijn intrek in een appartement te nemen. Adam had zijn hakken in de grond geboord en Nessa wist dat het niet gemakkelijk zou zijn om hem het huis uit te krijgen.

Ze stond op en keek uit het slaapkamerraam. Ze voelde niets meer voor hem. Helemaal niets. Ze voelde zich ook niet meer gekwetst of bedrogen. Of verdrietig omdat hun huwelijk schipbreuk had geleden. Ze was alleen verschrikkelijk boos dat ze misschien gedwongen zou worden haar huis met hem te delen, terwijl ze nu alleen maar verder wilde met haar eigen leven. Het zou echt fantastisch zijn als dat betekende dat ze af zou vallen en enorm succesvol zou worden, maar op dit moment betekende het eigenlijk alleen dat ze de situatie het hoofd moest bieden. Maar ze wist dat ze het aankon.

Ze wilde niet meer samenleven met iemand die haar belogen en bedrogen had en dat nog probeerde goed te praten ook. Dat leek haar geen goed voorbeeld voor Jill. Ze wist nog niet precies hoe ze Jill moest vertellen dat ze niet meer van Adam hield, maar ze wist wel dat ze het zou kunnen. En ze wist ook dat ze zou kunnen voorkomen dat Jill het gevoel kreeg dat het haar schuld was. Voor Jill zou ze zorgen dat het geen puinhoop werd. En voor zichzelf. Ze had Adam niet nodig. Ze wenste dat het anders was gelopen, maar ze had hem niet nodig om haar manier van leven en haar gezin in stand te houden. En ook niet voor andere dingen, want die telden toch niet meer als ze niet meer van hem hield.

Cate stapte in bed en trok het dekbed om haar schouders. Ze kneep haar ogen stijf dicht tegen het vage gele licht van de straatlantaarns. De vorige eigenaar had kennelijk besloten dat gordijnen niet nodig waren, omdat je toch niet naar binnen kon kijken, maar zij kon niet slapen met al dat licht. Ze vroeg zich af of het zin had gordijnen te kopen als ze toch niet van plan was hier lang te blijven wonen. Kon ze niet beter haar geld bewaren voor babykleertjes en een babyoppas en buggy's en al die andere dingen die je nodig had voor een kind?

Nu begin ik toch echt te malen, dacht ze terwijl ze zich omdraaide. Ik kan me best een stel gordijnen veroorloven. Anders doe ik geen oog dicht.

Het was de eerste keer in een week tijd dat ze niet in slaap kon komen. In de villa was ze in slaap gevallen zodra ze in bed lag, ook al had ze misschien niet zo diep geslapen als Nessa en Bree, met al die alcohol in hun lijf. In Spanje had ze alles uit haar hoofd kunnen zetten en zich niet constant afgevraagd wat ze nu eigenlijk fout had gedaan. Maar nu begon ze weer te piekeren of ze het in haar eentje wel zou redden en hoe het zou zijn als ze in maart de baby had gekregen. En wat er zou zijn gebeurd als ze de abortus toch had doorgezet.

Haar hand gleed over de lichte welving van haar buik. Dan zou ze niet meer zwanger zijn. 'Het spijt me,' fluisterde ze in de donkere slaapkamer. 'Ik heb echt spijt van wat ik je bijna heb aangedaan en ik betreur het leven dat je uiteindelijk bij mij zult krijgen. Je bent opgezadeld met een stomme trut van een aanstaande moeder en dat verdien je niet. Ik zal mijn best doen om het goed te maken, maar ik weet dat me dat nooit zal lukken.'

Ze deed haar ogen dicht en viel plotseling in slaap.

Toen Bree de volgende ochtend wakker werd, zag ze tot haar ontzetting dat het pas zeven uur was. Toch was ze klaarwakker. Ze stapte uit bed en nam een douche. Het gezicht dat haar vanuit de spiegel aankeek, was licht gebruind en haar blauwe ogen waren stralender dan doorgaans het geval was. Ze deed haar krullende haar in een paardenstaart en kleedde zich aan.

Ze zette fluitend de waterkoker aan en terwijl ze wachtte tot het water kookte, trok ze haar bed recht en ruimde de kleren op die ze de vorige dag had aangehad. Toen keek ze verbaasd om zich heen.

Alles was keurig netjes. Misschien heeft het me toch goedgedaan om een tijdje met Cate en Nessa op te trekken, dacht ze, toen ze een schepje oploskoffie in een mok deed en er kokend water op goot. Misschien heb ik toch wel aanleg voor het huishouden. Ze trok een gezicht. Ze wilde zich helemaal niet met huishoudelijke dingen bezighouden, maar nadat Cate was vertrokken, had ze alles weer opgeruimd. En tijdens de vakantie was ze ook behoorlijk netjes geweest. Maar in zo'n korte tijd kon ze toch niet helemaal veranderd zijn?

Ze schudde haar hoofd en dronk haar mok leeg. Nessa en Cate waren altijd netjes geweest en kennelijk hadden ze haar min of meer aangestoken. Ze keek op haar horloge. Ze hoefde pas om negen uur te beginnen, maar het kon geen kwaad om wat vroeger aanwezig te zijn. Ze stond op en liep naar de keuken om haar mok om te spoelen.

Een paar weken geleden zou ze die gewoon in de gootsteen hebben gezet, bij de andere vuile vaat, en dan had ze de afwas pas gedaan als alles smerig was. Ze zuchtte diep. Haar zussen hadden kennelijk veel meer invloed op haar gehad dan ze besefte. Het zou moeilijk zijn om dat weer terug te draaien.

Cate liep haar kantoor in en ging achter haar bureau zitten. Ze zette haar computer aan en terwijl ze wachtte tot die was opgestart, nam ze het stapeltje telefonische boodschappen door die Glenda voor haar had aangenomen. De meeste waren van vertegenwoordigers en winkels. Een was van een bedrijf voor marktonderzoek. En een was van Finn. Haar maag kromp samen bij het zien van zijn naam op het papiertje dat voor haar lag. Ze keek knipperend naar de boodschap die Glenda in haar keurige handschrift had ingevuld. Dag: woensdag. Tijd: 10.15 uur. Beller: Finn Coolidge. Boodschap: geen.

Waarom had hij gebeld? Waarom had hij haar kantoornummer gebeld in plaats van haar mobiel? Toen bedacht ze ineens dat ze van Nessa en Bree haar telefoon tijdens de vakantie niet had mogen aanzetten. Als Finn haar had gebeld zou hij alleen haar voicemail hebben gekregen.

Maar als het belangrijk was, had hij toch een boodschap kunnen inspreken?

Ze klikte op het icoontje van een sportschoen om de omzetcijfers van de afgelopen week op te roepen. Het zal waarschijnlijk toch niets belangrijks zijn, dacht ze. Het is vast iets stoms over dingen die ik in het appartement heb achtergelaten en die hij me terug wil geven. Of hij wil me vertellen dat hij toch niet van plan is om voor de baby te betalen.

Ze keek neer op haar buik. Ze begon zich solidair te voelen met de baby. Alsof ze het met hun tweetjes tegen de hele wereld moesten opnemen. Al was dat nog zo'n mal idee.

'Ik wil met je praten.' Adam kwam met grote passen de keuken binnen en zette zijn koffertje op de tafel. In de paar dagen sinds ze hem de waarheid had verteld, hadden ze nauwelijks iets tegen elkaar gezegd. Hij had in de logeerkamer geslapen en was iedere ochtend zo vroeg opgestaan dat hij het huis al uit was voordat zij beneden kwam.

Nessa draaide zich om van het aanrecht waar ze aardappels stond te schillen. 'Mij best.'

'Ik heb vandaag met mijn advocaat gesproken,' zei hij. 'Hij is het met me eens dat ik het huis niet uit moet gaan.'

Nessa slikte iets weg.

'Maar ik kan hier niet blijven, hè?' Hij keek haar boos aan. 'Je hebt alles voor me verpest.'

'Goeie genade, Adam!' Ze legde het aardappelmesje neer. 'Je hebt het voor jezelf verpest.'

'Ik heb tegen je gezegd dat ik bereid was om het nog een keer te proberen,' snauwde hij. 'Maar jij... jij bent niet eens bereid om zelfs maar een poging te wagen. Je gedraagt je als een dramatische ijskoningin en maakt mijn leven ondraaglijk.'

'O, doe even normaal.' Ze pakte het mesje weer op en stak boos een pitje uit een aardappel.

'Ondanks zijn advies ga ik toch een paar weken weg,' zei Adam. 'Op deze manier heb ik geen leven. Dat zal jou de tijd geven om je gezond verstand terug te krijgen en te merken hoe het is om alles zonder mij te moeten doen. Maar ik blijf gewoon de hypotheek betalen, het blijft gewoon ons gezamenlijke huis en ik ga absoluut niet bij je weg.'

Nessa haalde haar schouders op.

'Als je ook maar één moment denkt dat je me de deur uit kunt schoppen en alles kunt houden waar ik zo hard voor gewerkt heb, moet je je laten nakijken,' zei Adam.

'Jij bent degene die met andere vrouwen naar bed is gegaan,' zei Nessa.

'Dat had niets te betekenen, dat heb ik je toch verteld,' antwoordde Adam boos.

'Hoe kun je dat zeggen? Hoe durf je me onder ogen te komen en me te vertellen dat het niets te betekenen had dat jij je niet aan je trouwbeloften hebt gehouden?'

'Doe nou maar niet zo schijnheilig,' gaf Adam lik op stuk. 'Je bent nooit een heilig boontje geweest, Nessa. Dus daar hoef je nu ook niet mee te beginnen.'

'Ik blijf maar het gevoel hebben dat dit een nachtmerrie is en dat ik zo wakker word,' zei Nessa tegen hem. 'Maar dat is niet waar. Ik ben getrouwd met iemand die schijnt te denken dat het huwelijk inhoudt dat hij altijd iemand zal hebben om voor hem te koken, zijn onderbroeken te wassen en zijn huishouden op rolletjes te laten lopen. Ik kan nauwelijks geloven dat er in de eenentwintigste eeuw nog kerels zijn die er zo over denken!'

'Daar heb je je anders nooit druk over gemaakt,' zei Adam.

'Nee. Niet toen ik die dingen voor iemand moest doen van wie ik dacht dat hij van me hield,' zei Nessa. 'Maar voor iemand die half Dublin platneukt, is het een ander verhaal.'

'Let een beetje op je woorden,' zei Adam.

'Dan had jij maar beter op je gedrag moeten letten.'

'Waarom snap je toch niet dat er een verschil bestaat?' Adam keek haar smekend aan. 'Liefde en...'

'Begin nou niet weer met dat gelul,' viel Nessa hem in de rede. 'Volgens jou bestaat er een verschil tussen liefde en lust. Maar er is ook nog zoiets als respect. Dat heb je niet voor mij getoond en het staat als een paal boven water dat ik het nu ook niet meer voor jou voel.'

'Ik heb je altijd gerespecteerd!'

'O, alsjeblieft,' zei Nessa met een kort lachje. 'Je hebt me belazerd. Dat is iets heel anders.'

'Ik ga een paar dingen inpakken,' zei Adam. 'Maar niet al mijn spullen. Want ik kom weer terug, Nessa. Je mag nu dan even last hebben van idiote feministische neigingen, maar daar kom je heus wel van terug.'

'Ik heb net mijn gezond verstand terug,' gaf Nessa hem te verstaan. 'Het begint erop te lijken dat dat de afgelopen tien jaar volkomen zoek is geweest!'

'Alsjeblieft, Nessa.' Adams stem klonk plotseling verzoenend. 'Dit is toch niet normaal voor ons. We maken nooit ruzie. We overleggen altijd. En we kunnen dit ook wel oplossen, echt waar. Beloof me nou alleen maar dat je er een tijdje over na zult denken.'

Ze liet de aardappel in de gootsteen vallen. 'Nou goed dan,' zei ze na een poosje. 'Ik zal erover nadenken.'

Jill keek toe hoe hij zijn koffers pakte. 'Hoe lang moet je weg?' vroeg ze.

'Een poosje,' zei Adam. 'Ik moet werken.'

'Maar je gaat iedere morgen al naar je werk,' weerlegde ze.

'Dit keer moet ik voor mijn werk ergens anders wonen,' zei Adam grimmig. 'Maar ik zal steeds aan je denken, hoor.' Hij keek zijn dochter aan. 'Wat de mensen ook zeggen, ik hou ontzettend veel van je.'

'Dat weet ik wel,' zei Jill. 'Dat heeft mam me ook al verteld.'

'O ja?' vroeg Adam.

Jill knikte. 'Ze zegt dat jullie allebei ontzettend veel van me houden.'

'Kijk eens aan.' Adam lachte stralend. 'Je bent kennelijk een heel belangrijk persoontje als we allebei zo veel van je houden.'

'Maar toch wil ik niet dat je ergens anders gaat wonen,' zei Jill.

'Ik zal je iedere dag bellen,' beloofde Adam.

'Oké.' Maar de twijfel was in Jills stem te horen.

'Ik beloof het,' zei Adam.

'Iedere dag?'

'Iedere dag,' verzekerde hij.

Nessa zag er ontzettend tegenop om het Miriam te vertellen. Ze had het gevoel dat haar moeder al genoeg op haar bord had gekregen met Cates zwangerschap en Brees ongeluk en ze vond eigenlijk ook dat zij als oudste degene moest zijn die alles goed deed. Miriam had haar altijd op het hart gedrukt dat ze haar zusjes het goede voorbeeld moest geven. En die verplichting had Nessa bijzonder serieus genomen. Ze belde Miriam pas toen Jill in bed lag en zat vervolgens een hele tijd over koetjes en kalfjes te praten.

'Wat is er aan de hand?' vroeg Miriam uiteindelijk.

'Hoezo?'

'Lieve hemel, Nessa, ik weet zeker dat er iets aan de hand is. Je zit nu al een kwartier allerlei onzin uit te kramen. Je hebt me iets te vertellen, hè?'

Nessa zuchtte. 'Adam is weg,' zei ze.

'Weg?'

'Hij... O, mam, hij had... er waren andere vrouwen.' Tot haar ontzetting barstte Nessa in snikken uit.

'Ik kom nu naar Dublin toe,' zei Miriam vastberaden.

Het zou heerlijk zijn om zich door Miriam te laten vertroetelen, dacht Nessa. Maar ze wilde niet vertroeteld worden. Alleen de gedachte eraan was haar al te veel. Ze haalde diep adem en onderdrukte haar tranen.

'Ik zou het heerlijk vinden als je kwam,' zei ze. 'Maar nu nog niet. Ik wil een tijdje alleen zijn.'

'Is hij voorgoed weg? Gaan jullie scheiden?'

'Zover heb ik nog niet doorgedacht,' zei Nessa vermoeid. 'Hij wil dat ik er nog een tijdje over nadenk. Maar ik heb er al tijden over nagedacht. Ik wil hem niet terug.'

'Ik wist wel dat er iets mis was toen je me uit Spanje belde,' zei Miriam. 'Ik had iets moeten doen.'

'Doe nou niet zo mal, je had er toch niets aan kunnen doen.' Nessa snufte. 'Maar ik red het best in mijn eentje, hoor Mam.' Ze klemde haar vingers om de telefoon. 'Dat heb ik me nooit eerder gerealiseerd. Ik dacht dat mijn hele leven om Adam draaide. Ik had nooit willen geloven dat ik ook zonder hem zou kunnen leven. Maar dat kan ik wel, dat weet ik zeker.'

'Ik mocht hem graag,' zei Miriam. 'Maar hij was wel een beetje al te overtuigd van zijn eigen charme.'

'Hij was bijzonder charmant,' beaamde Nessa. 'O, mam, in veel opzichten was hij een ideale echtgenoot. Maar als je iemand niet meer vertrouwt... dan houdt alles op, hè?'

'Ja,' zei Miriam.

'Het spijt me echt ontzettend.' Nessa voelde de tranen weer in haar ogen springen.

'Spijt?'

'Dat ik er zo'n puinhoop van heb gemaakt. Dat ik me vergist hebt. Dat ik nu je gescheiden dochter zal worden. Dat Jill nu in een eenoudergezin zal moeten opgroeien.'

'Je hoeft nergens spijt van te hebben,' zei Miriam heftig. 'Helemaal nergens van. Je bent een schat van een dochter, je was een schat van een vrouw en je bent een schat van een moeder. Jill mag haar handjes dichtknijpen dat ze jou heeft. Dus kom nou niet met verontschuldigingen aan, Nessa. Cate begon ook al. Ik ben kennelijk geen al te beste moeder geweest als jullie denken dat jullie je moeten verontschuldigen voor de manier waarop jullie leven verloopt.'

'Dat is niet waar,' zei Nessa. 'Je was een fantastische moeder. Maar bij jou ging alles goed en bij ons gaat alles fout.'

Miriam zuchtte. 'Je vader en ik hebben ontzettend ons best moeten doen om ons huwelijk in stand te houden,' zei ze. 'Soms was alles geweldig en soms liep het voor geen meter. Maar ik zal je iets vertellen, Nessa. Als hij me ooit met andere vrouwen had bedrogen, dan had ik hem onmiddellijk de deur uit geschopt. Jij kunt er niets aan doen dat Adam zich zo heeft gedragen, dus je hoeft je ook niet schuldig te voelen. En je hoeft ook niet het gevoel te hebben dat je mij teleurgesteld hebt. Dat zou alleen het geval zijn geweest als je dit had geaccepteerd.'

'Echt waar?' vroeg Nessa.

'Zeker weten,' zei Miriam. 'Ik wil dat mijn meiden sterk zijn. En dat zijn ze.'

'Maar onze relaties zijn allemaal op een ramp uitgelopen,' zei Nessa.

'Maar jij en Cate hebben wel kennisgemaakt met liefde,' zei Miriam. 'Het mag dan op niets zijn uitgelopen, maar jullie weten tenminste hoe het is om van iemand te houden. Dat is beter dan niet te weten hoe het is om te beminnen en bemind te worden. Geloof me maar gerust. En ik hoop dat Bree ook iemand zal vinden om van te houden.'

Nessa zei niets. Ze had het idee dat ze Miriam nu nog niet moest overvallen met de mededeling dat Bree verliefd was geworden op een vijfenveertigjarige weduwnaar met drie kinderen. Haar moeder had voorlopig al genoeg te verduren gekregen.

'Ik zie je binnenkort wel,' zei ze. 'Misschien kunnen Jill en ik beter een paar daagjes naar Galway komen, dan dat jij die hele reis hierheen moet maken.'

'Dat zou heerlijk zijn,' zei Miriam.

'Bedankt,' zei Nessa.

'Waarvoor?'

'Dat je het begrijpt.'

'Zorg jij nou maar goed voor jezelf,' zei Miriam. 'En voor Jill. En denk erom dat je iedere dag belt.'

'Dat zal ik doen,' zei Nessa. 'Welterusten, mam.'

'Welterusten,' zei Miriam.

Ze legde de telefoon neer en keek naar Louis die tegenover haar zat en net deed alsof hij de krant las. Een golf van liefde en dankbaarheid welde in haar op, omdat zij samen wel van een lang en gelukkig huwelijk hadden kunnen genieten. Louis had in al die tijd dat ze samen waren nooit naar een andere vrouw gekeken. Nou ja, af en toe had hij weleens gekeken, dat moest ze toegeven, maar daar was het altijd bij gebleven. En ze hadden ook die afschuwelijk tijd gehad, toen hij bijna al hun spaargeld had verloren door het te investeren in iets dat niet mis kon gaan. Dat had een wig tussen hen gedreven en het had lang geduurd voordat ze daar weer overheen waren. Maar uiteindelijk was de band tussen hen nog sterker geworden.

'Problemen?' Hij vouwde de krant dicht en keek haar over zijn leesbril aan.

'Nessa,' zei ze. 'Adam en Nessa. Ik heb altijd gedacht dat ze helemaal kapot zou gaan als er tussen hen iets misging. Hoewel ik dat eigenlijk helemaal niet verwachtte. Maar nu dat wel zo is, kan ze kennelijk een kracht opbrengen waarvan ik het bestaan niet eens vermoedde.'

'Al onze meiden zijn sterk,' zei Louis. 'Dat hebben ze van jou. Vertel me eerst maar eens wat er aan de hand is. Ik heb nooit zo veel vertrouwen gehad in Adam als jij. Ik heb altijd het gevoel gehad dat een vent die niet eens een auto kan parkeren zonder er een kras op te maken geen knip voor de neus waard was.'

Het lijkt wel alsof ik constant aan de telefoon hang, dacht Nessa, terwijl ze Brees nummer intoetste. Ze was opgelucht dat ze Miriam had verteld wat er was gebeurd, maar het had veel moeite gekost. Om het tegen haar jongste zusje te zeggen zou een stuk gemakkelijker zijn.

'Hij is weg,' zei ze, zodra Bree opnam.
'Wat?'
'Adam. Hij is weg.'
'Nessa!' riep Bree uit. 'Wat goed van je. Je hebt hem de deur uit geschopt.'
'Nou, niet precies.' Nessa vertelde wat Adam tegen haar had gezegd. 'Dus hij weigert pertinent om mij het huis te geven. De enige reden dat hij is vertrokken, is omdat ik heb gezegd dat ik er nog eens over na zal denken.'
'O, Nessa,' kreunde Bree. 'En ik dacht nog wel dat je voet bij stuk had gehouden. Je bent dus nog niet van hem af.'
'Jawel,' zei Nessa. Ze was zelf verbaasd hoe stellig ze klonk. 'Als ik niet had gezegd dat ik er nog eens over na zou denken, hadden we weer ruzie gekregen en dan was hij in de logeerkamer blijven kamperen. Ik wilde hem gewoon de mond snoeren. Het heeft misschien een beetje lang geduurd, Bree, maar nu ik een besluit heb genomen, blijf ik daar ook bij. Ik heb geen zin om daarop terug te komen.'
'Goed zo,' zei Bree bewonderend. 'Je klinkt erg zelfverzekerd.'
'Het heeft me minder moeite gekost dan ik had verwacht,' zei Nessa. 'Maar al die ellende die me nu te wachten staat, zal me niet zo gemakkelijk vallen. Ik heb een advocaat nodig, Bree. Ik zal me moeten verdiepen in alle aspecten van een echtscheiding om erachter te komen wat mijn rechten zijn.'
'Heb je die dan nog niet?' vroeg Bree.
'Jawel,' zei Nessa. 'Maar Adam heeft altijd contact met hem gehad en waarschijnlijk treedt hij nu voor Adam op. Dus ik moet iemand anders hebben en ik dacht dat Declan Morrissey me misschien zou kunnen helpen.'
Bree hield even haar mond. 'Ik weet eigenlijk niet of Declan ook echtscheidingen doet. Maar hij zal vast wel iemand kennen, die daarin gespecialiseerd is.'
'Je hoeft hem niet te bellen als je daar geen zin in hebt,' zei Nessa. 'Ik dacht alleen dat hij misschien verstand van dat soort zaken had.'
'Maar het geeft me wel een excuus om hem te bellen als ik dat zou willen,' zei Bree. 'Ga me nou niet vertellen dat jij je man de deur uit geschopt hebt om mij een excuus te geven mijn enige vriend te bellen die iets van de wet weet.'

'Ik mag dan je oudere zus zijn en je af en toe matsen,' zei Nessa. 'Maar dat gaat me te ver, Bree!' En wat vriendelijker: 'Wil je hem bellen?'

Bree zuchtte. 'Ik wou dat ik het wist.' Maar direct daarna voegde ze er op vastbesloten toon aan toe dat ze er eigenlijk helemaal geen zin in had.

'Waarom niet?' vroeg Nessa.

'Ik heb je al eerder verteld dat ik daar helemaal niets mee opschiet. Ik heb nooit op die manier aan hem gedacht tot hij er zelf over begon. Dus het slaat nergens op.'

'Moet dat dan?' vroeg Nessa.

'Nessa, ik ken de man nauwelijks,' protesteerde Bree. 'Ik heb alleen even verkering gehad met zijn zoon! En jij en Cate waren het er roerend over eens dat het een belachelijk idee was.'

'Ik moet toegeven dat ik een beetje schrok, maar dat was vanwege zijn leeftijd,' zei Nessa. 'Maar als hij de ware Jakob voor je is, Bree... als er maar een kleine kans is...'

'Ik dacht dat jij me juist zou waarschuwen om er niet aan te beginnen, als je nagaat wat jij net achter de rug hebt,' zei Bree.

'Ik kan er niets aan doen.' Nessa zuchtte. 'Ik wil gewoon dat iedereen gelukkig is, dat zal wel in mijn karakter zitten. En ik heb een goed gevoel over jou en Declan.'

'Maar je had meteen een hekel aan hem,' merkte Bree op.

'Omdat ik dacht dat hij vervelend tegen je zou doen,' zei Nessa. 'Maar een man die je chocoladekoekjes brengt als je met je been omhoog zit... goh, Bree, dat moet een vent uit duizenden zijn!'

'Ik zou het niet weten,' zei Bree. 'Maar ik zal hem voor je bellen, Nessa. En dat is ook het enige wat ik hem zal vragen. Of hij een goede advocaat voor jou weet. Want ik wil er zeker van zijn dat je van die kloterige Adam Riley alles krijgt waar je recht op hebt.'

'Dank je wel,' zei Nessa lief.

'Dat is echt de enige reden,' zei Bree opnieuw.

Nessa grinnikte toen ze de verbinding verbrak. Ze stond op het punt om verwikkeld te raken in een waarschijnlijk vervelende en ongetwijfeld verbitterde echtscheidingsprocedure. Ze wist dat het leven de komende paar maanden verdomd moeilijk zou worden. Maar nu was zij degene die bepaalde wat er gebeurde. Zij had het voor het zeggen. En hoewel ze heel goed wist dat de tranen constant op de loer zouden liggen, voelde ze zich zelfverzekerder dan in jaren het geval was geweest.

37

De maan in het eerste huis

Een aangeboren instinct om voor anderen te zorgen.

Bree was vrijdagmiddag om halfvier klaar met haar werk. Ze was die ochtend heel vroeg begonnen met een dringende klus aan een van de bedrijfswagens omdat de auto om acht uur weer nodig was. Tegen de tijd dat de andere monteurs kwamen opdagen, had ze de reparatie klaar en was begonnen aan de lijst van auto's die een onderhoudsbeurt nodig hadden.

Om kwart over drie zei Christy dat ze naar huis mocht.

'Hoezo?' vroeg ze. 'Er staan nog een paar wagens die gedaan moeten worden.'

'Die doen de anderen dan maar,' zei hij. 'Je bent al uren aan de slag. Het is vrijdag, Bree. Ga maar lekker naar huis, was je haar of ga andere dingen doen die jonge, vrije meiden op vrijdagavond doen.'

'Eerlijk gezegd zou ik naar het appartement van mijn zus gaan,' zei Bree. 'We waren van plan om met ons drieën plus mijn nichtje een damesavondje te organiseren.'

'Wat houdt dat in?' wilde Christy weten. 'Zitten jullie elkaar dan te vertellen dat jullie alle kerels haten en spelden in Action Man-poppetjes te steken of zo?'

Bree lachte. 'Nee, hoor. We gaan lekker video's kijken en wensen dat we mannen kennen die net zo knap, gevoelig en zorgzaam zijn als die helden uit Hollywood.'

'Doen meisjes dat altijd als ze een avondje thuisblijven?'

'Zeker weten,' zei Bree.

'Dan lijkt het me echt beter dat je in plaats daarvan uitgaat,' zei Christy. 'Het lijkt mij een stomvervelende manier om je vrijdagavond door te brengen. En trouwens, je bent net met je zussen op vakantie geweest. Ik dacht dat jullie inmiddels wel genoeg van elkaar zouden hebben.'

'Wat mij betreft, scheelt het niet veel,' zei Bree. 'Maar ik hou het nog wel even uit, denk ik.'

'Op een dag kom je gewoon een leuke kerel tegen,' zei Christy tegen haar. 'En dan hoef je niet meer met andere meiden thuis te zitten.'

'Meiden zijn minder lastig in de omgang,' zei Bree.

'Dat idee heb ik nooit gehad,' zei Christy tegen haar. 'In ieder geval niet voordat ik mijn vrouw leerde kennen.'

'God zegene haar,' zei Bree.

'Je bent na dat ongeluk nooit meer met die jonge Michael Morrissey op stap geweest, hè?' Christy's stem klonk nonchalant.

'Begon je daarom over vrijdagavond?' vroeg ze. 'Je weet best dat het uit is met Michael. Hij was een leuke knul, maar als puntje bij paaltje komt, rijdt hij me een beetje te hard.'

'Ik heb Declan ook al een tijdje niet meer gezien,' zei Christy. 'Aardige vent.'

Ze had constant aan Declan moeten denken sinds ze Nessa beloofd had hem te bellen. Dat was inmiddels al tien dagen geleden, maar hoewel het een prima excuus was, had ze toch de moed niet op kunnen brengen. En nu wist ze dat ze niet veel langer kon wachten, omdat ze niet Nessa's hele leven wilde verpesten door haar niet de beste advocaat te bezorgen die er was, ook al had Nessa gezegd dat ze gebruik zou maken van hetzelfde advocatenkantoor dat haar vriendin Paula in de arm had genomen als Declan niemand kon aanbevelen.

Ze liep de garage uit, stapte op haar motor en zette haar helm op. Ze voelde zich ineens doodmoe. Eigenlijk moest ze meteen naar huis gaan en een douche nemen. Bovendien kon ze zich best een beetje opknappen, ook al zouden ze vanavond met meisjes onder elkaar zijn.

Toen Cate hen had uitgenodigd om een avondje op bezoek te komen in haar nieuwe appartement hadden Nessa en Bree allebei het gevoel gehad dat ze niet konden weigeren. Ze maakten zich zorgen over Cate die ontzettend gespannen leek sinds ze uit Spanje terug waren en die op het oog nog magerder was geworden ondanks haar bolle buikje. Ze had Nessa verteld dat Finn had gebeld toen ze weg was, maar dat hij geen boodschap had achtergelaten en ook niet terug had gebeld. Ze wist niet of ze hem nu wel of niet moest bellen. Diep vanbinnen wilde ze dat wel, maar tegelijkertijd durfde ze het eigenlijk niet. Ze hadden er uren met hun drieën over zitten kletsen en waren uiteindelijk tot de conclusie gekomen dat hij nog wel een keer zou bellen. Ze hadden het idee dat hij probeerde haar zenuwachtig te maken door niet meteen terug te bellen. Cate moest zich koel en gereserveerd opstellen en niet meteen voor hem klaarstaan, hadden Nessa en Bree gezegd. Ze had naar hen geluisterd, maar nu er alweer een paar dagen voorbij waren, begon Bree bang te worden dat ze Cate het verkeerde advies hadden gegeven. Misschien had ze gewoon de telefoon op moeten pakken om te horen wat hij te vertellen had.

Bree zuchtte. Mannen zaten zo ingewikkeld in elkaar. In ieder geval slaagden ze er telkens weer in om simpele dingen ingewikkeld te maken. Vrouwen gingen veel directer op hun doel af. Maar toen schoot ze inwendig in de lach, want de jongens in de garage liepen altijd te klagen dat meiden zo gecompliceerd waren en dat ze gewoon niets van vrouwen begrepen.

Ze startte de motor en reed de weg op, terwijl de gedachten nog steeds door haar hoofd tolden. Zelfs als vrouwen even gecompliceerd waren als mannen, waren het toch de mannen die hen steeds aan het huilen maakten. Dat was haar in het verleden ook overkomen. En Cate en Nessa hadden tranen met tuiten gehuild om Finn en Adam. Ze vroeg zich af of er een vrouw zou bestaan, die nooit tranen over een vent had geplengd.

Ze dacht aan Michael Morrissey. Natuurlijk had ze om hem geen traan gelaten, zelfs niet toen hij het uit had gemaakt. Zou het anders zijn gelopen als ze niet dat ongeluk hadden gehad? Zouden ze dan wel een relatie hebben gekregen? En zou Declan in dat geval ook zijn mond hebben opengedaan? Hoe zou het zijn geweest als ze regelmatig bij hen thuis was gekomen zonder te weten dat Declan zich tot haar aangetrokken voelde, terwijl zij verliefd was op zijn zoon?

Alleen was dat natuurlijk helemaal niet waar. Ze had zichzelf wijsgemaakt dat ze verliefd was op Michael. Als je iemand sexy vond, was dat nog geen liefde. En als alles in bed klopte, was dat ook nog geen liefde... ook al was het daar met Michael nooit van gekomen. Maar als dat ongeluk niet was gebeurd, had hij het misschien niet uitgemaakt en de kans was groot dat ze dan met hem naar bed was gegaan. En het kon best dat ze dan ook verliefd op elkaar waren geworden. Dan zou Declan nooit de kans hebben gekregen om zijn mond open te doen en zou zij hier nu niet rijden met een hoofd vol tollende gedachten. Verdorie nog aan toe, dacht ze boos. Waarom moest hij daarover beginnen? Waarom moest hij me op het idee brengen dat het tussen ons best iets zou kunnen worden?

Verkering met Declan zou iets heel anders zijn dan verkering met iemand anders. Heel anders dan met Gerry of Enrique of Fabien. Heel anders dan met Terry, de legionair, of met Marcus, de slangenbezweerder. En zelfs heel anders dan met Declans zoon, de snelheidsmaniak. Waar het op neerkwam, was dat Declan geen rare snuiter was. Maar, prentte ze zichzelf in, hij was toch een man. Hij maakte haar leven nu al veel gecompliceerder dan haar zinde. En op een dag zou hij iets doen waardoor alles in puin zou vallen en dan zou ze net als Cate en Nessa tranen met tuiten huilen om een man.

Ze remde af en ging aan de kant van de weg staan. Haar handen trilden. Dit was belachelijk. Ze had geen enkele reden om zich zo op te winden. Ze gaf niets om Declan Morrissey. De kans dat ze een relatie met hem zou beginnen, was nihil. Het zou bijzonder onpraktisch zijn. Ze fronste toen ze haar helm afzette en haar hand door haar haar haalde. Natuurlijk vond ze hem best aardig, ze had hem vanaf het begin aardig gevonden, maar het kostte haar de grootste moeite om hem in een andere rol te zien dan als de vader van haar vriendje.

Maar als ze Michael nooit had leren kennen, als ze Declan gewoon ontmoet had... Ze schudde haar hoofd. Dan zou het nog niet in haar hoofd zijn opgekomen. De enige reden waarom ze er nu over nadacht, was omdat hij erover was begonnen. En hoe serieus had hij dat eigenlijk bedoeld? Misschien had hij er inmiddels allang spijt van. Maar ondertussen stond die opmerking van hem wel in haar hoofd gegrift en daardoor had ze hem niet kunnen vergeten. Terwijl ze doorgaans echt geen moeite had om mannen te vergeten.

Dus waarom was het dan nu anders? En nog wel met iemand die zoveel ouder was dan zij, die zo'n ander soort leven had geleid en die al zo'n lang leven achter de rug had. Zou ze het wel hebben geaccepteerd als hij niet zoveel ouder was geweest, als hij geen gezin had gehad en als ze niet bijna zijn zoon had gekust? Daar moest Bree zelf om lachen. Al die dingen waren juist typisch voor Declan, als dat niet zo was geweest zou hij niet dezelfde zijn en had ze hem misschien niet eens aardig gevonden. Want ze vond hem absoluut aardig, ook al had dat veel te maken met die koekjes en die muffins.

Ze zuchtte en zette haar helm weer op. Daarna startte ze de motor weer en reed verder.

Het was helemaal haar bedoeling niet geweest om naar het gerechtsgebouw te gaan, maar onwillekeurig kwam ze daar toch terecht. Ze wilde zien waar hij werkte om een indruk te krijgen van het soort persoon dat hij was. Het was hoogst onwaarschijnlijk dat hij op vrijdagmiddag nog bij de rechtbank zou zijn, dacht ze terwijl ze op zoek ging naar een parkeerplaats voor haar motor.

Ze liep de trap op, zich scherp bewust van haar omgeving. Ze was hier nog nooit geweest, maar ze had het gebouw wel op tv gezien, als achtergrond bij allerlei reportages met verslaggevers die ademloos vertelden dat bepaalde zaken beide kanten op konden gaan en met cameralieden die inzoomden op zowel de winnaar als de verliezer.

Er stond een aantal mensen in de hoge, ronde entreehal, die toegang gaf tot de verschillende rechtszalen. Ze stonden op gedempte toon met elkaar te praten, maar het klonk net alsof ze in een kerk zaten te fluisteren. Af en toe ging er onverwachts een gelach op, dat helemaal niet in deze ernstige omgeving leek te passen.

De deur van rechtszaal nummer drie ging open en een meisje kwam met een betraand gezicht naar buiten rennen. Twee vrouwen liepen achter haar aan en haalden haar in bij de ingang van het gebouw. Ze sloegen hun armen om haar heen en fluisterden haar iets in het oor.

Bree beet op haar lip. Ze herinnerde zich plotseling dat haar vader eens had gezegd dat recht en rechtvaardigheid twee totaal verschillende dingen waren. Ze vroeg zich af hoe Declan daarover zou denken.

Toen er aan de andere kant van de hal iets bewoog, keek ze die kant op. Dit keer liepen drie advocaten met grote stappen naar de uitgang, in wapperende toga's en met die belachelijke pruiken op hun hoofd. Bree moest onwillekeurig lachen. Zou Declan ook een pruik dragen? Ze kon zich niet voorstellen hoe hij eruit zou zien met een bos witte krullen op zijn dikke, grijzende haar.

Plotseling voelde ze zich niet meer op haar gemak. Ze hoorde hier niet thuis. Het drong ineens tot haar door dat een paar mensen haar nieuwsgierig aan stonden te kijken. Die vroegen zich vast af waarom een meisje in een leren motorpak hier in het gerechtsgebouw doelloos om zich heen stond te kijken. Maar ze wilde ook niet zomaar weer naar buiten lopen, want dat zou vast ook een rare indruk maken. Haar oog viel op het damestoilet en ze liep er resoluut naartoe. Binnen leunde ze met haar hoofd tegen de betegelde muur en sloot haar ogen.

Het gerechtsgebouw leek totaal niet op andere plaatsen waar ze in haar leven was geweest. Er hing een ernstige sfeer die zelfs niet teniet werd gedaan door die malle witte pruiken. Om hier te kunnen werken moest je wel een bepaalde doelstelling in je leven hebben. Een doelstelling waar zij totaal geen weet van had.

Ze deed haar ogen weer open. Het was goed dat ze hier naartoe was gekomen, dat had Declan en alles wat met Declan te maken had in perspectief geplaatst. Hij was een volwassen man die in een volwassen wereld leefde en werkte. Zij was een automonteur die van plezier maken hield. Hun levens en hun dromen lagen kilometers uit elkaar en het was zinloos om te denken dat daar ooit verandering in zou komen. Hij beschouwde haar waarschijnlijk als een leuk jong ding met wie hij zich kon amuseren. Wat hem in haar intrigeerde, was waarschijnlijk het feit dat ze het werk van een man deed en er nog goed in was ook. Precies zoals met Michael het geval was geweest. Maar zij wilde niemand intrigeren. Ze wilde alleen maar van iemand houden. Van iemand die ook van haar zou houden.

Ze waste haar handen (die nog steeds een beetje vuil waren, ook al had ze er in de garage stevig op staan boenen) en liep terug naar de hal, waar ze in botsing kwam met een groep advocaten die druk met elkaar in gesprek waren.

'Sorry!' zei ze ademloos toen een van hen bijna een dossier liet vallen. Hij bromde geërgerd. Daarna keek een van de anderen haar verbaasd aan.

'Bree?'

Declan Morrissey droeg inderdaad een pruik. En die stond hem net zo mal als ze had gedacht.

'Hallo, Declan.' Ze keek hem onzeker aan.

'Wat spook jij hier nu uit?' Hij trok haar opzij en keek toen zijn collega's aan. 'Ik zie je straks wel, Raphael,' zei hij tegen een van hen, die knikte en Bree met onverholen nieuwsgierigheid aankeek.

'Vertel op,' zei Declan.

'Ik had niet verwacht dat je hier zou zijn,' zei ze. 'Ik wilde gewoon zien hoe het eruitzag.'

'Hoe wat eruitzag?'

'Het gerechtsgebouw. Waar jij werkte. Wat je deed.'

'Waarom?'

Ze probeerde nonchalant haar schouders op te halen. 'Ik wilde het gewoon weten.'

Declan keek haar zwijgend aan.

'Wat wilde je dan precies weten?' vroeg hij ten slotte.

Ze glimlachte flauw. 'Ik heb geen flauw idee. Ik dacht gewoon dat het wel interessant zou zijn.'

'En is dat ook zo?'

'Ik denk het wel,' zei ze. 'Eerlijk gezegd was ik behoorlijk geïntimideerd toen ik hier binnenkwam.'

'Wilde je een bepaald proces bijwonen?'

Ze schudde haar hoofd. 'Ik wilde gewoon eens iets anders zien.'

'Juist.'

Ze bleven zwijgend naast elkaar staan toen een ander groepje in toga gehulde advocaten langs hen heen liep.

'De mensen zullen wel denken dat ik een van je cliënten ben,' zei Bree.

'Waarschijnlijk wel,' beaamde Declan.

'Ben je een strafpleiter?' vroeg ze.

'Ja,' zei hij.

'Dus ik zou best een misdadigster kunnen zijn?'

'Of niet.' Hij glimlachte. 'Je ziet er niet uit als iemand die een leven vol misdaad achter de rug heeft.'

'Daar mag ik dan in ieder geval blij om zijn.' Ze keek opnieuw om zich heen. 'Het lijkt me beter als ik er nu weer vandoor ga,' zei ze.

'Mijn kantoor is vlakbij,' zei Declan. 'Heb je zin om daar een kopje koffie met me te drinken?'

Bree reageerde niet meteen, maar knikte toen.

Ze had verwacht dat Declan haar mee zou nemen naar een oud, vervallen gebouw waar de muren vol hingen met portretten van dode rechters. Maar in plaats daarvan liepen ze het gerechtsgebouw uit en staken de straat over naar een modern kantoorpand met lichte, houten meubels en glanzende tegelvloeren. Ze volgde hem de trap op naar een kleine kantoorsuite.

Een meisje dat achter een computer zat, keek op toen hij binnenkwam.

'Bernard Fallon heeft vier keer gebeld,' zei ze. 'Mevrouw McAllister één keer en Gerry Rhodes ook één keer.'

'Prima, Sally, bedankt,' zei Declan. Hij duwde de deur van een ander kantoor open en wenkte dat Bree mee naar binnen moest komen.

Ze denkt vast dat ik ook een of andere misdadiger ben, dacht Bree toen ze de licht nieuwsgierige blik van het andere meisje opving. Ik hoop dat ze denkt dat ik een of andere jetset-juwelendief ben of een beruchte vervalser en geen moordenares of een tasjesdief.

Declan liep naar het koffiezetapparaat in de hoek.

'Misschien kan ik maar beter verse zetten,' zei hij. 'Deze zal al wel uren hebben gestaan.'

'Doe maar geen moeite,' zei Bree. 'Ik geloof dat ik toch geen zin in koffie heb.'

'Ik ook niet,' zei Declan.

Ze glimlachten even tegen elkaar.

Tegen de muur stond een kleine bank. Declan gebaarde dat Bree moest gaan zitten.

'Ik heb een heel raar gevoel,' zei ze. 'Het is net alsof ik vanuit mijn eigen leven een heel andere wereld ben binnengestapt.'

'Ik ook.' Declan ging naast haar zitten. 'Ik heb in het gerechtsgebouw nog nooit met mijn mond vol tanden gestaan, maar toen ik jou zag, was dat wel het geval.'

Ze zwegen even. Bree kon het geluid van haar eigen ademhaling horen.

'Mijn zus heeft een advocaat nodig,' zei ze plotseling. 'Haar huwelijk is op de klippen gelopen.'

'O.' Declan keek haar aan. 'Dus dat is de reden van je komst?'

Bree schraapte haar keel. 'Ik heb haar beloofd dat ik het aan jou zou vragen.'

'Welke zus?' vroeg Declan.

'Nessa,' zei Bree. 'De driftkikker.'

'Het spijt me dat te horen.'

Bree herkende de professionele toon in zijn stem.

'Ik ben niet gespecialiseerd in echtscheidingszaken,' zei Declan tegen haar. 'Maar ik ken wel een paar advocatenkantoren die zich...'

'Ze moet de beste hebben die er is,' viel Bree hem in de rede. 'Die smeerlap heeft haar met zeker twee vrouwen belazerd.'

Declan trok zijn wenkbrauwen op.

'Ze had er geen flauw idee van,' zei Bree. 'Ze geloofde hem toen hij zei dat hij van haar hield.'

Declan knikte. 'Ik kijk wel even rond voor jullie,' zei hij. 'En dan zal ik iemand aanbevelen die goed is.'

'Dank je wel.'

Ze bleven nog even zwijgend zitten. Daarna stond Declan op. 'Was dat alles?'

Bree keek hem niet aan. Ze staarde naar het abstracte schilderij aan de andere kant van de kamer. 'Ik moet steeds aan je denken,' zei ze abrupt. 'Aan wat je toen gezegd hebt.'

Declan ging weer zitten. 'Daar heb ik spijt van,' zei hij tegen haar. 'Het was niet erg eerlijk van me. Ik wist dat ik je ermee zou overvallen.'

Ze glimlachte een beetje beverig. 'Dus het was tactiek. Daar hou je je waarschijnlijk constant mee bezig.'

Hij lachte. 'Maar in jouw geval was het niet beredeneerd,' zei hij. 'Dat denk ik tenminste niet.'

'Ondanks wat je toen zei, heb je niet meer geprobeerd om contact met me op te nemen.'

'Ik geneerde me een beetje,' bekende hij. 'Ik dacht dat ik je om te beginnen al de stuipen op het lijf had gejaagd. En daarom leek het me beter om het initiatief maar aan jou over te laten, als je begrijpt wat ik bedoel.'

'Ik was verrast.' Bree voelde dat ze iets ontspande. 'Maar je hebt me echt niet de stuipen op het lijf gejaagd.'

'Achteraf vond ik het eigenlijk belachelijk. Ik met mijn drie bijna volwassen kinderen. Terwijl jij zoveel jonger bent dan ik en een heel ander leven leidt. Ik zou een soort vriend voor je moeten zijn en ik weet dat je me ook zo beschouwde. Ik had niets moeten zeggen.' Hij grinnikte een beetje triest. 'Ik zal wel last hebben van een midlifecrisis of zo.'

'Ik heb om de paar maanden wel last van een of andere crisis, zei Bree. 'Daar zou ik me maar geen zorgen over maken.' Ze stak haar hand uit, plukte de pruik van zijn hoofd en draaide die in haar handen om.

'Die was ik helemaal vergeten,' zei Declan. 'Toen ze jonger waren, pikten de kinderen die altijd in als ze zich gingen verkleden.'

'Heb je maar één pruik?' vroeg ze.

'Nee, maar dat is de...' Hij hield plotseling zijn mond en keek haar een beetje onbehaaglijk aan.

Ze zei niets, maar trok haar wenkbrauwen op.

'Monica heeft die voor me gekocht,' zei hij.

'O.' Ze legde de pruik op het tafeltje dat voor hen stond.

'Zo zou het voortdurend gaan, hè?' zei Declan. 'Als jij iets zou zeggen of iets zou doen, zou ik meteen tegen je zeggen dat Monica dat soort dingen nooit zei of deed.'

'Denk je?'

'Ik weet het niet!' Hij keek haar wanhopig aan. 'Sinds haar dood heb ik dit soort dingen niet meer gedaan. Ik heb het niet eens geprobeerd, Bree. Ik had er geen behoefte aan.'

'Ik heb met een behoorlijk aantal mannen verkering gehad,' zei ze tegen hem. 'Die deden af en toe ook dingen die me aan mijn vorige vriendjes deden denken. En soms deden ze iets dat me herinnerde aan vriendjes van wie het me speet dat het uit was geraakt.' Ze glimlachte even. 'Het is niet hetzelfde, maar daar kun je nu eenmaal niets aan doen.'

'Je bent heel verstandig voor iemand die pas vijfentwintig is,' zei Declan.

Ze lachte. 'In werkelijkheid ben ik helemaal niet verstandig,' vertelde ze hem. 'Mijn zussen vinden mij een losbol en een beetje geschift. Ik gebruik mijn verstand alleen als het om auto's of motoren gaat.'

'Ik vind je echt heel leuk,' zei Declan. 'Je... je hebt me vanaf het begin geïntrigeerd. Zoals mijn zoon en jouw ex-vriendje al opmerkte.'

'Het feit dat mijn ex-vriendje jouw zoon is, maakt het wel heel ingewikkeld,' zei Bree. 'Net als die dochters van je die je als haviken in de gaten houden.'

'Het is veel te veel van het goede, hè?' Declan pakte de pruik op en legde hem weer terug.

'Het zou echt niet meevallen,' zei Bree.
'Vanwege de meisjes of vanwege Michael?'
Ze lachte even. 'Ik weet niet wat vervelender is.'
'Je hebt Michael nooit gekust,' zei Declan.
'Nee.' Ze keek hem strak aan. 'Maar ik wilde het wel. Heel graag zelfs.'
'Wil je het nog steeds?' vroeg hij.
Ze schudde haar hoofd. 'Die tijd is voorbij.' Ze glimlachte wrang. 'Ik heb eigenlijk nooit goed begrepen waarom we er nooit aan toe zijn gekomen.'
'Ik ben blij dat het er nooit van is gekomen,' zei Declan. 'Ik geloof niet dat ik je zou kunnen kussen als je dat wel had gedaan.'
'Gaan we elkaar dan kussen?'
'Wat denk je zelf?' Declans bruine ogen keken haar weer aan.
'Misschien is het beter als ik niet weer een kans om gekust te worden voorbij laat gaan,' zei ze.
Zijn lippen waren zacht, maar zijn kus was vol zelfvertrouwen. Ze sloeg haar armen om hem heen en trok hem tegen haar aan. Hij smaakte een beetje naar koffie en zijn aftershave rook muskusachtig.
Ze liet haar tong over haar onderlip glijden toen hij haar losliet en hij keek haar bezorgd aan.
'Kussen advocaten vaak mensen in hun kantoor of hun kamer of hoe jullie dat ook noemen?' vroeg ze.
'Ik zou het echt niet weten,' zei Declan. 'Ik heb geen flauw idee hoe vaak advocaten mensen in hun kantoor willen kussen.'
'Zou jij het nog een keer willen doen?' vroeg ze.
'O ja.' Hij lachte tegen haar en dit keer hield hij haar nog steviger vast.
En zij was ontzettend blij dat het Declan was die haar kuste.

Cate had een joggingpak aan. Een pak dat door haar eigen bedrijf werd verkocht, effen grijs met een opgelegd logo en de verkoopcijfers ervan waren de afgelopen maand veel hoger dan gepland. Cate wist ook waarom. Het zat ontzettend lekker en het was tegelijk heel modieus, terwijl het chique logo van de fabrikant deze herfst heel populair was.
Ze keek op haar horloge voordat ze haar borstel oppakte en haar haar in een paardenstaart deed. Ze had niet de moeite genomen om zich uit-

gebreid op te maken. Ze wist dat ze een paar maanden geleden nog tijden bezig zou zijn geweest om haar gezicht te doen, ook al kreeg ze alleen haar zusjes maar op bezoek... en dat zou op zich al een zeldzame gebeurtenis zijn geweest. Maar sinds ze uit Spanje terug waren gekomen, was ze steeds minder make-up gaan gebruiken en ze nam 's avonds niet eens de moeite meer om het bij te werken.

Ian Hewitt, haar baas, had gezegd dat hij dat meer natuurlijke uiterlijk veel leuker vond. 'Niet dat je er vroeger onnatuurlijk uitzag,' had hij openhartig opgemerkt, 'maar soms zag je er gewoon te volmaakt uit om waar te zijn. En volgens mij vinden de klanten dat zachtere uiterlijk ook leuker.'

Ze zag er nu helemaal niet volmaakt uit, dacht ze. Haar steeds boller wordende buikje maakte het joggingpak eerder noodzaak dan vrije keus. Ze had een gezond bruin tintje aan haar vakantie overgehouden, maar haar gezicht was mager en ze wist dat ze weer niet genoeg at. Sinds ze terug was, voelde ze zich te gespannen om goed te eten.

Ze liep naar de woonkamer en liet zich op de bank vallen. Nessa, Jill en Bree konden ieder moment arriveren. Nessa zou een stapeltje video's meebrengen. Vrolijke, had ze gezegd, zodat ze eens lekker konden lachen als ze zich een beetje down voelden.

Bree en Cate hadden haar verteld dat ze eigenlijk geen van beiden in de put zaten en Nessa had toegegeven dat voor haar hetzelfde gold, want sinds het vertrek van Adam had ze zich eigenlijk heel goed gevoeld. Maar toch leek het haar beter om alleen gezellige films mee te brengen.

Cate vond het een goed idee van Nessa, want zij had ook geen zin om naar moeilijke toestanden te kijken en ook al zat ze niet echt in de put, ze was wel ontzettend gespannen. Tegenwoordig maakte ze zich beurtelings druk over de baby en over de verkoopcijfers. De verkoopcijfers zagen er prima uit, maar ze kreeg het nog steeds Spaans benauwd als ze aan de geboorte dacht. Maar toch leerde ze er steeds beter mee omgaan. Ze wist dat ze nooit in staat zou zijn om het net als Nessa als een vreugdevolle gebeurtenis te beschouwen, maar ze hoopte dat ze het toch zou klaarspelen.

Toen de bel ging, sprong ze op.

'Wij zijn het!' riep Jill terwijl ze naar de monitor zwaaide. 'Doe maar open, Cate!'

Ze drukte op de knop om de straatdeur open te doen en bleef bij haar eigen voordeur op hen staan wachten.

Jill kwam het eerst de trap op, met een grote bos bloemen in de arm.

'Die zijn voor je nieuwe appartement,' zei ze tegen Cate.

'Dank je wel,' zei Cate.

'Ik vind het heel jammer dat jij en Finn niet meer van elkaar houden,' zei Jill.

'Ik ook,' zei Cate.

'Jullie hebben er een puinhoop van gemaakt, hè?' zei Jill. 'Net als mam en pap.'

'O?' Cate keek van Jill naar Nessa, die haar schouders ophaalde.

'Heeft mam je al verteld dat ze waarschijnlijk gaan scheiden?'

Cate knikte.

'Dat is niet mijn schuld,' zei Jill. 'Niemand kan er iets aan doen. Ze houden gewoon niet meer van elkaar.'

'Ik weet het.' Cate was het liefst in tranen uitgebarsten bij de praktische toon waarop Jill sprak.

'Ik heb tegen mam gezegd dat ik liever wilde dat ze bij elkaar bleven, maar volgens haar gaat dat niet. Pap heeft gezegd dat hij weer naar huis komt, maar mam zegt dat wij weg moeten als hij dat echt doet. Ze hebben andere mensen die daar voor hen over praten. Om alles te regelen.'

'Het is niet prettig om met iemand samen te moeten leven als je niet meer van die persoon houdt,' zei Cate.

'Ze houden allebei wel van mij.' Dit keer klonk er een spoortje ongerustheid door in Jills stem. 'Dat heeft pap zelf gezegd en mam ook.'

'En dat is ook zo,' zei Nessa nadrukkelijk. 'We houden het meest van jou.'

'En je moeder zal altijd van je blijven houden,' verzekerde Cate haar. 'Gewoon omdat ze niet anders kan.'

'Ze zegt dat ik haar af en toe wanhopig maak,' zei Jill.

'Dat zal best,' zei Cate glimlachend. 'Maar dan houdt ze nog steeds van je.'

'En datzelfde geldt voor je vader,' zei Nessa.

Jill zuchtte diep. 'Ik vind het ontzettend vervelend als mensen niet van elkaar houden.'

Cate moest iets wegslikken. 'Ik ook, schat,' zei ze. Ze keek hen met verdacht glinsterende ogen aan. 'Wat willen jullie drinken?'

'Een glaasje witte wijn,' zei Nessa.

'Een sapje,' zei Jill.

'Wat voor sapje?'

'Wat heb je?'

'Sinaasappel, passievruchten en cranberry,' zei Cate.

'Sinaasappel,' zei Jill.

'Alsjeblieft,' vulde Nessa automatisch aan.

'Alsjeblieft,' zei Jill.

Cate haalde de drankjes en ging net weer zitten toen er opnieuw werd aangebeld.

'Ik doe wel open!' riep Jill. Ze drukte op het knopje van de intercom.

Een minuut later kwam Bree de kamer in huppelen. Ze had een blos op haar gezicht en haar ogen sprankelden. Nessa en Cate keken haar verbaasd aan.

'Heb je een paar peppilletjes genomen of zo?' vroeg Nessa. 'Zo vrolijk heb ik je nog nooit gezien.'

'Nee.' Maar Brees gezicht bleef stralend.

'Wat is er dan?' vroeg Cate achterdochtig.

Maar op datzelfde moment zette Jill met de afstandsbediening de tv aan en de tune van Finns programma klonk door de kamer.

Bree en Nessa keken elkaar ontzet aan terwijl Cate naar het scherm zat te staren. Finn was snel achter elkaar in diverse poses te zien en Jill keek om. 'Dat is het programma van Finn,' zei ze. 'Wil je daar wel naar kijken nu je niet meer van hem houdt?'

Hij heeft me gebeld, dacht Cate. Maar hij heeft niet teruggebeld.

'Laat maar aanstaan tot ik Bree iets te drinken heb gegeven.' Haar stem klonk schor. 'Wat zal het zijn, Bree?'

'Bier,' zei Bree.

'Bier smaakt vies.' Jill zat nog steeds naar de tv te kijken.

'Wanneer heb jij bier gedronken?' wilde Nessa weten.

'Toen jij op vakantie was,' zei Jill. 'Pap heeft me een slokje gegeven. Hij zei dat het goed was voor de ontwikkeling van mijn smaak.'

Nessa zuchtte.

Jill zette de tv harder toen Finn de studio binnenstruinde.

'Vanavond gaan we het hebben over waarneming,' zei Finn. 'Hoe mensen ons zien en hoe we naar onszelf kijken. Ook onze vooroordelen ten opzichte van elkaar komen aan bod. Ik ga praten met een interessante verzameling gasten die allemaal op de een of andere manier hebben geleden onder de manier waarop andere mensen naar hen keken.'

'Zet nu maar een video aan,' zei ze tegen Jill. 'Ik heb alweer genoeg van hem gezien.'

'Ik geloof dat ik ze in de auto heb laten liggen,' zei Jill terwijl ze om zich heen keek.

'Goeie genade, Jill, jij zou ze toch mee naar boven nemen!' Nessa wierp haar een boze blik toe.

'Er zit er al een in,' zei Cate haastig. 'Speel die maar af, tot die andere boven water zijn.'

Ze zette een schaal met chips op tafel, plus wat dipsausjes.

'O, fantastisch, het is *Friends,*' zei Jill terwijl ze met een handvol chips en haar sap op de grond voor de tv ging zitten. 'Dat is nog veel leuker dan wat wij hebben meegebracht. Ik vind Joey het leukst. Hij wil acteur worden. Als ik groot ben, wil ik actrice worden.'

'O ja?' zei Nessa verbaasd. 'Ik dacht dat je astronaut wilde worden.'

'Niet meer,' zei Jill. 'Mensen doen altijd reuze aardig tegen actrices. Ze geven ze kleren en zo.'

Nessa grinnikte en keek Bree aan. 'Sorry, zus,' zei ze. 'Ze leek eerst op jou, maar nu gaat ze steeds meer de kant van Cate op.'

Bree glimlachte. En grinnikte. En giechelde.

'Bree Driscoll, wat is er in vredesnaam met jou aan de hand?' wilde Nessa weten. 'Je straalde al als een kerstboom toen je binnenkwam en je zit nog steeds te stralen.'

Bree had het gevoel alsof haar hele lijf zinderde van opwinding. Maar toch wilde ze nog even van dit moment genieten, zonder er meteen alles uit te flappen.

'Bree?' Cate keek haar nieuwsgierig aan. 'Wat is er gebeurd?' Ineens zette ze grote ogen op. 'Heb je Declan soms gezien?'

Bree knikte. 'En ik heb hem gekust,' zei ze. 'Echt waar.'

'Jasses!' riep Jill. 'Jongens kussen is vies.'

'Niet bepaald een jongen,' zei Nessa.

'Is dat een steek onder water?' wilde Bree weten.

Nessa schudde haar hoofd. 'Natuurlijk niet. Maar kom op, vertel ons eens gauw wat er is gebeurd.'

Bree gehoorzaamde en vertelde zelfs dat Declans secretaresse, Sally, op een gegeven moment de kamer binnenkwam toen hij haar nog steeds in zijn armen had. Ze had hen ontzet aangekeken en was meteen weer naar buiten gelopen. Toen ze de deur stevig achter zich dicht had getrokken had Declan Bree een beetje schuldig maar wel geamuseerd aangekeken.

'En wat gaat er nu gebeuren?' wilde Nessa weten.

'Geen idee,' zei Bree. 'Morgenavond gaan we uit.' Haar ogen sprankelden. 'Misschien loopt het wel uit op een ramp en misschien ook niet. Maar het is de moeite van het proberen waard.'

'Ik heb je nog nooit in deze toestand gezien,' zei Cate.

'Ik heb me ook nog nooit zo gevoeld,' erkende Bree. 'O, meiden, ik weet dat het allemaal verschrikkelijk mis kan gaan. Maar ik denk echt...'

'Ben je stapelgek op hem?' viel Jill haar in de rede.

'Dat zou best kunnen,' zei Bree. Ze klonk tegelijkertijd vergenoegd en verrast. 'Misschien wel.'

De aflevering van de serie was afgelopen en de volgende begon.

Cate kreunde. 'Die heb ik al wel honderd keer gezien.'

'Ik ga die video's wel even halen,' zei Nessa. 'Volgens mij liggen ze nog gewoon op de achterbank.'

Ze stond op en liep naar buiten. Toen ze terugkwam, leunde Jill met gesloten ogen tegen Cates knieën en Nessa besefte dat ze in slaap was gevallen. Ze zei tegen Cate dat het misschien verstandiger was om Jill naar huis te brengen en die video's dan maar een andere keer te bekijken.

'Je hoeft toch nog niet weg te gaan,' zei Cate. 'Leg haar maar in de slaapkamer. Het is zonde om haar wakker te maken. Wij kijken nog wel even naar de tv.'

Nessa knikte. Jill had sinds Adams vertrek niet goed geslapen en ze wilde graag dat het kleine meisje haar rust zou krijgen. Ze droeg haar naar de slaapkamer en legde haar op het bed. Jill sliep gewoon door en Nessa bleef nog even naar haar kijken.

Ze hoopte dat ze de juiste beslissing had genomen. Ergens diep vanbinnen had ze ondanks alles toch nog het idee gehad dat ze vanwege Jill misschien beter bij Adam kon blijven. Maar ze wist dat ze dat niet klaar zou spelen. Toch had ze nooit gedacht dat ze de kracht op zou kunnen brengen om hem te vragen weg te gaan. Ze kon haar huwelijk niet vanwege Jill in stand houden. Ze had bij hem kunnen blijven, zelfs als ze ongelukkig zou worden, als er geen andere vrouwen in het spel waren geweest. Maar om bij hem te blijven om de verkeerde redenen was erger dan tegen hem te moeten zeggen dat ze hem niet meer wilde zien.

Ze trok de slaapkamerdeur dicht en liep terug naar de zitkamer. Cate was op zoek naar de afstandsbediening om de video uit te zetten.

'Die heeft Jill gehad,' zei Nessa. 'Kijk maar eens onder de bank, want daar komt alles terecht wat Jill in haar handen heeft gehad.' Ze voelde onder de bank en vond het apparaat. 'Zie je wel,' zei ze triomfantelijk terwijl ze het op de tv richtte en op de stopknop drukte. Meteen daarna wenste ze dat ze dat niet had gedaan, want Finns programma was nog niet afgelopen.

'Laat maar staan,' zei Cate gespannen.

Bree en Nessa keken haar aan. Haar gezicht stond strak terwijl ze naar het scherm keek. Finn stond tegen het publiek te praten, als afsluiting van het programma.

'Dus mensen zijn niet altijd zoals je misschien denkt,' zei hij tegen hen. 'We generaliseren veel te gemakkelijk. En natuurlijk willen we ook allemaal meer dan we eigenlijk hebben, of dat nu om roem, geld of erkenning gaat. En als we dat dan krijgen, is het vaak niet wat we ervan verwachten.' Hij draaide zich om naar een andere camera en praatte verder. 'Nu wil ik even mijn hart uitstorten,' zei hij tegen het publiek. 'Net zoals de gasten die hier vanavond waren gedaan hebben. Ik heb altijd willen doen wat ik nu doe. Ik wilde een tv-programma maken. Ik wilde dat mensen naar me luisterden. Maar omdat ik daar altijd mee bezig was, dachten een paar van de mensen van wie ik het meest hield, dat dat voor mij veel belangrijker was dan andere dingen. En misschien was dat ook wel een tijdje zo. Maar het is toch niet waar. En ik wil dat die mensen dat heel goed begrijpen. Vooral Cate.'

Nessa en Bree slaakten een kreet van verbazing. Cate bleef zonder iets te zeggen naar het scherm staren.

Finn glimlachte naar zijn publiek. 'Ik ben zo stom geweest om ruzie te maken met mijn vriendin,' zei hij. 'Toen er iets misging, heb ik haar dat kwalijk genomen, terwijl het net zo goed mijn schuld was.'

Er ging een geroezemoes door het publiek.

Finn haalde zijn schouders op. 'Ik betwijfel trouwens of ze vanavond zit te kijken. De arme meid was gedwongen om me maandenlang te zien repeteren, dus ze weet precies wat ze voorgeschoteld krijgt.'

In de studio werd gelachen.

'Ik heb een tijdje nagedacht of ik dit wel op tv zou zeggen. Ik wil niet dat jullie nu de indruk krijgen dat ik een egoïst ben die alleen aan zijn eigenbelang denkt. Ik heb mijn producer niet verteld dat ik van plan was om dit te gaan zeggen, dus daarom zien al die medewerkers hier in de studio er zo bezorgd uit en is de man van de autocue ten einde raad.'

Er werd opnieuw gelachen en zelfs op Cates gezicht verscheen een flauw glimlachje.

Finn veegde met de rug van zijn hand zijn voorhoofd af. 'Dit valt niet mee, hoor. Toen ik met Misty zat te praten...' – hij wees even naar een van zijn gasten, een bekende soapster – 'en zij ons vertelde hoeveel moeite het haar kostte om een vent te vinden die haar niet alleen in die rol zag, besefte ik plotseling hoeveel geluk ik had gehad. En hoe stom ik was geweest. En ik weet best dat het onbeschoft en allerminst elegant is om via de tv tegen iemand te zeggen dat je van haar houdt, maar... nou ja.' Hij wreef weer over zijn voorhoofd. 'Cate, ik hou van je.'

Hij toonde even zijn stralende lachje en keek weer naar het publiek. 'Als ze niet bij me terugkomt, zal dat een klap voor me zijn. Als ze dat wel doet, krijgen jullie het volgende week te horen. Bedankt dat u hier vanavond was. En bedankt dat u hebt gekeken.'

'Cate!' Nessa sprong op. 'Cate, hij houdt van je. En het hele land heeft het kunnen horen.'

Cate zei niets. Ze balde zenuwachtig haar handen en ontspande ze weer.

'O, Cate, vind je het niet ongelooflijk dat hij dat heeft gedaan?' vroeg Bree. 'Fantastisch, hè?'

'Ik weet het niet.' Haar gezicht was uitdrukkingsloos.

'Hoezo, je weet het niet?' Bree keek haar verbaasd aan. 'Cate, de man heeft vanavond zijn hart uitgestort en het hele land heeft het gehoord.'

'Goed voor de kijkcijfers,' zei Cate.

Nessa sloeg een arm om haar heen. 'Ik geloof niet dat hij het voor de kijkcijfers heeft gedaan,' zei ze. 'Hij leek heel... nou ja, oprecht.'

'Hij lijkt altijd oprecht,' zei Cate. 'Mede daarom is hij zo charmant.'

'Hij moet het gemeend hebben,' zei Bree. 'Je kunt toch niet echt denken dat het allemaal gespeeld is, Cate!'

Cate lachte even. 'Jij bent in één klap van het meest cynische meisje ter wereld veranderd in iemand die heilig in de liefde gelooft,' zei ze tegen Bree. 'Dat zal wel door Declan Morrissey komen.'

'Cate, ik geloof niet heilig in de liefde,' zei Nessa. 'En als er iemand cynisch is en alles af weet van leugenachtige klootzakken die je proberen te besodemieteren dan ben ik het wel! Maar Finn zag er niet uit alsof hij loog. Hij zag eruit alsof hij het meende.'

'Het is een briljante carrièrezet,' zei Cate. 'Als ik naar hem terugga, zal iedereen hem een schat van een man vinden. En als ik dat niet doe, zullen ze mij een keihard kreng vinden.'

'Nee hoor,' zei Bree. 'Als je naar hem teruggaat, zullen ze allemaal blij voor je zijn. En als je dat niet doet, zullen ze begrijpen dat hij een regelrechte klootzak is, omdat je niet in zijn toneelstukje van vanavond trapte en dan kan hij zijn carrière wel vergeten!'

Cate schoot plotseling in de lach. 'Dat zou best kunnen.'

Haar mobiele telefoon ging en ze keek er achterdochtig naar.

'Ik neem wel op,' zei Nessa en voegde de daad bij het woord.

'Ja, we hebben het toevallig ook gezien,' zei ze en zei geluidloos 'mam' tegen haar zussen. 'Ja, het plaatst alles wel in een heel ander perspectief. We zitten er net over te praten.'

Ze was even stil en gaf de telefoon toen aan haar zus.

'Ik weet nog niet wat ik zal doen,' zei Cate toen ze een tijdje naar Miriam had zitten luisteren. 'Maar ik ben niet van plan om overhaast te reageren.'

Ze praatte nog even met haar moeder en verbrak toen de verbinding.

'Hij klonk wel oprecht, hè?' Er klonk een sprankje hoop in haar stem door.

'Zeker weten,' zeiden Bree en Nessa in koor.

38

De zon in het teken van de Boogschutter
De maan in het teken van de Tweeling

Via veel probeersels en vergissingen op weg
naar een lange en stabiele relatie.

Normaal gesproken ging Finn altijd na afloop van het programma iets drinken met de gasten en het productieteam. Dat was zijn manier om zich na de opwinding en de adrenaline die een succesvol programma meebrachten te ontspannen. Maar dit keer bleef hij niet. Hij stak zijn hoofd om de deur van de gastenkamer, wenste iedereen een prettige avond en liep naar de uitgang.

'Finn!' De producer wenkte hem.

Hij draaide zich om. 'Hallo, Carol.'

'Finn, waag het niet om me dat nog een keer te flikken.'

'Het spijt me.'

'Dit programma is geen biechthokje voor jouw privé-problemen.'

'Dat weet ik wel.'

Ze wierp hem een blik toe waaruit haar sympathie bleek. 'Het zal de kijkcijfers waarschijnlijk geen kwaad doen.'

'Daarom heb ik het niet gedaan,' zei hij. 'Ik was het zelfs helemaal niet van plan. Maar toen dacht ik ineens dat ze misschien zou geloven dat ik echt van haar houd als ik zo'n dramatisch gebaar maakte.'

'O, Finn.' Carol schudde haar hoofd. 'Meisjes willen geen dramatische gebaren. Dat denken mannen alleen maar. We willen iemand die ons weer uit de put kan halen als we daarin zitten en iemand met wie we onze blijdschap kunnen delen als daar sprake van is. We hebben die bloemen en die bonbons helemaal niet meer nodig als we weten dat we op iemand kunnen rekenen.'

'Is het echt zo simpel?' vroeg Finn.

'Ja, natuurlijk.' Carol lachte. 'Jij bent toch de stem van de natie? Dat zou jij moeten weten.'

‘Ik wou dat het waar was.’ Finn zuchtte. ‘Ik dacht dat ik alles wist wat nodig was. Ik ging er prat op dat ik een vrij gevoelig type was. Maar toen puntje bij paaltje kwam, bleek dat helemaal niet waar.’

‘Ze zal het wel weer goed maken,’ zei Carol. ‘We hebben geen behoefte aan zo’n dramatisch gebaar, maar het maakt wel verdomd veel indruk.’

‘Ze heeft me niet teruggebeld,’ zei Finn. ‘Ik kon niets anders bedenken.’

‘Misschien belt ze je vanavond wel,’ zei Carol.

‘Misschien wel,’ antwoordde Finn, maar zijn stem klonk aarzelend.

Het was bijna middernacht toen hij terug was in zijn appartement, dat opnieuw akelig leeg leek. Hij viel op de leren bank neer en legde zijn benen over de armleuning. Het was ineens tot hem doorgedrongen dat zijn dramatische gebaar ook behoorlijk onnadenkend was geweest, want nu had hij haar onder druk gezet, waardoor ze zich vast onbehaaglijk zou voelen. Het was egoïstisch geweest, dacht hij. Hij had weer alleen aan zijn eigen gevoelens gedacht en niet aan de hare. Per slot van rekening had hij haar zelf de deur uit gezet. Waarom zou ze dan nu ineens besluiten om terug te komen?

Misschien was ze wel gelukkiger zonder hem. Ze had zich inmiddels neergelegd bij het feit dat ze zwanger was en hij wist hoe bang ze daarvoor was geweest. Dus misschien had ze zich nu ook neergelegd bij het idee dat ze een alleenstaande moeder zou worden. Ze was zo capabel dat het haar geen moeite zou kosten om zonder hem een bestaan voor haar en de baby op te bouwen. Daar was ze immers al mee begonnen? Hij wist niet eens waar ze tegenwoordig woonde. Hij vroeg zich somber af hoe hij zo’n puinhoop had kunnen maken van iets dat zo volmaakt was geweest.

Aanvankelijk dacht hij dat hij zich vergiste toen hij de deurbel hoorde. Hij had geprobeerd om alles uit zijn hoofd te zetten en het geluid leek van heel ver weg te komen. Maar toen hoorde hij het opnieuw. Hij schoot overeind en holde naar de intercom.

‘Ik ben het,’ zei Cate.

‘Kom maar gauw naar boven.’ Hij veegde zijn handen af aan het zitvlak van zijn broek.

Ze zag er anders uit, dacht hij toen hij haar binnenliet. Niet echt zwanger, want dat joggingpak was zo wijd dat hij geen buikje kon zien. Maar ze droeg haar haar heel anders en met uitzondering van een vleugje lipgloss droeg ze geen make-up. Hij vond dat ze er beeldschoon uitzag. En ze gebruikte nog steeds hetzelfde parfum.

'Wil je iets drinken?' vroeg hij. 'Een glaasje wijn of water?'

'Water zou wel lekker zijn.' Ze liep naar de bank en ging zitten. De vertrouwde oranje gloed van de straatlantaarns viel door de ramen naar binnen.

'Alsjeblieft.' Hij overhandigde haar een hoog glas spawater.

'Dank je wel.'

Hij ging in de stoel tegenover haar zitten. 'Ik neem aan dat je het programma hebt gezien.'

'Om eerlijk te zijn alleen het begin en het eind,' zei ze. Ze nam een slokje water. 'Daartussendoor heb ik naar *Friends* gekeken.'

'Naar *Friends?* Ik dacht dat je daar helemaal niet van hield.'

'Nessa en Bree waren bij me op bezoek en we waren eigenlijk van plan om naar andere video's te kijken,' zei Cate. 'Maar het werd uiteindelijk *Friends* en daarna zagen we het eind van jouw programma. We wisten niet wat we zagen.'

'Het spijt me,' zei hij. 'Mijn producer zei achteraf tegen me dat ik dat nooit had mogen doen.'

'Het zal de kijkcijfers geen kwaad hebben gedaan.'

'Dat zei zij ook.'

'Waarom vond je het nodig om dat allemaal op tv te zeggen, Finn?' vroeg ze. 'Het is toch iets dat alleen jou en mij aangaat.'

'Omdat ik een dramatisch gebaar wilde maken,' zei hij. 'Maar Carol zei dat vrouwen daar helemaal geen behoefte aan hebben en...' Hij begon te hakkelen. 'Ze had waarschijnlijk gelijk.'

'Het was in ieder geval dramatisch,' zei Cate. 'En ze had gelijk. Een gebaar is niet meer dan dat. Als puntje bij paaltje komt, hebben ze niet veel te betekenen.'

'Maar je bent toch hiernaartoe gekomen,' zei Finn. 'Ik wist niet hoe ik dat anders voor elkaar moest krijgen. Je belde niet terug.'

'Waarom zou ik?' vroeg Cate. 'Je had geen boodschap achtergelaten.'

'Je collega's vertelden me dat je op vakantie was,' zei Finn. 'Ik dacht dat je me dan wel zou bellen als je weer terug was. Ik kon mijn oren niet geloven toen ik hoorde dat je weg was. Je was altijd zo moeilijk te bewegen om een tijdje vrij te nemen.'

'Ik ben met Nessa en Bree op vakantie geweest,' zei Cate.

'Echt waar?' Voor het eerst klonk hij volkomen natuurlijk. 'Hoe hebben jullie het klaargespeeld om het een hele week met elkaar uit te houden?'

'Verrassend genoeg was het ontzettend leuk,' zei Cate. 'Zij hebben ontzettend veel drank achterovergeslagen en ik heb toegekeken hoe ze dronken werden.'

'Hoe is het met Nessa en Adam afgelopen?' vroeg Finn. 'Hebben ze hun problemen opgelost?'

'Dat hangt er maar vanaf hoe je het bekijkt,' zei Cate. 'Ze zijn uit elkaar. Ze kon niet anders. Hij bedroog haar met minstens twee andere vrouwen.'

'Nee!' Finn was duidelijk geschokt. 'Dat had ik nooit van hem gedacht. Hij leek zo gehecht te zijn aan zijn gezin.'

'Dat was hij ook,' zei Cate. 'Maar hij hield ook van zijn pleziertjes buitenshuis. Aanvankelijk wilde Nessa het niet geloven... maar toen dacht ze nog dat het om één vrouw ging. Daarna kwam Bree erachter dat er nog een was. Dat hebben we Nessa pas tijdens de vakantie verteld, toen ze op een avond naar huis belde en te horen kreeg dat hij kennelijk moest overwerken. Natuurlijk was hij bij een van hen. Toen draaide ze helemaal door. Een kwestie van de druppel die de emmer deed overlopen, denk ik.'

'Toch is het jammer,' zei Finn. 'Het leek zo'n leuk stel.'

'C'est la vie,' zei Cate luchtig.

Hij haalde nog een glas water voor haar en zei toen: 'Ik veronderstel dat we erover zullen moeten praten.' Hij voelde zich duidelijk niet op zijn gemak.

'Je hebt alles toch al gezegd? Tegen iedereen die het wilde horen. Denk je echt dat je van me houdt?' Haar stem klonk koel.

'Ik hou echt van je,' zei Finn. 'Maar ik had eigenlijk moeten zeggen dat het me ontzettend spijt.' De woorden rolden uit zijn mond en ze keek verbaasd op. 'Ik heb je schandalig behandeld, Cate.'

Tot haar ontzetting voelde ze dat ze een brok in haar keel kreeg en haar ogen begonnen te prikken. Ze zei niets.

'Dat ik ontzettend geschokt was, is geen excuus. Ik bedoel, ik had écht een schok gehad, maar dat maakt niets uit. Ik had je nooit zo mogen behandelen.'

Ze nam een slok water. Het koolzuur drong in haar neus, zodat haar ogen begonnen te tranen. Ze poetste ze met haar vingers weg.

'Toen Tiernan Brennan me belde, kon ik mijn oren niet geloven,' ging Finn verder. 'Hij vertelde me dat hij je in het restaurant van het hotel op het vliegveld had gezien, waar je in je eentje zat te eten. Je zei dat je de laatste vlucht naar Londen zou nemen, maar volgens hem had je die al gemist.' Finn haalde diep adem. 'Ik vroeg of hij dat wel zeker wist, omdat je volgens mij al in Londen zat en toen raakte hij helemaal in de war en zei dat hij waarschijnlijk voor zijn beurt had gepraat.'

'Je had maandenlang niets van hem gehoord en dan belt hij je op met allerlei vervelende verhalen over mij en doet net alsof hij in de war raakt?' Cate wierp hem een minachtende blik toe.

'Ik weet wat je bedoelt. Hij had al een behoorlijk stuk in zijn kraag en wilde weten of ik zin had om in de stad nog een paar borrels te pakken omdat onze vriendinnetjes kennelijk meer pret hadden zonder ons.'

'Vervelende roddelpraat,' zei Cate.

'Ik zei dat ik het te druk had. Daarna belde ik jouw mobiel, maar ik kreeg alleen je voicemail. Ik wist niet wat ik moest zeggen. Ik verwachtte eigenlijk dat je me wel zou bellen. Maar ik wist dat er echt iets mis was, want je had tegen mij gezegd dat je al in Londen zat. Je had gelogen. Dus vermoedde ik het ergste.'

'Dat is waarschijnlijk wel te begrijpen,' zei Cate.

'En toen je me de dag erna niet belde, werd ik echt woest. Je amuseerde je kennelijk zo goed dat je daar niet aan dacht. Dus toen besloot ik dat ik je de deur uit zou zetten.'

'Bedankt,' zei ze een beetje spottend.

'En toen kwam je thuis en vertelde me...' Zijn stem stierf weg. Hij keek naar een van de spotjes aan het plafond. 'Ik geloofde het gewoon niet. En omdat ik al die tijd had zitten denken dat je waarschijnlijk vreemdging, nam ik maar voetstoots aan dat die baby ook niet van mij zou zijn. Iedere keer als ik dacht dat het misschien toch waar was, werd ik weer ziedend dat je me niets had verteld. En ik kon ook niet geloven dat je had besloten het weg te laten halen zonder dat met mij te overleggen, Cate. Ik kon het gewoon niet geloven.'

Ze keek naar de belletjes in haar glas water.
'Je had tegen me gezegd dat je geen kinderen wilde,' zei ze ten slotte zonder hem aan te kijken. 'Ik wilde je het vertellen op die avond dat we eten hadden gehaald, maar toen begon jij ineens te vertellen dat je nog lang geen zin had om naar de buitenwijken te verhuizen en kinderen te krijgen, dus toen kon ik het niet over mijn lippen krijgen. Vooral niet toen ik na begon te denken over alle problemen die het zou geven met jouw tv-werk en de radioprogramma's en zo. Jij zou het ontzettend druk hebben, dus dan zou ik altijd degene zijn die luiers moest verschonen en midden in de nacht op moest staan. Je stond op de drempel van een enorm succes, Finn. Dat wilde ik niet bederven door je te confronteren met het feit dat er een baby zou komen.'
'Maar uiteindelijk heb je toch geen abortus laten plegen.'
'Nee,' fluisterde ze. 'Ik kon het toch niet opbrengen.' Ze keek hem met betraande ogen aan. 'Ik wilde dat kind echt niet, Finn. Maar het zat er nu eenmaal, het was een stukje van mij en ik kon niet zomaar...'
Hij had haar nog nooit zien huilen. Hij stond op en sloeg zijn arm om haar heen. 'Cate...'
'Het spijt me.' Ze snufte. 'Dat huilen heeft kennelijk iets met hormonen te maken. Toen ik net zwanger was, barstte ik om de haverklap in tranen uit, maar het begon net wat minder te worden.'
'Cate, het spijt me echt ontzettend.'
'Waarom?' Ze pakte een tissue uit haar tas. 'Je had het volste recht om kwaad op me te zijn. Als je tegen mij had gelogen, zou ik ook kwaad op jou zijn geweest.'
'Ik heb je niet de kans gegeven alles uit te leggen,' zei Finn.
'Ik heb je verteld wat er gebeurd was,' zei ze. 'En dat geloofde je maar half. Begrijpelijk. Je wilde dat ik wegging. Daar kon ik ook wel in komen.'
'Cate, hou op met dat idiote begripvolle gedoe,' zei Finn.
'Ik zei alleen dat ik het begreep,' zei Cate. 'Niet dat ik het leuk vond!'
'Ik schaamde me rot,' zei Finn. 'Zelfs als het mijn baby niet was, dan was het niet bepaald aardig om je een gepakte koffer voor te zetten.'
Ze snufte opnieuw en zei niets.
'Ik wilde je eigenlijk meteen al bellen, maar ik kon het niet opbrengen. Ik voelde me gekwetst, geërgerd, gegeneerd en ga zo maar door.'
'En je had het druk,' zei Cate.

'Dat ook,' gaf Finn toe. 'Maar niet zo druk dat ik niet kon bellen. Ik wist alleen niet wat ik moest zeggen.'

'Hoor eens,' zei ze tegen hem. 'Ik ben niet van plan om maar zo toegeeflijk te blijven. Je hebt je écht als een klootzak gedragen, maar ik heb me ook niet van mijn beste kant laten zien, dus we staan quitte.'

Hij grinnikte. 'O, Cate, ik hou echt het meest van je als je zo bazig en dominant bezig bent.'

Ze keek hem aan. 'O?'

'En als je die ijzige, ik-heb-altijd-gelijk houding aanneemt.'

'Ik voel me helemaal niet ijzig en ik heb lang niet altijd gelijk,' zei Cate.

'Hoe voel je je dan?' vroeg Finn.

Ze keek hem aan. 'Anders,' zei ze ten slotte. 'De laatste paar maanden is alles zo anders voor me geweest. Ik ben erachter gekomen dat er nog andere dingen in het leven zijn behalve sportschoenen en verkoopcijfers. Ik ben erachter gekomen dat ik mezelf niet in leven kon houden op niets anders dan een slablaadje en een kopje kruidenthee. En ik heb ontdekt dat mijn beide zussen niet alleen familie zijn, maar ook goede vriendinnen.'

'En ik ben erachter gekomen dat ik nog meer van je houd dan ik dacht,' zei Finn. 'En dat ik volslagen gek ben geweest om tegen je te zeggen dat je weg moest.'

Cate zei niets.

'Ik weet dat ik me vanavond belachelijk heb gemaakt,' zei hij. 'En dat ik beter had moeten weten dan ons hele hebben en houden zomaar te kijk te zetten. Ik weet ook dat het niet gemakkelijk was om met mij samen te wonen, omdat ik zo opging in mijn eigen leven. Ik weet dat er voor mij niets anders telde dan dat tv-programma. Ik weet dat ik af en toe de indruk heb gegeven dat jij en jouw baan niet in de schaduw konden staan van mijn eigen, zogenaamd briljante carrière. Maar dat zal allemaal veranderen als je terugkomt, Cate. Dat beloof ik je. Als je wilt dat ik dat tv-programma opgeef, zal ik dat doen, want zonder jou betekent het niets voor me. Als je wilt dat ik een baan aanneem als...'

'Hou op,' zei ze. 'Je praat te veel. Je probeert iedere nieuwe zin nog belangrijker te laten klinken dan de zin ervoor. Je gedraagt je nu echt als een tv-presentator.'

'Ik zeg alleen maar hoe ik me voel.'

'O, Finn.' De tranen biggelden weer over haar wangen, maar ze deed geen moeite om ze weg te vegen. 'Ik had af en toe het gevoel dat je alleen maar bij me bleef omdat ik er leuk uitzag en zelf ook een carrière had.'

'Doe niet zo verdomd stom,' zei hij. 'Ik bleef bij je omdat ik van je hield.'

Ze lachte door haar tranen. 'Eerlijk gezegd was dat het belangrijkste zinnetje dat je tot nu toe hebt gezegd.'

'Dus je komt terug?' Hij keek haar hoopvol aan.

'Ja, natuurlijk kom ik terug.' Ze legde haar hoofd op zijn schouder. 'Ik heb nooit bij je weg gewild.'

Het duurde een paar minuten voordat ze weer opkeek. Toen stond ze op.

'Waar ga je naartoe?' vroeg Finn.

Ze liep naar de slaapkamer, knipte het licht aan en deed het raam open. Hij liep achter haar aan en keek verbaasd toe.

Ze leunde uit het raam en woof. Beneden hen zag hij op het parkeerterrein de deur van Nessa's Ka langzaam opengaan. Bree, Nessa en Jill stapten uit.

'Alles in orde?' riep Bree.

'Het kan niet beter!' riep Cate enthousiast.

'Heb je geen morele steun nodig?' vroeg Nessa.

'Ik denk dat ik het wel in mijn eentje red.'

'Zeker weten?' vroegen Bree en Nessa in koor.

'Heel zeker,' zei Cate.

'Ben je nog steeds verliefd?' vroeg Jill.

Ze keek Finn aan die naast haar was komen staan.

'Ik hoop het wel,' zei hij tegen Jill. 'Want ik weet verdomd zeker dat ik verliefd ben op haar.'

Bree en Nessa keken elkaar aan en grinnikten.

'Ben je nog verliefd?' riep Nessa.

'Ja, inderdaad!' Cate glimlachte naar beneden.

'Maar nu zal ik me van mijn beste kant laten zien en een kopje warme chocola voor haar maken voordat ze naar bed gaat,' zei Finn. 'Ze heeft een zware dag achter de rug.'

'Denk erom dat je lief voor haar bent,' dreigde Nessa. 'Anders krijg je met ons te doen.'

'Dat komt in orde,' beloofde Finn.

Hij deed het raam dicht. Cate woof nog één keer naar hen en liep toen achter hem aan naar binnen.

'Dat was leuk,' zei Jill toen ze in de auto stapte en weer op de achterbank ging zitten. Ze gaapte. 'En ik ben nu echt héél laat op.'

'Ik ben blij dat hun problemen opgelost zijn,' zei Nessa. 'En ik ben blij dat voor jou hetzelfde geldt, Bree.'

'O, ik ben er nog lang niet uit,' zei Bree. 'Maar ik ga wel een serieuze gooi in die richting doen. En jij?'

Nessa glimlachte. 'In mijn horoscoop stond dat ik moet proberen de voordelen van mijn nieuwe omstandigheden te zien. En dat ik me gewoon moet neerleggen bij de bestaande toestand. Dat is waarschijnlijk het beste advies dat ik ooit in een horoscoop heb gezien.'

'Dus je leest ze toch weer?'

'Alleen als er iets zinnigs in staat.' Nessa stapte weer in en startte de motor.

'Er staat nooit iets zinnigs in.' Bree liet zich op de stoel naast haar vallen.

'O, dat weet ik best,' zei Nessa. 'Eigenlijk heb ik dat altijd geweten.'

Ze lachte, schakelde en ging op weg naar huis.